D1588960

# NAJLEPSZE MIEJSCE NA ŚWIECIE

# JACEK BARTOSIAK

# NAJLEPSZE MIEJSCE NA ŚWIECIE

GDZIE WSCHÓD

ZDERZA SIĘ Z ZACHODEM

ILUSTRACJE: JAN LIPIŃSKI

Wydawnictwo Literackie

*Książkę dedykuję zespołowi Strategy&Future*
*oraz wszystkim współpracownikom —*
*w podziękowaniu za lata wytężonej pracy*
*i wiarę w możliwość zmian w Ojczyźnie.*

## WSTĘP

Początkowo miała to być książka o marzeniu grupy ludzi zajmujących się przygotowaniami do wojny na wschodzie i o niezbędnej w jej obliczu reformie polskiej wojskowości. Powstała ostatecznie książka o geopolityce, strategii, wojnie i o sztuce wojennej. Ale także o Polsce, jej klasie politycznej, o naszym społeczeństwie i wreszcie o dylematach, przed którymi wszyscy stoimy wobec zagrożeń militarnych i politycznych. Przekonał mnie do takiej formuły latem 2021 roku mój przyjaciel z Wrocławia Paweł Szymkiewicz, z zawodu kardiolog, który pomaga Strategy&Future — założonemu przeze mnie think tankowi zajmującemu się geopolityką — w organizacji naszych wypraw rekonesansowych i we wszelkiego rodzaju przedsięwzięciach.

Przekaz niniejszej książki nie ma być obrazoburczy. Nie antagonizuję więc, nie atakuję, ale nie ukrywam niewygodnych faktów i twardych ocen. Zagadnienia, o których piszę, są przecież dla Polski fundamentalne, a ich analizowanie to treść, a może nawet sposób mojego życia. Opowiadam więc o państwie polskim i jego otoczeniu geopolitycznym na kanwie doświadczeń wyjątkowej przygody, jaką okazały się prace nad przygotowaniem koncepcji Armii Nowego Wzoru opracowanej przez zespół Strategy&Future. Równocześnie jest to opowieść o marzeniach twórców Armii Nowego Wzoru o Polsce dysponującej nowoczesną kulturą strategiczną i wojskową. Potrzeba ich sformułowania i ciągłego doskonalenia — w kontekście wielkich zawirowań w świecie, w obliczu niebezpieczeństwa wybuchu wojny — jest paląca.

Niniejsza książka nie będzie skupiać się jedynie na strategii, wojnie i wojsku, choć rola wojska Rzeczypospolitej w nadchodzących latach jest bardzo ważna. To raczej opowieść o Polsce w nowych czasach i o godzinie próby, która nadeszła, symbolicznie i umownie, 24 lutego 2022 roku, gdy Rosja napadła na Ukrainę. Kiedy w roku 2018 wydawałem *Rzeczpospolitą między lądem a morzem. O wojnie i pokoju*, napisałem w niej alarmująco, że „z racji naszego położenia na styku Europy morskiej i wachlarzowo rozchodzących się zaraz od naszej granicy wschodniej mas lądowych Eurazji ogromny hardware przestrzeni stawia polityce polskiej wielkie wyzwania i niezmiennie wymaga do swojej «obsługi» odpowiadającego mu software'u, który byłby w stanie temu trudnemu zadaniu sprostać". Przez software rozumiem możliwie szeroko pojęty polski system publiczny, w tym elity polityczne, zajmujące się takim kształtowaniem omawianej przestrzeni, aby służyła interesom Rzeczypospolitej. Z tym w naszym kraju było tradycyjnie gorzej.

Tak napisałem wtedy. Dziś niniejsza książka jest na pewno również próbą oceny naszego software'u i zarazem pobudzenia jego rozwoju przez kształtowanie kultury strategicznej Rzeczypospolitej w obecnych wymagających rozwagi i determinacji czasach.

Nie będzie to jednak opowieść Jacka Bartosiaka o jego miłości do ojczyzny, ale raczej opowieść setek ludzi (choć spisana moją ręką i interpretowana moimi zmysłami), z którymi się zetknęliśmy podczas swojej pracy w S&F. Chciałem, by ta książka była skromnie skrojona w planie indywidualnym i mocna w przekazie treści. Żeby okazała się swego rodzaju fotografią stanu państwa polskiego w latach 2020–2022. Nie zrezygnowałem jednak z aspiracji do formułowania bardziej ponadczasowych wniosków i ambicji wpisania naszej koncepcji w wielowiekowe tradycje polskiej wojskowości i w historię wielkiej strategii państwa polskiego.

Żartowałem kilka razy z kolegami, że gdybym umiał pisać tak jak Czesław Miłosz w *Dolinie Issy* albo *Rodzinnej Europie*, albo może bardziej jak Szczepan Twardoch w *Pokorze* lub *Drachu*, napisałbym tę książkę tak jak oni. Potrafiłbym dobrać słowa malujące żywe obrazy, zawrzeć w nich całą gamę emocji, odczuć, mnóstwo kłębiących się w głowie i sercu myśli czy wrażeń. Może precyzyjniej oddałbym te wszystkie uczucia, których doświadczałem razem ze swoimi współpracownikami, gdy przez ostatnie lata wykuwaliśmy i szlifowaliśmy koncepcję Armii Nowego Wzoru, rozważając, co zrobić, by rosyjskie rakiety nie spadły na Warszawę, a czołgi nie stratowały wschodniej Polski. Gdybym umiał...

Skoro już wspomniałem Miłosza, wypada dodać, że podobnie jak on w *Zniewolonym umyśle*, tak ja ukryłem za literami alfabetu greckiego znane postacie polskiego życia publicznego. I odpowiednio poprowadziłem opowieść tak, by nie można było łatwo odszyfrować, kto, co i jak. Myląc tropy, ukryłem te osoby — mam nadzieję — nieco lepiej niż Miłosz...

Większość z postaci publicznych występujących w książce gorąco protestowała przed opisaniem ich. Pokazanie im roboczej wersji tekstu i tego, jak zostały w niej ujęte, jeszcze bardziej rozgrzało emocje.

Choć nie posługuję się nazwiskami, nie zrezygnowałem z opisania interakcji, jakie wraz ze współpracownikami mieliśmy w ciągu ostatnich lat z osobami funkcjonującymi w polskim systemie władzy. Zrobiłem to całkiem świadomie, chcąc wskazać czytelnikowi mechanizmy rządzące naszym państwem, wiele z nich karygodnych i patologicznych. Uważam bowiem, że każdy powinien o nich wiedzieć.

Mam nadzieję, że lektura tym bardziej zaciekawi czytelnika. Na pewno duża dawka wywołanych emocji skłoniła mnie w wersji ostatecznej do sięgnięcia po „maskę" greckich liter, jednak bez rezygnacji z opisu procesu naszych interakcji w Strategy&Future z polską „wieżą", czyli systemem publicznym.

To, co robiliśmy w ostatnich latach w ramach S&F, było widoczne dla społeczeństwa jedynie w niewielkim fragmencie. Działo się tak pomimo setek realnych i dostępnych w internecie wykładów, spotkań, tekstów i prezentacji, z którymi w trakcie prac publicznie występowaliśmy. Robiliśmy to, by zatroskani o Polskę obywatele mogli na bieżąco obserwować efekty pracy Strategy&Future.

Proszę sobie wyobrazić, jak się czuliśmy, przewidując wielką rywalizację w Eurazji oraz wojnę, która nadeszła. Nasze peregrynacje po wojsku polskim przy przygotowaniu projektu reformy nazwanego Armią Nowego Wzoru, prekursorskiego jak na polskie warunki, były motywowane nieustającym przekonaniem o zbliżaniu się przesilenia i konieczności przygotowania się do wydarzeń, jakie muszą nastąpić... Nieustannie towarzyszyła nam presja czasu. Wydawało nam się, że wszystko robimy za późno albo za mało, roboty nad zreformowaniem polskiej armii jest mnóstwo, a poważnej debaty publicznej na ten temat wciąż nie ma. Jakby nikt nie dostrzegał zwiastunów konfliktu. Tymczasem, gdy się przyłożyło wprawne ucho do ziemi, słychać było już kroki nadchodzącej wojny.

Całe szczęście, że Ukraińcy nie utracili Kijowa w ciągu kilku dni, bo nasze państwo mogłoby się „zwinąć" zaraz potem. Z biegiem czasu i wraz z odsłanianiem się nowych faktów utwierdzam się w przekonaniu, że Rosjanie chcieli po zajęciu stolicy Ukrainy wyegzekwować swoje roszczenia z ultimatum Siergieja Ławrowa co do rozciągnięcia swego wpływu politycznego aż po Odrę. Z tego powodu Polska mogła realnie znaleźć się w stanie wojny jeszcze w lutym lub w marcu 2022 roku. Nieprzygotowana, wbrew temu, co publicznie pod linię polityczną mówili już po zatrzymaniu Rosjan pod Kijowem niektórzy generałowie wojska polskiego, szczególnie ci w stanie spoczynku. Jakoś tak głupio przyznać publicznie, że jest źle, zwłaszcza gdy nie ponosi się konsekwencji własnych słów, skoro Ukraińcy i tak już zatrzymali pod Kijowem wojska rosyjskie. Można więc było tak mówić nie na swój koszt, lecz na koszt umierających na wojnie Ukraińców.

Uważam, że dzielił nas od wojny wczesną wiosną 2022 roku tylko zwykły fart. Ciekawe, jakie byłyby nastroje w ojczyźnie, gdyby Ukraińcy stracili Kijów, potem Żytomierz, Iwano-Frankiwsk i Lwów, a Rosjanie nie zatrzymaliby się, powiedzmy, w kwietniu 2022 roku na naszej granicy od strony białoruskiej i ukraińskiej. Czy dalej słyszelibyśmy te puste, acz gromkie okrzyki zapału i przekonania o własnej sile?

To nader niespodziewany wielki wysiłek żołnierza ukraińskiego zatrzymał Rosję. Przy poparciu początkowo tylko Amerykanów i Brytyjczyków, potem także wydatnej pomocy Polski. To ukraiński wysiłek zmienia uwarunkowania geostrategiczne regionu i właściwie całej Eurazji. Przy czym uważam, że to dopiero początek długiego okresu chaosu i turbulencji, który będzie przypominał czasy między rewolucją francuską, wojnami napoleońskimi i kongresem wiedeńskim. Wówczas po zburzeniu przez rewolucję francuską dawnej równowagi na kontynencie wielcy tego świata długo nie dogadywali się, na jakich zasadach funkcjonować ma Europa: kto z kim może handlować, kto jest komu podporządkowany, kto ma mieć głos decydujący. Obecnie sprawa dotyczy zasad, na jakich działa nasz świat, i tego, czy pozostanie on zglobalizowany. Osią owego napięcia jest oczywiście wielka rywalizacja Stanów Zjednoczonych i Chin.

Przekazem książki, drogi czytelniku, jest troska o los i sprawczość Polski w obliczu rozpoczętej rewizji ładu światowego. Z wielkich zawirowań wyłoni się nowa architektura bezpieczeństwa oraz nowy podział pracy i wartości ekonomicznej w świecie. Obyśmy mądrze zadbali, aby być po stronie tych, którzy wygrali przyszłość.

W sierpniu 2021 roku, kompletując zespół do pracy nad ostatnią prostą reformy Armii Nowego Wzoru, a konkretnie szukając kogoś od domeny powietrznej, czyli od lotnictwa i dronów, namierzyłem jednego ze swoich obecnych współpracowników. Mieszkający na Dolnym Śląsku, wysoki, nieco zwalisty, zawsze był na lekkim i specyficznym

„offie", co często świadczy o dużym napięciu intelektualnym i gonitwie myśli w głowie człowieka.

Spotkaliśmy się w Katowicach, położonych kompromisowo między Warszawą a Dolnym Śląskiem, by porozmawiać o współpracy. Usiedliśmy w jednej z knajpek, jakich wiele przy katowickim dworcu kolejowym. Mój rozmówca najpierw wysłuchał informacji o projekcie, potem się uśmiechnął i rzucił od niechcenia, ale ostro: „Po co to robicie, to znaczy — po co robicie Armię Nowego Wzoru? Jako wykładowca uczelni powiem ci, że młodzież uważa, że Polska i państwo polskie to ściema i wydmuszka, paździerz, a wojsko polskie to już w ogóle...". Coś próbowałem odpowiedzieć. Dukałem, że tak, że wiem... Dodawałem, że ludzie myślą tak chyba głównie na ścianie zachodniej, że jest gdzieś może nadzieja. No bo cóż właściwie mogłem więcej rzec.

Drogi czytelniku! Armię Nowego Wzoru zrobiliśmy na przekór temu, co opisał mój rozmówca, który stał się w międzyczasie współpracownikiem, i na przekór temu, co myślą o ojczyźnie jego studenci, a wraz z nimi ogromna część społeczeństwa. Dlatego tytuł niniejszej książki jest celowo przekorny, z mocnym przekąsem, tak częstym w naszym kodzie kulturowym. Państwo polskie rani i często nas wszystkich zawodzi. Wszyscy tego doświadczyliśmy w taki czy inny sposób. Lepszego państwa na razie jednak nie mamy, i oby tego obecnego nam nie zabrakło. Uczucie do ojczyzny może kosztować bardzo dużo rozczarowań, to prawda. Ale ostatecznie jesteśmy ludźmi stąd, wyrosłymi z tego miejsca na świecie. I tego się trzymajmy! To w końcu ma być „najlepsze miejsce na świecie".

# ROZDZIAŁ 1

# „PLAC" PRZECHYLA „WIEŻĘ" ORAZ AMERYKAŃSKI GAMBIT

CZYLI O TYM, JAK BLISKO WOJNY BYLIŚMY
I JAK DZIAŁA PAŃSTWO POLSKIE W OBLICZU
ZAGROŻENIA WOJNĄ

# MOJE SPOTKANIE Z *ALFĄ*

> „The best job I ever had" —
> *słowa bohatera granego przez*
> *Brada Pitta w filmie* Furia.

17 września 2021 roku po południu do mojego mieszkania na warszawskim Powiślu przyszedł *Pi*, bliski współpracownik *Alfy* jeszcze z lat dziewięćdziesiątych i bardzo do niego podobny — wiekiem, temperamentem, a nawet wzrostem.

„*Alfa* lubi prezentacje w PowerPoincie" — zaznaczył mi *Pi* dwa tygodnie wcześniej na kolacji w restauracji przy ulicy Foksal w Warszawie. Poprosiłem go o spotkanie, by elegancko uprzedzić, że niedługo będziemy z pompą ogłaszali społeczeństwu to, nad czym zespół Strategy&Future pracował od kilku lat, czyli plan radykalnej reformy polskiej obronności, nazwanej przez nas Armią Nowego Wzoru. Reformy radykalnej, szerokiej i... chyba najbardziej kompleksowej, jaką w ostatnich dziesięcioleciach przygotowano. Zapytałem wówczas, czy może *Alfa* jako człowiek wywierający przemożny wpływ na polskie państwo i za nie odpowiedzialny chciałby prezentację Armii Nowego Wzoru poznać i o niej porozmawiać, nim do społeczeństwa pójdzie mocny przekaz o tej koncepcji i dramatycznym stanie polskiej obronności.

Uważałem, że *Alfa* powinien poznać to, co w wyniku głębokich analiz przygotowaliśmy, zanim ogłosi szczegóły swojego planu zmian w wojsku. Dolałem oliwy do ognia, gdy wspomniałem *Pi*, że oficjalną prezentację Armii Nowego Wzoru zrobimy w Złotych Tarasach w Warszawie, w topowym miejscu miasta, w największej tamtejszej sali kinowej, i że ma zamiar przybyć na nią kilkaset wpływowych i opiniotwórczych osób. Dodałem, że prezentację będziemy transmitowali na żywo na platformie YouTube i pewnie obejrzy ją kilkaset tysięcy osób w ciągu kilku dni.

Chyba zrobiłem na *Pi* wrażenie, bo obiecał, że postara się „na szybko" zorganizować spotkanie z *Alfą*. Ucieszyłem się, choć pamiętałem, że to nie byłby pierwszy raz, gdy mnie i całemu zespołowi Strategy&Future proponowano spotkanie z *Alfą*. Nigdy jednak do niego nie doszło, choć raz już siedziałem jakieś pięć metrów od *Alfy* w warszawskiej siedzibie jego partii, ale dzieliła nas ściana. To było jeszcze przed wyborami w roku 2015. Wskutek machinacji „dworu" *Alfy* „audiencja" została w ostatniej chwili, przed drzwiami jego gabinetu, odwołana. Potem raz jeszcze było blisko, by takie spotkanie się w końcu odbyło — na północy Warszawy, w dzielnicy, w której spędziłem dzieciństwo, w domu, gdzie *Alfa* mieszka na co dzień. Jak zawsze wizjonerski *Ny* miał tam prezentację dotyczącą znaczenia komunikacji dla światowej rywalizacji geopolitycznej i tego, jak w to wszystko wpisuje się idea Centralnego Portu Komunikacyjnego. Działo się to w czasie, gdy sam byłem zaangażowany w projekt Centralnego Portu. I wtedy również skutecznie zablokowano szansę na rozmowę z *Alfą*.

Dlaczego tak szeroko opowiadam o tych swoich dyplomatycznych „sukcesach" w dobijaniu się do ucha *Alfy*? Ponieważ przyczyny owych porażek w prostej, wydawałoby się, kwestii wiele mówią o całym mechanizmie władzy („wieży"), w którym pozycja poszczególnych osób czy środowisk i ich zdolność do wpływania na procesy decyzyjne w państwie polskim zależą od tego, jak bardzo potrafią oni zbliżyć się do *Alfy*. Czyli od oczekiwanego wpływu, jaki można potencjalnie na niego wywrzeć przy procesach decyzyjnych w państwie.

Mechanizm ten polega na manipulowaniu przepływami informacji bądź decyzji do *Alfy* i od niego, dopuszczaniu ich lub blokowaniu albo na ich zniekształcaniu. W ten sposób powstaje i następnie w najlepsze funkcjonuje zjawisko „dworu". To on kontroluje dostęp do lidera, tworząc swoistą „bańkę antydostępową" i pilnując, co się przez jej membranę przedostaje. To działa skutecznie w obie strony, bo „dwór" ma swoje aspiracje i ważny powód do pilnowania tego, co wie i co ma w głowie szef, przez filtrowanic i dopuszczanie informacji, które służą samemu „dworowi". „Dwór" tak zazdrośnie strzeże własnej pozycji przy drogocennym zasobie, jakim jest autorytet lidera, że za umożliwienie dostępu do niego oczekuje od osób przychodzących do *Alfy* wynagrodzenia w różnej formie, aż po „przejęcie" czyjegoś pomysłu i przedstawienie go szefowi jako własnego. Rzecz jasna, z pominięciem tych, którzy starają się o audiencję u *Alfy*.

Niczym nie różni się to od dawnych dworów królewskich i książęcych, a mechanizm przepływu informacji oraz mentalność uczestniczących w tym ludzi są identyczne jak wieki temu. Wokół „dworu" panuje atmosfera bezwzględnej gry, która toczy się w centrum dyspozycji politycznej państwa polskiego. Każdy, kto znajduje się na samych szczytach władzy, musi w ową grę zagrać. Sukcesy w niej dają politykom i frakcjom zajmującym w strukturze władzy miejsca poniżej poziomu *Alfy* sprawczość, a więc zdolność do osiągania celów, możliwość wzmocnienia swych pozycji, władzę nad danym odcinkiem rzeczywistości i tym samym najczęściej dostęp do środków pochodzących z naszych podatków i danin.

Polityk, podejmując decyzję o wydatkowaniu środków publicznych na jakiś projekt programowo przyjaznej mu fundacji lub na element infrastruktury drogowej w jego okręgu wyborczym, albo właśnie na sprzęt wojskowy, który mu się spodobał, albo został mu podsunięty przez osoby wywierające na niego wpływ, wykazuje swoją realną władzę — czyli sprawczość.

Oczywiście doświadczony lider polityczny taki jak *Alfa* rozumie, czym jest „dwór". Teoretycznie potrafi dzielić ludzi, a tym samym rozgrywać wszystkich uczestniczących w tym mechanizmie. Jednak doba także dla lidera ma tylko dwadzieścia cztery godziny, a tak zwana bieżączka, czyli wywyższanie jednych i pomniejszanie drugich oraz arbitralne rozstrzyganie sporów między frakcjami, zabiera mnóstwo energii.

I choćby dlatego mało czasu pozostaje na myślenie nad ważnymi dla państwa strategiami. Brakuje też energii do stosownego zorganizowania zadań przywódcy politycznego kraju. W tym wyraża się również słabość instytucji państwa polskiego i widać ich nader wątpliwą trwałość. W naszej rzeczywistości to polityczny lider i jego „dwór" są dysponentami władzy, a nie stabilne instytucje państwa, opisane w konstytucji i ustawach. Taki model funkcjonowania systemu politycznego zawsze będzie kruchy, nietrwały i niesprawny, jeśli chodzi o strategiczne interesy państwa. To, co napisałem powyżej, nie dotyczy rzecz jasna tylko obecnie rządzących, lecz wynika z modelu kultury politycznej w Polsce. Podobnie było za poprzednich władz, których funkcjonowanie sprowadzało się głównie do zaciętej walki frakcji i całych partii politycznych o redystrybucję grosza publicznego.

Ani ja, ani zespół Strategy&Future celowo nie wchodzimy w grę o dostęp do „dworu" ani o jego fawory, czy — ujmując to szerzej — w grę o dostęp i wpływ na „wieżę", pojmowaną metaforycznie jako gmach władzy publicznej. Rozumiemy takie reguły funkcjonowania mechanizmów władzy, ale ich nie akceptujemy. Wiele razy słyszałem, że jesteśmy „nieracjonalni politycznie", „nieprzewidywalni" i „niekontrolowalni", bo nie chcemy dilować z systemem, co wymagałoby odpłacania się na różne sposoby za dostęp, akurat w tym opisywanym przypadku, do *Alfy* oraz do innych decyzyjnych osób. Dlaczego właśnie my możemy sobie na to pozwolić? Bo stoimy na „placu", a w istocie jesteśmy „placem", i uznaliśmy, że musimy potrząsnąć „wieżą".

## STRATEGY&FUTURE OBSERWUJE „WIEŻĘ"

*Człowiek jest tyle wart, ile warte*
*są sprawy, którymi się zajmuje.*
*Życie człowieka utkane jest z jego myśli.*

Kierując się myślą Marka Aureliusza, zaczynaliśmy kiedyś przygodę ze Strategy&Future, by wprowadzić w ojczyźnie nowy język debaty i nowy sposób funkcjonowania w debacie publicznej, który uważaliśmy za bardziej nowoczesny, prawdziwszy. Na pewno lepszy i skuteczniejszy, gdy przychodzi zająć się sprawami strategii państwa. Mniej plotek z magla, kto, co i z kim, bez gry statusowej o dostęp do decydentów politycznych, a więcej rozumienia sił strukturalnych. Po prostu więcej wiedzy o tym, jak rozkładają się interesy w świecie, oraz próby rozpracowania ludzi, którzy tym światem „kręcą". Ten konkretny cytat z Marka Aureliusza, powiązany z mottem niniejszego rozdziału — ze słowami wypowiedzianymi przez bohatera filmu *Furia* — przypomniał mi *Gamma*, przytaczając Marka Aureliusza na jednym ze spotkań na warszawskiej uczelni, chyba jeszcze w 2020 roku. Byłem tam, przysłuchując się tym słowom wraz z Tomkiem Smurą, moim dobrym kolegą z Fundacji Pułaskiego, z którym robiliśmy gry wojenne. Często z Tomkiem konferowałem na temat obronności i strategii, razem pracowaliśmy przy projekcie Centralnego Portu Komunikacyjnego i utrzymujemy dobry kontakt. Tomek stawia mi doskonałe i trudne pytania, nigdy nie przytakując, za co mam do niego szacunek.

Skoro życie człowieka jest utkane z jego myśli i przyznaliśmy rację filozofowi zasiadającemu na tronie Rzymu, to właśnie myśl strategiczną, myślenie o przyszłości i przypominanie lekcji przeszłości proponowaliśmy od samego początku naszym czytelnikom i internautom w materiałach Strategy&Future. Chodziło o to, by tworzyć wspólnie coś więcej — polską myśl strategiczną XXI wieku. Zresztą do dzisiaj na wykładach i spotkaniach, w książkach oraz przez wymianę myśli w dużej mierze dzięki nowoczesnym mediom społecznościowym i potędze wolnego internetu przywróciliśmy do debaty strategicznej w Polsce podstawowe definicje, odkurzyliśmy myśli klasyków i przypomnieliśmy dorobek osób, które wpływały i wpływają nadal na losy świata.

Co ważne, źródłem naszej energii, siły i motywacji byli i są ludzie — społeczeństwo, czyli często wspominany na moich wykładach „plac", a nie kierownicy urzędów, liderzy polityczni czy ktokolwiek z publicznej „wieży", pomimo naszych licznych, jawnych i tych bardziej dyskretnych, spotkań z osobami ją współtworzącymi. Kilkakrotnie odwoływałem się do tego rozróżnienia publicznie, przywołując za Niallem Fergusonem koncepcję jednoczesnej opozycji i przenikania się „placu" i „wieży". Hierarchicznie zorganizowana „wieża" dzięki władzy może i dysponuje sprawczością, ale to potencjalnie nieograniczony liczebnie „plac" agreguje wiedzę, tworzy realną społeczność i wpływa stopniowo (choć zajmuje to niestety zbyt dużo czasu, co jest przekleństwem dla położonej w geopolitycznej strefie zgniotu Polski) na kulturę strategiczną, przechylając

23

„wieżę", zmuszając tworzących ją ludzi do nawiązania kontaktu z rzeczywistością. Świat jest areną powtarzania się tego procesu od zawsze.

Na środku „placu" stoi więc „wieża", wręcz z niego wyrasta. Bez „placu" nie może istnieć, ale musi manipulować zapełniającymi go ludźmi i społecznościami, bo od nich pochodzą zasoby, którymi zarządza ulokowana w tej „budowli" władza. Manipulacja polega na tym, by robić często coś bez wiedzy „placu" lub by ukryć przed nim prawdę. Wszystko po to, by przede wszystkim utrzymać się na szczycie „wieży", do czego jest potrzebne poparcie „placu". Ale przecież nie chodzi wcale o to, by być aż takim zależnym od owego poparcia... Pozostaje więc kierowanie „placem" przez zarządzanie emocjami i obrazem rzeczywistości, który mu się przekazuje. Do tego w samej „wieży" toczy się bezwzględna codzienna walka o sprawczość między jej „lokatorami". Kto jest wyżej w „wieży", ten może więcej, bo ma zarówno teoretycznie, jak i często praktycznie większą sprawczość i większe zasoby publiczne do realizacji sprawczości.

To powoduje, że w bezpardonowej, ostrej walce o sprawczość i w owej nieustannej rywalizacji obowiązują powszechne zakrywanie prawdy i gra statusowa. Gdzie jest walka o przewagę, tam jest polityka, a polityka nie ma wiele wspólnego z moralnością i niewiele z prawdą, za to sporo z manipulacją i nieustającym poszukiwaniem supremacji. W Strategy&Future za swoje zadanie uważamy twarde stanie na polskim „placu", uświadamianie „wieży" geostrategicznej i geopolitycznej sytuacji kraju. Cały nasz pomysł na niezależne funkcjonowanie S&F „mija" więc „wieżę" i jej mechanizmy działania. A skoro naszą podstawą operacyjną jest „plac", czyli społeczeństwo, to ono daje nam poparcie w mediach społecznościowych i sieci oraz zapewnia „strukturę" naszego funkcjonowania. To właśnie „plac" kupuje subskrypcje naszych analiz, składa się dzięki portalom zrzutkowym na takie projekty jak Armia Nowego Wzoru, Lekcje z wojny na Ukrainie i wiele innych. Dzięki temu możemy forsować debatę, którą inaczej by dławiono, bo nie leżałaby w interesie grup i frakcji działających w aparacie publicznym skupionym w „wieży". Opierając się na „placu", można krzewić i rozwijać polską kulturę strategiczną, która potem trafia do możliwie szerokiej rzeszy odbiorców, bo potrzebna jest doświadczonej przez los ojczyźnie jak woda.

Czasy zaborów, niedowładu gospodarczego i cywilizacyjnego, brak samodzielności, trudności w kształtowaniu się elit, potem ich wyeliminowanie ekonomiczne, a czasami również biologiczne, wreszcie tragedia ostatniej wojny światowej i okres satelickiego państwa PRL nie dały wystarczającej wolności, przestrzeni, oddechu, czasu, swobody ekonomicznej i ogólnie pojętej głębi, by powstała w Polsce kultura strategiczna dorównująca jakością tej, którą mają silne państwa czy mocarstwa.

Nieraz obserwowałem, że na Zachodzie nie myśli się o naszej części Europy w kategoriach jej samodzielności strategicznej. W przeciwieństwie do pojęcia imperium tureckiego, niemieckiego czy rosyjskiego idea imperium lądowego Rzeczypospolitej została na Zachodzie zapomniana.

Stało się tak, choć przez kilka stuleci Rzeczpospolita współtworzyła równowagę na kontynencie, bo stanowiła wyrazisty obszar rdzeniowy i silny podmiot geopolityczny na pomoście bałtycko-czarnomorskim, w kluczowym miejscu Europy i Eurazji. Trzeba było liczyć się z ówczesnym państwem polskim, kształtując równowagę na kontynencie, gdyż tworzyło ono odmienną od wschodniej i zachodniej cywilizację polityczną i potrafiło jej bronić przy pomocy uformowanej na własne potrzeby kultury militarnej. Dzisiaj zachodni politycy i wojskowi nie zastanawiają się zanadto nad naszymi dylematami strategicznymi. Traktują nasz obszar jako część „obozu" własnego albo wrogiego, nie zaś jako samodzielny podmiot znakomicie położony w kluczowym miejscu strategicznym Eurazji, wchodzący w XXI wiek z rosnącym potencjałem. W Rosji z kolei postrzega się nas jako obszar pozostający pod kuratelą strategiczną Stanów Zjednoczonych, choć z własnymi skrywanymi ambicjami dominacji na całym pomoście bałtycko-czarnomorskim — oczywiście kosztem Rosji. Chiny natomiast, rozumiejąc konsekwencje położenia geopolitycznego Rzeczypospolitej, dopiero się nas uczą.

Dlatego w ramach Strategy&Future, mając na względzie dziedzictwo Rzeczypospolitej i jej interesy, klarownie komunikujemy je zarówno w Polsce, jak i za granicą naszym subskrybentom i rozmówcom. Ma być jasne dla wszystkich, że będziemy to czynić, jak przystało na gospodarzy pomostu bałtycko-czarnomorskiego, niezależnie od naszych codziennych wewnętrznych zmagań wynikających ze sporów i napięć stanowiących efekt wspomnianego położenia w strefie zgniotu, czyli ostrej rywalizacji między Oceanem Światowym a mocarstwami kontynentalnymi Eurazji.

Mieliśmy ponadto ambicję, by Strategy&Future stało się marką za sprawą jakości dostarczanej wiedzy, marką również globalną. Dlatego przyjęliśmy nazwę w języku angielskim, języku Oceanu Światowego, języku przepływów strategicznych (o których w kolejnym rozdziale) oraz wymiany handlowej i intelektualnej świata. Bez angielskiego nie można sobie wyobrazić sprawnego funkcjonowania w świecie zewnętrznym. Wszystko po to, byśmy mogli trafiać z naszym przekazem i wiedzą do jak największej liczby odbiorców oraz byśmy byli widoczni i słyszalni. Zabieg taki był niezbędny również po to, aby umiejętnie i skutecznie promować naszą własną myśl strategiczną na światowych salonach, korzystając z form i wrażliwości dla tych salonów zrozumiałych.

Jak bardzo jest to istotne, pokazała wojna na Ukrainie. Boleśnie dowiodła, jak bardzo zachodni Europejczycy nie uważają nas za partnerów mających potencjał intelektualny i wolę kreowania własnej strategii, w szczególności takiej, która niweczyłaby plany dominacji Niemiec i Francji w Europie.

W związku z powyższym nasz model finansowania jest prosty: dostęp do wiedzy wypracowanej w ramach Strategy&Future jest płatny. Uważam, że to najwłaściwsza formuła, dająca niezależność od „wieży", pomagająca utrzymać komfort dążenia do prawdy i zarazem umożliwiająca współistnienie z „placem". Pozwala skupić się na pracy merytorycznej. Tak jest też najbezpieczniej, bo można uniknąć zobowiązań wynikających z pionowych relacji finansowych z „wieżą", zwłaszcza tych, które mogłyby krępować realizację naszej misji.

Normalne w naszym systemie publicznym we wspominanej tak często „wieży" oczekiwanie jest bowiem takie, że gdy ktoś ma pomysł — dajmy na to, na Armię Nowego Wzoru — szuka patrona politycznego, który pomoże mu w jego realizacji. Taki patron może będzie forsował pomysł, a może nie, w zależności od swoich partykularnych interesów politycznych. I jak to się mówi na warszawskiej ulicy, wykorzysta nasze pomysły i użyje je oraz nas samych tylko na tyle, na ile będzie to dla niego politycznie opłacalne. Ale zrobi to „pod siebie", a nie dla dobra wspólnego — jak spodziewałby się przeciętny wyborca, który wierzy w ideę dobra publicznego, etykę elit i nie rozumie, jak działa system publiczny w naszym kraju.

Ale nie takie ze Strategy&Future numery. Znamy sławną zasadę leninowskiego „kto kogo?" i wiemy, jak zgodnie z nią, a poza moralnością, funkcjonuje zjawisko społeczne nazywane polityką. Przy czym postępujemy w tym wypadku pryncypialnie wcale nie dlatego, że przemawia przez nas pycha, wywyższanie się lub źle rozumiana duma. Po prostu wbrew powszechnemu przekonaniu wszelkie próby, by przypodobać się politycznemu systemowi klientelistycznemu, są przeciwskuteczne. Uważamy, że skuteczne jest jedynie wpływanie na „wieżę" poprzez „plac". Niestety to zajmuje dużo czasu, wymaga wytrwałości oraz determinacji, a do tego zawsze przydającego się zwykłego szczęścia oraz sympatii „placu". Pociesza nas to, że w owym procesie przynajmniej tworzy się kultura strategiczna ojczyzny, co widać po jakości debaty publicznej w ostatnich latach, która znacząco się podniosła. Publiczne dyskutowanie kwestii strategicznych w istocie „demokratyzuje" wiedzę o strategii, o wojnie, o najważniejszych wyzwaniach dla państwa.

Przecież Polska należy do społeczeństwa, czyli do nas wszystkich, a nie do polityków, jak byłoby w ustroju feudalnym i patrymonialnym. Politycy winni być zaledwie naszymi przedstawicielami, reprezentantami naszych interesów, a nie — jak chcą się widzieć — demiurgami o nieograniczonej sprawczości, co jest widoczną wadą polskiej kultury politycznej. Dzieje się tak przede wszystkim ze względu na słabość rodzimego kapitału oraz brak rodzimego nadzoru cyklów inwestycyjnych i kontrolowanego przez nas łańcucha wartości w procesie podziału pracy w Europie. Gdyby politycy podlegali takiej kontroli, skupialiby się na dbaniu o sprawy ważne dla społeczeństwa, o jego produktywność i osiąganie wysokiej marży pochodzącej z kapitału i z pracy obywateli, a nie na toczeniu walk frakcyjnych o „przydział" środków publicznych. To on właśnie nadaje polskiej polityce charakter quasi-feudalny.

Pocieszające jest to, że w naszej kulturze społecznej próby wołania o zmiany i reformy — takie jak starania zespołu S&F — społeczeństwo dobrze zapamiętuje. Życzliwie myśli o tych, którzy usiłowali działać dla dobra publicznego, nawet jeśli nie uzyskali sprawczości w „wieży". Od kilkuset lat polski żywioł polityczny ma charakter republikański, mocno amorficzny i rozproszony, często emocjonalny i od-działujący „od dołu do góry". Kiedyś brać szlachecka, a dzi-siaj szeroki elektorat krzyczy, czego chce, i potrafi czasem na ulicy domagać się realizacji rozmaitych postulatów, wywierając nacisk na rządzących. To inny model funkcjo-nowania polityki niż choćby w Niemczech, gdzie sygnał polityczny idzie raczej „od góry do dołu", od elit z „wieży" do społeczeństwa.

Ponieważ nie jesteśmy lobbystami, nie mieliśmy do załatwienia interesów politycznych ani nie chcieliśmy od polityków pieniędzy, dotacji czy subwencji, nie musieli-śmy we wrześniu 2021 roku zabiegać o spotkanie z *Alfą* za wszelką cenę. Dzięki ogromnym zasięgom w nowoczes-nych mediach społecznościowych zarówno *Alfa*, jak i inni politycy i tak ostatecznie zapoznali się z Armią Nowego Wzoru. Osiągnęliśmy ten cel bez ryzyka zhołdowania czy wasalizacji Strategy&Future albo zmuszenia nas do podczepienia się pod „poszukiwanego i upragnionego" pa-trona politycznego. Taką strategię przyjęliśmy w związku z Armią Nowego Wzoru, choć wielu doradzało mi inne postępowanie i nie rozumiało zasadności wyżej zaprezen-towanej przeze mnie logiki. O tym napiszę bardziej szcze-gółowo dalej.

To, czego chcieliśmy, sprowadza się wyłącznie do po-głębienia debaty publicznej oraz zwiększenia w ten sposób jakości kultury strategicznej i wszystkiego, co się z tym wiąże: wielkiej strategii państwa, reformy wojskowości itp. I absolutnie nie żądaliśmy niczego w zamian. Za sprawą mediów społecznościowych mamy wystarczająco szeroki dostęp do „placu", czyli do społeczeństwa, a dzięki niemu dysponujemy również środkami finansowymi. Celowo więc nie handlowaliśmy z systemem politycznym na jego zasadach, które uznawaliśmy za niezdrowe i, co ważniejsze, niegwarantujące realizacji naszych postulatów.

Naszym zdaniem świetnie to zadziałało, bo „wieża", w tym konkretnie *Alfa* czy *Lambda*, była i tak zainteresowana tym, co robimy, nawet jeśli nie chciała publicznie się do tego przyznać. Przyznanie się windowałoby nas statusowo w ramach gry wewnątrz „wieży", więc jej członkowie sami sobie nie mogli tego zrobić, chyba że mieli w danym momencie jakiś cel statusowy wobec innej frakcji w obozie rządzącym (na przykład nacisk na nią lub pomniejszenie kogoś) albo wobec opozycji. Zarówno *Alfa,* jak i *Lambda* robili to wiele razy. W ten pośredni, ale niedotknięty chorobą instrumentalizacji politycznej sposób budowaliśmy realne wpływy bez dilowania z „wieżą". Takie dilowanie mogłoby nas stopniowo zdemoralizować, gdybyśmy przesadnie zaczęli uważać, co piszemy i mówimy — by nie drażnić „patrona politycznego", który obiecałby nam forsowanie naszych postulatów lub finansowanie naszej działalności.

Taki błąd nieraz popełniają think tanki, dopuszczając się grzechu braku cierpliwości. Czasem robią to celowo, tylko nie ma to wiele wspólnego z prawdą i z rzetelną debatą publiczną. Wszystko po to, by zapewnić sobie często iluzoryczną zupełnie sprawczość za pośrednictwem danego polityka, który zawsze w ten sposób sobie takie podmioty podporządkowuje, wasalizując je na różne sposoby. Na przykład dając im dostęp do publicznych pieniędzy w zamian za domniemaną lojalność wobec niego osobiście lub jego frakcji, grupy itd. Z czasem takie postępowanie de facto niszczy think tanki i wolną debatę w naszym „najlepszym miejscu na świecie". W opisywanym procesie hołdowania i wasalizacji, czyli podporządkowania, politycy są bardzo sprawni, ponieważ polityka polega ni mniej, ni więcej, na instrumentalizowaniu innych osób.

Wracam do tego, co się wydarzyło we wrześniu 2021 roku, gdy *Pi* obiecał mi audiencję u *Alfy*. Nadchodziła wojna, my mieliśmy pomysł na wielką reformę wojska, potrzeba spotkania pomimo irytującej gry w „wieżę" wydawała się oczywista. Wcześniej jednak *Pi* kategorycznie oświadczył, że chce obejrzeć wyniki naszej pracy sam, zanim sprowadzi do nas *Alfę*. 17 września 2021 roku (szczególna dla Polaków data i rocznica!) przyszedł więc do mnie i pokazaliśmy mu tę samą prezentację, którą za kilka dni mieliśmy przedstawić w Złotych Tarasach. *Pi* bardzo się ona spodobała, więc już po zaledwie piętnastu minutach gorączkowo zapytał mnie i Alberta Świdzińskiego, dyrektora analiz w Strategy&Future, czy zdajemy sobie sprawę, że to, co proponujemy, to nie tylko reforma wojska, ale też polityczna rewolucja. Bo żeby zrealizować nasze postulaty, trzeba przebudować państwo i zmienić zasady, na jakich funkcjonuje system publiczny.

— To, co proponujecie — kontynuował *Pi* — podcina fundamenty działania całej mechaniki politycznej i wywoływanego nią układu sił w polskiej polityce.

— Wiemy — odparłem — i dlatego chcę pokazać *Alfie* Armię Nowego Wzoru, bo nadchodzi wojna, więc mamy chyba, do diaska, wyższą konieczność i ostatni moment na reformy państwa?

*Pi* na to, że wie, że zbliża się wojna, ale to nie przejdzie w partii rządzącej ze względów wyżej już poruszonych... Odpowiedziałem mu, że skoro przyszedł do mnie do domu, to musi najwyraźniej mieć dobre intencje i chce zachować czyste sumienie. Polska będzie w wojnę zaangażowana, więc może przed historią chciałby się jednak opowiedzieć po właściwej stronie, należycie się do wojny przygotowując.

Wtedy *Pi* złapał w końcu za telefon i zaczął dzwonić do *Alfy*. Nastawił tak głośno komórkę, że słyszeliśmy część słów *Alfy*, a *Pi* przy okazji pokazywał nam, że ma bezpośrednią linię komunikacyjną do *Alfy*, co jest wyrazem pozycji statusowej w partii. Słyszeliśmy kluczowe słowa, jakie padły między *Pi* a *Alfą* w tej rozmowie, i patrzyliśmy, jak *Pi* krąży w jej trakcie między sofą a telewizorem w moim salonie na warszawskim Powiślu...

*Alfa* odebrał po trzecim lub czwartym sygnale i rozpoczęła się dość kordialna, ale stanowcza rozmowa między obu panami.

„Słuchaj... oglądałem prezentację, o której ci mówiłem, u Jacka Bartosiaka, tego, co czytasz jego teksty ze Strategy&Future" — mówił mój gość.

Jak później relacjonował *Pi* (czego ja nie usłyszałem), *Alfa* odpowiedział na to ponoć pół żartem, pół sarkastycznie: „Tego Bartosiaka, co nie wiemy, czy jest agentem amerykańskim, czy chińskim?". „Tak, tego. Musisz obejrzeć tę prezentację, zrobi na tobie wrażenie" — to już usłyszeliśmy z ust *Pi*. Na co *Alfa*: „To chyba dywersja — (pamiętam dokładnie to słowo) — my już mamy swój plan reformy wojska, zaraz go ogłosimy, nie możemy teraz nic zmieniać. Będziemy się tego trzymać". *Pi* na to: „Słuchaj, oni to będą w środę puszczać publicznie, to jest bardzo wartościowe, powinieneś to zobaczyć", na co *Alfa* miał odpowiedzieć: „Czy mogą opóźnić, bo w poniedziałek ani wtorek nie mogę?". *Pi* spojrzał na mnie pytająco, stwierdziłem, że nie będziemy niczego przekładać, bo setki ludzi są zaproszone, transmisja ustawiona... I z tym, co tam pokażemy, można się zapoznać już teraz w domenie publicznej.

Byłem gotowy na to, by nie zwlekać, jesteśmy bowiem transparentni, nasze treści są też dostępne w domenie publicznej, a naszą rdzeniową misją jest kultura strategiczna, a nie własna pozycja w tym czy innym obozie władzy. To byłby jedyny zysk z przełożenia publicznej prezentacji, też wątpliwy i niepewny, zresztą, jak napisałem wcześniej, w ogóle raczej nie chcieliśmy być tak postrzegani i grać w tę grę. Nie jesteśmy politykami, nie mamy ambicji politycznych, bałem się, że zostaniemy rozegrani i zinstrumentalizowani, a tak ogłosimy publicznie pomysł reformy na swoich warunkach, stworzy się jakaś dynamika społeczna i nie będzie można — jak uważałem wtedy — odmówić po niej publicznej debaty.

Ostatecznie *Alfa* nie spotkał się z nami, chociaż wyraźnie było słychać jego zawahanie w rozmowie telefonicznej. Sprawę jeszcze w moim mieszkaniu podsumował *Pi*, który z minorową miną opisał nam gęstniejącą sytuację geopolityczną wokół Polski: z jednej strony według niego nadchodząca wojna na wschodzie, a z drugiej nacisk instytucji Unii Europejskiej ograniczający sprawczość polskiego rządu na terenie Polski, a zatem tak drogocenną dla obozu władzy suwerenność.

Gdy *Pi* chwilę odsapnął po rozmowie z *Alfą* i ponownie zasiadł na sofie w salonie, powiedział do mnie i do Alberta przyjaźnie, ale dziwnie ponuro:

— Być może byliśmy jedno spotkanie od nowoczesności, a jesteśmy krok bliżej do bycia kolonią. To tyle, panowie, do zobaczenia — wstał, udał się do wyjścia i delikatnie zamknął za sobą drzwi.


## ZASADY „WIEŻY"

Dla zachowania równowagi politycznej zaprosiłem do swojego mieszkania na prezentację również *Betę*, czołowego polityka opozycji zajmującego się między innymi sprawami wojska. Na spotkaniu tym byli też Marek Budzisz, kolejny współpracownik ze Strategy&Future, oraz *Rho*, który przyszedł z *Betą*. Ten po zakończeniu prezentacji powiedział, że bardzo mu się ona podoba i „odpowiada wyobrażeniu opozycji co do tego, jak to powinno wyglądać". Do tego stopnia zgadzał się z naszymi uwagami, że po spotkaniu podjęliśmy z Markiem Budziszem środki zaradcze, by z kolei opozycja nie zaczęła nas instrumentalizować i używać Armii Nowego Wzoru do swoich politycznych wojen z obozem rządzącym, co mogłoby osłabić nasz apel i wołanie o głęboką reformę polskiej wojskowości, według nas niezbędnej nie dla PO czy PiS, ale dla Polski. W kolejnych miesiącach jeszcze kilkukrotnie rozmawiałem z *Betą* i dalej potwierdzał wsparcie ze strony opozycji. Miałem też wrażenie, że nas lubił, zawsze mi się z nim dobrze rozmawiało. Zresztą przez kolejny rok wielokrotnie spotykaliśmy się z politykami niemal wszystkich opcji na ich zaproszenie, tłumacząc założenia naszej propozycji reformy wojska.

Przed publiczną prezentacją Armii Nowego Wzoru w Złotych Tarasach udało mi się przekonać jeszcze *Ksi*, ważnego człowieka z prezydenckiego ośrodka władzy, do zapoznania się z naszą koncepcją. *Ksi*, owszem, wysłuchał mnie i Alberta Świdzińskiego, choć trochę niecierpliwie, po czym stwierdził, że „jest to wszystko nierealizowalne, bo niszczy paradygmat funkcjonowania polityki w Polsce i intelektualiści mogą sobie o tym rozmawiać, ale rzeczywistość wyznacza polityka i jej mechanizmy, czy nam się to podoba, czy nie. To nie jest tylko Armia Nowego Wzoru, to jest państwo nowego wzoru, to nie przejdzie. Pan nie jest racjonalny, panie Jacku. Doceniam to, co robicie. To wygląda dobrze. Wszyscy wiemy, że wojsko trzeba zmienić. Ale w takim kształcie to nie przejdzie" — powiedział. Radził, bym poszedł do *Lambdy* i „podczepił się" pod jego patronat polityczny — wtedy może coś z tego wyjdzie. Inaczej, ostrzegł nas *Ksi*, *Lambda* potraktuje nasz pomysł jako wrogi i będzie go zawzięcie zwalczał, „bo tak to działa". Sprawiając wrażenie nieco znudzonego tłumaczeniem „takich oczywistości", wyszedł, a ja byłem wkurzony, że tak zdefiniowana postawa elit wyznacza ułomne możliwości poruszania się w świecie politycznym. Zwłaszcza tym, którym zależy, by coś ważnego rzeczywiście wprowadzić w życie, a nie tylko poprawić swoją pozycję.

Potem z Albertem dużo o tym myśleliśmy. Dilowanie z *Lambdą* i szczytem „wieży" w sposób proponowany przez naszych rozmówców przypominało skutki częstego zakładania pierścienia z *Władcy Pierścieni* Tolkiena w tej nieustępliwej walce o lepsze miejsce i sprawczość, kiedy zatraca się zwyczajne ludzkie odruchy i zachowania, by zawsze być na przedzie, by mieć przewagę, nawet dominację, degradując przy okazji cnoty konieczne do normalnego życia z innymi. Albo degradując przy okazji przymioty niezbędne do realizacji wielkich dzieł, kiedy to trzeba przekroczyć samego siebie, swoje słabości i ograniczenia.

Jak pamiętamy, Tolkienowski pierścień powodował, że osoba, która go zakładała, miała niesamowitą zdolność — można to nazwać władzą nad innymi, ponieważ widać cię tylko, gdy tego chcesz, a nie widać, kiedy nie chcesz. Zatem to ty masz przewagę nad innymi, możesz robić więcej niż oni. To istota sprawy — mieć lepsze pole manewru w porównaniu z resztą. Lecz używanie pierścienia cię niszczy, demoralizuje i stopniowo zabija twoją duszę. Najpierw stajesz się nudny, mdły, nieco fałszywy, nieautentyczny i przewidywalny, potem jest coraz gorzej, bo doprowadzasz się powoli do demoralizacji. Właściwie to stałe utrzymywanie przewagi ściera cię, tak jak się niszczy materiał od mechanicznego pocierania.

A wszystko to dlatego, że zaczynasz myśleć według paradygmatu, który jest zakrzywiony, ale twoim zdaniem to jedyne skuteczne podejście w grze politycznej, a zatem nadrzędne wobec pozostałych. Wszyscy inni ludzie niepostępujący wedle niego jawią ci się jako naiwni, nawet dziecinni, a na pewno łatwowierni czy po prostu słabi. Ten proces jest powszechny i zachodzi, gdy człowiek zajmuje się polityką. Umacnia bowiem słabe strony ludzkiej natury, pozorując, że daje ci siłę i przewagę względem innych, gdy w istocie czyni cię nudnym, a często groteskowym dla tych, którzy temu zjawisku nie podlegają, tylko patrzą z boku.

Potem w kontekście Armii Nowego Wzoru w rozmowach z politykami ciągle powracało pytanie: kogo wywindujemy tym projektem, jeśli go zrealizujemy? Co za prymitywne myślenie, a w istocie pycha sprowadzająca każde działanie do gry statusowej. Później słyszałem od polityków i ludzi z ich zaplecza: „To nie społeczeństwo będzie decydowało o zakupach uzbrojenia...". Taki sposób działania świadczy o bucie ludzi, którzy zostali wybrani po to, by podejmować decyzje, ale suwerenem pozostaje chyba jednak społeczeństwo, prawda? Politycy są zaledwie „kurierami przesyłek" biegającymi na liniach przesyłowych sił strukturalnych, a nie demiurgami tworzącymi własne uniwersum. Lecz sodówka uderza im do głów i chcą się zaprezentować jako bogowie. W dodatku reforma wojskowości nie sprowadza się bynajmniej do zakupu sprzętu, to właściwie jej poślednia część. Coraz trudniej znoszę fakt, że ważne problemy, zwłaszcza takie jak kluczowa reforma wojskowości Rzeczypospolitej w obliczu trwającej wielkiej rywalizacji i wojny w Eurazji, rozwiązuje się masowymi zakupami i wydawaniem pieniędzy szerokim gestem. Jak można myśleć, że na tym polega reforma i że to nam wystarczy?! A jednak takimi właśnie torami biegnie pokrętna logika polskich elit politycznych.

Zaraz po rozmowie ze znudzonym naszą naiwnością *Ksi* poszliśmy z Albertem na spacer przez Powiśle w kierunku stadionu Legii przy Łazienkowskiej. Jeżeli ktoś dobrze zna historię powstania warszawskiego, zapewne wie, że niemal na rogu Wilanowskiej i dawnego Solca (obecnie Wisłostrady, która oddziela ulicę Wilanowską od Wisły, gdzie kiedyś były młyny, fabryczki i miejsce przeładunku soli przy Wiśle na Solcu) stoi samotna kamienica. Obok niej była ostatnia reduta powstańcza żołnierzy zgrupowania „Radosław" — czyli między innymi sławnych batalionów harcerskich „Zośki" i „Parasola". Kto czytał *Kolumbów. Rocznik 20* Romana Bratnego albo prześledził szlak bojowy Grup Szturmowych Szarych Szeregów w czasie powstania warszawskiego, wie, że ci z elitarnych batalionów harcerskich, którzy pozostali przy życiu w drugim miesiącu walk, zajmowali ten właśnie nadwiślański przyczółek, by utrzymać szansę na kontakt powstania z praskim brzegiem rzeki, gdzie stały jednostki Ludowego Wojska Polskiego oraz Sowieci.

Szliśmy więc z Albertem dokładnie tamtędy wczesnojesiennym wieczorem roku 2021. Historyczny kontekst naszego spaceru jeszcze wzmacniał pytanie, które pulsowało nam w głowach: po diabła my to wszystko z Armią Nowego Wzoru robimy, skoro system polityczny w obliczu dramatycznej sytuacji geopolitycznej reaguje w sposób zupełnie infantylny? Oczywiście mógłby nas w ogóle zignorować, a jego przedstawiciele mogliby nie chcieć się z nami spotkać. Ale chcieli i musieli się z naszym głosem w debacie publicznej liczyć. Nie wziąłem jednak pod uwagę, jak beztrosko będą podchodzić do całego zagadnienia: przede wszystkim przez pryzmat tego, co „oni" mogą z tego wszystkiego mieć. To znaczy co konkretni politycy mogą mieć z tego, że nadchodzi wojna i w związku z tym potrzeba reformy wojskowości, a to wymaga takich, a nie innych decyzji. Najważniejsze dla polityków jest więc, czy dana sprawa ich wzmacnia, czy osłabia, czy zyskują, czy tracą w grze o pozycję w systemie politycznym.

Najwyraźniej zapomnieli, że w polityce powinno chodzić o sprawy większe: o ojczyznę, o bezpieczeństwo, o reformę wojskowości, o wielką spuściznę Rzeczypospolitej, o dobro wspólne, o kulturę strategiczną. Zapominanie o tym to po prostu dramat, nie tylko nieodpowiedzialność.

Tego wieczora, idąc Ludną, a potem Wilanowską w kierunku Czerniakowskiej i Rozbrat, byliśmy tak zdruzgotani, że zadawaliśmy sobie pytanie, czy w obliczu tego, co widzimy w naszej klasie politycznej i instytucjach publicznych, zasługujemy jako Polacy na własne państwo. Przecież psuła się ostatecznie pogoda geopolityczna po trzydziestu latach „słonecznej aury" i trzeba z siebie wycisnąć coś więcej niż „działanie na autopilocie" i funkcjonowanie bez ładu i składu, jakby wokół nie działo się dla kraju nic niebezpiecznego.

Uświadomiliśmy sobie, że nawet gdybyśmy nie zasługiwali na własne państwo, to europejska konsolidacja, czyli wybór „państwa Europy", Polski również nie ocali. W obliczu nadchodzącej wojny widać już było, że Europa nie ma siły geopolitycznej, własnego wojska, a więc jest pozbawiona twardych instrumentów skutecznych w polityce międzynarodowej. W dodatku państwa europejskie nie potrafią się dogadać, bo dzielą je sprzeczne interesy w zakresie tego, jak skorzystać z istniejących możliwości wpływania na swe geopolityczne otoczenie. To powoduje, że Polska nie ma zapasowego rozwiązania kwestii własnego bezpieczeństwa w postaci odskoku pod skrzydła Unii Europejskiej w razie załamania się systemu obrony i wojny. I wtedy, i teraz, gdy piszę te słowa, nie byłem pewien, czy społeczeństwo rozumie konsekwencje tego stanu rzeczy...

Stanęliśmy na rogu Wilanowskiej i Wisłostrady, w miejscu upamiętnienia śmierci Andrzeja Romockiego pseudonim „Morro", bardzo młodego dowódcy kompanii „Rudy" batalionu „Zośka", a ja zastanawiałem się, czy przypadkiem właśnie nie „statusowo" kalkulowali ci, którzy podejmowali decyzję o wybuchu powstania. Czy nie byli dokładnie tacy sami jak dzisiejsi politycy, z którymi rozmawiamy. Czyli kalkulujący nieustannie, co konkretnie jeden lub drugi zyska lub straci ze swojej pozycji w systemie elit publicznych, jeśli podejmie taką czy inną decyzję. A może faktycznie tak było, że bali się nie podjąć decyzji o wybuchu powstania, bo obawiali się o swój status w systemie ówczesnej politycznej „wieży", jakakolwiek ta „wieża" była w okupowanej Polsce, ulokowana gdzieś na styku rywalizacji o sprawczość między politycznymi emanacjami ówczesnej władzy: dowództwem Armii Krajowej, instytucjami Polskiego Państwa Podziemnego, Delegaturą Rządu na Kraj i emigracyjnego rządu londyńskiego. Pomiędzy nimi również toczyła się wtedy rozgrywka o sprawczość polityczną. Wielowątkowa i angażująca licznych dysponentów decyzji politycznych gra wiązała się oczywiście także ze sprawami personalnymi i statusem konkretnych ludzi w „systemie". Jakże przygnębiająca jest myśl, że los naszej warszawskiej młodzieży i kultury materialnej miasta mógłby zostać latem 1944 roku zdeterminowany przez małostkową grę statusową.

„Morro" zginął, skacząc w kierunku wraku statku Bajka na Wiśle. Nie wiadomo zresztą, czy od ognia Niemców, czy może od ostrzału bronią maszynową berlingowców, stojących po stronie praskiej, za Wisłą. Sam pochodzę z Warszawy, wychowywałem się na pamięci o powstaniu i na jego etosie, moje dzieciństwo i młodość były naznaczone miejscami pamięci i opowieściami powstańczymi między innymi mojego dziadka, który walczył na Żoliborzu. „Morro" był wtedy moim ulubionym bohaterem. Chciałem nawet kiedyś napisać o nim książkę...

Otrząsnęliśmy się w końcu z irytacji i przygnębienia. Jeszcze przed rozejściem się do domów ustaliliśmy, że zrobimy wszystko, by nasza Armia Nowego Wzoru trafiła do polskiej kultury strategicznej i praktyki politycznej. Szans na to upatrywaliśmy bardziej w republikańskiej wrażliwości politycznej społeczeństwa niż w naszych elitach politycznych. Nie będziemy dilować z ludźmi „wieży". Nie będziemy szli na kompromisy, by liczyć się w grze o reformy — w myśl koncepcji Armii Nowego Wzoru. Gdy damy się wplątać w system zależności i intryg, i tak nic z tego nie wyjdzie. Ważniejsze jest to, że zrobimy solidną prezentację, puścimy ją w świat, wydamy książkę, napiszemy raport. W ten sposób przyczynimy się do budowy świadomości społeczeństwa o rzeczywistym stanie naszej myśli strategicznej i armii, wywrzemy nacisk na system polityczny, potrząśniemy „wieżą". Albert dodał, że nie ma co z politykami rozmawiać ani o nich zabiegać. Sprawa stała się jasna. Pamiętam, że decyzję, jaką podjęliśmy wtedy na rogu Solca i Wilanowskiej, zapisałem wieczorem w czerwonym notesie, który noszę przy sobie stale właśnie dla takich gorących zapisków.

Postanowienie, że stoimy twardo na „placu", robimy swoje na własnych warunkach i w ten sposób wstrząsamy „wieżą", przyniosło nam wszystkim w zespole S&F wielkie poczucie ulgi. Potem podjęliśmy decyzję o potężnym przyspieszeniu prac z racji wojny na wschodzie, która była już na horyzoncie. Do końca 2021 roku chcieliśmy zakończyć projekt Armii Nowego Wzoru wraz z prezentacją i raportem oraz jego wersją angielską, bo organizowałem wyjazd do Stanów w ramach tak zwanego gambitu amerykańskiego, o którym za chwilę... Skończyło się to oczywiście harówką całego zespołu po szesnaście godzin dziennie.

Oficjalnie system polityczny nie wiedział do pewnego momentu, jak zareagować na nasze prace, o czym jednak stało się głośno, bo specjalnie podgrzewaliśmy emocje i przekaz, że pracujemy w Strategy&Future nad raportem. Robiliśmy to z premedytacją, by związać naszą narracją debatę publiczną i nie pozwolić na powrót w nieznośny stan zdziecinnienia, w którym zamyka się oczy na możliwość wojny (jak to robią dzieci, gdy udają, że czegoś nie ma). System polityczny wiedział również, że spotykamy się z wojskiem, jeździmy po jednostkach i garnizonach, rozmawiamy z Amerykanami i z oficjelami z NATO, więc nie umiał podjąć decyzji, jak się ustosunkować politycznie do naszej aktywności.

15 sierpnia 2021 roku, w dniu Wojska Polskiego i na krótko przed naszymi staraniami o możliwość zaprezentowania Armii Nowego Wzoru najważniejszym politykom, jechałem swoim autem na Podkarpacie. Przy Orlenie gdzieś na Lubelszczyźnie usłyszałem, że minister obrony daje właśnie w radiu wywiad. Taki ustawiany, a więc z ustalonymi z góry pytaniami (typowa procedura w stacji, którą się kontroluje i w której się występuje). W ten sposób wysyła się do całego systemu „sygnalizację polityczną" oraz pozycjonuje danego polityka względem społeczeństwa, więc nie ma tu żadnych przypadków. Tak to się robi. Wywiad był prowadzony w Pierwszym Programie Polskiego Radia przez miłą i dobrze przygotowaną do zadania panią redaktor, która zadała ministrowi pytanie, co sądzi o Armii Nowego Wzoru proponowanej przez S&F Jacka Bartosiaka. Odpowiedź wyraźnie wskazywała na to, że minister nie wiedział, co zawarliśmy w naszej koncepcji (jeszcze nie była upubliczniona) i kto za tym stoi. Musiał jednak jakoś wybrnąć, bo przecież *Alfa* czyta książki Bartosiaka i jeszcze ci Amerykanie, z którymi S&F ma wspólne sprawy... No i nie wiadomo, co dokładnie kryje się w propozycji Armii Nowego Wzoru, może jeszcze zawartość pomoże mu politycznie, kto wie. Odpowiadając na pytanie o nasz raport, starał się więc „po omacku" dać dowody swego zrozumienia dla nowoczesności w wojskowości. Miał do tego podstawy, bo już wtedy trąbiliśmy na lewo i prawo w me-

44

diach o koniecznej rewolucji w organizacji wojska, o sensorach, dronach, systemie świadomości sytuacyjnej itp.

W tamtą niedzielę w wywiadzie słychać było, że „plac" zaczyna leciutko przechylać „wieżę". Pomimo że wydawało się to – i dalej wydaje – niemożliwe, pojawił się napór i „wieża" musiała się z tym liczyć. Tym bardziej że od lat spotykano się z nami w jednostkach i dowództwach wojskowych rozsianych po całej Polsce. Pamiętam na przykład wizytę gdzieś na Pomorzu. W jakimś starym garnizonowym kinie wraz z Albertem Świdzińskim spotkaliśmy się z dowództwem jednej z naszych brygad pierwszorzutowych. Byłem pod wrażeniem nowoczesnej i nowatorskiej kadry oficerskiej, która pałała chęcią zmiany. Oficerowie byli oczytani, czego dowodziła na przykład rozmowa o tym, jak przywrócić znaczenie manewru na współczesnym polu walki, i o tym, jak proponował to zrobić Heinz Guderian w swojej legendarnej książce *Achtung – Panzer!*, gdy doświadczenia pierwszej wojny światowej doprowadziły wojskowych do utraty wiary w znaczenie manewru. Guderian opisywał, jak uczynić manewr ponownie królem wojny. Widziałem tam oficerów, którzy dużo czytali i chcieli czytać, rozwijać się, czuli, że mogą wkrótce znaleźć się w środku wojny. Pragnęli być profesjonalnymi dowódcami prawdziwego wojska.

Wydaje mi się, że pod wrażeniem właśnie takich spotkań podjąłem decyzję o nazwie wojska przyszłości – Armia Nowego Wzoru. Angielski termin to *new model army*, jak nazwa kapeli punkowej z lat osiemdziesiątych XX wieku. Przede wszystkim jednak określenie *New Model Army* dla naszego wojska bardzo spodobało się Anglosasom. Pamiętam, jak w Bukareszcie tuż przed wojną w 2022 roku rozmawiałem o tym przy kolacji z kilkoma Amerykanami, moimi przyjaciółmi z rozmaitych gier wojennych i projektów — generałami w stanie spoczynku oraz strategami zajmującymi się Europą i współczesnym europejskim teatrem wojny. Jednogłośnie stwierdzili, że nazwa *New Model Army* brzmi świetnie, bo, po pierwsze, jest rewolucyjna przez skojarzenie z armią Cromwella w czasach rewolucji angielskiej, a po drugie, daje poczucie nowego początku w zasadach funkcjonowania wojska. Szczególnie istotne było dla nich słowo *army*, oznaczające wojska lądowe, ponieważ Polska to dla nich kraj wojny lądowej i do tego powinny się sprowadzać polskie zdolności wojskowe — skupiona na domenie wojny lądowej jako rozstrzygającej starcie w naszym Międzymorzu.

Myślałem o tej rewolucyjności Armii Nowego Wzoru pod kątem sporej ilości pieniędzy, jakie MON ma do dyspozycji, a już po wybuchu wojny dostał ich znacznie, znacznie więcej. Nawet może się to skończyć na szokującym poziomie 5 procent PKB wydatków na wojsko, o czym publicznie mówił *Alfa* latem 2022 roku. Moja obawa bierze się stąd, że jeśli reformy nie zrobimy nowocześnie, to będzie zupełnie tak jak z wieloma publicznymi instytucjami w dzisiejszej Polsce. Bardzo często mają górę pieniędzy z podatków (jak MON), można w nich obsadzać stanowiska „swojakami" i z tego powodu postępuje erozja umiejętności realnych, więc z tej góry pieniędzy sporo zadań i tak jest zlecanych na zewnątrz tym, którzy coś umieją i mają kompetencje, bo zadania muszą iść zgodnie z planem czy zegarem. Outsourcing za pieniądze publiczne jest marnotrawstwem wskutek złej polityki personalnej i w istocie marnej postawy etycznej. Tego procederu najbardziej obawiam się w wojsku i przemyśle obronnym, jak tylko pojawią się ogromne środki, największe w historii Polski. Wygląda to bowiem na największą reformę i modernizację wojska polskiego w tysiącletniej historii państwa.

Do tego dodajmy znany wszystkim w branży minimalny wpływ wojskowych na zakupy i inwestycje, a za to ogromny wpływ polityków na wojsko, co może tworzyć pokusę politycznego sterowania siłami zbrojnymi przede wszystkim przez kontrolę roszad personalnych na coraz niższych szczeblach dowodzenia. Może się to skończyć tak, że starosta z partii rządzącej będzie miał wpływ na to, kto dowodzi drugą kompanią w batalionie zmechanizowanym stacjonującym w garnizonie położonym w jego powiecie. O tego rodzaju patologicznych zakusach i początkach takich praktyk wiem z rozmów z oficerami i żołnierzami. Publicznie mówili o tym generałowie w stanie spoczynku, w tym generał Waldemar Skrzypczak — były dowódca wojsk lądowych i niegdyś wiceminister obrony narodowej, szanowany nadal w wojsku jako wartościowy żołnierz i dowódca.

W trakcie przygotowań do publicznej prezentacji przedstawiliśmy cały nasz projekt w wojsku, w tym *Gammie* i *Delcie*. Marek Budzisz, Albert i ja pokazywaliśmy materiał w osobnym pomieszczeniu obok gabinetu *Gammy* od godziny 17.00 do 21.30. Obaj zadawali mnóstwo pytań, często podchwytliwych, a potem na nasze pytanie: „Czy publikować i jechać z tym po całości?", zgodnie odpowiedzieli: „Tak, róbcie to — my nie możemy tego zrobić, wy możecie".

Po tej wrześniowej prezentacji mieliśmy na kanwie Armii Nowego Wzoru serię wykładów i seminariów dla wojska, przygotowaliśmy także grę wojenną dla jednego z dowództw. Zainteresowali się nią Amerykanie, kontaktował się ze mną amerykański oficer łącznikowy przy jednym z naszych dowództw, a potem wielu amerykańskich oficjeli. Zbliżał się termin publicznego przedstawienia projektu. 13 grudnia 2021 roku przyjechał do Warszawy Nick Myers, amerykański współpracownik zespołu S&F, i zaczęliśmy ostatnie przygotowania do grudniowej, już ostatecznej, trwającej ponad dziesięć godzin prezentacji Armii Nowego Wzoru na Foksal w Warszawie. Albert z Nickiem przez całą noc u mnie na Powiślu doprecyzowywali w naszej koncepcji fragment dotyczący strategii nuklearnej, na który składało się prawie sto slajdów opisujących wykorzystywanie eskalacji nuklearnej.

Niedługo po ogłoszeniu projektu Armii Nowego Wzoru umówiłem się dodatkowo z *Sigmą*, dyrektorem jednego z czołowych polskich publicznych think tanków, że specjalnie dla nich zaprezentujemy Armię Nowego Wzoru. Ostatecznie doszło do tego na początku stycznia, jeszcze przed wojną i naszym wyjazdem z tym materiałem do USA. Nie było to miłe spotkanie. O ile *Sigma* zachował się profesjonalnie, o tyle kilku analityków z tej instytucji wyraźnie nie pojmowało powagi sytuacji, bagatelizowało ryzyko wojny, a nasze jasno wynikające z Armii Nowego Wzoru propozycje przygotowania się do samodzielnej początkowo wojny traktowali z szyderstwem, sugerując, że osłabiamy jedność świata Zachodu i jego solidarną z nami obronę. Padały zupełnie idiotyczne argumenty, sprzeczne z logiką i życiowym doświadczeniem, czego dowiodła zresztą wojna na Ukrainie i reakcja na nią państw Europy. Marek Budzisz, z natury krewki, nie wytrzymał i ostro wygarnął kilku osobom, co myśli o takiej postawie.

Ta kwestia zasługuje zresztą na oddzielny akapit: jak to się dzieje, że wielu polskich analityków bardziej wierzy w jedność Zachodu i gotowość natychmiastowej odpowiedzi Amerykanów, niż wierzą w to sami Amerykanie i stratedzy czy analitycy na Zachodzie? W dodatku wielu polskich analityków chciałoby kneblować wszelką debatę w tym zakresie, sugerując, że to psuje spójność i upragnioną solidarność NATO. To tak, jakby słowa robiły realną robotę! Jakby słowa wyrównywały ryzyko i odpowiedzialność w grze międzynarodowej, podczas gdy czynią to tylko demonstrowane i realne zdolności. Świadczy to o jakimś większym problemie kulturowo-mentalnym w Polsce, na pewno wynikającym z naszej słabości, kompleksów oraz braku istotnego polskiego kapitału, dużego biznesu i międzynarodowego handlu. Bo właśnie doświadczenia z tych dziedzin uczą, że realną strukturą relacji są konkretne sprawy i interesy oraz utrwalone układy z nich wynikające, a nie słowa i ulotne relacje oparte na sympatii i dobrym pierwszym wrażeniu. W te ostatnie mogą wierzyć „uduchowieni" politycy polscy, głównie historycy z wykształcenia, którzy nie prowadzili w życiu fabryki, nie wystawiali weksli na poczet wyrównania ryzyka z inwestującym kapitał ani nie zarządzali dużym przedsiębiorstwem eksportowym czy firmą wydobywającą ropę.

## OTWIERAMY GAMBIT

Jesienią 2021 roku po próbie zainteresowania klasy politycznej Armią Nowego Wzoru nie wierzyliśmy, że państwo polskie może teraz wykrzesać z siebie samodzielnie głęboką i prawdziwą reformę wojskowości, jaka była i pozostaje niezbędna. Postanowiliśmy więc w Strategy&Future uruchomić coś, co nazwaliśmy amerykańskim gambitem i wykorzystać Amerykanów z korzyścią dla przyszłej reformy. W szachowym gambicie poświęca się coś mniej istotnego w zamian za uzyskanie większej aktywności figur, pola manewru i jakąś odroczoną w czasie ważniejszą nagrodę, ważniejszy cel. To działanie z natury ryzykowne, ale potencjalnie niezwykle skuteczne.

Postanowiliśmy więc z jednej strony wykorzystać mechanizmy gry statusowej w kraju i za granicą oraz kompleksy Polaków wobec Zachodu i Amerykanów, a z drugiej — dominującą pozycję Stanów wobec naszego kraju. To była próba kapitalizacji za oceanem szacunku, jakim cieszymy się tam wśród osób zajmujących się strategią w sferach wojskowych i we wpływowych think tankach.

Trzeba tu zaznaczyć, że Amerykanie cenią S&F zarówno za narady czy spotkania, jak i za warsztaty na temat Armii Nowego Wzoru oraz inne rodzaje działalności, którym poświęcamy czas na sprawy polskie. Nie biorą od nas pieniędzy, co niekiedy bywa w Stanach praktyką, gdy w zamian oferuje się „otwarcie" kontaktu. Czy idziemy do Pentagonu, czy do US Army War College, do think tanków czy też na rozmowę z byłym dowódcą NATO, US Army Europe albo amerykańskimi oficjelami, nie musimy płacić ani instytucjom, ani lobbystom, ani tym bardziej pośrednikom.

Chcieliśmy więc wykorzystać do naszego gambitu wyjątkowy moment geopolityczny, w którym ryzyko wybuchu wielkiej wojny na wschodzie nakładało się na amerykańską niechęć do poważnego zaangażowania się w działania lądowe w Eurazji. Z tego ostatniego powodu Amerykanie z utęsknieniem wyglądają sojuszników, którzy odpowiedzialnie podejdą do rywalizacji i wojny na tym terenie oraz wesprą operacje Stanów, zamiast tylko żądać gwarancji bezpieczeństwa, co dla Amerykanów staje się coraz trudniejsze, zważywszy na przepotężny nacisk zarówno Chin, jak i Rosji, który może skończyć się dla Waszyngtonu wojną na dwa fronty, a tego Amerykanie za wszelką cenę chcieliby uniknąć. Zamierzaliśmy zatem elastycznie wykorzystać zjawisko asymetrii stosunków między Stanami Zjednoczonymi a Polską na korzyść naszego kraju właśnie dlatego, że jest ona dla Polski niekorzystna. Chcieliśmy założyć „podwójnego nelsona".

Potwierdziło się to od razu po naszym przyjeździe do Waszyngtonu w lutym 2022 roku w obu rozmowach z Wessem Mitchellem, który za czasów prezydenta Trumpa był zastępcą sekretarza stanu do spraw europejskich, czyli człowiekiem odpowiedzialnym w administracji Stanów

Zjednoczonych za naszą część świata. Swoistym gambitem chcieliśmy wpisać się w amerykański moment poszukiwania nowej formuły obecności w Eurazji po klęsce kabulskiej i problemach wewnętrznych USA — takiego modelu obecności wojskowej, która byłaby „lżejsza" i w której Amerykanie „nadciągaliby w kierunku zagrożenia — jak mówił publicznie prezydent Biden — spoza linii horyzontu" (tych sformułowań z upodobaniem używają w dokumentach planiści i stratedzy za oceanem). Czyli bez stałych baz i stałych operacyjnych zobowiązań. W Polsce może zachodzić obawa, że zobowiązania pozostają wyłącznie na poziomie deklaracji politycznych, więc muszą być wsparte konkretnymi propozycjami operacyjnymi, by były wiarygodne. Takie konkretne propozycje operacyjne, które zmniejszyłyby Stanom Zjednoczonym pole manewru w razie wojny i naraziły amerykańskie jednostki na zniszczenie w pierwszych godzinach i dniach wojny, są celem Polski, ale w USA boją się takich zobowiązań jak ognia pomimo retorycznych deklaracji.

W ten sposób Amerykanie sygnalizowali („sygnalizacja intencji") co bardziej pojętnym sojusznikom, że nie mają apetytu na własną wojnę lądową w Eurazji, więc ktoś ich musi kompetentnie i możliwie samodzielnie wspomóc, by utrzymać system światowy ze Stanami Zjednoczonymi na jego czele. Do tego dochodziła kwestia wyraźnej już ewolucji pola walki w kierunku dominacji broni precyzyjnych oraz tworzenia zdolności zbrojnego, ale konwencjonalnego oddziaływania na wielkie odległości. To zresztą sprzyjałoby nowej formule amerykańskiej obecności z dala od własnych brzegów, lecz bez kosztownego lądowego zaangażowania daleko od terytorium Stanów Zjednoczonych.

Lapidarnie rzecz ujmując: ponieważ trudno jest zainicjować reformę samoczynnie w kraju, chcieliśmy, by Amerykanie wytłumaczyli naszym rządzącym, jak powinno wyglądać i co powinno umieć przyszłe wojsko polskie, by mogło realnie przyczynić się do utrzymania korzystnego dla Polski amerykańskiego prymatu. Przy okazji zamierzaliśmy pokazać Amerykanom, że Polska ma aktualną i żywą myśl strategiczną, i że nie musi wcale ograniczać się do tego, by tylko wisieć u klamki wojskowej pomocy amerykańskiej (co przecież wywołuje nad Potomakiem lekko skrywaną pogardę dla naszego kraju, no i nijak nie poprawia naszego bezpieczeństwa). Chciałbym, by polskie społeczeństwo o tym wiedziało i miało klarowny przekaz: całkowite poleganie na pomocy zza oceanu irytuje Amerykanów i w niewielkim stopniu skłania ich do zaangażowania się w nasze reformy wojskowe, bo nie traktują nas jak poważnych, realistycznie i samodzielnie myślących partnerów.

W obliczu nadchodzącej wojny i niechęci Amerykanów do własnej stałej, „ciężkiej" obecności w Polsce planowaliśmy wykorzystać ich nacisk na przeprowadzenie reform i osiągnąć efekt podobny do tego, który kiedyś osiągnęły wspólnoty europejskie. Narzucone przez Unię wymagania zmieniły istotnie polską gospodarkę i inwestycje infrastrukturalne przez zmianę metody i kultury codziennego funkcjonowania oraz zasad przepływu i rozliczania środków unijnych. Chcieliśmy zatem zinstrumentalizować

Amerykanów, ale na swoich warunkach. Tak by armia zorganizowana według nowego wzoru stanowiła polski instrument polityki i podlegała tylko polskiej kontroli oraz polskiemu dowództwu, co z kolei uniemożliwiłoby Amerykanom instrumentalizację naszego wysiłku na przykład przez wybranie momentu zakończenia ewentualnej wojny o Polskę bez naszej zgody.

Zależało nam na nowoczesnym zreformowaniu polskiego wojska i mieliśmy świadomość, że bez spięcia naszych polityków amerykańskimi ostrogami to się nie powiedzie. Jednocześnie liczyliśmy na to, że po zastosowaniu gambitu uda się utrzymać polską „niezależność" i uchronić przed pełną kontrolą przebiegu ewentualnej wojny przez Amerykanów. Wiedzieliśmy, że to bardzo trudne zadanie, ale zgodne z realnym polskim interesem bezpieczeństwa i dlatego warte wysiłku. Interesy frakcji partyjnych i sute kontrakty zbrojeniowe miałem w zerowym poważaniu w świetle tego, co się zbliżało na wschodzie.

By omawiany amerykański gambit miał szansę się udać i zmienić kierunek reformy w kraju, musiał zadziałać mechanizm swoistej gry statusowej, która jest banalna, ale niestety obowiązuje w naszym „najlepszym miejscu na świecie" jako kraju zależnym w zakresie bezpieczeństwa od kraju — dawcy bezpieczeństwa — czyli od Stanów Zjednoczonych. Zawstydzeni takim postawieniem sprawy politycy nigdy się do tego nie przyznają, ale istnienie owego mechanizmu nie ulega wątpliwości, choć jestem przekonany, że większość czytelników o tym nie wie, zwłaszcza jeśli nie mieli oni okazji pracować w sektorze publicznym państwa polskiego czy nie mieli do czynienia z kwestiami dotyczącymi bezpieczeństwa.

## GRA STATUSOWA

Wbrew temu, co często myślą wyborcy, przywódcy polityczni nie są w swoim działaniu wolni. Przeciwnie, wpleceni w sieć zagranicznych czy krajowych uwarunkowań i poddawani naciskom różnych grup interesu, funkcjonują w gmatwaninie wynikających z tego napięć. One zaś powodują, że ludzie ze szczytów władzy zachowują się w określony, często wręcz przewidywalny sposób — wszystko po to, by zdobyć sprawczość, która umożliwi zajęcie pozycji na „samej górze", i aby tę sprawczość niemal za wszelką cenę utrzymać. Tu ogromne znaczenie ma „dystrybucja szacunku", decydująca, jakie zachowania prowadzą do osiągnięcia przywództwa.

Dotyczy to rzecz jasna nie tylko Polski, ale także wielu państw małych i średnich, niepodmiotowych, zależnych w zakresie bezpieczeństwa lub gospodarki od obcego mocarstwa. Z mocarstwami jest inaczej. Mogą je łączyć ze słabszym państwem formalnie przyjazne lub wręcz sojusznicze więzi, lecz nie zmienia to faktu, że silniejsi partnerzy w sposób naturalny dbają o własne interesy i dążą do możliwie szerokiego kontrolowania sprawczości słabszego i zależnego od siebie organizmu, tak by obsługiwał on właśnie interesy owego mocarstwa.

W ciągu ostatnich trzystu lat często zdarzało się to niestety także w Polsce. Nasze położenie geograficzne nie ułatwiało przywódcom właściwego prowadzenia spraw kraju. Działo się tak choćby za panowania Stanisława Augusta, gdy najpierw próbowano prowadzić politykę krajową ze wsparciem Rosji, a potem krótko, opierając się na Prusach, wprowadzać reformy związane z Konstytucją 3 maja. Albo w czasach napoleońskich, gdy usiłowano budować państwo i jego pozycję międzynarodową, polegając na Francji Napoleona. Czy w PRL, gdy władza narzucona i gwarantowana przez Związek Sowiecki znajdowała oparcie dla swojej „siły krajowej" w Moskwie.

Pragnąc państwa podmiotowego i niepodległego, w którym podejmuje się suwerenne decyzje, aby w ten sposób budować własną potęgę, należy codziennie uważać, by nie popaść w zależność nawet od bliskich sojuszników i by nie okazało się, że niepostrzeżenie kraj zaczął realizować nie swoją politykę, lecz jakiś wycinek większej gry silniejszego zaprzyjaźnionego mocarstwa, stając się przedmiotem lub pionkiem w owej grze. Dotyczy to zwłaszcza spraw istotnych dla bezpieczeństwa w regionie. Przekonaliśmy się w Strategy&Future, że polscy politycy niestety nader często o tym nie pamiętają. Zamiast prowadzić realną politykę interesów, uczestniczą w promowaniu jakichś nieokreślonych wspólnych „wartości" — jak uczono mnie w Waszyngtonie w The Potomac Foundation, jest to najwyższy poziom kontroli w stosunkach międzypaństwowych. Następuje wtedy autoutożsamienie interesów państwa słabszego z silniejszym wskutek przekonania o tożsamości wartości, więc silniejsze mocarstwo nie ponosi nawet kosztów przekonywania słabszego. Jakieś koszty zawsze występują, ale po co je ponosić, skoro można wszystko uzyskać od słabszego bezkosztowo, przez jego własne, z czasem już nawykowe naśladownictwo norm silniejszego.

Zjawisko podporządkowania interesów własnych obcemu państwu zaczyna przyjmować formy bardzo namacalne, gdy „uźródłowienie dystrybucji szacunku" i percepcji siły jakiegoś krajowego polityka lub stronnictwa sytuuje się w zagranicznych stolicach, a pozycja we własnym środowisku politycznym w państwie podporządkowanym zaczyna zależeć od tego, jak zagraniczni decydenci oceniają danego polityka czy stronnictwo, a także ich otoczenie i poglądy. Może się tak dziać — co jest jawnie szkodliwe — nawet poprzez ambasadora obcego mocarstwa, który zyskuje możliwość manipulowania polityką i personaliami w kraju, w którym pełni swoją misję.

To wszystko przekłada się na ocenę „siły i znaczenia" tego konkretnego człowieka przez jego nadzwyczaj spostrzegawczych w takich sprawach współpracowników we własnym stronnictwie politycznym w kraju — zawsze przecież w tym pełnym rywalizacji środowisku gotowych do zatrzymania go w drodze na szczyt lub do zrzucenia go ze szczytu. Gdy tylko poczują oni, że „waga" (czyli potęga, a więc sprawczość) danego lidera nie znajduje oparcia w źródle siły (nazywam to na potrzeby tego wywodu uźródłowieniem dystrybucji szacunku, którym jest obce mocarstwo dominujące nad państwem), natychmiast pojawiają się knowania, spiski, zdrady, kłamstwa, intrygi i oszczerstwa.

Ciesząc się „wsparciem" zewnętrznym, polityk taki zyskuje większy „autorytet" niż jego krajowi konkurenci, osiąga wyższą pozycję w grze statusowej, tyle że z nadania zewnętrznego mocarstwa, które ma wyższy status niż Rzeczpospolita. „Autorytet" zbudowany w ten sposób stanowi twardą walutę w obrocie politycznym wewnątrz słabszego państwa. Jest walutą niczym pieniądze, wiedza czy realne osiągnięcia zawodowe w innego rodzaju relacjach między ludźmi. Powoli od utrzymywania dobrych stosunków z obcym mocarstwem zaczyna zależeć kariera danego polityka w kraju. A obce mocarstwo dostaje w zamian władzę nad nim i z czasem także nad polityką słabszego państwa.

Co gorsza, inteligentni politycy o wybitnych zdolnościach przywódczych sami wychwytują to „uźródłowienie" i zwykle ulegają pokusie budowania własnej potęgi wobec współpracowników i rywali politycznych (środowisko rywalizacyjne!) w kraju, opierając się na „dystrybucji szacunku" pochodzącej od mocarstwa. To z czasem uprzedmiotawia politykę słabszego państwa, powodując rozziew między jego realnymi interesami a interesami coraz bardziej dominującego mocarstwa.

Gdy stan ów trwa dostatecznie długo, trudne staje się przeforsowanie czegokolwiek ze względu na dysproporcję sił w grze statusowej. Każdy polityk krajowy (motywowany w swym patriotyzmie rozumną chęcią realizacji interesu Rzeczypospolitej) boi się starcia z kimś, kto cieszy się większym autorytetem w opinii swoich kolegów partyjnych, od których zależą kariera i status owego polityka patrioty. Może trudno w to uwierzyć, ale w grze między ludźmi zajmującymi się polityką tak to przeważnie wygląda. „Treść" schodzi na dalszy plan, zaczynają dominować

„forma" i „opinia o", wyznaczające parametry gry statusowej i zhierarchizowanie jej uczestników. Dla porządku należy dodać, że pierwszą ofiarą takiego rozwoju sytuacji jest zawsze prawda i dążenie do niej. Gra statusowa zabija prawdę i nie o nią w niej chodzi. Bo idzie oczywiście o sprawczość, czyli o władzę.

Przykładem ingerencji zewnętrznej w nasze wewnętrzne sprawy była próba wpływania na politykę znajdującej się w rozkwicie Rzeczypospolitej podjęta przez Habsburgów w czasie dominacji tego domu panującego w Europie u schyłku XVI wieku. Rzeczpospolita miała wówczas oczywiście własne potrzeby i aspiracje, innymi słowy — interesy, ale Habsburgowie posiadali w naszym kraju silne stronnictwo. Popychało ono państwo w kierunku realizacji polityki antytureckiej z korzyścią dla interesów Habsburgów. Tymczasem, po pierwsze, nad Wisłą wojny z Turcją się obawiano, po drugie, orientacja antyhabsburska króla Stefana Batorego i kanclerza Jana Zamoyskiego też miała zapewne docelowo antytureckie intencje, gdyż wypływała z rywalizacji o najbardziej wysunięte południowo-wschodnie rubieże Rzeczypospolitej. Przy czym dla Turków ekspansja na polskie ziemie byłaby jedynie akcją flankującą ujściem Prutu i Dniestru ich główne postępy wojsk wzdłuż doliny Dunaju. Rzeczpospolita dysponowała jednak wobec tureckich zapędów na tym kierunku stosowną głębią strategiczną, co oznaczało, że ekspansja mocarstwa znad Bosforu nie od razu mogła zagrozić żywotnym celom kraju. Interesy naszej ojczyzny nie były zbieżne z interesami cesarstwa Habsburgów, dla których powstrzymanie Turcji zmierzającej na ich obszar macierzysty oznaczało „być albo nie być".

Król Stefan Batory i kanclerz Jan Zamoyski sami chcieli wybrać moment rozprawy z niebezpieczeństwem otomańskim w zależności od potrzeb Rzeczypospolitej, a nie od wygody i interesów cesarstwa. W rezultacie nastąpił okres napięć między Rzecząpospolitą a Habsburgami, którzy ingerowali w wewnętrzne sprawy Polski przez naciski na elekcję oraz trudne relacje kolejnego króla Zygmunta III Wazy ze starym kanclerzem Janem Zamoyskim. Ich kulminacją (z różnych dodatkowych przyczyn, takich jak na przykład wybuch niezadowolenia części szlachty z powodu polityki Zygmunta III po śmierci Zamoyskiego) stał się otwarty konflikt i rokosz Zebrzydowskiego w latach 1606–1607, a zatem de facto wojna domowa.

W skrajnych wypadkach opisywane wyżej zjawisko budowania własnej pozycji politycznej w kraju z pomocą zewnętrznego mocarstwa kończyło się dla Polski albo targowicą, albo instalowaniem przychylnych Sowietom stronników z użyciem sowieckich czołgów, jak w latach 1944–1945 — a więc niezmiennie utratą niepodległości.

Mocarstwa mają długą tradycję manipulowania innymi państwami, tworzenia w nich w ten sposób swoich wpływów i podporządkowywania ich sobie. Tak podporządkowanymi państwami łatwo oczywiście sterować z zewnątrz. Istnieje wiele przykładów krajów znajdujących się w strefie imperialnych wpływów obcego mocarstwa. Rzeczpospolitej zdarzało się to już nie raz i nie dwa, dlatego codziennie należy mieć się na baczności wobec wszystkich mocarstw, w tym sojuszniczych. Trzeba nieustannie sprawdzać, czy się w taką zależność od nich nie popada i nie staje się stopniowo bezwolnym przedmiotem czyjejś gry, z czasem naprawdę niebezpiecznej. Dotyczy to interesów gospodarczych oraz bezpieczeństwa, a często oczywiście obu sfer naraz.

W zakresie bezpieczeństwa stanowi to rzecz szczególnie groźną, gdyż w grze o równowagę strategiczną, stale poszukiwaną przez mocarstwa, a przecież i tak chwiejną, kraj podporządkowany zostaje zaliczony do obozu swojego patrona, chociaż o tym nie wie. Albo wie, ale nie chce być tak traktowany. I wcale nie musi to być dla niego wygodne w danym momencie lub w danej kwestii. Zwłaszcza gdy patron jest daleko, a zagrożenie blisko. Wojna na Ukrainie jasno to pokazuje.

Należy pamiętać, że biorcę bezpieczeństwa od jego dawcy uzależnia geopolitycznie zwłaszcza współpraca w sferze wojskowo-zbrojeniowej, albowiem tworzy wpływy, kreuje lewar dawcy (instrument nacisku) nad poczuciem bezpieczeństwa biorcy. Pojawia się wtedy możliwość sterowania biorcą przez codzienne subtelne dawanie do zrozumienia, kto kogo potrzebuje. Dostawy części zamiennych i uzupełnień do dostarczanego sprzętu wojskowego, szkolenia, programy pomocowo-finansowe — od tego wszystkiego bardzo łatwo się uzależnić. Taka sytuacja ułatwia dawcy bezpieczeństwa i pomocy wojskowej budowanie wpływów i prowadzenie gry statusowej wśród polityków krajowych za pomocą wspomnianego już obdzielania własnym „autorytetem" (lub pozbawiania go).

Bywa to niebezpieczne i nie powinno przesłaniać ogólnej potencji polityki wynikającej z sytuacji geopolitycznej i przyjętej geostrategii kraju, które stwarzają najczęściej więcej instrumentów do budowania potęgi niż tylko zdawanie się na pomoc wojskową dawcy.

Oczywistym przykładem takiego uzależnienia była sytuacja strategiczna PRL w czasie zimnej wojny. Można zaryzykować twierdzenie, że społeczeństwo jawnie sympatyzowało z Zachodem, a na pewno nie chciało wojny nuklearnej. Gdyby jednak taka wojna wybuchła, Polska na skutek sowieckiego patronatu oraz swojego kluczowego położenia geograficznego stałaby się poligonem dewastujących uderzeń jądrowych ze strony Stanów i NATO. To oczywiście skrajny scenariusz, ale oddaje istotę mechanizmu zależności geopolitycznych.

Uwarunkowania geopolityczne oraz tarcia między krajowymi grupami interesów zakreślają przestrzeń działań przywódcy. Zawsze jest ona bardzo wąska, a zazwyczaj wręcz skrajnie mała i beznadziejnie ograniczona. I właśnie po tym poznaje się wielkich przywódców — że rozumiejąc ciasny kaganiec rzeczywistości, umieją pośród tych ograniczeń wyrąbywać sobie przestrzeń i pole manewru, podejmując słuszne decyzje. Wszystko po to, by wzmacniać potęgę własnego państwa, któremu są wierni i któremu służą.

Amerykański gambit miał pomóc podjąć dobre dla Polski decyzje przez pozyskanie wsparcia dominującego mocarstwa dla modelu potrzebnej reformy. Wsparcia tak stanowczego, by przełamało niemoc wykonawczą polskiego systemu publicznego oraz by podeptało i skruszyło siły nacisku oraz grupy lobbystyczne skoncentrowane wyłącznie na partykularnych interesach finansowych.

Armia Nowego Wzoru zrobiła wrażenie na Amerykanach, ponieważ pokazaliśmy, że rozumiemy, iż dobrze wymodelowana siła zbrojna (co do struktury i uszykowania) stanowi element polityki bezpieczeństwa państwa w dobie kryzysu systemu międzynarodowego. Daliśmy w ten sposób sygnał, że Polacy chcą ją samodzielnie stworzyć, że jesteśmy gotowi bić się przez początkowy okres wojny, że weźmiemy na siebie ciężar wojny lądowej, której tak nie znoszą Amerykanie. I najważniejsze: że rozumiemy, iż Amerykanie mają kłopoty z obecnością w Eurazji, i dlatego wychodzimy im naprzeciw, a nie wypłakujemy się wiernopoddańczo, by w zamian bronili nas wszystkim, czym dysponują.

Stany Zjednoczone czekały z utęsknieniem, aż sojusznicy „dorosną" i zaczną samodzielnie myśleć o obronie, „wkomponowując się" w nowe oczekiwania amerykańskie, dużo bardziej elastyczne, w myśl koncepcji *lean & agile*. Jakże inne od tych z czasów zimnej wojny, czego nie mogłem przez lata wytłumaczyć polskim decydentom, najczęściej w senioralnym wieku i mentalnie zanurzonym w modelu rodem z zimnej wojny, kiedy to amerykańscy żołnierze i ich rodziny niemal jako zakładnicy zajmowali garnizony w RFN. Obecność tych ludzi pod lufami sowieckimi dawała Niemcom Zachodnim gwarancje, że Amerykanie będą walczyć na równi z nimi od pierwszej godziny, bo będą umierać od samego początku wojny. Taka sytuacja jest obecnie nie do powtórzenia.

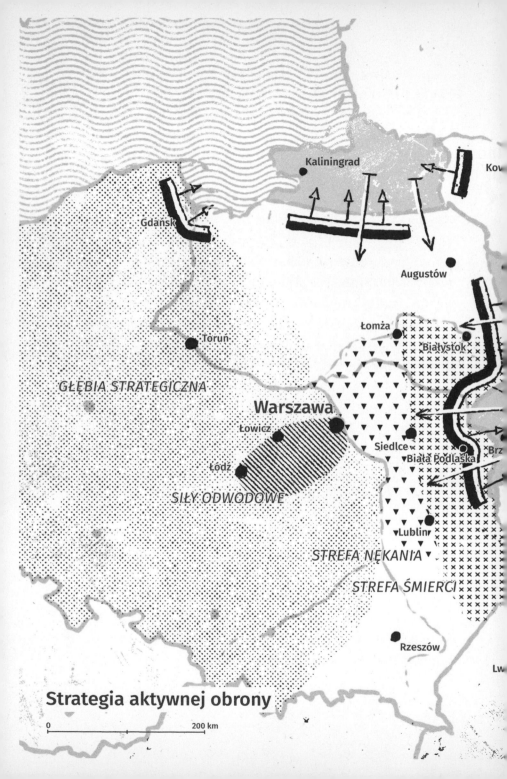

Kaliningrad

Kov

Gdańsk

Augustów

Łomża

Białystok

Toruń

GŁĘBIA STRATEGICZNA

Warszawa

Łowicz

Siedlce

Biała Podlaska

Brz

Łódź

SIŁY ODWODOWE

Lublin

STREFA NĘKANIA

STREFA ŚMIERCI

Rzeszów

Lw

# Strategia aktywnej obrony

0                    200 km

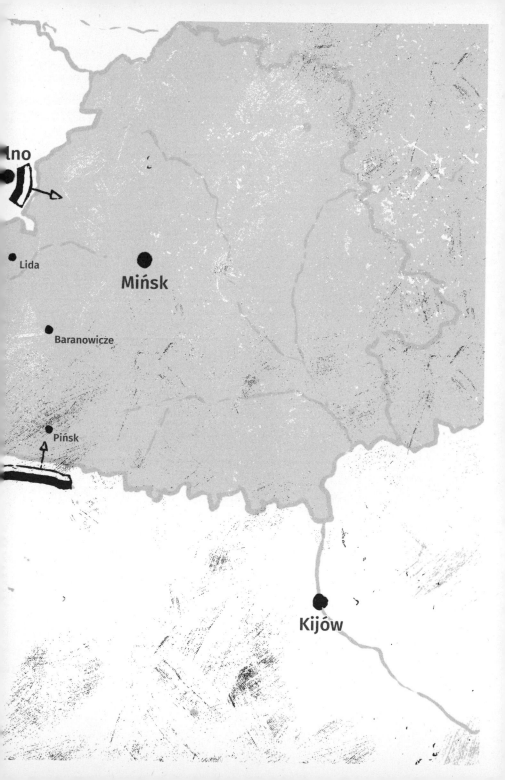

Odbyliśmy za oceanem przez ponad dwa tygodnie kilkadziesiąt spotkań, na których dokonywaliśmy tak zwanej projekcji intencji za państwo polskie, prezentując założenia Armii Nowego Wzoru dla Polski na nowe czasy rywalizacji i wojen w Eurazji. Pojechaliśmy ostatecznie z Albertem Świdzińskim i wpływowym dziennikarzem Igorem Jankem, którego zaprosiliśmy, by obserwował nasze poczynania i ewentualnie mógł zaświadczyć, że nie zmyśliliśmy sobie tego wszystkiego. Nick Myers dołączył do nas już w Stanach. Działo się to dosłownie na kilka dni przed wybuchem wojny na Ukrainie.

Szło nam tak dobrze z gambitem, a oceny Amerykanów dotyczące Armii Nowego Wzoru były tak pozytywne, że któregoś dnia zaczęliśmy się z Albertem poważnie zastanawiać, czy nie przesadziliśmy... Amerykanie mogli przecież na podstawie kontaktów z naszą grupą zacząć zbyt wysoko oceniać poziom kultury strategicznej w Polsce i dojść do przekonania, że nasz rząd rozumie sytuację strategiczną i wojskową „w lot", co niestety nie było prawdą. Tymczasem nam chodziło głównie o to, by nasi waszyngtońscy sojusznicy rozmawiali między sobą i debatowali o polskich planach czy koncepcjach i by ta myśl przeniknęła do systemu politycznego Stanów Zjednoczonych, stała się częścią światopoglądu ludzi, którzy komunikują naszym rządzącym amerykańskie intencje. Chcieliśmy, by Amerykanie naprowadzili polski rząd na pożądany kierunek reform zgodny z Armią Nowego Wzoru jako modelem korzystnym dla nowej obecności Stanów Zjednoczonych w Eurazji.

Sam raport Armii Nowego Wzoru został przygotowany na nasz wyjazd także w języku angielskim, przy czym kilka rzeczy złagodziliśmy, by nie uruchomić podejrzeń Amerykanów, że Polska chce „na twardo" kontrolować samodzielnie eskalację ewentualnego konfliktu z Rosją. Waszyngton bardzo tego nie lubi. Mieliśmy ze sobą kilka wersji prezentacji, najdłuższa liczyła prawie pięćset slajdów.

Tę bardzo długą wersję chcieliśmy pokazać Philowi Karberowi w jego domu pod Waszyngtonem, gdzie umówiliśmy się na całe popołudnie, wieczór i noc, by na wielkim ekranie i wygodnych sofach w imponującym salonie przejrzeć strona po stronie wszystkie założenia. Na wieść o tym, że mamy pięćset slajdów, powiedział z uśmiechem: „Lubię szczegóły".

Oprócz Karbera w Waszyngtonie „briefowaliśmy" o założeniach Armii Nowego Wzoru wspomnianemu wcześniej Wessowi Mitchellowi (który po kilku dniach i konsultacjach z ludźmi z Kongresu wrócił do nas z dodatkowymi pytaniami), Michaelowi Kofmanowi (z jego wypowiedzi wnioskowałem, że ma bardzo złe zdanie o polskim systemie zamówień, pozyskiwaniu sprzętu i całej naszej kulturze strategicznej), Andrew Mayowi (legendarnej postaci z Office of Net Assessment; May był prawą ręką twórcy tej instytucji — Andy'ego Marshalla, który zmarł w 2019 roku) oraz generałowi Philipowi Breedlove'owi (byłemu SACEUR — czyli dowódcy całego NATO). Benowi Hodgesowi zaś opowiadaliśmy o Armii Nowego Wzoru jeszcze w Bukareszcie w styczniu 2022 roku. Dodatkowo w Waszyngtonie pokazywaliśmy pomysł Ianowi Brzezinskiemu i ludziom z bliskiego Pentagonowi Center for Strategic and Budgetary Assessments, wśród nich mojemu przyjacielowi Janowi van Tolowi, od którego zaczęła się moja przygoda z koncepcjami operacyjnymi (to on był autorem raportu o wojnie powietrzno-morskiej na Pacyfiku). W CSBA na spotkaniu był też obecny Eric Edelman, niezwykle wpływowy na Kapitolu. Odwiedziliśmy także starych przyjaciół z Jamestown Foundation, dla której napisałem kilka tekstów o polskiej polityce wschodniej. Króluje tu Glen Howard, na spotkaniach występujący w sweterku à la agent CIA skupiony na zadaniu gdzieś w Eurazji w zimnowojennych latach siedemdziesiątych. Glen i jego współpracownicy zrobili na mnie świetne wrażenie — byli oddani sprawie i starali się zrozumieć Eurazję bez ideologicznych naleciałości. Od razu złapaliśmy wspólny język, po tym jak Glen na wstępie zaznaczył, że jest „człowiekiem od Mackindera" i patrzy na Eurazję z jego perspektywy...

W Heritage Foundation widzieliśmy się z Dakotą Wood i Jamesem Carafanem oraz ich współpracownikami i odnieśliśmy wrażenie, że najbardziej boją się kontynentalnej konsolidacji i współpracy niemiecko-rosyjskiej. W US Army War College John Deni zaprosił nas do wygłoszenia wykładu o Armii Nowego Wzoru dla kadry uczelni, a potem oddzielnie dla studiujących tam amerykańskich i sojuszniczych starszych oficerów, „kandydatów na generałów" — jak się mówi za oceanem. Odbyliśmy też w US Army War College dodatkowe narady z wykładowcami. Po jednym ze spotkań i wspólnym papierosie z Johnem Denim razem z Albertem zgodnie, acz ze smutkiem uznaliśmy, że lepiej rozumiemy się z ludźmi zza oceanu, jeśli chodzi o to, co należy zrobić i jaka zachodzi ewolucja pola walki. Trudniej nam rozmawiać o tych sprawach z własnymi rodakami z politycznych elit...

Szczególnie zapamiętałem jedno spotkanie. W słoneczne popołudnie Albert, Nick Myers i ja wybieraliśmy się na rozmowę z Andrew Mayem z Office of Net Assessment do Pentagonu. Miał jechać z nami Igor Janke, ale został w hotelu, bo zachorował — kichał i prychał. Zdemolowało mu to sporą część pobytu w Stanach. Ostatecznie spotkanie z Andrew Mayem odbyło się w restauracji koło Pentagonu. May okazał się niemal sobowtórem Hugh Lauriego ze znanego serialu *Dr House*. Człowiek, który planuje długoterminową strategię rywalizacyjną Stanów z Chinami, wygląda i zachowuje się jak doktor House. Spotkanie najlepiej podsumował Albert: „Jacku, on był lepszy niż my, lepiej się orientował w omawianych materiach i był szybszy. I ma te swoje zimne oczy ukryte za maską wielkiego spokoju, pewnej flegmy i elegancji. Jest bezwzględny. Arcykulturalny — ale bezwzględny”.

Co znamienne, Andrew May nawet słowa nie poświęcił zbliżającej się wojnie na Ukrainie. To było dla niego coś, co już trwało. Jak przystało na opokę Office of Net Assessment, zaprzątał sobie głowę tylko przyszłością i długoterminowym kształtowaniem asymetrii rywalizacyjnych, a na celowniku miał oczywiście Chiny — wyzwanie poważne i groźne. To tam kieruje się uwaga strategiczna Waszyngtonu.

Andrew Maya interesowało w naszej koncepcji to, że Armia Nowego Wzoru ma zbudować polski zintegrowany system świadomości sytuacyjnej dla wszystkich rodzajów sił zbrojnych, wielowarstwowy, o rozproszonej siecio-centryczności, wpięty w naszą własną, całkowicie nieza-leżną od sojuszników pętlę decyzyjną, od poziomu taktycz-nego po strategiczny.

Podczas tych wszystkich spotkań w lutym 2022 roku nad Potomakiem forsowaliśmy pogląd, że Polska tak właś-nie postępująca poprawi realny potencjał odstraszania NATO. To powinno się spotkać z pozytywnym przyjęciem sporej części establishmentu strategicznego i większości kół wojskowych w Stanach, które martwią się atrofią eu-ropejskich zdolności wojskowych w obliczu konieczności skierowania uwagi Amerykanów na konfrontację z China-mi. Amerykanie chcieli, byśmy dorośli i zajęli się bardziej samodzielnie wojną z Rosją i odstraszaniem Rosjan, ale wciąż przy amerykańskiej kontroli eskalacji konfrontacji politycznej i ewentualnie kinetycznej. Do tego sprowadza-ły się sedno i sens gambitu: więcej samodzielności dla Pol-ski, choć oczywiście prawdziwa rozgrywka dotyczyłaby tego, kto kontroluje eskalację. Kto konkretnie i na bieżąco nią kieruje w trakcie kryzysu i wojny. My czy Amerykanie.

Przykładowo samodzielne prowadzenie naszych ćwi-czeń wojskowych bez uprzednich konsultacji z Ameryka-nami co do pełnego ich zakresu miałoby przekonać Rosjan, że tego rodzaju decyzje podejmujemy sami, a to zmieniłoby skłonność Rosjan (i innych) do omawiania polityki bez-pieczeństwa wobec Polski bezpośrednio z Amerykanami, z pominięciem naszego zdania. W S&F uważaliśmy, że paradoksalnie dzięki temu zyskamy szacunek w NATO

i w Stanach, wzmacniając „realność" Sojuszu Północnoatlantyckiego. Takie ćwiczenia powinny obejmować szkolenie dwóch eksperymentalnych brygad lekkiej piechoty
(dronowych) we wschodniej Polsce do działań lekkich,
rozproszonych, sabotażowych, a gdyby zaszła taka potrzeba, do działań opóźniających, w tym na Białorusi. Należało
zademonstrować, że umiemy tymi siłami (lub ćwiczonym
wcześniej ogniem pośrednim) oddziaływać na jak najwięcej węzłów kolejowych na wschód od naszych granic
(Grodno, Brześć, Wołkowysk, Baranowicze, Lida, Łuniniec,
przedmieścia Mińska: Ratomka, Pomyśliszcze).

## GDYBY UKRAINA PRZEGRAŁA

Musimy być świadomi tego, że przed Amerykanami stoi
ogromne wyzwanie przełamania potęgi Chin na zachodnim Pacyfiku — największe, z jakim kiedykolwiek się mie-
rzyli w swojej historii mocarstwa światowego. Niewyklu-
czona jest wojna na Pacyfiku jeszcze przed rokiem 2030,
a na tamtym teatrze wojennym Stany Zjednoczone potrzebują zupełnie innych zdolności wojskowych niż na europejskim. Inny przeciwnik, inna geografia i tyrania dystansu
oraz logistyka: głównie działania floty i sił powietrznych,
a nie wojsk lądowych, które nie mają za bardzo czego
szukać na zachodnim Pacyfiku. Do tego zmienia się też
charakter wojny i ewoluuje sposób prowadzenia walki,
co — jak wspominałem — skłania Amerykanów do prefe-
rowania oddziaływania na Eurazję z daleka, „spoza linii
horyzontu".

Wieczorem w Waszyngtonie rozważaliśmy, czy Armia Nowego Wzoru w scenariuszu „atlantyckim" spowoduje, że Polska będzie wysuniętą „kasztelanią" sił atlantyckich (bardzo akuratny termin ukuty przez jednego z szefów warszawskich think tanków) na szpicy starcia, między Oceanem Światowym (źródłem siły Zachodu), który będzie bronił swojego stanu posiadania, a mocarstwami kontynentalnymi Eurazji. Ciesząc się jakimś stopniem zgrania operacyjnego (pytanie: jak dużym?) z rotującymi się okresowo wojskami amerykańskimi w naszej części Europy, zmierzymy się wówczas jako państwo frontowe z oddziaływaniem pełnej rosyjskiej presji w walce o kształt nowego ładu międzynarodowego.

Tu warto podkreślić, jak bardzo zwycięstwo ukraińskie pod Kijowem w 2022 roku i późniejsze podmiotowe działanie państwa ukraińskiego wzmocniło pozycję Polski wobec Rosji i zagrożenia, które ta druga stworzyła. Ogólnie: jak wzmocniło to „siły atlantyckie". Porównajmy stan ze stycznia 2022 z tym z jesieni tego samego roku. W tamtym czasie ważne dla nas było to, że tak ukształtowana Armia Nowego Wzoru bardzo się przyda również w scenariuszu niewykluczonych porozumień Waszyngtonu z Moskwą w obliczu wzrostu potęgi Chin, zwłaszcza gdyby Kijów i Ukraina miały dość szybko upaść, jak przecież przewidywali wszyscy nasi rozmówcy za oceanem tuż przed wybuchem wojny. Wówczas Polska potrzebowałaby bardzo Armii Nowego Wzoru ukształtowanej tak, jak zaproponowaliśmy to w Strategy&Future, by wziąć udział w kluczowej dla nas grze, którą inaczej Rosjanie i Amerykanie mogliby przeprowadzić wyłącznie ponad naszymi głowami.

Uznaliśmy, że jesteśmy to winni przodkom, którzy płacili w swoich czasach straszną cenę za zaniedbania tego rodzaju. Dotyczy to na pewno posiadania samodzielnej pętli decyzyjnej, własnych systemów rozpoznania i rażenia na duże odległości. Innymi słowy, uważaliśmy, że nie ma czasu do stracenia — potrzebowaliśmy naszej New Model Army. W fazie kinetycznej celem było podważenie ówczesnego przekonania Rosji o niekwestionowanej dominacji eskalacji poprzez skuteczną walkę na niższych szczeblach oraz wyraźnie zademonstrowany brak klarownego polskiego punktu ciężkości, które to elementy Rosjanie mogliby chcieć wyeliminować, by spektakularnie z kolei zademonstrować własną przewagę i zmusić nas do pokoju na swoich warunkach. Im mniej przekonująco Rosja miałaby sobie radzić w wojnie z Polską na kolejnych etapach eskalacji, tym bardziej będzie chciała pokazać własną dominację, podwyższając stawkę, tym samym jednak stopniowo niszcząc swój cel polityczny: demonstrację hegemonii wojskowej i uzyskanie wpływu na system kontynentalny Europy. Ale bez wielkiej wojny, która uczyniłaby interwencję amerykańską bardzo prawdopodobną, a może i oczywistą.

Jak pokazała wojna na Ukrainie, z każdą godziną i z każdym dniem erodowałoby domniemanie o dominacji przemocy rosyjskiej. Tym samym Rosjanie straciliby walutę umożliwiającą zmianę architektury bezpieczeństwa i stanie się udziałowcem systemu europejskiego bez inicjowania dużej wojny kontynentalnej, która mogłaby przecież doprowadzić do zaangażowania się państw europejskich, Amerykanów, a nawet do wojny nuklearnej.

W tym kontekście należy podkreślić, że czołgi, samoloty, artyleria to tylko efektory pozwalające zrealizować postanowienia, które zapadły w pętli decyzyjnej. Bez sprawnej pętli nie mają one znaczenia, niczym breloczki przy spodniach czy modna fryzura na deszczu. Dokładnie tego zabrakło na przykład wojskom afgańskim pozbawionym kluczowych technologicznych elementów pętli decyzyjnej po wycofaniu się Amerykanów. Dodatkowo nie wystarczyło im morale, czyli przekonania, że cel walki, a więc istnienie rządu i państwa, jest wart wysiłku i podjęcia śmiertelnego ryzyka.

Zupełnie inaczej rzecz się miała z Ukraińcami — ku zaskoczeniu wszystkich: Rosjan, Amerykanów, zachodnich Europejczyków, naszych rozmówców w Stanach Zjednoczonych (także tych, którzy szkolili wojska ukraińskie), ku zaskoczeniu naszego wojska i naszych ekspertów w kraju oraz samego Strategy&Future, w tym również mnie samego.

Historia naszej ojczyzny niestety pokazuje, że często zawodziło morale i wiara w sukces w obliczu liczniejszego wroga. Zawiodło morale w naszej wojnie w obronie konstytucji 1792 roku, gdy po nie najgorszym początku i bitwach pod Zieleńcami i Dubienką król przystąpił do targowicy i ostatecznie wojsko się rozeszło, nie wierząc w końcowy sukces działań. Nie było nikogo, kto by króla powstrzymał i zahamował negatywny proces rozkładu. Cokolwiek by mówić na przykład o Niemcach, to do kwietnia 1945 roku zachowali przyzwoitą sprawność pętli decyzyjnej pomimo przytłaczającej dysproporcji wojskowej na korzyść aliantów.

Nad tym chcieliśmy w Polsce popracować przy Armii Nowego Wzoru i to się potwierdziło na Ukrainie ponad wszelką wątpliwość. Gdy jest morale i determinacja do walki, mamy najważniejszy element niezbędny do prowadzenia wojny. Sprzęt wojskowy można pozyskać z zagranicy, jak to czynią Ukraińcy. Morale w wojsku i w instytucjach polskiego państwa odpowiedzialnych za wojnę, w tym za wojnę hybrydową — gdy jeszcze nie toczy się wojna gorąca, musi być jeszcze wyższe niż w przeszłości, gdyż zjawisko warstreamingu z pola walki w połączeniu z wojną informacyjną może wywołać kaskadowy, wręcz destrukcyjny jego spadek, a w konsekwencji spowodować rozpad wspólnoty wysiłku. Widać to było w sensie negatywnym w Afganistanie latem 2021 i w Górskim Karabachu w 2020, a w jakże pozytywnym na Ukrainie w 2022 roku.

W relacjach z Amerykanami cała sprawa strategii dotycząca wojny ogniskuje się wokół pętli decyzyjnej. Wspomniałem już o tym, że kto ją kontroluje, ten zarządza eskalacją. Pętla decyzyjna musi być przy tym oczywiście odporna na zakłócenia i wrogie przejęcie oraz redundantna, czyli taka, którą w razie uszkodzenia można będzie zastąpić w sposób niejako automatyczny. Najlepiej, aby istniało kilka alternatywnych systemów technologicznych. Musimy się też dobrze zastanowić, czy chcemy pętlę całkowicie scentralizować, czy pewne jej elementy powinny być amorficzne, by nie dało się ich wyeliminować szybko, w ramach jednej sekwencji działań przeciwnika. Centralizacja pętli decyzyjnej na pewno była jednym z grzechów we wrześniu 1939 roku. W modelu amorficznym amerykański sojusznik nie będzie nas mógł również zmusić politycznie do zawarcia pokoju na zasadach, których nie będziemy akceptowali. Amorficzny system sprawia też, że rośnie ryzyko po stronie przeciwnika, bo raz puszczony w ruch wykonuje działania niezależnie od nacisków z góry.

Polska demonstracja rozwijania samodzielnych zdolności podczas realizowanej reformy polskiej wojskowości dałaby Rosjanom, Niemcom i Amerykanom sporo do myślenia: nie można nas ogrywać ponad naszymi głowami, a to ze względu na brak kontroli nad eskalacją przez silniejszych od nas. Samo podjęcie reformy pętli decyzyjnej w tym zakresie będzie wyraźnym sygnałem dla wszystkich stolic, że Polacy wiedzą, o co chodzi w rozgrywce geopolitycznej i wynikającej z niej sygnalizacji strategicznej, i że są poważni. Kupowanie efektorów bez przeprowadzenia reformy wszystkich sekwencji pętli decyzyjnej może wywołać efekt przeciwny — ugruntuje się obraz Polski jako państwa postkolonialnego, peryferyjnego, które kupuje na kartę kredytową efektory bez ładu i składu. Brak integracji pętli decyzyjnej prowadzi do klęski, nawet jeśli ma się lepsze efektory. W tym samym duchu pamiętajmy, że reformy i innowacje w wojsku wymagają przede wszystkim zmian koncepcyjnych, kulturowych i organizacyjnych.

Poza tym bez szerszego spojrzenia z perspektywy własnej strategii, czyli pod nasze partykularne potrzeby, może pojawić się toporna imitacja, która niszczy innowację — jak na przykład gonienie Rosjan pod względem liczby czołgów albo kupowanie sprzętu od Amerykanów, „bo u nich się sprawdził", i grzeczne pełnienie funkcji wojska „uzupełniającego" armię mocarstwa dominującego. To błąd. Rozumienie asymetryczności i dynamiczne zarządzanie nią stanowi źródło innowacji, a w rezultacie wygranej i transgresji w kierunku „nowego sposobu wojowania". Przede wszystkim, kiedy mamy do czynienia z realną innowacją, nigdy nie dotyczy ona samej technologii, ale zawsze nowego sposobu organizacji i dzięki temu nowego sposobu użycia siły.

Jaki zatem jest i jaki będzie nasz sposób działania w nadchodzących latach? Czy będziemy tylko udawać rozwój i reformy, jak robiliśmy to w PRL, czerpiąc wzorce ze Związku Sowieckiego? Czy może stanie się tak jak w III RP, kiedy wzorowaliśmy się głównie na Amerykanach i szykowaliśmy wojsko do działania zawsze gdzieś u boku USA, jako uzupełnienie sił lub jako wojska pomocnicze, korzystając z amerykańskich systemów i elementów pętli decyzyjnej, w tym z sensorów i systemu logistycznego do utrzymania sprawnośći sprzętu?

Czy może jednak nareszcie przygotujemy się do wyzwań naszej geografii, naszego położenia geopolitycznego, naszych uwarunkowań strategicznych, by zrealizować słuszne ambicje pełnej kontroli pętli decyzyjnej, w której podejmowane decyzje będą wynikać z kilkusetletniej kultury strategicznej Rzeczypospolitej, jej interesów i własnego rozeznania sytuacji strategicznej i operacyjnej? Czy odszukamy w sobie siłę, by samodzielnie rozpoznać nasze przewagi asymetryczne wobec przeciwnika i na tej podstawie reformować wojsko, z którego będziemy w przyszłości dumni?

W czwartek 24 lutego 2022 roku, gdy wybuchła wojna na Ukrainie, byłem na wyjeździe związanym z pracami Strategy&Future na południu kraju. W nocy mało spałem, bo już było czuć, że wojna się zbliża, czekałem więc na rozwój sytuacji. Rano miałem mieć odprawę z omówieniem wyników gry wojennej, którą przeprowadziliśmy jako S&F dla wojska w poprzednich miesiącach. Gdy wybuchła wojna, bladym świtem zadzwoniłem do jednego z chłopaków z jednostki, żeby go podpytać.

— Kurczę, chyba nie będzie tej odprawy. No przecież wojna jest...

— Jacek, jest odprawa, „Stary" chce mieć odprawę — usłyszałem w telefonie.

„Stary", czyli dowódca. Odprawa faktycznie się odbyła i tak spędziłem pierwszy dzień wojny, której przebieg, jak wiadomo, zaskoczył dosłownie wszystkich.

Rozmawialiśmy wtedy dużo o tym, co się będzie działo dalej. Jak widać, wojna i jej przebieg to nieprzewidywalne przedsięwzięcie. Gdy się ją zaczyna, nigdy nie wiadomo, jak, kiedy ani gdzie się skończy. Z tego powodu jest być może najbardziej ryzykownym ludzkim działaniem. Przekonali się o tym Persowie w Grecji, Rzymianie w Lesie Teutoburskim, Szwedzi pod Kircholmem. Przekonać się może o tym Putin i jego otoczenie.

Bardzo dziwnie się czułem w ten pamiętny lutowy czwartek i przez kilka następnych dni. Pisałem już w 2011 roku pierwszy artykuł o tym, że łamie się ład światowy.

W 2012 roku przygotowałem kolejne teksty. Potem podobnie przewidywałem w swych książkach. Odbyłem niezliczoną liczbę podróży po świecie, wykonałem ze współpracownikami mnóstwo pracy, by zrozumieć, co nadchodzi. Tyle było wysłuchanych i wygłoszonych wykładów — zbierze się tego może nawet kilkaset, zarówno w całej Polsce, jak i za granicą. Lecz przez kilka dni po 24 lutego miałem totalny mętlik w głowie, wzmożony zmęczeniem po intensywnym pobycie w Stanach tuż przed wybuchem wojny oraz wcześniejszym przygotowywaniem styczniowego raportu i grudniowej prezentacji Armii Nowego Wzoru. Najwidoczniej czasami tak się po prostu dzieje, że choć człowiek latami o czymś pisze, przygotowuje się do tego, rozmyśla o danym temacie czy o jakimś wydarzeniu, to gdy ono w końcu nadchodzi, jest tak wielkim psychologicznym zaskoczeniem, że trudno nawet poskładać myśli.

W końcu przecież Rosjanie mogli zająć Kijów w kilka dni, złamać opór Ukraińców, podporządkować sobie ich państwo, stanąć na polskiej granicy od Karpat po Bałtyk, zażądać korytarza z Białorusi do Kaliningradu. Mogli uderzyć na Polskę, mogło dojść także do starcia nuklearnego w razie bezpośredniego zaangażowania się Amerykanów w konflikt.

Jak rozwinęłaby się sytuacja w Europie i na świecie, gdyby Rosjanie zdobyli Kijów w pierwszych dniach wojny? W Polsce chyba nie do końca uświadamiamy sobie, jak blisko katastrofy byliśmy. Nasi wojskowi mówią prywatnie, że klęska Ukrainy była w pierwszych dniach dosłownie o krok. Jak słusznie pisał w Strategy&Future Albert

Świdziński, ex post może się wydawać, że rosyjska operacja, stanowiąca — jak to ujął generał Mark Milley, dowódca amerykańskich wojsk w Europie — „rosyjską wersją strategii *shock and awe*", była skazana na niepowodzenie. Jednak wcale nietrudno wyobrazić sobie scenariusz, w którym Rosjanom udaje się utrzymać kontrolę nad lotniskiem w Hostomelu, co umożliwiłoby im desant i ułatwiłoby operację zdobycia Kijowa. Albo bez problemu mogę sobie wyobrazić operację pojmania lub likwidacji prezydenta Wołodymyra Zełenskiego przez rosyjskie służby specjalne, które zdaniem wielu były w Kijowie już na kilka tygodni przed wybuchem wojny. Czy też scenariusz, w którym Zełenski przyjmuje przedstawioną mu przez Amerykanów propozycję „podwózki". Stacją końcową jego podróży byłaby niemal na pewno Polska, gdzie uciekając w krainę fantazji, podjąłby się — wzorem Białorusinki Swiatłany Cichanouskiej — szlachetnego zajęcia tworzenia rządu na uchodźstwie. Ale tak jak realną władzę na Białorusi sprawuje Putin (poprzez jakąś formę proxy w postaci Łukaszenki), tak na Ukrainie władzę stanowiłaby wydmuszka kontrolowana przez Kreml. Czy Zełenski — którego notowania przed wybuchem wojny sukcesywnie spadały — zdołałby w takiej sytuacji zachować autorytet, wiarygodność i, co najważniejsze, sprawczość? Czy udałoby się utrzymać morale armii i społeczeństwa ukraińskiego, czy też doszłoby do jego kaskadowego załamania?

A nawet gdyby nie doszło do upadku morale, to czy w obliczu dekapitacji przywództwa możliwe byłoby skuteczne i zorganizowane prowadzenie odpowiednio skoordynowanych działań obronnych przez ukraińskie siły zbrojne? Warto pamiętać, jak wielką wagę ukraińskie kierownictwo polityczne przywiązywało do kwestii morale. Sam Zełenski przyznawał, że jedną z przyczyn, dla których Kijów nie ogłosił powszechnej mobilizacji, była obawa przed możliwym wybuchem paniki i próbą ucieczki z kraju znacznej części populacji, bo – jak to ujął – „kluczem do odparcia inwazji było zatrzymanie ludzi w kraju, tak żeby mogli walczyć i bronić swoich domów". Gdyby jednak świat obiegła informacja, że prezydent opuścił Kijów, albo pojawiłyby się jego zdjęcia w rosyjskiej niewoli – czy wówczas wola walki ukraińskiego społeczeństwa i wojska byłaby taka sama?

Oczywiście nie oznaczałoby to bynajmniej, że wraz ze śmiercią lub ucieczką Zełenskiego Ukraina przestałaby walczyć. Zarazem można jednak domniemywać, że jej opór przyjąłby relatywnie szybko formę wojny partyzanckiej, część sił ukraińskich mogłaby zejść do podziemia, powstałby prawdopodobnie ruch oporu, wspierany z Polski. Ale zarządzający od wieków konstruktem imperialnym Rosjanie mają doświadczenie – i to ogromne – nie tylko w zwalczaniu ruchu oporu, nie tylko w likwidowaniu elit, ale też w zastępowaniu ich nowymi, o czym świadczy choćby nasze bogate i bolesne doświadczenie historyczne, a także dzisiejsza obecność na Ukrainie bojowników czeczeńskich, pełniących tam funkcje czysto pacyfikacyjne.

W jakże przerażającej sytuacji znalazłaby się wówczas Polska! Wraz z upadkiem Ukrainy nasz kraj, pozbawiony strefy buforowej, sam by się nią stał. Cała wschodnia granica byłaby de facto granicą z Rosją. Za naszymi plecami znajdowałyby się natomiast Niemcy, które, jak doskonale widać, muszą doprowadzić do powrotu co najmniej poprawnych relacji z Rosją, od tego zależy bowiem los tamtejszego przemysłu, a tym samym kontraktu społecznego. Rosja byłaby silna, jej wojska nie byłyby wyniszczone przez długotrwałą wojnę na Ukrainie. W obliczu rosyjskiego *fait accompli* presja ze strony państw Europy Zachodniej, aby zaakceptować nowy status quo, stałaby się przemożna. Odmowa negocjacji z Moskwą byłaby w oczach państw Zachodu próbą dyskutowania z faktami, a więc czynnością całkowicie bezsensowną. Rosja udowodniłaby wszakże, że jest mocarstwem, a siła daje jej prawo do posiadania strefy wpływów — i po raz kolejny byłby to fakt, z którym nie sposób dyskutować. Bo tak naprawdę Ukraina ma tyle samo prawa do suwerenności i niezależności terytorialnej, ile Rosja do posiadania strefy wpływów. Oba te państwa mają tyle praw, ile zdołają sobie wywalczyć na polu bitwy — i ani o jotę więcej.

To oznacza, że ukraińskie zwycięstwo pod Kijowem na początku wojny stanowiło symboliczny moment upodmiotowienia nie tylko Ukrainy, ale także całego regionu Międzymorza, i trudno będzie zapędzić społeczeństwa naszego regionu do roli „statystów z peryferii", jak chcieliby Niemcy czy Francuzi.

Jak pisał w Strategy&Future Albert Świdziński, do tego faktu niejako pośrednio odniósł się sam Wołodymyr Zełenski, cytowany w obszernym artykule zamieszczonym niedawno w „The Washington Post". Prezydent Ukrainy zaczął podejrzewać, że takie rozwiązanie było wręcz pożądane z punktu widzenia „niektórych zachodnich urzędników". „Niektórzy po prostu chcieli, aby wszystko skończyło się tak szybko, jak to możliwe. Jestem zdania, że większość tych, którzy do mnie dzwonili — tak naprawdę prawie wszyscy — nie miała wiary w to, że Ukraina może przetrwać". A skoro przetrwać nie może, to oczywiście lepiej dla (prawie) wszystkich będzie, jeżeli umrze natychmiast. W tym kontekście łatwiej zrozumieć osobliwą wersję humanitaryzmu zaprezentowaną przez Niemców w pierwszych dniach konfliktu, kiedy to proszący o przekazanie Kijowowi pomocy ambasador Ukrainy w Berlinie usłyszał, że „im nie ma co pomagać, bo oni już przegrali". Skoro tak, to najlepiej będzie pozwolić Ukrainie przegrać szybko, żeby się nie męczyła. Same Niemcy też by się dzięki temu znacznie mniej męczyły... Oczywiście wyrazy oburzenia na agresję rosyjską popłynęłyby szerokim strumieniem ze wszystkich państw Zachodu, ale po rytualnym tańcu oburzenia Niemcy, Francja, Włochy czy Holandia przeszłyby nad całą sprawą do porządku dziennego.

Wbrew gadaninie ekspertów od bezpieczeństwa to nie wartości i jedność NATO stanowią klucz do polityki zagranicznej Niemiec, ale interesy tamtejszych elit przemysłowych. W końcu to od nich zależy utrzymanie poziomu życia i zatrudnienia w Niemczech, stan zarządzanego przez nie przemysłu determinuje utrzymanie kontraktu społecznego w tym kraju. A konkurencyjność tamtejszej gospodarki zależy od taniej energii pozyskiwanej z Rosji, o czym przekonaliśmy się dobitnie w trakcie tej wojny.

Gdyby więc nagle Berlin przestał się kierować tym właśnie interesem, zachowałby się nieracjonalnie, postąpiłby w imię jakichś niejasnych wartości, narażając dobrostan swoich obywateli. Tak właśnie zakończyłby się akt pierwszy tej tragedii.

Granica Polski z Rosją, która jeszcze w 2021 roku liczyła 220 kilometrów, teraz ciągnęłaby się w praktyce od Kaliningradu po Karpaty. Białoruś byłaby nieodwołalnie i bezdyskusyjnie wciągnięta w strefę wpływów Moskwy. Łukaszenka nie miałby centymetra manewru i kto wie, czy po upadku Kijowa także białoruskie wojska nie wzięłyby udziału w inwazji na Ukrainę. Szwecja i Finlandia, mogąc z bliska obserwować siłę militarną Rosji, nawet nie pomyślałyby o dołączeniu do NATO, a pozostałe państwa sojuszu na pewno nie wpadłyby na pomysł, aby im to zaproponować. Rosja osiągnęłaby swój cel — efektywność kampanii na Ukrainie uzasadniłaby jej roszczenia do statusu imperialnego. Siła dałaby jej prawo do posiadania strefy wpływów i pozwoliłaby usiąść przy stole jako pełnoprawnemu współautorowi architektury bezpieczeństwa w Europie — oczywiście gdy już przycichną zachodnie demonstracje moralnego obrzydzenia.

Nie zmieniłyby się natomiast kalkulacje Stanów Zjednoczonych — cały czas w ich interesie byłoby upewnienie się, że ekspansja Rosji w kierunku zachodnim zostanie zablokowana, najlepiej na stałe. Z całą stanowczością Waszyngton domagałby się więc od Warszawy dalszego wspierania partyzantki na Ukrainie. W tym scenariuszu Polska stałaby się więc dla Ukrainy tym, czym dla Afganistanu był w latach osiemdziesiątych Pakistan — zapleczem szkoleniowym i logistycznym dla ruchu oporu. Wydaje się zresztą, że takie było wyjściowe założenie Amerykanów, którzy prawdopodobnie nie myśleli, że Ukraina zdoła odeprzeć rosyjski atak i utrzymać się na powierzchni. Identyczny scenariusz zdawał się również przewidywać Wess Mitchell, kiedy w lipcu 2021 roku pisał (a potem w lutym tuż przed wojną mówił nam w Waszyngtonie), że Ukraina dzisiaj może stać się dla Rosji tym, czym dla Związku Sowieckiego był Afganistan w latach osiemdziesiątych.

W takim układzie Polsce przypadłaby rola destabilizatora, który nie rozumiejąc nawet dlaczego, staje na drodze konsolidacji już nie tylko kontynentu europejskiego, ale całej Eurazji — od Lizbony po Władywostok, z Pekinem włącznie. Rosjanie znaleźliby się w doskonałej pozycji wyjściowej, aby wywierać nacisk na nasz kraj — niekoniecznie w postaci kinetycznej, ale za pomocą szerokiego instrumentarium środków wojny hybrydowej. Dalsze podsycanie konfliktu na Ukrainie byłoby również nie na rękę Niemcom, którzy mogliby twierdzić, że to działanie skazane na niepowodzenie, wpędzające Europę w kryzys gospodarczy i pozbawione sensu, bo los Ukrainy jest już przypieczętowany. Z kolei Stany Zjednoczone — nasz jedyny partner dysponujący realnymi zdolnościami mogącymi uwiarygodnić jego gwarancje bezpieczeństwa — naciskałyby, aby Warszawa wspierała niezmiennie Ukrainę.

Albert Świdziński w swoich tekstach w Strategy&Future pytał wielokrotnie: jak zachowałoby się wówczas kierownictwo państwa polskiego? Czy postanowiłoby bronić wartości transatlantyckich, za dobrą monetę biorąc gwarancję mocarstw morskich — Stanów Zjednoczonych i Wielkiej Brytanii, czy też zaakceptowałoby fakt, że w obliczu tak niekorzystnej koniunktury należy zrewidować ambicje, zaakceptować status półperyferyjny i przestać wierzgać przeciw ościeniowi?

Zwycięstwo pod Kijowem uratowało nam zatem skórę i na razie wyzwoliło nas z powyższego dylematu. Mamy więcej czasu. Zmieniło też stosunek naszej klasy politycznej i samego społeczeństwa do modernizacji i reformy wojska, wzmocniło gotowość poniesienia ofiar z tego tytułu. Armia Nowego Wzoru w tym nowym *Zeitgeist* stała się nagle zbyt defensywna, zbyt zachowawcza. Nad Wisłą zaczęto zgodnie uważać, że należy mieć zdolność do projekcji siły i obrony kordonowej z przyjęciem pojedynku artyleryjskiego z Rosją. „Skoro Rosjanie są tak słabi, to nie chcemy mieć mordów jak w Buczy i Irpieniu". Tego żąda polski internetowy vox populi i spora część środowiska ekspertów. Wojna, jak widać, potrafi zmienić wiele, a zwycięstwo kijowskie mocno przewartościowało nasze nastawienie i wiarę we własną siłę. Przed wojną mówienie o możliwości pobicia Rosjan, tak jak to robiliśmy, promując koncepcję Armii Nowego Wzoru, było krytykowane jako fantasmagoria. Dziś uzyskanie polskich zdolności do ofensywnej projekcji siły i równorzędna walka artyleryjsko--rakietowa z Rosją jawią się jako oczywistość, na pewno w powierzchownej wymianie zdań eksperckich.

Wojna, co zrozumiałe, zmieniła też dynamikę relacji Stanów Zjednoczonych i Polski. Nasz dobrze zawczasu przemyślany gambit dotyczący Armii Nowego Wzoru stracił *momentum* i timing. Zszedł na dalszy plan, Amerykanie skupili się na pomocy Ukrainie. Oczywiście bardzo nas cieszy, że pod Kijowem wygrała ukraińska Armia Nowego Wzoru, prowadząc bitwę obronną na zasadach bardzo podobnych do tych z naszych propozycji bitwy manewrowej w obronie Warszawy i linii Wisły, i tylko ludziom złej woli może się wydawać, że było inaczej, bo fakty na to wyraźnie wskazują.

Poza tym teraz Polska ma znacznie ambitniejsze cele, które przed kijowską wiktorią nie przychodziły nam do głowy w najpiękniejszych snach. Kupujemy w Stanach i Korei Południowej wielkie liczby czołgów, artylerii, śmigłowców, samolotów, bojowych wozów piechoty, formujemy dwie nowe dywizje. Nasz kraj wszedł na drogę do zbudowania najpotężniejszej armii lądowej w Europie, nie tylko w publicznych wypowiedziach polityków. Zobaczymy, czy będziemy w stanie tego dokonać, bo do tego zadania potrzeba czegoś więcej niż masy pieniędzy i dobrej woli. Należy mieć kulturę strategiczną, kompetencje organizacyjne i przemyślaną strategię wojskową oraz wynikającą z niej koncepcję operacyjną. Piszę o tym w kolejnych rozdziałach.

Tak czy inaczej, potrzebujemy reformy wojskowości bardzo pilnie, sprawa na wschodzie nie jest rozstrzygnięta, nieustannie istnieje ryzyko tak zwanej eskalacji horyzontalnej, czyli rozlania się wojny po regionie, co może spowodować, że będziemy w stanie wojny z Rosją. Tak zdaje się też myśleć kierownictwo państwa, co poświadczają wywiady dla prasy i wypowiedzi publiczne z lata i jesieni 2022 roku. W rządzie ponoć rozważa się także przywrócenie powszechnego poboru po wyborach jesiennych do parlamentu w 2023 roku.

Niech nas nie zwiedzie obecna słabość wojska rosyjskiego. Rosja tradycyjnie słabo zaczyna wojny kontynentalne. Tak było za Napoleona, tak było w pierwszej i drugiej wojnie światowej. To dopiero początek długiego okresu chaosu w systemie bezpieczeństwa. Nie dajmy się zwieść ewentualnemu rozejmowi czy pokojowi na Ukrainie, zwłaszcza takiemu na podobieństwo traktatu w Tylży z czasu wojen napoleońskich, który nie zapewni długotrwałego pokoju i szansy rozwoju Ukrainie. To będzie tylko pieriedyszka — czyli przerwa na zebranie sił i reorganizację z wyraźnym zamiarem dalszego forsowania swoich celów strategicznych w kontekście tak pożądanej przez Rosję przebudowy ładu europejskiego i tym samym światowego.

Co by się stało, gdyby na zachodnim Pacyfiku doszło do nagłego zaostrzenia sytuacji — chociażby wokół Tajwanu? Czy Stany Zjednoczone byłyby w stanie utrzymać dotychczasowy poziom wsparcia dla Ukrainy i dla nas w razie wojny Rosji z Polską? I czy Chiny przy dalszym zaostrzeniu rywalizacji z Amerykanami nie doszłyby do wniosku, że może im być na rękę udzielenie Rosji znaczniejszego niż teraz wsparcia — na przykład chińskiej wersji *Lend-Lease*, bo to „rozcieńczy" uwagę strategiczną Stanów i wymusi na nich trwałe skupienie się na problemach na drugim końcu Eurazji? Czy Rosjanie nie będą próbowali rozstrzygnąć sprawy ostatecznie na swoją korzyść, zwłaszcza jeśli słabość wojskowa państw zachodniej Europy będzie się utrzymywać?

Jakkolwiek by było, jedno jest pewne: Polska i jej społeczeństwo nie mogą stracić więcej czasu. By przetrwać jako suwerenne państwo i mieć szansę na rozwój bez obawy, że inni przemocą lub szantażem będą wpływać na jego kierunek, musimy zreformować myślenie o państwie, polskiej sytuacji geostrategicznej, wojnie i wojsku. Musimy to zrobić tu i teraz.

# ROZDZIAŁ 2

# O CO WŁAŚCIWIE W TYM WSZYSTKIM CHODZI

CZYLI O TYM, NA JAKICH ZASADACH FUNKCJONUJE ŚWIAT W XXI WIEKU I JAK WYGLĄDA WSPÓŁPRACA MIĘDZY PAŃSTWAMI W ZGLOBALIZOWANYM ŚWIECIE; DLACZEGO POWSTAJĄ SPORY O TE ZASADY I OSTATECZNIE — DLACZEGO WYBUCHAJĄ WOJNY, W TYM WIELKIE WOJNY ŚWIATOWE

## NAD RZEKĄ PERŁOWĄ

O co właściwie chodzi z tymi wojnami, sporami, całą tą geopolityką — dlaczego ludzkość nie może funkcjonować sobie w spokoju? Dlaczego zawirowania światowe tak często dotykają Polski? By odpowiedzieć na te pytania, musimy na chwilę przenieść się do Azji i Chin, do miejsca, w którym Rzeka Perłowa uchodzi do Morza Południowochińskiego — jeszcze do niedawna jednego z najważniejszych centrów finansowych i największych portów morskich świata. A zatem — do Hongkongu.

Odwiedziłem Hongkong latem 2017 roku na zaproszenie francuskiego teścia mojej siostry. W tym mieście handlu i wielkich interesów był on ważną figurą w zachodniej społeczności biznesowej, osiadłej nad piękną zatoką od czasów wojen opiumowych, gdy Brytyjczycy narzucili Chińczykom zasady, na jakich mógł funkcjonować handel chińskiego interioru, który spławiał swe towary rzekami i eksportował je przez nadmorskie porty. Perfidny Albion zapewnił sobie w ten sposób kontrolę nad obrotem towarowym Chin. Dzięki złożonemu mechanizmowi czasem niewidocznych na pierwszy rzut oka powiązań zyskał władzę nad poziomem stopy zwrotu, jaką chiński chłop, majster, handlarz czy pośrednik mógł ostatecznie osiągnąć ze swojej pracy, by lwią jej część oddawać imperium brytyjskiemu. Pozycję tę zdobyto przemocą wojskową.

Chudy i wysoki, już w podeszłym wieku, z krótką brodą, a właściwie dłuższym zarostem, czasami noszący po chińsku koszulę ze stójką, teść mojej siostry wyglądał trochę jak ascetyczny mnich. Zajmował się handlem na dużą skalę z Chinami oraz produkcją w Wietnamie i na Tajwanie. Szybko zrozumiał, co mnie najbardziej interesuje, i dzięki swoim kontaktom zorganizował mi specjalne spotkanie z prominentnym chińskim strategiem. W wypadku Chińczyków zawsze oznacza to kogoś, kto ma w głowie perspektywę kilku tysięcy lat cywilizacji chińskiej i myśli zgodnie z interesami Chin, niezależnie od tego, skąd pochodzi. W równym stopniu dotyczy to Chińczyków z kontynentu, tych z Tajwanu i tych z Hongkongu, pomimo obecnych politycznych uwarunkowań owych jakże różnych organizmów państwowych. Nie wiem, skąd był Chińczyk, z którym wtedy się spotkałem, ale to bez znaczenia, bo rozmawialiśmy o wielkich siłach i ogromnych strukturalnych przesunięciach, które za nic miałyby nasze partykularyzmy, chęci, lojalności i przywiązania. Siedzieliśmy wieczorem nad zatoką, podziwiając panoramę tego wyjątkowego miasta. Rozmawialiśmy o nadchodzącym odwróceniu biegunów świata, zwiastującym możliwe wojny, a na pewno chaos okresu przejściowego, nim nowy biegun nie zastąpi pierwszego lub dotychczasowy nie obroni się przed naporem tego drugiego. Przypomniał mi się wtedy wiersz *Natarcie burzy* Krzysztofa Kamila Baczyńskiego:

Ogniu burz magnetycznych! Odwracasz bieguny.
Widzę przez sen aniołów unoszących prąd,
odbiciem w morzu wszczęte niedojrzałe łuny
jak wzniesione pochodnie zwiastujących rąk.
Pękają kry okrzepłe; na nich domki rdzawe,
wypalone mrowiska runą w czarny piach

I tryska źródła pręt, jak namiot spada w trawę,
i ginie człowiek, który nie większy był niż strach.
Widzę lądy żelazne rozstępujące się,
rana niepogód nad nimi i błyskawic szept.
Oto jestem aniołem zamkniętym w żywy sen,
pożywającym ogień z niedostrzegalnych drzew*.

Rok 2017, gdy się spotkaliśmy, to był jeszcze czas przed presją polityczną, a potem interwencją Chin kontynentalnych w sprawy Hongkongu. Po tych wydarzeniach ascetyczny teść mojej siostry opuścił Hongkong i osiadł na południu Francji. Po kilkudziesięciu latach pobytu i prowadzenia biznesu u ujścia Rzeki Perłowej oznaczało to dla niego ogromną zmianę i zerwanie z wielką cywilizacją chińską, która — trzeba przyznać — odcisnęła na nim ogromne piętno.

Hongkong był dla mnie świetnym miejscem obserwacji osiadłych w nim ludzi Zachodu, robiących pieniądze na Oriencie. Dawało mi do myślenia to, jak bardzo teść mojej siostry został wessany przez cywilizację Chin z jej milionami drobnych, acz ważnych spraw: gestów, rytuałów, zasad spożywania posiłków, utrzymywania „stosunków" i prowadzenia interesów.

Tamtego wieczora nad zatoką rozmawialiśmy o Chinach i Ameryce, o siłach wytwórczych w świecie. To ulubiony temat Chińczyków, którzy są pracowici jak mrówki,

* Krzysztof Kamil Baczyński, *Natarcie burzy* [w:] tegoż, *Utwory zebrane*, t. 1, oprac. Aniela Kmita-Piorunowa, Kazimierz Wyka, Kraków 1970, s. 248.

a moim zdaniem etyka pracy jest podstawą ich cywilizacji i wzajemnej oceny ludzi. Nasza rozmowa dotyczyła nadchodzącej konfrontacji geopolitycznej i zmian zachodzących w świecie.

Już kilka razy miałem wcześniej sposobność dłużej pogawędzić z mądrymi Chińczykami, zwłaszcza gdy zajmowałem się Centralnym Portem Komunikacyjnym. Zwykle były to pouczające spotkania, a moi rozmówcy świetnie orientowali się w temacie. Nie inaczej było i tym razem, gdy siedząc nad chińską herbatą i spoglądając na Victoria Harbour, mój gość dowodził z pewnością siebie i cokolwiek rozbrajająco, że konfrontacja w Eurazji jest nieunikniona. Według niego Amerykanie już przegrali ją pozycyjnie, biorąc pod uwagę wpływy i powiązania, które dają podstawę sprawczości politycznej, czyli możliwości oddziaływania na zachowanie innych. Z tego powodu obędzie się bez dużej wojny systemowej (między Stanami Zjednoczonymi i Chinami), do jakiej zwykle dochodziło w momencie odwracania biegunów świata, czyli zmiany układu sił i korelacji zależności między głównymi mocarstwami. Potem dość bezczelnie i niespodziewanie rzucił mi w twarz: „A wy w Polsce będziecie częścią nowego imperium rzymskiego w Europie jako jego peryferie, chyba że wybuchnie prawdziwa wojna w Eurazji".

W tym miejscu, drogi czytelniku, pozostaje tylko złapać się za głowę: jaka znowu wojna, do diaska? Dlaczego?, W jakim celu? Po co to komu? Czy ludzie nie mogliby się wreszcie dogadać i zacząć żyć pokojowo, dając żyć innym? Czym jest ta cała geopolityka, o której tyle się teraz mówi?

Na czym ona tak właściwie polega, co jest jej sednem, po co ta, wydawałoby się, nikomu niepotrzebna rywalizacja międzynarodowa? Wszyscy opowiadają o jakiejś równowadze, strefach wpływów, zbrojeniach, peryferiach, buforach, sojuszach, sankcjach ekonomicznych itp. O co w tym wszystkim chodzi?

## WALKA O SPRAWCZOŚĆ

No cóż, chodzi zawsze o to samo: o sprawczość, czyli skuteczne wpływanie na zachowanie innych, by realizować własne interesy. O jak najszersze pole działania dla mnie, co może doprowadzić do ograniczenia sprawczości kogoś innego. Kto z nas nie przerabiał tego w swoim życiu zawodowym lub osobistym...? Dzięki maksymalnemu polu sprawczości można myśleć o optymalnym rozwoju. W geopolityce gra toczy się więc o zagwarantowanie sobie przyszłości, a przede wszystkim — o zdobycie dogodnego, bezpiecznego i umożliwiającego przyszły rozwój miejsca.

By zagłębić się w system uzyskiwania sprawczości, trzeba poznać najważniejszy mechanizm, który jak suwnica określa relacje między państwami, czyli mechanizm strategicznych przepływów. Najpierw jednak, aby zrozumieć głębokie powody, dla których świat tak funkcjonuje, przyjrzyjmy się człowiekowi, jego naturze i motywacjom. Poświęćmy chwilę zjawisku ruchu. To ruch i wynikająca z niego nieuchronnie zmiana odpowiadają za istnienie dynamicznych asymetrii między ludźmi i przyczyniają się do sporów i napięć. W tym także ostatecznie do wojen.

Ruch jest właściwie wszystkim. Natura człowieka i wpisane w człowieczeństwo skłonności oraz podział zadań w społeczeństwie powodują, że w codziennych, czasem bardzo prozaicznych zadaniach, zarówno każdego człowieka, jak i każdej zbiorowości, istotę prawidłowego funkcjonowania stanowi właśnie ruch. Praca zarobkowa, prowadzenie biznesu, twórczość, załatwianie wszelkiego rodzaju spraw, utrzymywanie znajomości, a nawet spędzanie wolnego czasu tworzą system zależności, o którym decyduje ruch, czy — ujmując to inaczej — skomunikowanie, co w języku angielskim niezwykle trafnie określa się jako *connectivity*.

W ten sposób realizujemy się jako ludzie, wykonujemy swoje obowiązki, odgrywamy przyjęte role społeczne, rozwijamy się i zaspokajamy potrzeby ciała i ducha. Idziemy przez życie połączeni relacjami, funkcjonując przy tym w realnym świecie geografii swojego bliższego i dalszego otoczenia. Jedni lepiej, drudzy gorzej, na pewno różniąc się tym, co przypada nam w podziale zadań społecznych i pracy, której codzienne wykonywanie pozwala sprawnie działać zorganizowanej zbiorowości, jaką jest społeczeństwo i nadające mu strukturę państwo. Osobiste możliwości rozwoju i zmiany wykonywanych zadań decydują o wolności jednostki w wykuwaniu własnego losu. W krzątaninie dnia codziennego trudno pamiętać o tym, że wszystkie te uwarunkowania zależą w dużym stopniu od kontraktu społecznego, czyli od tego, jak w danym organizmie politycznym „ułożono się" w kwestii relacji władza — społeczeństwo — gospodarka.

To samo dotyczy powiązań między państwami. Najważniejszą do rozstrzygnięcia sprawą są tu zasady realizacji przepływów strategicznych, czyli ruchu i przepływu ludzi, usług, żywności, danych, kapitału, energii, surowców, wiedzy, technologii i wszelkiego rodzaju towarów, a w razie ryzyka wojny — przemarszu wojsk i tranzytu materiałów wojennych. One determinują losy państw i nas wszystkich. Rola Rzeszowa i jego lotniska w Jasionce dla utrzymania materiałowego Ukrainy w trwającej wojnie oraz historia i sukces Hongkongu — „ust handlu morskiego Chin i komunikacji morskiej", miejsca pożądanego zarówno przez Wielką Brytanię, jak i Chiny ze względu na jego znaczenie geopolityczne — są wspaniałą ilustracją wagi strategicznych przepływów.

Ruch człowieka jest ściśle związany z wymianą towarów i usług. Wymiana taka wymaga pieniędzy jako dogodnego środka do rozliczania. Wymiana i pieniądze tworzą razem ramy gospodarki. Ruch, wymiana i pieniądze potrzebują skomunikowania, a to wszystko wymusza kolejne innowacje, aby było ono coraz lepsze. Tutaj pojawiają się korzyści dla ludzi. Gdzie są ludzie i gospodarka, tam powstaje strukturalna przewaga jednych nad drugimi, utrwalają się interesy wokół tych zależności, tam też są zwycięzcy i przegrani. Innymi słowy, tworzy się konkurencyjność i rywalizacja. Idąc dalej — zaczyna się konflikt interesów. Stąd zaś jest już krótka droga do wojny. Gdy się spojrzy na dzieje ludzkości holistycznie, opisany wyżej mechanizm powoduje, że wojna właściwie prędzej czy później staje się nie tylko możliwa, lecz wręcz nieunikniona.

W ciągu ostatnich dwustu lat nasze życie zaczęło się toczyć coraz szybciej. Kontakty międzyludzkie, przemieszczanie się oraz obieg myśli przyspieszyły dramatycznie, podcinając ustalone dawniej wzorce relacji gospodarczych czy ogólnoludzkich i oczywiście dawne sposoby prowadzenia wojny. To ważna obserwacja, bo w 1750 roku człowiek poruszał się z prędkością kilku kilometrów na godzinę, a transport konny osiągał dziesięć kilometrów na godzinę. Na morzu statki rozwijały średnią prędkość do piętnastu mil morskich na godzinę — przemieszczały się więc dużo szybciej niż środki transportu na lądzie i przy większych wolumenach przewozu ludzi, towarów i wojska. Dawało to ruchowi morskiemu większe obroty gospodarcze, większą kapitalizację i z czasem większe nadwyżki, które można było poświęcić na innowacje. To strukturalnie faworyzowało Ocean Światowy i potęgi morskie. Życie było zatem wolniejsze niż dziś, lecz blisko morza, gdzie działo się dużo więcej niż w głębi lądu.

Co ważne, prędkość transportu i przemieszczania się odpowiadała również ówczesnej prędkości rozpowszechniania informacji (zatem także danych i wiedzy). Tak działo się aż do wynalezienia telegrafu w 1793 roku. To był niezwykły moment — oznaczał początek dematerializacji informacji, która doprowadziła nas do dzisiejszej komunikacji bezprzewodowej i mediów społecznościowych, kiedy to informacja rozprzestrzenia się z prędkością światła w milionach poziomych i pionowych interakcji na sekundę. Informacje przez wieki i tysiąclecia wędrowały razem z kupcami i żołnierzami, w najlepszym razie z konnymi posłańcami, w tempie ich poruszania się. Od przełomowego roku 1793 rozeszły się drogi informacji i fizycznego transportu towarów lub podróżowania ludzi — z potężnymi konsekwencjami dla dystrybucji władzy i walki politycznej na ziemi. Potęga morska, czy to Stanów Zjednoczonych, czy Wielkiej Brytanii, nie jest już faworyzowana, jeśli chodzi o przepływ danych i informacji. To zmienia układ geopolityczny w XXI wieku, a szczególnie odczuwalne będzie w najbliższych dekadach, gdy dane, wiedza, informacje staną się ropą naftową gospodarki i ogarnie je na dobre rywalizacja geopolityczna, czyli właśnie walka o sprawczość, jak ładnie i nieco delikatnie nazywana jest często brutalna walka o władzę.

O przepływach strategicznych, czyli ruchu, nie można powiedzieć, że są wolne i nieograniczone z samej natury rzeczy, zazwyczaj bowiem w historii świata ograniczano je właśnie z racji egzekwowania władzy w celu obsługi konkretnych interesów. Przypomnijmy, jak wyglądały całkiem niedawno w PRL. Obszar polskiego państwa satelickiego był kluczowy dla Moskwy, bo gwarantował na Nizinie Środkowoeuropejskiej równoleżnikowe skomunikowanie obszaru rdzeniowego Związku Sowieckiego z główną grupą wojsk sowieckich w Niemczech wschodnich, stacjonujących na europejskim froncie centralnym naprzeciwko wojsk NATO. Sowieci nie mogli zrezygnować z projekcji siły politycznej i wojskowej nad Wisłą, czyli z kontroli sytuacji politycznej w Warszawie, ponieważ straciliby zewnętrzne imperium na głównej osi komunikacyjnej kontynentu. Obowiązywała kontrola wydawania paszportów i wyjazdów za granicę, a czasami nawet przemieszczania się po kraju, do tego dochodziły reglamentacja towarów, ograniczenia w handlu międzynarodowym, embargo na technologię oraz oczywiście ścisła kontrola przepływu wiedzy i informacji.

Cały obóz sowiecki był odcięty od wolnego świata Zachodu, czyli — ujmując rzecz inaczej — od świata wolności przepływów zaprojektowanego przez zwycięskich Amerykanów po 1945 roku. Świat ten został oparty na potędze magistrali komunikacyjnej Oceanu Światowego, gdzie po pokonaniu floty japońskiej i w obliczu zmierzchu imperium brytyjskiego panowała niepodzielnie marynarka wojenna Stanów Zjednoczonych. Nieodłącznie wiązała się z tym dominująca rola Waszyngtonu w instytucjach międzynarodowych, które on sam ustanowił w ramach systemu światowego określanego zbiorczo jako system z Bretton Woods. Amerykanie pozwalali sojusznikom na wolność strategicznych przepływów i dawali dostęp do swojego gigantycznego rynku popytowego lub dolara w obrocie tak długo, jak długo pozostawało się w amerykańskim obozie geopolitycznym. Często przywołuję bon mot oficerów US Navy, doskonale oddający stosunek Amerykanów do darmowej magistrali przepływów strategicznych, od której zależy potęga Stanów:

„Jest jeden bóg — jest nim Posejdon, bóg morza; istnieje tylko jeden prawowity Kościół wyznający tego boga — jest nim panująca na Oceanie Światowym marynarka wojenna

Stanów Zjednoczonych; a Alfred T. Mahan* jest jego prorokiem".

Piękny cytat, który doskonale opisuje istotę strukturalnej władzy nad miejscem dokonywania się strategicznych przepływów: po pierwsze, tłumaczy konieczność posiadania potężnej floty, po drugie — składa niejako obietnicę uzyskiwania z tego faktu wymiernych korzyści. Wpisywało się to dobrze w strategię powstrzymywania imperium sowieckiego, zamkniętego wraz ze swoimi satelitami w masie kontynentalnej Eurazji, bez swobodnego dostępu do Oceanu Światowego. Strategia ta została sformułowana zaraz po drugiej wojnie światowej przez świetnego sowietologa George'a Kennana i stanowiła uzupełnienie strategii budowania przez Stany Zjednoczone systemu sojuszy w Rimlandzie (strefie brzegowej) Europy i Azji, wśród państw z dostępem do Oceanu Światowego. Intelektualnym ojcem owej strategii był z kolei amerykański politolog Nicholas Spykman. Umożliwiała ona istnienie „membrany" wpływów politycznych amerykańskiej potęgi morskiej w Eurazji — „osiowym superkontynencie", jak określał go z szacunkiem i jakby z trwogą Zbigniew Brzeziński, znany dyplomata i polsko-amerykański geostrateg. To z kolei zapewniało wolność przepływów strategicznych w ramach obozu własnych sojuszników, determinując ich wzrost gospodarczy i rozwój technologiczny, a zarazem pozwalało blokować tego rodzaju możliwości geopolitycznemu

---

* Amerykański oficer marynarki wojennej, pedagog oraz geostrateg nazywany „Clausewitzem wojny morskiej", żył w latach 1840–1914.

przeciwnikowi, co po kilku dekadach zakończyło się klęską gospodarczą Sowietów (i ich satelitów, takich jak Polska).

Po upadku ZSRS Eurazja na skutek postępującej globalizacji zaordynowanej przez Stany Zjednoczone stawała się jednym systemem właśnie za sprawą powiązań, które codziennie zachodzą dzięki udoskonalonemu skomunikowaniu i regułom globalizacji. Przyzwyczailiśmy się do mówienia: Europa, Azja Wschodnia i do tego oddzielnie Bliski Wschód, zamiast nazwać sprawy jasno: jeden superkontynent Eurazji. Ową tradycyjną mapę mentalną zbudowaliśmy w procesie wielkiej rewolucji Oceanu Światowego, patrząc na ląd okiem żeglarzy opływających Eurazję morzami przybrzeżnymi i obsługujących w ten sposób jej strategiczne przepływy. W rezultacie świat był podzielony na obszary z dostępem do morza i możliwościami korzystania z jego zasobów dzięki wodom Oceanu Światowego oraz na obszary pozbawione tego dostępu. Zobaczymy, czy i jak zmieni się nasza mapa mentalna w tym zakresie. Z pewnością będzie to wprost zależne od wyników konfrontacji między Stanami Zjednoczonymi i Chinami.

Staje się ona ostrzejsza na obszarach, na których konkurowanie o sprawczość, status, zasoby i dostęp do rynków prowadzi do napięć. W Eurazji, gdzie żyje tyle ludzi, narodów, cywilizacji, plemion i wyznań, o takie napięcia nietrudno. Na lądzie wskutek codziennych interakcji pomiędzy ludźmi rywalizacja staje się najgwałtowniejsza, gdy dochodzi do konfliktu interesów. No cóż — pragniemy żyć na powierzchni lądu, decydować swobodnie o własnym życiu w czasie pokoju, zwyciężać w wojnie i narzucać swoją wolę pozostałym. Inne domeny — morze, powietrze, spektrum elektromagnetyczne (gdzie dokonują się niewidzialne dla ludzkiego oka przepływy strategiczne) oraz wyłaniająca się domena przestrzeni kosmicznej — stanowią tylko elementy mające pomóc w osiągnięciu celu podstawowego: życia zgodnego z naszą wolą i interesami na lądzie.

Potencjalnej potęgi kontynentalnych przestrzeni Eurazji, zwłaszcza jej środka, czyli Heartlandu, bał się sto lat temu geopolityk imperium brytyjskiego Halford Mackinder. Przestrzegał on, że to ogromne przestrzenie superkontynentu uruchamiają systemową rywalizację między mocarstwami. Tam też rodzą się i upadają imperia. Miał rację. Tym bardziej że dążenie do zachowania korzystnej dla Stanów Zjednoczonych równowagi w Eurazji przez zwalczanie wszelkich dążeń do osiągnięcia przez kogokolwiek statusu mocarstwa regionalnego w którymś z kluczowych miejsc superkontynentu było i jest imperatywem każdej administracji amerykańskiej. Taki status umożliwiałby bowiem ustalanie zasad realizacji przepływów strategicznych w najważniejszym miejscu świata, czyli w Eurazji, z korzyścią dla tego regionalnego mocarstwa. Zatrzymajmy się na chwilę i zobaczmy, jak często w trakcie wojny na Ukrainie mówi się o rosyjskim szantażu gazowym — pomyślmy chwilę o powodach budowy Nord Stream 1 i Nord Stream 2 i o tym, do czego doprowadziła zależność od rosyjskiego gazu i ropy w Europie.

By nie dopuścić do dominacji jednego mocarstwa w kluczowym regionie świata, Amerykanie wzięli udział w dwóch wojnach światowych przeciw Niemcom, a potem stanęli do zimnej wojny z Sowietami. Dziś właśnie dlatego podejmują wielką rywalizację z Chinami oraz chcą powstrzymać ekspansję Rosji na zachód, by nie powstał antyamerykański sojusz kontynentalny w Eurazji, który mógłby wypchnąć z niej amerykańskie wpływy — składający się na przykład z Chin, Rosji i Niemiec. Wystarczy pomyśleć, co by taki sojusz oznaczał dla Polski, krajów naszego regionu i dla NATO jako filaru świata atlantyckiego łączącego demokracje po obu stronach Atlantyku. A jaką drogą poszłyby Francja i Niemcy, czyli filary gospodarcze i polityczne kontynentalnej Europy? Dalej budowałyby cywilizację we współpracy z Amerykanami i Brytyjczykami po brexicie — czyli z Oceanem Światowym? Czy może, kierując się stosunkowo łatwym dostępem do taniej energii rosyjskiej, która umożliwia utrzymanie konkurencyjności europejskiego przemysłu i wygodnego kontraktu społecznego (czyli poziomu życia), podążyłyby za trendem, jaki zapowiadał mi zaproszony na herbatę Chińczyk w delcie Rzeki Perłowej. Może wybrałyby konsolidację kontynentalną, a więc ścisłą współpracę z Rosją, no i oczywiście siłą rozpędu także z potężnymi gospodarczo i oferującymi wielki rynek Chinami?

Tego „skwitowania" nieuchronności konsolidacji kontynentalnej w istocie domagali się Rosjanie w grudniu 2021 roku. Tak należy bowiem czytać żądania złożone przez ministra spraw zagranicznych Rosji Siergieja Ławrowa wobec Stanów i NATO. Amerykanie nie zgodzili się na ich spełnienie, co oznaczało, że postanowili pozostać mocarstwem, które ma coś do powiedzenia w Europie. Rosjanie nie dostali więc tego, czego chcieli. A skoro zależało im na zmianie układu, który im się nie podobał, musieli zademonstrować, że są w naszej części świata mocarstwem i mogą osiągać sprawczość siłą wojskową. Jak uważali wówczas Putin i jego otoczenie, amerykański „blef" polegający na podaniu w wątpliwość rosyjskiej zdolności do narzucenia sprawczości wojną musiał zostać podeptany krwią i żelazem. I wybuchła wojna na Ukrainie, największa w Europie od 1945 roku. Moim zdaniem wojna o największych skutkach geopolitycznych dla świata od czasów Jałty i Poczdamu.

Stany Zjednoczone są bowiem od czasu jałtańskich i poczdamskich ustaleń potęgą obecną w Europie i Eurazji, ale potęgą bardzo szczególną. To globalna potęga morska, która pojawia się na kontynencie punktowo w zależności od konkretnego zagrożenia oraz dla budowania takiej, a nie innej równowagi w danym momencie. Ma wpływ na sprawy Eurazji dzięki zdolności do projekcji siły na duże odległości z Oceanu Światowego i licznych baz rozmieszczonych wokół Eurazji oraz w jej strefie brzegowej (Rimlandzie). Amerykanie są zatem tu (lub tam, w zależności od tego, gdzie jesteśmy, czytając te słowa) na stałe za sprawą potęgi swojej floty wojennej — wysuniętej obecności wojskowej na wyspach mórz przybrzeżnych oceanu, takich jak Japonia, Filipiny, Diego Garcia, Australia czy Wielka Brytania. Zachowują zdolność do projekcji siły na globalne dystanse dzięki systemom umieszczonym w kosmosie na orbitach okołoziemskich, umożliwiającym obserwację, orientację, podejmowanie decyzji i wreszcie skuteczne działanie w sławnej pętli decyzyjnej zwanej w żargonie wojskowym „OODA loop" (*observation-orientation-decision-action*). Sekwencja pętli decyzyjnej stanowi fundament przewagi wojskowej na nowoczesnym polu walki, w tym w szczególności przewagi amerykańskich sił zbrojnych — głównej siły manewrowej na naszej planecie. Przy czym od jakiegoś czasu dokonuje się ważna zmiana o wielkich konsekwencjach dla Polski. Wokół Eurazji w ostatnich dekadach powstał obieg gospodarki światowej, który jest coraz bardziej oparty na skomunikowaniu najważniejszej obecnie arterii handlu światowego dalej od Europy, po drugiej stronie Eurazji. Morska droga Suez–Szanghaj łączy oceany Indyjski i Spokojny w jeden strategiczny teatr rywalizacji Indo-Pacyfiku i to tędy przebiega znakomita większość światowych przepływów, czyniąc z owego obszaru nowy strategiczny „sworzeń" historii, czyli miejsce, od którego kontroli zależy równowaga sił na świecie. To oczywiście parafraza sławnego powiedzenia Halforda Mackindera, które dotyczyło Europy Wschodniej w dawnych czasach, gdy to Europa znaczyła najwięcej. Sworzeń bywa w czasach geopolitycznego bezkrólewia strefą starcia między potęgami kontynentalnymi Eurazji i potęgą morską. Ten, kto wygra w tej rywalizacji, będzie kontrolował najważniejsze strategiczne przepływy Eurazji. Dlatego dla Amerykanów priorytetem będzie Pacyfik, względnie Indo-Pacyfik, i nabrzmiewająca rywalizacja z Chinami.

Po rozpadzie Związku Sowieckiego w 1991 roku i po otwarciu się dawnych państw satelickich imperium sowieckiego na globalny rynek ład międzynarodowy, gwarantowany dzięki potędze amerykańskiego supermocarstwa, zapewniał wolność przepływów strategicznych i — co niezmiernie ważne — cechował się brakiem otwartej rywalizacji między mocarstwami. Polska otworzyła swój rynek dla przepływów kapitałowych, towarowych oraz technologicznych ze wszystkimi tego konsekwencjami. Po wejściu do Unii Europejskiej na początku XXI wieku otworzyła się również na przepływy ludzi, wiedzy i danych. Dołączyła do NATO, rozszerzając strefę Sojuszu Północnoatlantyckiego w głąb kontynentu, w miejscu oddalonym od Oceanu Światowego. Obszar Europy Środkowej i Wschodniej został w ten sposób objęty gwarancjami amerykańskiego hegemona, które zawsze zależą od zdolności potęgi Stanów Zjednoczonych do skutecznej projekcji siły wojskowej w Eurazji. Eurazja jest bowiem bardzo daleko od kontynentu amerykańskiego, oddzielonego od niej Atlantykiem i Pacyfikiem, a to w Eurazji „rozgrywa się historia świata".

Po ostatniej wielkiej wojnie światowej debata w kręgach strategicznych Stanów Zjednoczonych dotyczyła tego, co jest ważniejsze: projekcja siły politycznej w Rimlandzie czy konieczność neutralizacji Heartlandu. Zakończyła się zwycięstwem koncepcji Spykmana i ograniczeniem się do Rimlandu. Skutkowało to decyzją o stworzeniu NATO oraz powstaniu wspólnot europejskich i systemu bilateralnych sojuszy w Azji, a przede wszystkim zjednaniem wcześniej wrogich Japonii i Niemiec, które stały się sojusznikami nowego systemu światowego pod przywództwem Ameryki. Nie posłuchano nauk uwielbianego po dziś dzień w Europie Środkowej i Wschodniej Mackindera i państwa pomostu bałtycko-czarnomorskiego, rozłożonego między dwoma marginalnymi morzami Europy, pozostawiono w sowieckim systemie kontynentalnym, sankcjonując w Jałcie i Poczdamie podział wpływów w Eurazji.

Wolność strategicznych przepływów stanowiła fundament postzimnowojennej ery globalizacji, która zmieniła naszą planetę w jedną przestrzeń powiązaną rozmaitymi współzależnościami. Doprowadziło to do podziału pracy pomiędzy społeczeństwami, państwami i regionami świata w zależności przede wszystkim od geografii, generującej komparatywne przewagi pewnych obszarów nad innymi, lecz także od prężnych instytucji, zorganizowania społeczeństw, ich przedsiębiorczości oraz zaradności elit. Niektóre obszary potrafiły opanować naturalne tendencje globalizacji i wykorzystać je do budowania potęgi, stając się beneficjentami nowej ery. Byli też tacy, którzy na globalizacji stracili. Na pewno zyskały Chiny, na pewno straciła klasa średnia Zachodu i stracili pracownicy przemysłu, zwłaszcza w krajach anglosaskich, bo raczej już nie w Niemczech.

Przepływy strategiczne potrzebują konkretnych miejsc, w których się dokonują. Stąd bierze się nieustanna potrzeba rozumienia zasad geopolityki i wdrażania wynikającej z nich geostrategii. Pewne miejsca są po prostu ważniejsze dla przepływów strategicznych niż inne i w szczególności

tam należy dokonywać tak zwanej projekcji siły politycznej, czyli budować wpływy i pozyskiwać wsparcie dla realizacji własnych interesów. Aby lepiej zrozumieć, w czym
rzecz, można to w uproszczeniu nazwać mechanizmem
tworzenia tak zwanych lewarów. Polityka zyskiwania wpływów w kluczowych korytarzach geostrategicznych, w innych państwach, przynoszące zyski kontakty biznesowe
czy dostęp do ważnego rynku wymagają odnajdywania
się w konkretnej przestrzeni, posiadania funkcjonujących
w realnym świecie sieci powiązań, wpływów, lobbystów,
agentów, partnerów, informatorów, przedstawicieli handlowych, egzekutorów praw i nadzorców interesów. Są oni
zawsze zlokalizowani gdzieś w przestrzeni, najczęściej
zresztą w najważniejszych jej punktach — służąc w istocie projekcji siły politycznej niezbędnej do tego, by być
sprawczym i móc realizować zadania decydujące o rozwoju państwa.

Ostatecznym lewarem jest oczywiście siła wojskowa.
Dlatego to właśnie Stany Zjednoczone dysponują globalną
zdolnością do projekcji siły i dlatego Rosjanie chcieli pokazać swoją dominację w regionie, rozpoczynając „operację
specjalną" — jak ją sami nazwali — na Ukrainie. W wypadku Amerykanów zasada jest prosta: im bliżej Oceanu Światowego i zasięgu lotniskowców US Navy, im wyraźniejsza
jest zdolność desantowa i uderzeniowa piechoty morskiej
działającej z podstawy operacyjnej okrętów floty na Oceanie Światowym oraz baz wojskowych rozsianych w Rimlandzie Eurazji, tym amerykańska zdolność do projekcji
siły jest większa, a oddziaływanie polityki i interesów

Waszyngtonu silniejsze. Głębiej w masach lądowych Eurazji owa zdolność słabnie. Dokładnie odwrotnie jest w wypadku militarnych potęg kontynentu: Chin, Rosji, kiedyś Niemiec kajzerowskich i hitlerowskich. Ukraina znajduje się daleko od amerykańskiej zdolności do projekcji efektywnej siły bojowej, dlatego Rosjanie mogli myśleć, że będą w stanie poczynać sobie śmiało na prawie „własnym" kontynentalnym podwórku. Pytanie, jak bardzo dzisiaj oddalona od podstawy operacyjnej Oceanu Światowego jest Polska i jak bardzo jest zależna od amerykańskiej siły wojskowej. Im bardziej niepokoimy się, że jesteśmy daleko, tym bardziej powinniśmy mieć potężne własne siły zbrojne, które będą wspierać nasze samostanowienie przez podwyższanie kosztów, jakie musieliby ponieść Rosjanie w razie ewentualnej agresji. Nazywa się to odstraszaniem, czyli generowaniem wrogowi, który chciałby narzucić nam swoją wolę, takich kosztów, by odwieść go od jego zamiarów, a nam pozwolić na spokojny rozwój.

Polskie oddalenie od Atlantyku odczuliśmy bardzo mocno, gdy w Teheranie, Jałcie i Poczdamie przypieczętowano nasz los, oddając go w ręce kontynentalnego imperium sowieckiego. Ówczesny układ sił powodował bowiem, że w 1945 roku zachodni alianci nie zaczęliby przecież wojny o nasze przedwojenne granice i rząd pozbawiony sowieckich wpływów. Sami zaś nie dysponowaliśmy niestety siłą wojskową, która mogłaby temu wszystkiemu zapobiec.

Polacy jako zbiorowość w ostatnich trzydziestu latach nie czuli konieczności myślenia o wojnie i geopolityce ani

tworzenia geostrategii, albowiem sprawy „działy się same".
I tak było z prostego powodu — to Amerykanie trzymali
naturalną grawitację świata na swoich barkach, niczym
mityczny Atlas, prowadząc od 1991 roku liczne wojny
gdzieś na obrzeżach świata Zachodu, jak się wówczas
wszystkim wydawało. Przewaga wojskowa, ekonomiczna,
technologiczna i dominacja instytucjonalna Waszyngtonu
zapewniały podstawowe globalne dobro publiczne, jakim
jest bezpieczeństwo w kluczowych regionach geopolitycznych, na skrzyżowaniach komunikacyjnych świata: na zachodnim Pacyfiku i w Azji Wschodniej, w Europie Środkowej i Wschodniej oraz w Zatoce Perskiej, stabilizując przy
tym zasady, na jakich dokonują się przepływy strategiczne
stanowiące kręgosłup globalizacji. Z tego powodu Francis
Fukuyama mógł prawić o końcu historii, czyli końcu rywalizacji geopolitycznej, a rozmaici teoretycy pławić się
w opisie świata, gdzie wszyscy się kochamy, a geopolityka
nie istnieje.

A jednak wszystko płynie. Nic dziwnego więc, że stopniowo ustępowało i ustępuje przekonanie o nieuchronności globalizacji, co błyskotliwie przewidywał sto lat temu
na przykładzie ówczesnej globalizacji wspomniany już
Mackinder. Gdy bowiem brak jednego hegemona i gwaran-
towanego przez niego zestawu zasad współpracy międzynarodowej, geopolityka pokazuje swoje jaskrawe oblicze
starszej i surowej siostry (a nawet dominującej i apodyk-
tycznej matki!) makroekonomii, wyznaczając pole i parametry gry ekonomicznej. Świetnym tego przykładem jest

opowieść o Polsce, naszym „najlepszym miejscu na świecie", po przełomie 1989 roku, gdy nowy rozdział geopolityczny wytyczył naszej ojczyźnie kurs na wolne przepływy strategiczne, otwarcie rynku i związane z nimi możliwości penetracji dużego kraju na Nizinie Środkowoeuropejskiej przez zachodni kapitał, technologie i marki, dając dostęp do naszego rynku i osiąganych na nim zysków dzięki „pracy" naszej przestrzeni. W zamian otrzymaliśmy wejście do rynku globalnego, co zmieniło całkowicie paradygmat makroekonomiczny obowiązujący nas wcześniej w RWPG.

W kolejnych latach dywidendy pokojowej, które nastały po zimnej wojnie, szybki rozwój oraz możliwość udziału w rynku globalnym doprowadziły wielu z nas do przekonania, że geografia i dystans nie mają znaczenia, a wszystko jest pod ręką i osiągalne 24/7. Łatwo było jednak przy tym zapomnieć, że wymiana globalna nie funkcjonuje bez infrastruktury i korytarzy transportowych, a określone obszary mają mniejsze lub większe znaczenie dla wpływów politycznych w kluczowych miejscach i dla związanej z tym sprawczości, przekładającej się na wzrost znaczenia i bogactwa tych, którzy wiedzą, co i jak robić, by kreować potęgę państwa. Drogi, koleje, rurociągi, kable czy morskie linie komunikacyjne przebiegają przez konkretne przestrzenie. Surowce też występują w określonych miejscach świata, a ich znaczenie dla żądnych konsumpcji wielomiliardowych mas ludzkich (już nie tylko w Europie i Ameryce Północnej), które wychodząc z chronicznej biedy dołączyły do rynku konsumentów — jest dziś o rzędy wielkości istotniejsze dla państw, które muszą zaspokoić apetyty i oczekiwania konsumpcyjne, niż podczas drugiej wojny światowej. Sieć rurociągów, gazociągów i linii energetycznych zapewniających dostęp do energii nowoczesnym społeczeństwom Europy (i nie tylko), które to sieci przesyłowe pojawiły się w ciągu raptem ostatnich kilkudziesięciu lat, jest doskonałą ilustracją owych zależności. Nawet infrastruktura dotycząca komunikacji cyfrowej zależy od przestrzeni fizycznej. To wszystko oznacza, że każdy, kto chce mieć dojście do rynków, zdolność do projekcji siły politycznej czy wojskowej albo do realizacji własnych interesów, musi mieć dostęp do konkretnych przestrzeni i możliwość manewrowania w nich. W przeszłości było to przedmiotem zajadłej rywalizacji geopolitycznej. Teraz jest i w przyszłości będzie podobnie.

Potrzeby państwa są determinowane przez interesy rozchodzące się synergicznie w dwóch kierunkach w przestrzeni. Oba obsługują budowę potęgi, czyli poszerzanie pola sprawczości — by zabezpieczyć dobrą przyszłość. Pierwszy kierunek prowadzi na zewnątrz i obejmuje dostęp do rynków zbytu, do surowców, budowę i ochronę łańcucha dostaw w ramach międzynarodowej współpracy. Do tego dodajmy bardzo ważny dostęp do sojuszników i ich wojska, które miałoby nam przyjść z fizyczną pomocą, oraz do dostaw materiałowych w razie zagrożenia, czyli umożliwiające to niezakłócone szlaki komunikacyjne (porty morskie, lotniska, system kolejowy). To wszystko wzmacnia ochronę przed groźbą nacisku (lewarowania) politycznego i wojskowego ze strony obcych państw, które mogłyby nasze ewentualne słabości wykorzystać do realizacji własnych interesów, żądając na przykład eksterytorialnej drogi do obwodu kaliningradzkiego lub zawieszenia funkcjonowania terminalu gazowego w Świnoujściu i kupowania rosyjskiego gazu po cenach i na zasadach ustalanych w Moskwie. W ten sposób można by kontrolować marżowość polskiego przemysłu, a nawet rolnictwa (w związku z wielkimi ilościami gazu potrzebnymi do produkcji nowoczesnych nawozów niezbędnych do uzyskania wydajności upraw).

Drugi kierunek wiąże się z działaniami wewnątrz państwa, realizowanymi poprzez pomysły na zagospodarowanie przestrzeni krajowej, jak na przykład połączenie synergii zasobów surowcowych i ludnościowych z infrastrukturą do obsługi łańcuchów dostaw. Takie połączenie umożliwia przepływy strategiczne wewnątrz kraju i jego rozwój. Tu przykładem są starania Drugiej Rzeczypospolitej i niezapomnianego ministra Eugeniusza Kwiatkowskiego o połączenie potencjału surowcowego Śląska z Gdynią i Centralnym Okręgiem Przemysłowym, co generowało z kolei określone działania geostrategiczne na zewnątrz: stworzenie i zapewnienie funkcjonowania linii komunikacyjnej łączącej Polskę z Oceanem Światowym przez port w Gdyni z pominięciem wpływów mocarstw sąsiednich. To wyjaśnia niechęć Warszawy do akceptacji autostrady łączącej Niemcy z Prusami Wschodnimi, przecinającej oś komunikacyjną południe–północ prowadzącą do polskiej Gdyni.

## NASZE MIEJSCE NA ŚWIECIE

Można sobie dość łatwo wyobrazić, że gdyby w grudniu 2021 roku Stany Zjednoczone i NATO spełniły żądania Rosji i wycofano by wojska i infrastrukturę NATO za Odrę, kolejnym krokiem rosyjskiego ministra Ławrowa byłaby próba ingerencji w interesy Polski. Rosja z pewnością chciałaby mieć wpływ na to, jak rozwijamy infrastrukturę w kraju albo jak rozbudowujemy energetykę. Rosjanie ingerowaliby w te kwestie, by uniemożliwić nam bogacenie się i rozwój i „ustawić" swoje interesy strukturalne, czyli na przykład zbyt gazu czy ropy; mogliby zdominować europejski rynek nawozów sztucznych, przejmując Azoty w Puławach, czy zamknąć Baltic Pipe i terminal gazowy w Świnoujściu.

Polska jest bowiem położona w kluczowym miejscu Eurazji, gdzie krzyżują się przepływy strategiczne i tym samym nachodzą na siebie strukturalne interesy mocarstw na wschodzie i zachodzie. Decyzje podejmowane w Warszawie odbijają się na ich interesach. Stąd zupełnie naturalne pragnienie naszych dużych sąsiadów, by wpływać na polskie działania, co nie oznacza, że musimy tym naciskom ulegać — mamy myśleć przede wszystkim o własnych interesach i własnym rozwoju. Ale to obrazuje, jak skomplikowana jest kwestia naszego położenia geopolitycznego. Dlatego każda opowieść o losach państwa polskiego to opowieść o przestrzeni i próbach samodzielnego decydowania o tym, jak tą przestrzenią gospodarować. Wiadomo, że najlepiej, aby odbywało się to bez ingerencji sąsiednich mocarstw kontynentalnych, próbujących

117

podporządkować sobie ową przestrzeń na potrzeby własnych przepływów strategicznych, co bezpośrednio oddziałuje na zasady wymiany towarów, usług, pracy, realizacji zysku z kapitału czy korzystania z surowców ustalane pomiędzy państwami.

Jeszcze dziś żyją ludzie, którzy gdy zamkną oczy, widzą obce wojska maszerujące na osi wschód–zachód lub sunące na tej samej osi równoleżnikowej jeden za drugim niemieckie albo rosyjskie (sowieckie) transporty kolejowe przekraczające węzeł warszawski. Albo pamiętają wywóz węgla do Sowietów ze Śląska.

Z powodu szczególnego położenia geograficznego zawsze musimy myśleć o przestrzeni zdecydowanie większej niż granice polityczne państwa w danym momencie dziejowym. Nasze losy niezmiennie wiązały się z obowiązkiem „myślenia przestrzenią", a zatem myślenia geopolitycznego. Zmuszało nas do tego położenie na styku Europy morskiej i Europy kontynentalnej, przypominającej bardziej bezkresne obszary Eurazji niż Europy Zachodniej, którą znamy znad pełnych życia brzegów Atlantyku. Położenie w trzonie Europy — na Nizinie Środkowoeuropejskiej komunikującej ze sobą największe potęgi świata — oraz wola zapewnienia komunikacji z Oceanem Światowym przez porty bałtyckie oznaczały konieczność zmagania się z siłami całych niemal kontynentów oraz największych mocarstw. Jak już pisałem, chciały one uczynić nas swoimi pomostami, podczas gdy my chcieliśmy być dla nich barierą stanowiącą o istocie kontroli własnej przestrzeni na głównej europejskiej równoleżnikowej drodze przemarszu wojsk i tranzytu towarów. Ów ogromny hardware przestrzeni stawia wielkie wyzwania i wymaga do jego „obsługi" odpowiadającego mu potencjału software'u w elitach politycznych państwa, w tym kultury strategicznej, która byłaby w stanie temu trudnemu zadaniu sprostać. Na kulturę strategiczną wpływa strategia wojskowa, która musi operacjonalizować konkretne interesy geostrategiczne naszego państwa, a nie być zbiorem li tylko haseł i niepowiązanych ze sobą zapewnień czy twierdzeń, często podlanych sosem ufności we „wspólnotę całej ludzkości" albo inne ogólnoludzkie ideały, z których dla interesów ojczyzny nie wynika nic poza dobrym samopoczuciem ludzi złudnie wierzących w możliwość braku międzyludzkiej rywalizacji i w konsekwencji wojen.

Oczywiście większość ludzi odpycha od siebie tę wiedzę, bo boi się myśleć o skutkach rywalizacji wielkich mocarstw w Eurazji i o demontażu bezpiecznego świata, do którego przyzwyczailiśmy się po zakończeniu zimnej wojny. W czasach pauzy geopolitycznej konstrukt geopolityczny Zachodu z dominującą w nim pozycją Stanów Zjednoczonych jawił się jako jedność i niezrównana potęga, która nie będzie miała poważnej konkurencji. Trudno oswoić się z myślą, że mogłoby się to kiedykolwiek skończyć.

Ryzyko wojny stanowi jednak niezbywalną część rywalizacji między mocarstwami prowadzonej z użyciem instrumentów polityki siłowej, ponieważ gotowość do pójścia na wojnę i — co równie ważne — zdolność do przekonania innych, że jest się na taką wojnę gotowym, determinuje miejsce mocarstwa w systemie międzynarodowym. Dzieje się tak zwłaszcza wtedy, gdy ów system jest pozbawiany cech konstruktywistycznych, znanych światu po zakończeniu zimnej wojny.

Niestety region Europy Środkowo-Wschodniej w czasach nowożytnych i nowoczesnych był europejską strefą zgniotu, w której mocarstwa zewnętrzne robiły, co chciały, i zasadniczo decydowały o organizacji przepływów strategicznych, w tym kolei, autostrad i systemów drogowych oraz związanych z nimi inwestycji i przepływów kapitałowych — często wbrew pragnieniom i interesom narodów regionu.

„Kto panuje w Europie Wschodniej, włada Heartlandem. Kto panuje nad Heartlandem, włada Światową Wyspą. Kto włada Światową Wyspą, włada światem"*.

Ta znana myśl Halforda Mackindera miała być powtarzana politykom, tak by ją zapamiętali i nigdy o niej nie zapomnieli. U Mackindera Światowa Wyspa to Eurazja wraz z lądem Afryki, stanowiące trzon świata. Mackinder zapisał ową geopolityczną formułę w bardzo szczególnym kontekście zaraz po zakończeniu operacji wojskowych pierwszej wojny światowej na froncie zachodnim. Obawiał się konsekwencji tego, że skonsolidowane lądowo Niemcy mimo klęski na zachodzie kontynentu odniosły zwycięstwo na wschodzie, podpisując pokój brzeski po

---

* Cytat z Halforda Mackindera w tłumaczeniu Jacka Bartosiaka. Por. polskie wydanie Halford John Mackinder, *Demokratyczne ideały a rzeczywistość*, Warszawa 2019.

pokonaniu carskiej Rosji. Zachodnie państwa ententy wydawały się zainteresowane tylko własną częścią kontynentu, więc Mackinder poważnie obawiał się, że potęgi morskie anglojęzycznego świata w dłuższej perspektywie przegrają pokój, oddając wschód kontynentu. Przekonywał, że plan prezydenta Wilsona, by stworzyć niepodległe państwa na wschodzie (deklarowany jako prawo do samostanowienia narodów), był w rzeczywistości genialnym manewrem geostrategicznym, mającym zbudować klin przeciwko potencjalnej dominacji Niemiec na wschodzie. A przynajmniej uniemożliwić współpracę kontynentalną Niemiec z Rosją. Dlatego też traktat brzeski należałoby postrzegać jako swoistą odpowiedź na antyniemieckie posunięcie Wilsona.

W rezultacie remedium okazało się wsparcie przez ententę antybolszewickiego zrywu białych w wojnie domowej, która rozgorzała w byłym Imperium Rosyjskim. Odbudowa imperium miała stanowić przeciwwagę dla niemieckiej potęgi we wschodniej części Europy, w tym blokować możliwość wznowienia przez Niemców wojny. Wierny syn Oceanu Światowego dumny Brytyjczyk, Mackinder zimą 1919 roku wyraźnie obawiał się, że w rzeczywistości Berlin nadal dominuje w tej kluczowej części świata i jest praktycznie o krok od światowej hegemonii i uzyskania ostatecznej przewagi kontynentu nad Oceanem Światowym. Refleksje Mackindera dobrze nadawały się do opisu sytuacji geopolitycznej całej Eurazji w okresie zimnej wojny, w tym sowieckich prób wyrwania się z Heartlandu (oddalonego od mórz serca kontynentu) w kierunku Oceanu

Światowego. Celem było zakwestionowanie polityki powstrzymywania stosowanej wobec Sowietów przez Stany Zjednoczone i ich sojuszników, wspartych wysuniętą militarno-strategiczną obecnością Amerykanów w całym Rimlandzie Eurazji.

Kolejne pokolenia Polaków rozmyślały w przeszłości, jak sobie poradzić z wyzwaniem trudnego położenia. Myśleli Żebrowski, Romer, Nałkowski, Wakar, Bączkowski, Matuszewski, Niezbrzycki, Studnicki, Bocheński, Piskozub. Myśleli Staszic, Kołłątaj, Mochnacki, Prądzyński, Mierosławski, Piłsudski, Dmowski, Sikorski, Żeligowski, Mieroszewski, Giedroyć i wielu innych. Myślimy dzisiaj i my w S&F, zamknięci wraz z innymi narodami i społeczeństwami regionu w obszarze Międzymorza, pomiędzy Bałtykiem a Morzem Czarnym. Pomiędzy Niemcami, którzy budowali w przeszłości swoje wpływy i dominację odśrodkowo, oddalając się od opanowanego przez Anglosasów Oceanu Światowego w głąb kontynentu, a Rosjanami, unieruchomionymi w bezlitosnej geografii północnej Eurazji i marzącymi o ciepłych portach Oceanu Światowego.

Taka sytuacja stwarzała potęgom morskim możliwość ustawiania krajów regionu międzymorskiego w roli klina swoich wpływów wbijanego między siły Niemiec i Rosji (Sowietów). Żaden natomiast projekt kontynentalny nie dawał w przeszłości krajom Międzymorza skomunikowania z Oceanem Światowym, co równałoby się upragnionej wolności i niepodległości, stale zagrożonych przez rozmaite działania potężnych sąsiadów i ich presję polityczną. Dlatego trudno nie rozumieć zadowolenia Warszawy i innych stolic regionu z jednobiegunowej chwili *pax americana* po 1991 roku. To tłumaczy projekty gazoportu w Świnoujściu czy rurociągu Baltic Pipe, które mają dać nam niezależność od Niemiec i Rosji. Stąd też bierze się dążenie do zwiększenia obecności wojsk amerykańskich nad Wisłą. Stąd wynikają również marzenia o państwach buforowych na wschodzie, odgradzających Polskę od Rosji, i o skomunikowaniu i zespoleniu gospodarczym z lepiej rozwiniętą zachodnią Europą nad Atlantykiem.

## SYSTEM ŚWIATOWY

W ciągu ostatnich pięciuset lat, od czasu opanowania Atlantyku przez odważnych europejskich żeglarzy, zbudowano potęgę Europy i Zachodu oraz dowiedziono ponad wszelką wątpliwość, że najważniejszym miejscem realizacji przepływów strategicznych jest Ocean Światowy. Zapisany w naszych mapach mentalnych magnes Atlantyku to obmywający brzegi Europy nośnik marzeń, ludzi, handlu, flot wojennych i bogactwa generowanego przez ruch, kolonie i handel. Łączący wszystkie morza Ocean Światowy jest najbardziej dogodną, najtańszą, co do zasady darmową (jeśli taka jest wola hegemona morskiego) i niewymagającą inwestycji w utrzymanie (poza portami) magistralą przepływów strategicznych. Rewolucja kontenerowców polega na możliwości bardzo taniego wysłania setek jednostek pływających z tysiącami kontenerów w różne zakątki świata. Statki są dzisiaj ogromne, co redukuje koszty, a załadunek i rozładunek towarów nie jest bardzo skomplikowany.

Dzięki temu utrzymuje się też znaczenie Oceanu Światowego pomimo — a może właśnie z powodu — rozbudzonej konsumpcji już nie tylko społeczeństw Zachodu, ale też byłego świata RWPG i tak zwanego Trzeciego Świata, Azji i Afryki. Choć trzeba przyznać, że przy takiej skali ruchu każde jego zaburzenie i naruszenie w ten sposób terminów dostaw powoduje niebezpieczne drżenie zglobalizowanego łańcucha dostaw i wartości, prowadząc do potężnych napięć geopolitycznych. Zapewne nie bez przyczyny funkcjonuje tyle odnoszących się do oceanu określeń w języku angielskim: *maritime highway* (morska autostrada), *thoroughfare* (arteria komunikacyjna), *conduit* (kanał), *transit route* (trasa tranzytowa), *global common* (dobro powszechnego użytku).

Morskie szlaki komunikacyjne stały się po wielkich odkryciach geograficznych głównymi tętnicami ruchu na świecie, kwintesencją *connectivity*. Wokół nich koncentrowały się zainteresowanie inwestycyjne kapitału i jego akumulacja, rozwój technologii, wymiana i absorpcja wiedzy, ruch i migracje ludzkie, rozwój miast i przemysłu, a nawet moda czy nowinki popkultury. Nic zatem dziwnego, że osiągnąwszy przewagę kapitałową i technologiczną, mocarstwa morskie, dysponując własną potężną flotą, zapewniały zazwyczaj, że na magistrali morskiej panuje wolność ruchu. Dawało to potężne możliwości rozwojowe i szanse na dotarcie magistralą Oceanu Światowego do atrakcyjnych rynków, a gdy zachodziła taka potrzeba, na dokonanie projekcji siły wojskowej. Owa dogodność stanowiła znak firmowy ery kolonizacji, a jak się dobrze zastanowić, także całego XX wieku, zwłaszcza gdy Anglo-sasi zapanowali dodatkowo nad skutkami wynalezienia samolotu, ustanawiając podobne do morskich reguły gry oraz normy dla lotnictwa, co wzmocniło dodatkowo ich potęgę w XX wieku.

Opanowanie Oceanu Światowego spowodowało podział pracy: obszary rdzeniowe skupiające przepływy strategiczne wokół Londynu, Rotterdamu czy Nowego Jorku dysponowały kapitałem oraz technologią i kontrolowały cykle technologiczne, podczas gdy peryferie i półperyferie produkowały na zlecenie tych pierwszych. System ów ma strukturę hierarchiczną i daje możliwość alokacji różnych rodzajów produkcji w różnych strefach. Możliwość łatwej relokacji między półperyferiami i peryferiami widać na przykładzie Niderlandów, które relokowały produkcję zboża do Rzeczypospolitej, obszaru peryferyjnego w ramach ówczesnej raczkującej globalizacji, a także na przykładzie Stanów Zjednoczonych, które w ciągu ostatnich kilkudziesięciu lat relokowały do Chin produkcję przedmiotów użytku codziennego, co obniżyło koszty utrzymania amerykańskiej klasy średniej. Generalnie w systemie zachodził stały proces alokacji kapitałowej w łańcuchu gospodarczym w kierunku zyskiwania taniej siły roboczej czy nowych, szeroko rozumianych „zasobów" i „szans". Patrząc z perspektywy dziejowej, trzeba przyznać, że było to bardzo wygodne dla potęg kontrolujących Ocean Światowy. W wypadku, gdy rdzeń systemu uznawał za konieczne wywieranie presji na „nieposłusznych" członków, sankcje, blokady morskie czy wykluczanie z przepływów strategicznych mogły być używane wedle wygody lub potrzeby geostrategicznej. Chęć realizacji takiej polityki widać od 2018 roku w kolejnych posunięciach Ameryki wobec Iranu, Niemiec, Chin i Rosji oraz wobec firm i osób prowadzących działalność niezgodną z wolą i interesem hegemona Oceanu Światowego.

Podstawową cechę rdzenia stanowiła jego niezastępowalność. Centrum było znane i wymiana z nim pozostawała kluczowym komponentem aktywności handlowej na peryferiach. Tymi ostatnimi łatwo było zarządzać, wymieniać je wedle potrzeby, tak jak zmieniano nieraz miejsce produkcji bawełny czy kauczuku w ciągu ostatnich dwustu lat. Stosowany przez państwa zachodnie w dobie nowożytnej merkantylizm miał chronić ich własną produkcję i rynek, a na liberalizm ekonomiczny mogły sobie pozwolić dopiero państwa bogate, których produkcja jest konkurencyjna lub dominująca na rynkach światowych.

Rozwój kolei żelaznych w XIX wieku umożliwił zwiększenie przepływów strategicznych na kontynentalnych przestrzeniach Europy i Eurazji, uruchamiając wzrost potęgi Niemiec i Rosji w XIX i XX wieku, a Chinom dał w XXI wieku możliwość realizacji inicjatyw infrastrukturalnych w rodzaju chińskiego nowego jedwabnego szlaku (którego oficjalna nazwa to inicjatywa Pasa i Szlaku), czego bardzo obawiał się sto lat temu Halford Mackinder i co dziś zakłóca sen analitykom z elitarnego Office of Net Assessment w Pentagonie. Widzieliśmy to z Albertem Świdzińskim na spotkaniu z Andrew Mayem, którego myśli skupione były wyłącznie na Chinach i wielodomenowej, długoterminowej z nimi rywalizacji. Choć wiedział, że lada dzień miała wybuchnąć wojna na Ukrainie!

Dzisiaj *connectivity* nowoczesnymi autostradami, rurociągami i gazociągami, światłowodami, koleją wielkich prędkości, samolotami i infrastrukturą może potencjalnie łączyć to wszystko w spójny łańcuch dostaw i wzajemnie współpracujących rynków, a w przyszłości być może dojdzie przecież jeszcze hyperloop czy 5G lub pojawią się inne udogodnienia. Zapewne dlatego mój chiński rozmówca w Hongkongu przekonywał, że najważniejsza jest rozgrywka pozycyjna dokonująca się przed ostrą konfrontacją (jak słusznie uczył wybitny myśliciel Dalekiego Wschodu, mistrz Sun Tzu). Amerykanie mieli według niego przegrać tę rozgrywkę, bo nowoczesne skomunikowanie zwiększa siłę i wpływy państw kontynentalnych, tworząc synergię ich interesów. Jest to spora odmiana w porównaniu z sytuacją, gdy wcześniej to Ocean Światowy monopolizował istotne przepływy strategiczne wokół Eurazji i w jej strefie brzegowej. Dla zobrazowania tego potencjału dość powiedzieć, że chińska inicjatywa Pasa i Szlaku realizowana w eurazjatyckich masach lądowych miała być gigantycznym planem geostrategicznym, docelowo łączącym obszar dysponujący już teraz 55 procentami światowego PKB, 70 procentami populacji globu i 75 procentami jego rezerw energetycznych, z Chinami w roli centrum i obszaru rdzeniowego. Tak jak dwa tysiące lat temu wszystkie drogi w Europie prowadziły do Rzymu, tak teraz wszystkie rynki Eurazji miały być skomunikowane z centrum decyzyjnym i marżowym w Pekinie.

Rywalizacja o punkty kontrolne oraz o opanowanie łańcucha dostaw i wartości jest środkiem ciężkości rozpoczętej wojny o Eurazję. Poprzednie próby tego rodzaju ze strony Niemiec kończyły się wojnami światowymi. Nie ulega wątpliwości, że poprzedni, postzimnowojenny, korzystny dla Polski ład widzimy już w lusterku wstecznym, lecz kontury nowego ładu wciąż są nieznane, a po drodze czekają nas wojny i potężne zmiany.

Wolność strategicznych przepływów w ciągu ostatnich już prawie trzydziestu lat doprowadziła do dwóch zjawisk: po pierwsze, do wzrostu bogactwa ogólnego świata, choć rozkładającego się nierówno, co zaczęło stanowić problem przede wszystkim dla niektórych państw Zachodu, a po drugie, do większego skomunikowania, co z kolei doprowadziło do jeszcze większej współzależności. Współzależność i nierówny jej rozkład nie stanowią problemu, jeśli istnieje jeden gwarant systemu (hegemon), który swoją siłą gwarantuje realizację norm rządzących systemem, a wszyscy w systemie się z tym godzą. Amerykanie jako supermocarstwo morskie, zwycięzca wojny światowej i zimnej wojny, dysponujące globalną projekcją siły, dolarem jako walutą rozliczeniową świata, kontrolujące system bankowych transferów SWIFT i rządzące w instytucjach światowych, stworzyli godny szacunku i rzadki w historii system. Małe i średnie państwa były dzięki niemu zadowolone z geopolitycznej drzemki, natomiast kraje biedne i rozwijające się mogły korzystać z komparatywnych zalet swojej taniej siły roboczej, produkując na przepastne rynki konsumenckie Stanów Zjednoczonych i pozostałych państw Zachodu. Przede wszystkim jednak, co znamienne, nie doszło do rywalizacji wielkich mocarstw o reguły globalnego rozwoju gospodarczego. Pokonane w wojnie światowej Niemcy i Japonia podporządkowały się Ameryce, a dzięki magistrali Oceanu Światowego i stabilizacji za sprawą USA środowiska bezpieczeństwa miały dostęp do globalnych rynków zbytu dla swoich ogromnych gospodarek produkujących na eksport. To uczyniło je beneficjentami globalizacji zaprojektowanej przez Waszyngton.

System okazał się prawdziwym majstersztykiem amerykańskich strategów. Chiny, które również chciały się bogacić, także zaakceptowały przywództwo Stanów Zjednoczonych w Azji Wschodniej i na zachodnim Pacyfiku. Pokonana Rosja zaś, pogrążona w kryzysie na gruzach Związku Sowieckiego, też pragnęła uczestniczyć w globalnym rynku, więc za rządów Borysa Jelcyna przyjęła do wiadomości światowe przywództwo Ameryki, zabiegając o zachodni kapitał i technologie. Sami Rosjanie po siedemdziesięciu latach braku wolności chcieli wreszcie swobodnie podróżować. Zadowolony z siebie Zachód, połączony wspólnym interesem globalizacji, jako całość wspierał politykę Stanów Zjednoczonych, mieliśmy więc właściwie do czynienia nie tyle z jednobiegunową chwilą, ile ze zgodnym i dobrze dyrygowanym jednobiegunowym koncertem Zachodu. Doświadczyliśmy wtedy zenitu potęgi Zachodu opartej na Oceanie Światowym.

Współzależności wynikające ze współpracy między rynkami i państwami w ramach systemu *pax americana* długo nie generowały istotnych napięć. Teraz, gdy normy funkcjonowania są coraz wyraźniej kwestionowane, te same współzależności z dnia na dzień będą się stawały lewarami. Tak się dzieje, gdy jedno państwo może kontrolować zachowanie drugiego wbrew jego woli. Tu musimy zdać sobie sprawę, że pomimo szumnych haseł i frazesów polityków oraz złudzeń społeczeństw liberalnych życiem państwa rządzi prawo siły, tak jak prawo ciążenia rządzi ciałami fizycznymi. Koncepcja potęgi oraz stosunków władzy egzekwowanej w celu umacniania tej potęgi leży w centrum polityki. Potęga to po prostu zdolność do osiągania oczekiwanego rezultatu lub — innymi słowy — sprawczość albo władza. Potęga określa, czy państwo może realizować swoje cele, przede wszystkim zewnętrzne — a „musi" starać się je osiągać, bo inaczej stanie się przedmiotem polityki innych państw, zależnym od nich i im podległym. Przemoc i przymus pojawiają się wtedy, gdy jedno państwo dysponuje wystarczającym lewarem oddziałującym na interesy drugiego, tak by mogło kontrolować jego zachowanie nawet wbrew jego woli. Taki lewar Rosja mogłaby stosować na Polsce, gdyby na przykład rurociągi z energią biegły do zachodniej Europy z pominięciem Polski, a sama Polska byłaby jednocześnie w pełni uzależniona energetycznie od Rosji.

Lewarami siły są sankcje ekonomiczne, zwłaszcza te nakładane przez mocarstwa organizujące dany system. Najtwardszym lewarem jest oczywiście wojna. Dlatego państwa się zbroją, aby — gdy zajdzie taka potrzeba — użyć argumentu siły w celu ochrony własnych interesów. Lub odwrotnie: by nie być podatnymi na ten lewar albo też by użycie lewara okazało się dla przeciwnika bardzo kosztowne. Na tym polega odstraszanie. Chodzi o wystawienie takich zdolności, które albo uniemożliwią wrogowi osiągnięcie zakładanych celów (odstraszanie przez uniemożliwienie osiągnięcia celów, czyli ani piędzi ziemi, ani kroku wstecz, bo jesteśmy silni), albo też dadzą mu do zrozumienia, że jeśli spróbuje zrealizować swoje cele, stanie mu się spora krzywda. Przeciwnik musi więc zawczasu dobrze przemyśleć, czy w obliczu tych zademonstrowanych przez nas zdolności wojskowych opłaca mu się planowany wysiłek i ryzyko związane z wojną (odstraszanie przez nakładanie kosztów na agresora).

Gdy zasady obowiązujące w ramach systemu współzależności wynikających z codziennie dokonujących się przepływów strategicznych są kwestionowane, dochodzi do poszukiwania lewarów oddziałujących na interesy drugiego państwa, tak by można było je zmusić do takiego czy innego zachowania. Wówczas te wszystkie relacje i powstające w związku z nimi współzależności — jak chociażby kontrola czyjegoś łańcucha dostaw, surowców czy korytarza komunikacyjnego — tak, zdawałoby się, wolne w dobie globalizacji, stają się lewarami, o które toczy się rywalizacja. Pojawia się gra o sumie zerowej, która już tyle razy prowadziła świat na krawędź przepaści — żeby wspomnieć choćby wojnę o Suez w 1956 roku toczoną w obronie przepływów strategicznych Francji i Wielkiej Brytanii, akty nawigacyjne Olivera Cromwella mające zniszczyć konkurencję Niderlandów, sankcje amerykańskie na dostawy surowców do Japonii, czego skutkiem był atak na

Pearl Harbor, czy spór Niemiec z Polską o status portowego Gdańska bądź żądanie od Polski w 1939 roku autostrady eksterytorialnej do Prus Wschodnich.

Teraz też pojawiają się napięcia związane z ruchem strategicznych przepływów korytarzem lądowym przez Litwę do izolowanego geograficznie obwodu kaliningradzkiego. W 2022 roku Litwini zamierzali zamknąć rosyjski ruch zgodnie z polityką sankcji nałożonych po rozpoczęciu wojny przez Putina. Niemcy i urzędnicy brukselscy, by nie drażnić Rosji, wzywali zaś do „miękkiej" interpretacji zakazu ze względu na to, że poziom ponoszonego przez nich ryzyka jest zupełnie inny niż żyjących pod nosem Rosji Litwinów. Rosjanie natomiast byli wściekli i odpowiedzieli groźbami. To kwintesencja tego, o czym pisałem wyżej.


## DEGLOBALIZACJA

Wraz z pogłębiającą się rywalizacją pojawia się napięcie między wolnością przepływów a jej ograniczaniem. Swoboda korytarzy przesyłowych, takich jak Ocean Światowy, przestrzeń powietrzna czy internet, wciąż co prawda pozostaje dobrem publicznym, ale już koncesjonowanym i dostępnym tylko dla członków własnego klubu przyjaciół i sojuszników. Nie wolno zapominać, że państwa rozwijające się, wcześniej kolonizowane przez Zachód, widzą we wszelkich obecnych próbach regulowania zasad wolności przepływów spisek bogatszych państw Zachodu, który ma na celu utrzymanie zdobytej przez ostatnie kilkaset lat strukturalnej przewagi nad resztą świata.

Rywalizacja systemowa o dominację nad opisanym mechanizmem zaczęła się kilka lat temu, gdy chiński pretendent zaczął kwestionować sprawczość Waszyngtonu w systemie międzynarodowym, a Amerykanie zorientowali się ostatecznie, że zachowania Chin mogą doprowadzić do osłabienia ich sprawczości i w konsekwencji do utraty władzy nad mechanizmem. Kontrola przepływów strategicznych jest bowiem wolą i zarazem zdolnością do zdefiniowania ram i warunków realizowania owych przepływów. Pisał o tym dużo pragmatyczny Heiko Borchert zajmujący się w Europie konsultingiem strategicznym dla rządów i korporacji europejskich. Można wskazać cztery trajektorie walki o przepływy: pierwsza to zjawisko powstawania stref wpływów z własnymi łańcuchami dostaw do rozdzielnych centrów grawitacyjnych i próba odmawiania statusu centrum innym łańcuchom. Łańcuchy będą wówczas liniami logistycznymi przepływów strategicznych (niczym opisywane przez barona de Jominiego linie logistyczne na polu bitwy) dającymi lub odbierającymi sprawczość, połączonymi z podstawą operacyjną i celami strategicznymi, czyli z kluczowymi rynkami, krytycznymi punktami infrastruktury i korytarzami transportowymi, w których przepływy się kumulują i dokonują. Miejscami rywalizacji będą Khorgos, Gwadar, Malakka, Ormuz, Singapur, Morze Południowochińskie, autostrady w Pakistanie, linie kolejowe w Azji Środkowej, przeprawy promowe przez Morze Kaspijskie, a także Duisburg, Pireus, Rotterdam, Biały Kamień, Hamburg, Gdańsk i Małaszewicze. Będą nimi także nowe, nieznane dziś jeszcze sposoby komunikacji i nowe technologie determinujące przepływy strategiczne.

Druga trajektoria to walka o normy/standardy/zasady — czyli de facto preferencje dla sojuszników i dla tych, którzy podporządkują się regionalnym mocarstwom organizującym system współpracy w regionie. Tak właśnie dokonywała się kiedyś próba budowy niemieckiej Mitteleuropy. Trzecią trajektorią walki o strategiczne przepływy jest walka o narracje i dominujące ideologie, czyli etykietowanie wrogów, które prowadzi do protekcjonizmu. Czwarta to powstanie alternatywnych modeli bogacenia się i w konsekwencji nowych pomysłów na kontrakt społeczny, co grozi zaburzeniem społecznej stabilizacji i zmianami statusu całych grup społecznych. Przepływy strategiczne, dotąd wolne, stają się spolaryzowane, bardziej chaotyczne, a biznes zostaje zmuszony do codziennego analizowania geopolityki. Więcej zatem w takim środowisku będzie widać działania państwowych czempionów, a mniej w nim będzie przekonania o istnieniu nieomylnej „niewidzialnej ręki” rynku, o której uczyliśmy się od Adama Smitha i wyznawców liberalizmu ekonomicznego lat dziewięćdziesiątych XX wieku.

Rywalizacja o standardy technologiczne, jak w wypadku 5G, stanie się więc w sposób oczywisty kwintesencją walki o władzę między mocarstwami. Kiedy na przełomie XIX i XX wieku cesarz Wilhelm II chciał obalić dominację Wielkiej Brytanii w dziedzinie radiotelegrafii, kazał skopiować wynalazek Marconiego i opatentować go pod panowaniem niemieckim. Teraz Pekin chce dominować w zakresie technologii komunikacji przez sieć 5G oraz w dziedzinie komunikacji kwantowej i stworzyć w Eurazji niezależny od Amerykanów łańcuch dostaw, a tym samym nową gospodarkę kontynentalną. A wszystko to w ramach strategii rywalizacyjnej opartej na rozbudowie skomunikowania Eurazji, która ma złamać potęgę Oceanu Światowego.

Ocean Światowy przez wieki skutecznie powstrzymywał potęgi kontynentalne i narzucał zasady, na jakich powinien działać światowy system handlu. Posiadał zatem klucze do dobrobytu i przyszłości całej ludzkości. Ludzie odpowiadający za politykę mocarstw Oceanu Światowego pilnowali, by to się nigdy nie zmieniło. Friedrich Ratzel malowniczo nawiązał do nieustających napięć między dwoma światami — Oceanem Światowym i kontynentem — na przykładzie Lewiatana i Behemota, „morskich piratów i stepowych rabusiów". Według Ratzela w zaciekłej bójce Behemot próbuje rozerwać Lewiatana na strzępy za pomocą rogów i zębów, podczas gdy Lewiatan chce udusić Behemota, wkładając mu płetwy do nosa i ust, aby ten nie mógł oddychać, jeść i pić. Przypomina to blokadę morską na strategicznych przepływach, tak często stosowaną przez dominującą potęgę morską przeciwko silnej, ale słabszej na morzu potędze kontynentalnej.

Dzisiejszy mechanizm blokowania (lub umożliwiania) przepływów strategicznych wbudowany w światowy system wymiany towarowej z jego licznymi instytucjami, systemem SWIFT czy normami bankowymi został stworzony przez amerykańską potęgę morską — z jej dolarem, sankcjami i dążeniem do globalnej jurysdykcji nad transakcjami na rynku globalnym. Stanowi prawdziwy atrybut potężnej władzy Lewiatana nad kontynentem. System zawsze jest otwarty i wolny od blokad, gdy służy interesom Stanów Zjednoczonych, a przepływy dokonują się w sposób niezakłócony. Blokowanie stosuje się wtedy, gdy przepływy nie służą interesom amerykańskim. Wówczas wprowadzane są sankcje dotyczące czy to technologii, czy to krytycznych produktów w łańcuchach wartości, transgranicznych przesunięć kapitałowych, zarzutów o niezrównoważenie handlu, obrotu niebezpiecznymi materiałami, czy też przemieszczenia się konkretnych osób i ich pieniędzy. Władza nad mechanizmem wprowadzania i egzekwowania blokady przepływów wynika bezpośrednio z kontroli tego, co dzieje się na Oceanie Światowym. To podstawa strukturalnej władzy w polityce globalnej.

Otto Bismarck zwykł mawiać, że jego Niemcy są słoniem spacerującym po płaskich równinach, podczas gdy Wielka Brytania to wieloryb swobodnie pływający po oceanach. Wydaje się, jakby kanclerz sugerował, że obie siły mogą żyć na planecie Ziemi, nie naruszając nawzajem swoich podstawowych interesów. Jak się okazało, wiara charyzmatycznego przywódcy Niemiec była tylko pobożnym życzeniem, ponieważ sprzeczne interesy ekonomiczne „wieloryba" i „słonia" nader często prowadziły do nieuniknionych napięć, po których następował konflikt polityczny, zwykle prowadzący do bezpośredniej konfrontacji. Cały świat wówczas płonął. Walka między dwoma systemami organizacji pracy i kapitału w dążeniu do realizacji ich szczególnych celów, napędzana przez fundamentalne interesy gospodarcze (i następujące po nich polityczne), jest właściwością świata od czasów wielkiej rewolucji Oceanu Światowego sprzed pięciuset lat, czyli odkryć geograficznych.

Walka owa miała wiele wymiarów: dążenie do kontroli korytarzy transportowych i cieśnin, przez które przechodzą strategiczne przepływy, ustalanie zasad wymiany towarowej przy uwzględnieniu komparatywnych różnic geograficznych, w tym produktywności oraz organizacji pracy i kapitału pomiędzy potęgami, które jednak ze sobą współpracują i dokonują strategicznych przepływów. Przejawiało się to w konkurencji między systemami gospodarczymi i handlowymi o różnych kosztach i zasadach inwestycji; wymagało odmiennego spojrzenia na rolę rządu, subsydiowania inwestycji i kapitałochłonnych gałęzi rozwojowych, regulacji dotyczących pracy, finansowania infrastruktury transportowej (zawsze droższej w państwach lądowych), rentowności kapitału i zasad obracania nim.

Oba te światy gdzie indziej kładą punkt ciężkości, jeśli chodzi o wartość w gospodarce. W Niemczech, we Francji czy w Chinach wartość tę stanowi wytwórczość, więc poprawia się jej wydajność (organizacyjną i technologiczną), skupia na innowacjach, a podstawą produktywności jest wiedza inżynierska, która staje się przez to ceniona i cieszy się szacunkiem społecznym. Marketing, merchandising i wszelkie finansowe operacje wykonywane w procesie produkcji i podziału pracy stanowią jedynie dodatki. Tymczasem w Stanach Zjednoczonych i w Wielkiej Brytanii to te ostatnie są postrzegane jako realne nośniki wartości, podczas gdy produkcja, wydajność i doskonalenie wiedzy inżynierskiej zostały niejako ekonomicznie zdegradowane do niższego statusu. Ludzie robią kariery tam, gdzie się zarabia duże pieniądze, a pieniądze w tych krajach są tam, gdzie wymyśla się operacje finansowe. Sam proces produkcji stanowi dodatek, a nie rdzeń. Ta różnica powiększyła się podczas globalizacji w ostatnich trzydziestu latach i powoduje napięcie w światowym podziale pracy, postrzeganiu produktywności, a nawet w odmiennym poczuciu sprawiedliwości, co przejawia się narastającą rywalizacją o kontrolę globalnego łańcucha dostaw.

Można by bardziej szczegółowo uchwycić kolejne różnice między kontynentem a Oceanem Światowym. W państwach kontynentalnych jest więcej regulacji, podatków, redystrybucji i centralnego zarządzania, co często prowadzi do większej biurokracji i sztywniejszych reguł w relacji społeczeństwo — władza. Z kolei na Oceanie Światowym obowiązują zasady bardziej pobłażliwe, elastyczne i nagradzające ryzyko, tradycyjnie zorientowane na morskie skomunikowanie i w znacznym stopniu ukierunkowane na zyski i rynki kapitałowe; system jest otwarty, panuje większa wolność gospodarcza i swoboda alokacji kapitału (często ze szkodą dla poziomu życia i statusu ekonomicznego siły roboczej).

Wokół tych różnic, tak widocznych w życiu codziennym, pracy i zarabianiu pieniędzy, rodziły się postawy i ideologie — liberalne i otwarte na Oceanie Światowym, a bardziej autorytarne, centralistyczne i zarządzające ograniczonymi zasobami na kontynencie. Nadrzędna jednak była ludzka determinacja, aby modernizować się i nie wypaść z biegu po nowoczesność, prosperity i rozwój. Dotyczyła ona wszystkich, podparta była nawet ideami rewolucjonistów, zwłaszcza w kontynentalnej Eurazji, gdzie są mniejsze szanse na owocną pracę wolnego kapitału i gdzie szukano sposobów na przyspieszoną modernizację własnych krajów, nierzadko uciekając się do zbrodni, wielkich eksperymentów społecznych i łamania w tym celu ludzkiego życia i duszy.

Halford Mackinder, w przeciwieństwie do Nicholasa Spykmana, wierzył, że kontynent zyska z czasem wyraźną przewagę nad Oceanem Światowym, ponieważ Heartland Eurazji jest niedostępny dla statków handlowych, ale jednocześnie pozostaje niedostępny dla okrętów wojennych Oceanu Światowego, więc nie podlega jego władzy. Przy czym w niedalekiej przyszłości wskutek wynalazków skokowo zwiększających skomunikowanie w masach lądowych miał się stać dobrze skomunikowany wewnętrznie dzięki nowoczesnym połączeniom kolejowym, drogowym i lotniczym. Jak twierdził Mackinder, w eurazjatyckich masach lądowych istnieją warunki do mobilności militarnej (czyli mówiąc dzisiejszym językiem strategii: swobodnej projekcji siły) i gospodarczej na bardzo duże odległości i przy ściślejszej integracji przestrzeni dzięki powstaniu spójnego systemu komunikacyjnego. Do tego, zgodnie z koncepcją Jominiego, byłoby to możliwe wzdłuż wewnętrznych linii komunikacyjnych mas lądowych Eurazji, w przeciwieństwie do zewnętrznych linii komunikacyjnych potęgi kontrolującej Ocean Światowy wokół Eurazji. I właśnie to się rozstrzygnie w nadchodzących latach. Wojna na Ukrainie jest pierwszą gorącą batalią tej wojny.

Autostrady, kable, połączenia lotnicze, porty, koleje, sieci internetowe, 5G, przepływy danych — to wszystko symptomy konsolidacji Eurazji. Podpisanie paktu handlowego między Unią Europejską a Chinami w grudniu 2020 roku dało sygnał, że jedność transatlantycka po 1945 roku może bardzo szybko zniknąć, a Eurazja może stać się po raz pierwszy jedną całością, jednym systemem. Dla narodów Międzymorza takim sygnałem była budowa gazociągów Nord Stream 1 i 2, kotwiczących model rozwojowy gospodarki niemieckiej i rozrost potęgi Niemiec w Europie dzięki Rosji i w zależności od Rosji, która stawała się w ten sposób nieusuwalnym elementem europejskiego krajobrazu biznesowo-energetycznego, a zatem i politycznego. Bez energii nie istnieje przemysł, nie mówiąc już o sektorze usług. Bez odpowiednio taniej energii brakuje stopy zwrotu i stabilnych inwestycji. Bez wystarczającej stopy zwrotu nie ma kontraktu społecznego, czyli porozumienia ekonomicznego między pracownikami, kapitałem a klasą polityczną co do tego, na jakich zasadach się pracuje, inwestuje i dokąd się zmierza. To istota państwa. Utrata dostępu do taniej energii może więc zniszczyć model biznesowo--rozwojowy Niemiec, a wraz z nim stabilność polityczną Europy oraz Unii Europejskiej.

Polem bitwy o przewagi były i są łańcuchy wartości oraz wynikający z nich globalny podział pracy. To one decydują o nowych cyklach technologicznych i inwestycyjnych, stanowiących źródło pieniędzy i potęgi dla tych, którzy wchodzą na rynek pierwsi lub są w lepszej pozycji strukturalnej. Wystarczy przyjrzeć się cyfrowym imperiom ery internetu. Kontrola łańcuchów wartości daje realną siłę strukturalną i możliwość narzucania woli innym. To klucz do zrozumienia istoty dominacji geopolitycznej. W ciągu dziejów dominacja była wymuszana przez mocarstwa regionalne w ich strefach wpływów znajdujących się geograficznie najbliżej. Ostatecznym arbitrem była i nadal pozostaje siła militarna nadająca atrybut dominacji i kontroli drabiny eskalacji, umożliwiając karanie danego zachowania, gdyby było one niedopuszczalne.

Wiemy nawet instynktownie, że bogactwo i potęga Stanów Zjednoczonych opierają się na zdolnościach popytowych amerykańskiej klasy średniej i na sile rynku wewnętrznego. Ale potęga owa nie powstałaby bez handlu morskiego na Oceanie Światowym, a konkretnie bez kontroli zasad światowego handlu dzięki roli, jaką odgrywa dolar w obrocie globalnym. Amerykanie nie utrzymaliby prymatu dolara bez kontroli Oceanu Światowego, gdzie zachodzi większość przepływów strategicznych. Zasad i bezpieczeństwa na Oceanie Światowym strzeże marynarka wojenna Stanów Zjednoczonych, dominująca nad przeciwnikami swoją flagową flotą lotniskowców umożliwiających projekcję siły z dala od wybrzeży Ameryki Północnej.

Przez ostatnie pięćset lat to północny Atlantyk stanowił geostrategiczny sworzeń świata. Było to jasne przede wszystkim dla narodów anglojęzycznych, które zdominowały Ziemię w XIX i XX wieku. Kontrolowanie północnego

Atlantyku pozwoliło zachować łączność polityki amerykańskiej i brytyjskiej w dobie „wojny stuletniej" o Europę w XX wieku (w trzech jej kolejnych odsłonach) oraz zapewniło możliwość jej wspólnej realizacji w ścisłej współpracy. W czasie obu wojen światowych i w trakcie zimnej wojny niezakłócona komunikacja od Wschodniego Wybrzeża Stanów do Europy Zachodniej stanowiła podstawę siły sojuszu — nomen omen — traktatu północnoatlantyckiego oraz fundament wysuniętej obecności Amerykanów na kontynencie, co uwiarygadniało gwarancje zewnętrznego hegemona Europy wobec niepewnych swojego losu państw Starego Kontynentu.

Eurazja stanowi mozaikę narodów, państw, imperiów, rozmaitych grup etnicznych, nawet plemion powiązanych plątaniną sprzecznych interesów — i nie jest to najbezpieczniejsze miejsce, w którym można zajmować się geopolityką, zwłaszcza patrząc na to z dłuższej perspektywy. Nieustanne balansowanie, zmiany sojuszy, równoległe agendy wobec różnych sąsiadów, zdrady polityczne dokonywane w jedną noc, zmiany orientacji geopolitycznych czy nieustanna kalkulacja ryzyka sprawiają, że życie tu jest pełne zwrotów wynikających z codziennych interakcji zmieniających korelacje oddziałujących sił. Zaufanie stanowi zasób deficytowy.

„Ufaj, ale kontroluj" — pasuje jak ulał do myślenia Amerykanów o strategicznym znaczeniu szlaków morskich jako komunikacyjnego kręgosłupa globalizacji. W dzisiejszych czasach szlaki te wydają się nie podlegać kontroli żadnej potęgi i można odnieść mylne wrażenie, że są wolne i do nikogo nie należą. Takie postrzeganie utrzymuje się w epokach dominacji jednego mocarstwa morskiego — dawniej Wielkiej Brytanii, a obecnie Stanów Zjednoczonych. Hegemon morski może w każdej chwili odmówić prawa do swobodnej i niezakłóconej żeglugi innym uczestnikom komunikacji morskiej, odcinając morskie przepływy strategiczne. Tak zrobiono z handlem Niemiec podczas pierwszej wojny światowej oraz z Kubą podczas kryzysu kubańskiego w drugiej połowie XX wieku. To samo może być testowane lada dzień na podejściach do Malakki lub na Morzu Południowochińskim przez chińską lub amerykańską marynarkę wojenną.

Kto potrafi skutecznie narzucić swoją wolę, wyrasta na podmiot dominujący i nie potrzeba do tego formalnych werdyktów. Tak stanie się również wkrótce w przestrzeni kosmicznej, gdy tak zwane niebiańskie linie komunikacyjne (z Ziemi w kosmos i z powrotem) będą blokowane, jeśli tylko taka będzie wola dominującej w przyszłości potęgi kosmicznej. Wyobraźmy sobie, co by to oznaczało dla naszego codziennego życia: jazdy samochodem, pociągiem, telefonowania, komunikacji, transakcji bankowych, prognozowania pogody, zaawansowanego rolnictwa, nie wspominając już o przyszłej gospodarce lub nowoczesnej wojskowości, które już są i będą coraz bardziej zależne od przesyłania danych dzięki systemom umieszczonym na orbitach okołoziemskich. Ta nowa rzeczywistość nadchodzi szybko, a rywalizacja między mocarstwami w istocie sięgnęła kosmosu. Wojna oczywiście już się tam pojawiła, gdy ludzie postanowili wysyłać rakiety balistyczne przeciw innym ludziom podczas ostatniej wojny światowej. Zaczęło się od niemieckiej rakiety V-2, potem był program satelitów szpiegowskich w czasie zimnej wojny, w którym chodziło o to, by bez opóźnień wykrywać odpalenia międzykontynentalnych pocisków balistycznych, oraz rozmieszczenie jednostek przeciwnika nad Eurazją i Ameryką Północną. Dzięki satelitom zaatakowane państwo miało możliwość zareagowania i zorganizowania symetrycznej akcji odwetowej, co stabilizowało równowagę strategiczną podczas zbrojnego pokoju nazywanego przez ludzi w drugiej połowie XX wieku zimną wojną.

W tym wszystkim chodzi zatem o władzę, łagodniej nazywaną sprawczością. By ją mieć i nieustannie poszerzać lub odpierać sprawczość innych państw, potrzebna jest strategia. Każda strategia strukturalnie opiera się na rozumieniu znaczenia ruchu i jego zasad. Bowiem właśnie ruch i przemieszczanie się stanowią czynnik kształtujący matrycę strategii, a co za tym idzie — zdolność do danego zachowania. To z kolei wpływa na zmiany układu sił zarówno w rywalizacji w dobie pokoju, w tym gospodarczej, jak i już w czasie trwania działań wojennych. Zatem to zdolności (a nie intencje, piękne słowa, wspólne ideały tudzież wartości) i wynikający z nich układ sił wyznaczają pole sprawczości, czyli potęgę. Chyba że układ strukturalnych zależności na rzecz jednej ze stron już powstał i tylko dodatkowo trzeba go podeprzeć postulowaną tożsamością wartości. Wtedy bowiem wpływ, a nawet dalej idąca od wpływu kontrola są wręcz optymalne, bo nie generują oporu ani próby równoważenia przykładanej siły sprawczości, co byłoby naturalne między niezależnymi podmiotami. Ewentualne napięcia natomiast neutralizowane są projekcją wspólnych wartości i wspólnej misji, najlepiej cywilizacyjnej...

W niniejszej książce chodzi więc, drogi czytelniku, o troskę o sprawczość i potęgę Polski w obliczu trwającej rewizji ładu światowego. Z wielkich zawirowań wyłoni się nowa architektura bezpieczeństwa i nowy podział prac i wartości w świecie. Obyśmy mądrze zadbali, by być po stronie tych, którzy wygrają przyszłość.

# ROZDZIAŁ 3

# TRWOGA – SEN À REBOURS

CZYLI O TYM, DLACZEGO ROSJA I POLSKA
NIE MOGĄ SIĘ NIGDY POROZUMIEĆ,
CO DECYDUJE O RYWALIZACJI I WOJNACH
W NASZEJ CZĘŚCI ŚWIATA ORAZ JAK TO ZMIENIĆ;
A TAKŻE CZYM JEST WIELKA STRATEGIA POLSKI
I DLACZEGO JEJ DWIE NAJWAŻNIEJSZE ZASADY
SĄ NIEZMIENNE OD PIĘCIUSET LAT

## ALBO MY, ALBO ONI

Najważniejszym zadaniem wielkiej strategii państwa polskiego obowiązującej od — bagatela — kilkuset lat jest zatrzymanie, a potem odwrócenie procesu geopolitycznego wspaniale oddanego przez Czesława Miłosza w wierszu zatytułowanym *Trwoga — sen (1918)*:

Orsza zła stacja. W Orszy pociąg może stać i dobę.
Więc może to w Orszy zgubiłem się, sześcioletni,
I pociąg repatriantów ruszył, zostawiając mnie

Na zawsze. Jakbym pojął, że będę kim innym,
Poetą innego języka, z innym losem.
Jakbym zgadywał swój koniec u brzegów Kołymy,
Tam gdzie dno morza jest białe od ludzkich czaszek.
I wielka trwoga wtedy mnie nawiedziła,
Ta, która miała być matką wszystkich moich trwóg.

*Triepiet małogo pieried bolszym.* Przed Imperium.
Które idzie i idzie na zachód, zbrojne w łuki, arkany,
pepesze,
Podjeżdżając powozką, grzmocąc kuczera po plecach,
Albo jeepem, w papachach, z kartoteką zdobytych krain.
A ja nic tylko uciekam, od stu, trzystu lat
Po lodzie i wpław, w dzień, w nocy, byle dalej,
Zostawiając nad rodzinną rzeką pancerz dziurawy i kufer
z nadaniami króla,
Za Dniepr, potem za Niemen, za Bug, za Wisłę.

Aż przybywam do miasta wysokich domów i długich ulic
I trwoga mnie dręczy, bo gdzie mnie, wieśniakowi, do nich.

Bo udaję tylko, że rozumiem, o czym tak bystro traktują,
I staram się ukryć przed nimi mój wstyd, moją przegraną.

Kto mnie tutaj nakarmi, kiedy idę o chmurnym świcie
Z drobną monetą w kieszeni, na jedną kawę, nie więcej?
Uchodźca z państw urojonych, komu tu będę potrzebny?

Ściany kamienne, ściany obojętne, ściany przeraźliwe.
Porządek nie mojego, ale ich rozumu.
Teraz już zgódź się, nie wierzgaj. Nie uciekniesz dalej*.

Jak pisałem w 2022 roku na łamach Strategy&Future,
od panowania cara Piotra Wielkiego to specyficznie rosyjskie połączenie prymitywizmu i zapóźnienia cywilizacyjnego z potęgą wojskową, rosnącą demografią i wyspami
wysokiej cywilizacji: rosyjskiej literatury, baletu, podróży
w kosmos czy atomistyki, napierając w kierunku zacho-
dzącego słońca, niszczyło i deptało rozwój narodów między dwoma morzami wewnętrznymi Europy — Bałtyckim
i Czarnym. Napierając tak skutecznie, że Rosja była nader
często zapraszana przez Zachód do polityki europejskiej,
do tego upragnionego przez nią europejskiego systemu
wiecznego poszukiwania równowagi, którą zgodnie ze zjawiskiem dynamicznych asymetrii tak trudno na Starym
Kontynencie uzyskać na stałe. Po trupie dawnej Rzeczypospolitej i łamiąc naszą dawną cywilizację narodów
Międzymorza, Moskwa stała się wreszcie mocarstwem

* Czesław Miłosz, *Trwoga — sen (1918)* [w:] tegoż, *Wiersze wszystkie*,
Kraków 2011, s. 953.

europejskim, jawiąc się jako potrzebna innym ze względu na swój ogromny potencjał demograficzny i płynącą z tego siłę militarną przydatną w zmaganiach europejskich mocarstw. W XX wieku do rosyjskiego repertuaru walorów w polityce międzynarodowej doszła nadprodukcja żywności i obfitość surowców energetycznych odkrytych na podbitych terytoriach, na Kaukazie i za Uralem. Potem zaś, już za czasów sowieckich, dołączyła do tego jeszcze konieczność uwzględniania opinii kontynentalnego już imperium ze względu na jego pokaźny arsenał broni atomowej.

Podstawowym natomiast celem wielkiej strategii Polski było i pozostaje wyeliminowanie Rosji z tegoż europejskiego systemu gry o równowagę, czyli pozbawianie jej wpływu na sprawy Europy, w pierwszym rzędzie wpływu na architekturę bezpieczeństwa i zasady rozwoju państw naszego regionu. A zatem: albo-albo, czyli gra o sumie zerowej. Bez litości. Pozostaje tylko kwestią czasu, kto komu narzuci wolę i sprawczość. *Tertium non datur.* Niekończący się konflikt, zimny lub gorący, aż do podporządkowania sobie przeciwnika.

To bardzo trudne zadanie, ale nie ma wyjścia, drogi czytelniku, jeśli chcemy żyć bezpiecznie i dostatnio — prawdziwa gra dla dorosłych i przytomnie myślących, często kończąca się wojną. Mieliśmy już dziewiętnaście wojen z Rosją, obecna, na Ukrainie, mogłaby być dwudziestą. Zobaczymy, jak historia tego konfliktu się potoczy i czy historycy będą zapisywali nasz w nim udział.

Żyjącym dzisiaj może się to wydać dziwne, ale przez większą część ostatnich pięciuset lat Polsce udawało się spełniać postulat wielkiej strategii. Zmieniły to dopiero w XVIII wieku wielka wojna północna, czasy saskie i rozbiory. Potem upadek carskiego imperium i wygrana przez Polskę wojna 1920 roku wypchnęły Rosję z systemu (dając nam oddech dwudziestolecia międzywojennego), do którego wróciła już jako Związek Sowiecki, podpisując z Niemcami pakt kontynentalny latem 1939 roku, by jeszcze później wzmocnić swoją obecność za sprawą Jałty i Poczdamu. Upadek Sowietów i obecność na naszym wschodzie niepodległych państw odgradzających nas od Rosji znów pod koniec XX wieku wyrzuciły ją z systemu europejskiego. Rosja znalazła się na drodze do rozpadu lub stania się protektoratem Zachodu. Putin postanowił zatrzymać ten pozytywny dla nas proces, który dobrze obsługiwał polskie interesy bezpieczeństwa i naszą wielką strategię po upadku Sowietów. Marzeniami o magicznym powrocie do stanu, gdy sami nie musieliśmy właściwie nic robić, a Zachód załatwiał całą sprawę za nas — wciąż się w Polsce żywimy. Właściwie uśpiło nas to na zbyt wiele lat i zobaczymy, czy przyjdzie nam teraz za owe zaniedbania zapłacić.

Wiersz Miłosza dobrze oddaje polskie poczucie cofania cywilizacji, ucieczkę, wieczny odwrót, nieszczęście, załamywanie się cywilizowanego porządku i próbę schronienia się na bardziej rozwiniętym Zachodzie, w jego miastach o imponującej architekturze, karmionej kapitałem pochodzącym z handlu i zysków związanych z kontrolą Atlantyku, tego wewnętrznego morza świata Zachodu. W jego instytucjach gospodarczych i w jego sojuszach. Stąd Unia Europejska i NATO jawiły się nam jako dogodna i bezpieczna przystań, do której jeziorem historii dopłynęła polska łódź.

Nie oszukujmy się ani nie miejmy infantylnych, idealistycznych złudzeń. Wynikająca z wielkiej strategii skonkretyzowana strategia rywalizacyjna wobec Rosji na obszarach położonych między nią a Polską zawsze miała na celu ustanowienie przewagi, nigdy dobrosąsiedzkie stosunki. Bliski współpracownik Jerzego Giedroycia i „Kultury" Juliusz Mieroszewski wyrażał opinię, że o ile Rosjanie nigdy nie doceniali Ukraińców i nie doceniają ich nadal (co współcześnie mogliśmy zobaczyć w przebiegu początków wojny w 2022 roku), o tyle zawsze przeceniali i nadal przeceniają Polaków. Widzą nas bowiem jako rywali aktywnych lub tylko potencjalnych — ale zawsze jako rywali. Maksim Litwinow mówił o odbudowie polskiego imperium z XVI i XVII wieku. Nam wydaje się to komiczne, lecz dla Litwinowa, w przeciwieństwie do tego, co my myślimy, wiek XX był ciągiem dalszym XVI i XVII stulecia, z koniecznością mierzenia się z tą samą tradycyjną problematyką, bez wyłączania problematyki polskiej. Podobnie jak carowie Stalin, Litwinow i Breżniew uważali, że na obszarach ULB (Ukraina, Litwa, Białoruś) mogą panować albo Polacy, albo Rosjanie.

Mieroszewski pisał tak: „Przewagę Rosjan potwierdziła Historia. Natomiast nasze walki, powstania, nawet zwycięstwa — Historia obróciła w niwecz. [...] Lecz większość Polaków nie wierzy [...] byśmy kiedykolwiek mogli zdobyć przewagę nad Rosją. Dzieckiem owej niewiary jest mentalność satelicka i serwilizm"*. Można dodać, niestety, utrwalona silnie w Polakach. Jeszcze bardziej wydawało się fantazją stwierdzenie Mieroszewskiego, że można odepchnąć Rosję od rogatek Przemyśla po Smoleńsk. A przecież po 1991 roku tak się de facto stało.

Nasze miejsce na mapie świata jest bowiem Rosjanom solą w oku. Dzieje się tak z ważnych powodów strategicznych, w tym także ściśle wojskowych. Chodzi oczywiście o przepływy strategiczne i dzięki nim o możliwość oddziaływania Rosji na politykę europejską. Powody te odcisnęły w ostatnich wiekach piętno na rosyjskiej kulturze strategicznej, która przez pokolenia utrwalała się i wciąż utrwala w instytucjach, powodując wykształcenie się map mentalnych strategów, wojskowych i wszelkich decydentów rosyjskich (wcześniej sowieckich). W zasadzie nigdy pozycja Rosji na Nizinie Środkowoeuropejskiej i Wschodnioeuropejskiej nie zaspokoiła w pełni strategicznego niepokoju Rosjan o brak kontroli nad sytuacją. Przede wszystkim istnienie niepodległej Polski zawsze w jakiś sposób blokuje wpływ Rosji na sprawy europejskie. Ponadto powstrzymuje rosyjską projekcję siły na zachód kontynentu, a do tego w przekonaniu Rosjan stwarza niebezpieczeństwo naporu geopolitycznego, w tym wojskowego, na Rosję, gdy ta jest słaba.

* Cytaty pochodzą z paryskiej „Kultury" 1974, nr 9 (324), s. 12.

Zmorą wojskowej strategii rosyjskiej było przez ostatnie trzysta lat to, że na wschód od linii Elbląg–Kraków fizyczna przestrzeń regionu jest trójkątem, którego podstawa rozszerza się, im dalej posuwamy się w głąb dawnego Imperium Rosyjskiego, a rosyjskie siły kordonowe przeznaczone do jego obrony stają się siłą rzeczy coraz słabsze. Daje to przeciwnikowi Rosji możliwość wyboru kierunku uderzenia i wyzyskania przewagi na wybranych kierunkach. Owa wielka przestrzeń polskiego teatru wojny od linii Elbląg–Kraków, zanim osiągnie obecne granice Rosji, ma już tysiące kilometrów szerokości, a jej teren jest płaski jak stół i za bramą smoleńską samym swoim układem „zaprasza" do zajęcia Moskwy. Zarazem jednak pojawia się w kontekście ofensywy z zachodu kwestia coraz dłuższych linii komunikacyjnych na całym obszarze od doliny Wisły do przedpola Smoleńska i dalej Moskwy. To tutaj poległa potęga Napoleona i Hitlera. Tędy do Moskwy dotarli Polacy w latach 1605, 1610 i 1812, a Francuzi w 1812 roku. Szwedzi napierali na Moskwę w 1708, Niemcy zaś — w latach 1914–1917 i 1941–1942. Od czasu inwazji Napoleona Rosjanie walczyli na Nizinie Środkowoeuropejskiej i w bramie smoleńskiej średnio co trzydzieści trzy lata. Można sobie wyobrazić, jak dobrze stratedzy i planiści rosyjscy mają opanowaną geografię wojskową tego teatru wojny.

Co warte podkreślenia, Rosjanie traktują wszelkie działania ograniczające ich sprawczość na tym terenie jak wojnę, dlatego tak charakterystyczne rosyjskie myślenie „wojenne" dotyczące politycznej walki o „wpływy" i „kontrolę" przestrzeni jest wszechobecne i odczuwalne w rosyjskich elitach. *Wszystko jest wojną* — nie bez przyczyny Marek Budzisz, członek zespołu S&F, tak zatytułował swoją znakomitą (i świetnie przyjętą) książkę na temat kultury strategicznej Rosji. Takimi drogami biegnie właśnie myśl rosyjska. Na Nizinie Środkowoeuropejskiej Rosja miała w historii trzy opcje. Każda z nich wiązała uwagę strategiczną mocarstw zachodnich, gdyż przez nie Rosja wpływała na układ sił w Europie, na poczucie bezpieczeństwa Niemców, Anglików, Turków czy Habsburgów.

Pierwsza opcja łączy się z wykorzystaniem głębi strategicznej wynikającej z przestrzeni i klimatu do tego, by wessać siłę przeciwnika do wnętrza bezmiarów zachodnich obszarów buforowych imperium, a potem ją zniszczyć. To spotkało Napoleona, Hitlera, a także Szwedów pod Połtawą w czasie wojny północnej w XVIII wieku. Ale wtedy istnieje ryzyko, że przeciwnikowi uda się jednak Rosję pobić. Do tego dochodzi najczęściej do całkowitego zniszczenia objętych wojną zachodnich prowincji imperium oraz niebezpieczeństwa zainstalowania rządów nieprzyjaznych Rosji. One zaś mogą prowadzić politykę, która dowiedzie, że da się innymi metodami niż moskiewska dobrze i rozwojowo kierować krajem, co może spotęgować tendencje odśrodkowe multietnicznego imperium lądowego Rosji i spowodować rozpad jej skomplikowanego gmachu feudalno-patrymonialnego, stanowiącego podstawę panowania nad ogromną i źle skomunikowaną Rosją także w XXI wieku.

Druga opcja to zmierzenie się z wrogiem dużymi siłami zaraz na granicy i wykrwawienie owych sił. Strategii tej próbowano w 1914 roku — wydawała się wówczas dobrym pomysłem, zważywszy na korzystniejszą demografię Rosji niż Niemiec i Austro-Węgier, ale okazało się to jednak pułapką przede wszystkim ze względu na chybotliwe warunki społeczne wewnątrz imperium oraz zawsze skromniejszą od przeciwników podstawę gospodarczą Rosji. Słabnięcie aparatu przymusu i kontroli spowodowało w roku 1917 upadek reżimu.

Trzecią opcją jest przesunięcie granic na zachód tak daleko, jak to możliwe, i tworzenie kolejnych obszarów buforowych — tak właśnie uczyniono podczas zimnej wojny. Polska została w ten sposób ograniczona po drugiej wojnie światowej do swojego obszaru rdzeniowego, bez żadnych kresowych buforów na wschodzie oraz z dodanym jej terenem poniemieckim na zachodzie i północy, który czynił ją zależną od Związku Sowieckiego jako gwaranta bezpieczeństwa wasalnego PRL. Owa strategia długo wydawała się Sowietom atrakcyjna ze względu na wielką głębię strategiczną i szansę na zwiększanie zasobów ekonomicznych imperium pochodzących z wyzysku i eksploatacji podbitych obszarów buforowych. Ale rozproszyła ona jednocześnie zasoby imperium na cały pomost bałtycko--czarnomorski i dalej aż do Łaby i Dunaju, generując duże koszty obecności wojskowej tak daleko od obszaru rdzeniowego państwa. To ostatecznie złamało Sowietów i skończyło się porozumieniem w Białowieży, dekretującym rozpad imperium w 1991 roku.

W przededniu wojny na Ukrainie Rosjanie ponownie zapragnęli przywrócenia swojej strefy wpływów w naszej części Europy, bowiem tak należy rozumieć żądanie dotyczące wycofania Amerykanów i instalacji NATO z terytorium jego nowych członków.

Z punktu widzenia geostrategii odmowa spełnienia tego żądania doprowadziła do „siłowych negocjacji" na Ukrainie, jak każdą wojnę nazywał Thomas Shelling, legenda zimnowojennej myśli anglosaskiej, autor kanonicznych książek o bezpieczeństwie, rywalizacji i strategii nuklearnej. Rosjanie chcieli bowiem zademonstrować, że to oni rozdają karty w tej części świata, i uprawomocnić swoje roszczenia. Nie mogliby tego zrobić skutecznie bez wcześniejszego podporządkowania sobie Białorusi, na którą przemieścili masę wojska i z której terytorium wykonano uderzenie na Kijów. Bez Białorusi nie mogliby przekonująco grozić Polsce ani państwom bałtyckim, co według mnie miało stanowić drugi krok po zakładanym błyskawicznym uporaniu się z prozachodnią Ukrainą.

Z tego względu status Białorusi ma ogromne znaczenie zarówno dla Polski i państw bałtyckich czy NATO, jak i dla Rosji. Jest także niezwykle ważny dla polskich planów reformy wojskowości. Niezależnie od zagrożenia wynikającego z rozwinięcia rosyjskiego kompleksu rozpoznawczo-uderzeniowego za Bugiem, który szachowałby wnętrze Polski z bezpośredniej odległości, istotna rosyjska obecność wojskowa na Białorusi spowodowałaby, że — podobnie jak to się stało ze Śląskiem w 1939 roku — Rosjanie

mogliby z dogodnej podstawy operacyjnej z dwu co najmniej kierunków (z Grodna i Wołkowyska na północ od
Narwi oraz między Narwią a Bugiem, a także z Brześcia
oraz Damaczowa/Sławatycz) wykonać uderzenie główne
na Warszawę kilkoma możliwymi drogami: na Białą Pod-
laską, Radzyń, Siedlce, Międzyrzec, Mińsk Mazowiecki
i dalej na przedmoście warszawskie od strony Pragi. Dodatkowo mogliby uderzyć (w historii robili to kilka razy)
między Włodawą a Chełmem w kierunku na Lublin, a potem na Dęblin w stronę przepraw na Wiśle między Ra-
domką a Pilicą, obchodząc Warszawę od południa, tak
jak w latach 1944 i 1945. Przy naruszeniu suwerenności
Ukrainy mogliby stworzyć jeszcze jedną linię operacyjną
przez Chełm, Lublin i Puławy, rozpraszając nasz wysiłek
obronny na kierunku warszawskim.

Pomocnicze uderzenie rosyjskie mogłoby wówczas
wyjść z obwodu kaliningradzkiego wzdłuż doliny Wisły,
dodatkowo wiążąc część naszych sił na ogromnej wschodniej połaci kraju pociętej barierami dużych rzek Polski:
Wisły, Bugu i Narwi.

Wniosek jest następujący: w razie wojny z Rosją Białoruś w rękach rosyjskich w sposób oczywisty eliminuje
możliwość pomocy państwom bałtyckim przez korytarz
suwalski, bezpośrednio uzależniając bezpieczeństwo tych
państw od woli Rosji (ewentualna przyszła obecność Szwecji i Finlandii w NATO i ich udział w wojnie zmniejsza
to ryzyko, tworząc szansę na kontrolowaną przez NATO
komunikację morską z Bałtami). Równie groźne jest to dla

Ukrainy z tej racji, że jej północna granica biegnie blisko Kijowa i głównych dróg prowadzących na zachód, zagrażając tym samym komunikacji z Polską i Zachodem, co jasno widzieliśmy podczas próby zdobycia Kijowa przez Rosjan w 2022 roku.

Bez poważnej zmiany miejsc stacjonowania polskiego wojska i przyjęcia strategii aktywnej obrony z oddziaływaniem ogniowym na Białoruś realna linia obrony Polski w tak zwanej opcji defensywnej w „strefie śmierci" mogłaby się opierać dopiero na Wiśle i przedmieściach Warszawy z uwzględnieniem tak zwanej strefy nękania między granicą państwa a linią Łomża–Siedlce. Dotychczasowe wojny i właściwości terenowe też na to wskazują. Wymusiłoby to konieczność powstania planu bitwy manewrowej opartej na linii Wisły oraz starannego przygotowania się do niej, także pod kątem terenu i stosownych dyslokacji wojskowych.

I to właśnie zrobiliśmy w S&F w projekcie Armii Nowego Wzoru. Jesienią 2021 roku nic nie wskazywało na to, by polska klasa polityczna miała wizję, ambicję i przeznaczone na to potężne środki finansowe, żeby zbudować system aktywnej obrony na przedpolu z elementami ofensywnymi, a takie byłyby potrzebne, by trzymać Rosjan na dystans już przy samej granicy Polski. Wojna zaś nadchodziła wielkimi krokami.

W razie podjęcia decyzji o strategii obronnej przyjmującej uderzenie rosyjskie status bezpieczeństwa wschodniej Polski byłby dyskusyjny, na pewno na wschód od linii

Łomża–Siedlce, a strefa między tymi miastami a Wisłą aż do przedmieść Warszawy po praskiej stronie stanowiłaby śmiertelną strefę starcia, w której musielibyśmy rozbić siły rosyjskie w całej serii bardzo intensywnych walk. Podobnie jak w przeszłości oraz jesienią 2021 roku, tak i dzisiaj Moskwa nie dysponuje wystarczającymi siłami, aby odpowiednio osłonić tego rodzaju operację przed możliwym kontratakiem z południa; nawet jeśli Rosjanom udałoby się przeprawić przez Wisłę na południe od Warszawy, i tak nie byliby w stanie zamknąć w okrążeniu naszej stolicy. Rzecz w tym, że tego typu strategia może nie mieć na celu zdobycia Warszawy, tylko odciągnięcie polskich sił na południe od Bugu, dzięki czemu oddziały rosyjskie byłyby w stanie przemieścić się szybkim manewrem na północ od Bugu w stronę Narwi. Ewentualny sukces na południe od Bugu mógłby również odciągnąć siły polskie lub sojusznicze od mostów na Wiśle na północ od Warszawy.

Jeżeliby podzielić obecne terytorium Polski na kwadraty, których granice na kierunku południkowym wyznaczałaby linia Gdańsk–Łódź, a na równoleżnikowym linia Poznań–Warszawa, to okazałoby się, że Wisła i Bug, jako naturalne przeszkody, stanowią zabezpieczenie flank operacji okrążającej wyprowadzanej ku południowi z Kaliningradu i ku zachodowi z Białorusi. Ponieważ rzeki te zbiegają się trzydzieści kilometrów na północ od Warszawy, stolica państwa polskiego znalazłaby się co prawda poza terenami okupowanymi, ale byłaby jednocześnie w zasięgu środków rażenia rosyjskiej artylerii. Kontrolowanie znaczącej części terytorium państwa oraz trzymanie w szachu jego ośrodka decyzyjnego z pewnością poprawiłyby pozycję Moskwy w wypadku negocjacji pokojowych.

Operacja okrążająca wykorzystująca Wisłę i Bug jako zabezpieczenie zachodniej i południowej flanki byłaby możliwa jedynie w razie uzyskania kontroli nad mostami na tych rzekach. Pomimo ryzyka związanego z takimi operacjami rosyjski sztab generalny tradycyjnie je preferował. Tak zwane operacje penetrujące są zazwyczaj szybkie i zakładają przeprowadzenie uderzeń daleko w głąb linii obrony przeciwnika. Są również „kosztowne" — przewidywane straty to 50 procent wszystkich strat poniesionych podczas operacji okrążającej. Celem jest stoczenie pojedynczej bitwy penetracyjnej i zniszczenie sił przeciwnika, zanim zdąży się on wycofać i skonsolidować siły na kolejnej linii obrony.

Utrata manewrowości politycznej przez Łukaszenkę i Białoruś względem Rosji oraz nieskrępowana rosyjska obecność wojskowa w tym kraju w razie wojny z Polską wymusiłyby na nas zmianę pokojowych i alarmowych dyslokacji wojskowych oraz przyjęcie planu bitwy manewrowej na wschód od Wisły. Chyba że zbudujemy wojsko gotowe do aktywnej obrony, ze zdolnością ofensywną na Białoruś, co jednak będzie miało też słabe strony: konieczność uspokojenia sojuszników w NATO niechętnych takim polskim zdolnościom. Chyba że pójdziemy na całego z budową Międzymorza jako odrębnego elementu równowagi geopolitycznej na kontynencie, z prawdopodobnym sojuszem z Ukrainą. Nie wspominając już o innego rzędu wydatkach i innych zdolnościach. Wypowiedzi przywódców politycznych Polski już po wybuchu wojny na Ukrainie zdają się wskazywać, że w głowach mogą im się rodzić i takie ambicje...

## WOJNA W MIĘDZYMORZU

Gdy pracowaliśmy w S&F nad Armią Nowego Wzoru, nie zakładaliśmy a priori, że musimy dokonać głębokiej reformy polskiej wojskowości. Na konieczność budowy armii naprowadził nas pierwszy etap projektu, którego tytuł był skromny i niejednoznaczny: „Projekt 2030". Chcieliśmy w nim przewidzieć, jak mogą potoczyć się dzieje Europy do roku 2030. Od tego zaczynaliśmy, nie mieliśmy gotowych rozwiązań wojskowych. Posługując się metodą *net assessment* (metodą analityczną badającą stan równowagi sił pomiędzy dwoma lub więcej graczami), sprawdziliśmy najpierw, w jaki sposób Rosja jest w praktyce zapraszana do gry o równowagę w Europie, a następnie zastanawialiśmy się nad kolejną kwestią: jaka powinna być strategia rywalizacyjna wobec Rosji, mająca zapobiec zapraszaniu jej do europejskiej gry o równowagę. Ustaliliśmy, co jest punktem ciężkości rosyjskiej polityki i co jej ową politykę umożliwia — dzięki czemu Rosjanie są lub mogą być ważni i potrzebni na przykład Francuzom.

I tak, rosyjski punkt ciężkości na pewno stanowi instrumentarium wojny, dzięki któremu Rosja staje się czynnikiem gry o równowagę z państwami Zachodu, wymuszając liczenie się z nią w architekturze bezpieczeństwa kontynentu. Rosja nie jest atrakcyjna cywilizacyjnie, więc przez wojnę lub jej groźbę, w tym działania w ramach tak zwanej wojny nowej generacji (na przykład szantaże surowcowe i energetyczne), musi mieć sprawczość w stosunku do swojego otoczenia geopolitycznego (limitrofów), a także — przez działania pozytywne (stabilizujące bezpieczeństwo) i negatywne (destabilizujące bezpieczeństwo) — być „udziałowcem w spółce" zwanej systemem europejskim. W zamian za to oczekuje kapitałów i inwestycji. Generalnie liczy na współpracę gospodarczą na warunkach dogodnych dla siebie — taką, która umożliwi jej modernizację i wykorzystanie własnej dywidendy geograficznej w punkcie ciężkości Eurazji. Wypisz wymaluj Rosja w ramach niesławnej koncepcji Europy od Władywostoku po Lizbonę, co znamy z częstych sloganów konferencji międzynarodowych i politycznych przemówień, zwłaszcza w Rosji i we Francji. Istotne jest to, że owa współpraca z zachodnią Europą musi się według Rosjan odbywać na zasadach partnerskich. Rosja nie chce podrzędności w tym układzie, jak to było w latach dziewięćdziesiątych XX wieku. To, co chce wnosić do takiego układu, to „stabilizacja" systemu przez rzekomą rosyjską *hard power*, co może się zmaterializować jedynie kosztem strefy zgniotu, w której znajdują się Polska i inne państwa Międzymorza. Cel Rosji stanowi zatem uzyskanie stałego wpływu na system europejski oraz na kluczowe w nim decyzje i wydarzenia. Skutkiem funkcjonowania w systemie będzie udział Rosji w modernizacji europejskiej. Chodzi o rozwój dzięki Europie, ale na zasadach dogodnych dla Rosji.

Owa konstatacja doprowadziła nas do transformacji projektu i nadania mu nowej nazwy: „Dwudziesta wojna", bo aby utrzymać pragnienie podmiotowości państw naszego regionu, należało się liczyć z konfrontacją geopolityczną, a nawet otwartą kinetyczną wojną z Rosją. Albowiem, co szczególnie ważne, by Rosja mogła oddziaływać na system europejski, musi uzyskać wpływ na los państw Europy Środkowo-Wschodniej położonych między Europą Zachodnią a Rosją, które można nazwać „pasem stabilizacji" relacji rosyjsko-europejskich lub — bardziej adekwatnie — właśnie strefą zgniotu. Państwa owej strefy automatycznie zostałyby pozbawione prawa wyboru własnej drogi rozwoju. Z racji tej strategii Rosja chce mieć wpływ na sytuację bezpieczeństwa w naszej części świata i na los państw w regionie. Może to osiągnąć przez uprzedmiotowienie sprawczości państw Międzymorza, a w obecnym cyklu geopolitycznym przez jawne złamanie architektury bezpieczeństwa z ostatnich trzydziestu lat wskutek wojny na Ukrainie. To wielkie niebezpieczeństwo dla naszej przyszłości, nawet jeśli nie chodzi o najgorszy scenariusz, który wiązałby się ze znaną z przeszłości rosyjską okupacją całej Polski.

Okazało się więc, że musimy pokonać rosyjskie instrumentarium wojny. Tylko w ten sposób (choć niekoniecznie sami, bo na przykład dzięki wysiłkowi Ukraińców i wsparciu Amerykanów) pokonamy siłę i wpływy Rosji.

Niby oczywiste, ale uświadomienie sobie tego prowadzi do radykalnych wniosków. Pamiętam to poważne skupienie zespołu S&F podczas warsztatów, gdy okazało się, że „nie ma innej opcji"...

Potem już poszło z górki. Nie było łatwo, ponieważ przez ostatnie trzydzieści lat nigdy tak tej sprawy w Polsce nie postawiono, zamiast tego rozprawiano teoretycznie o ogólnych przygotowaniach do ewentualnej wojny, do niedawna — wydawało się — niemożliwej. Wiele się mówiło o potężnych sojusznikach i jakimś rodzaju odstraszania, ale bez konkretów, bo nie było jasne, co stanowi polityczny cel wojny, czyli jaka jest właściwie polska teoria zwycięstwa.

Sytuacja była tym trudniejsza, że Moskwa prowadziła w ostatnich latach przemyślaną grę o równowagę w Europie i Eurazji. Dzięki położeniu geograficznemu, wytwarzaniu energii (gaz, ropa, niebawem wodór, inne źródła) oraz wielkości produkcji zboża i nawozów, która wpływa na łańcuchy dostaw żywności na świecie, Rosja stała się potrzebna zachodnim mocarstwom. W toku prac coraz bardziej zdawaliśmy sobie sprawę, że gdyby powstawała Eurazja pod kierownictwem gospodarczym Chin, a Europa podążałaby tropem samodzielności strategicznej niezależnej od Stanów Zjednoczonych, łamiąc jedność świata atlantyckiego istniejącą od 1945 roku, tym bardziej potrzebowałaby Rosji. Coraz mniej zaś by Rosji potrzebowała, gdyby samodzielność strategiczna Europy nie powstawała, a świat atlantycki pozostałby jednością. Chyba że stałoby się najgorsze i Rosja byłaby coraz bardziej potrzebna

Amerykanom do rywalizacji z Chinami, w tym w razie wojny Stanów Zjednoczonych z Chinami na zachodnim Pacyfiku, co skutkowałoby amerykańskimi koncesjami na rzecz Rosji w nadchodzących latach również w naszej części świata. Jakkolwiek dziś brzmi to nierealnie, zważywszy na przebieg wojny na Ukrainie i amerykańską pomoc dla tego państwa w wojnie z Rosją, polityka międzynarodowa nie takie rewolucje widziała. W sierpniu i we wrześniu 1939 roku myślenie o Stalinie jako docelowym sojuszniku Anglosasów też mogło wydawać się nie na miejscu.

Każdy wariant pasywny dla Polski, czyli podążanie dotychczasowymi liniami rozwoju — zarówno suwerenność strategiczna Europy, jak i porozumienie z Rosją — musi być poprzedzony całkowitym obezwładnieniem sprawczości Europy Środkowej i Wschodniej, przede wszystkim Polaków i Ukraińców, dwóch największych narodów tego regionu. Całkowite obezwładnienie oznacza narodową zagładę, rozpuszczenie się narodu z jednej strony w świecie ruskim (Ukraina), a z drugiej w świecie niejasnej i niepewnej europejskiej federacji (Polska) bez gwarancji bezpieczeństwa. Doszliśmy w S&F do wniosku, że jedynie odbudowa sprawczości państwa polskiego jest drogą ratunku.

Należy pamiętać, że dla Amerykanów zasada kształtowania stosownej równowagi sił w Eurazji stanowi zasadę nadrzędną, a podstawowym przeciwnikiem Stanów Zjednoczonych są teraz Chiny. Przez lata próbowaliśmy się przebić do polskiego świata politycznego z tym przekazem. Odbyliśmy niezliczone spotkania z politykami zarówno strony rządzącej, jak i opozycji — byłem nawet raz na posiedzeniu rządu, już za czasów *Ipsylona*, zaopatrzony w mapę świata, by wyjaśnić zależności, o których piszę w książkach.

Dopiero niedawno zaczęło to docierać do świadomości ludzi władzy. Wcześniej mówienie na te tematy nie przynosiło, zdaje się, wielkiego skutku, bo polskie elity polityczne były zafiksowane na Europie, Rosji i na nas, na Polsce, jako niemalże pępku świata. Wyraźnie było to widać przy staraniach o powstanie baz amerykańskich na naszym terytorium, kiedy nieumiejętnie prowadzono grę, która miała sprowadzić wojska Stanów Zjednoczonych do Polski w dużej liczbie i na stałe. Czyniono to jednak, nie rozumiejąc, jak wyglądają priorytety Stanów Zjednoczonych, jak wygląda ich globalna obecność wojskowa, jakie są trendy użycia amerykańskich sił zbrojnych i na czym polega ewolucja pola walki, za którą akurat Amerykanie na pewno podążają, czego nie można, niestety, powiedzieć o naszych strategach i politykach.

Nasi przedstawiciele nie umieli się wpisać w interesy Stanów Zjednoczonych w stopniu, który czyniłby z nas partnera rozsądnego i rozumiejącego układ sił i nowe wyzwania — lub chociaż junior partnera — a nie kraj całkowicie zależny wojskowo w zakresie bezpieczeństwa, który chce być stuprocentowym importerem bezpieczeństwa, „prosząc się" o zwiększoną obecność wojskową, ale nie jest w stanie zapewnić żadnej wartości dodanej. Budziliśmy litość i pogardę, a nie szacunek. To wypadałoby zmienić.

Co do Rosji, zaczęliśmy w S&F w pewnym momencie podejrzewać, że docelowym marzeniem Kremla może być nawet status „siły ekspedycyjnej i dostarczyciela wojskowej projekcji siły" dla „miękkiego imperium europejskiego z pełną jego samodzielnością od USA" w zamian za kapitał umożliwiający Rosji rozwój, za technologię i decydujący wpływ na bieg spraw w rosyjskim sąsiedztwie geopolitycznym. Gdy pojechaliśmy do Stanów na początku 2022 roku, było to już zmartwienie wielu analityków, na pewno tych skupionych wokół The Heritage Foundation, Jamestown Foundation i związanych z amerykańskim wojskiem stacjonującym w bazach rozsianych po całym Rimlandzie Eurazji.

Potem wybuchła wojna, w której nic nie idzie według pierwotnego planu stworzonego na Kremlu, począwszy od nieudanego ataku na Kijów w pierwszych tygodniach wojny. Pojawia się dla Polski szansa, na razie migocąca w oddali i tak delikatna, że mógłby ją zgasić byle podmuch. To szansa na coś, co nie udało się nam od panowania Piotra Wielkiego. Wojna na Ukrainie, zwycięstwo armii ukraińskiej pod Kijowem, walka na wyniszczenie w Donbasie, ofensywy wojsk ukraińskich z wczesnej jesieni 2022 roku, wspomaganie wojskowe i materialne przez Anglosasów i przez Polskę — to okazja, by zepchnąć Rosję jeszcze bardziej na wschód i usunąć ją z systemu europejskiego na dobre, a może nawet doprowadzić do kryzysu politycznego i społecznego, smuty i rozpadu rosyjskiego, wciąż w dużej mierze patrymonialnego państwa. Odzyskanie przez Ukrainę

Krymu i Donbasu oraz zniszczenie tak hołubionych przez Federację Rosyjską jej wojsk lądowych mogłoby do tego doprowadzić.

Tak zarysowany plan zwycięstwa Polski w wojnie Rosji z Ukrainą przewiduje zatem sytuację odwrotną do tej z wiersza Miłosza przywołanego na początku niniejszego rozdziału. Chodzi o to, by Rosja wskutek tej wojny, zamiast napierać na zachód ze swoimi wpływami i sprawczością, jak czyniła to przez ostatnich trzysta lat, zaczęła się cofać, kurczyć, ustępować pod naporem siły za Dniepr, za Don, za Wołgę, a nawet hen za Ural. By za sprawą sankcji i na skutek przegranej wojny uciekła, rozpadła się i przestała się liczyć. Innymi słowy, by nie miała żadnych podstaw do oddziaływania na sytuację polityczną w Europie. To da nam oddech i możliwość rozwoju w warunkach bezpieczeństwa. Dodatkowo stworzy szansę — jeśli pojawią się sprzyjające okoliczności — na rozwój społeczeństw Międzymorza bez tak ścisłego uzależnienia w podziale pracy i wartości od Niemiec.

Zastanówmy się więc przez chwilę nad planem zwycięstwa nad Rosją, który spełniałby optymalne założenia strategii rywalizacyjnej. Zwycięstwo w wojnie kinetycznej, wynikającej ze strategii wojskowej, to nie wszystko. Oznacza ono oczywiście odparcie inwazji, odzyskanie Chersonia, Mariupola, całego Krymu z Sewastopolem i Donbasu z kopalniami i żelazem. Oznaczać musi również zniszczenie wojsk lądowych Rosji, by utraciła ona status mocarstwa mającego wpływ na architekturę bezpieczeństwa w Europie. To może być bardzo trudne do osiągnięcia w praktyce.

Jeszcze inną opcją byłby powrót do granic sprzed 24 lutego bez odbijania Krymu i Donbasu (by na przykład uniknąć groźby eskalacji nuklearnej), ale z objęciem Ukrainy gwarancjami pomocy wojskowej przez państwa regionu i Stany Zjednoczone oraz z włączeniem agresywnej i wielodomenowej strategii rywalizacyjnej wobec Rosji łączącej wszystkie państwa regionu, od Finlandii i Szwecji po Polskę i Rumunię, co doprowadziłoby do powolnej atrofii gospodarczej i politycznej Rosji, choć bez niekontrolowanego przesilenia, które zawsze pozostaje ryzykowne. Na tę ostatnią opcję zwrócił mi uwagę Dima Adamsky, światowej sławy izraelski strateg pochodzący z dawnego Związku Sowieckiego, podczas narady na temat wojny na Ukrainie w Tel Awiwie, gdy w czerwcu 2022 roku wraz z Markiem Budziszem, Albertem Świdzińskim i Jakubem Marszałkiewiczem pojechaliśmy do Izraela rozmawiać o Armii Nowego Wzoru i lekcjach z wojny na Ukrainie.

Często jednak dużo trudniej jest wygrać pokój, który oznaczałby stabilizację, rozwój i przyszłość. Ukraina musi wygrać pokój, by móc się rozwijać, pozyskiwać inwestorów ze świata, by mieć pełny dostęp do morza, do rynków światowych i do surowców. By Kijów był w stanie kontrolować ruch przepływów strategicznych na swoim terytorium i mógł je kształtować zgodnie z własnymi potrzebami, a nie sztucznymi nakazami dominującego sąsiada. By mógł swobodnie decydować, z kim chce utrzymywać relacje handlowe. By nie był zależny od środków pomocowych idących równoleżnikowo z zachodniej Europy, ale by sam miał zdolności rozwojowe, również na osi północ–południe, przez Morze Czarne w świat. Powyższe założenia będzie bardzo ciężko zrealizować i w tym widać trudność położenia Polski i Ukrainy oraz innych państw naszego regionu, tkwiących między siłami Oceanu Światowego a kontynentem Eurazji, w klasycznej geopolitycznej strefie zgniotu, w obszarze ścierania się wpływów i walki o sprawczość między wielkimi tego świata.

## NADRABIANIE STRACONEGO CZASU

Dla Polski idealnie by się stało, gdyby wskutek tej wojny zmienił się układ sił w Europie. Byłoby to zresztą korzystne dla wszystkich narodów pomostu bałtycko-czarnomorskiego. Ukraina powinna dołączyć do grona państw zachodnich, a nasza część Europy winna stanowić samodzielny system gospodarczy, zakotwiczony co prawda w UE, ale zdolny do tworzenia własnych łańcuchów wartości i systemu obiegu gospodarczego. Byłoby to przełamanie drugiego z tych jakże trudnych problemów stanowiących zadania wielkiej strategii Polski. Mowa oczywiście o złamaniu zjawiska dualizmu na Łabie, owego swoistego niedorozwoju gospodarczo-społecznego wskutek peryferyjnego położenia wobec zachodniej Europy i przyjęcia podrzędnego miejsca w podziale pracy i marży na kontynencie. Zjawiska, które na tak długi czas zabrało nam możliwość prawidłowego rozwoju.

Aby osiągnąć ten cel, weszliśmy do Unii Europejskiej, realizując wielką strategię państwa polskiego. Powstrzymanie Rosji oraz budowa wspólnoty losu państw naszej części świata, które wypchną Federację Rosyjską z systemu europejskiego, paradoksalnie daje szansę na złamanie także dualizmu na Łabie. Pozbylibyśmy się bowiem rosyjskiego krępowania naszej sprawczości rozwojowej i dogadywania się państw zachodniej Europy z Rosją dla zachowania równowagi europejskiej kosztem naszych decyzji rozwojowych. Jak to bywa ze strategiami, wszystko się tu ze sobą łączy: zachód, wschód, wojna, geopolityka, gospodarka, energetyka, rozwój, podmiotowość. Wojna kinetyczna na Ukrainie stanowi jedynie symptom tarć w Eurazji dotyczących tego, na jakich zasadach funkcjonuje świat, jakie miejsce i sprawczość ma w kształtującym się nowym porządku Rosja i kto ma w tej kwestii najwięcej do powiedzenia. Trwająca wojna na wschodzie ma zatem bardzo wiele wspólnego ze sporem o podział pracy w świecie, który wcześniej opisałem.

Z tego powodu nie powinniśmy się zgadzać na żaden „krzywy" rozejm na Ukrainie, proponowany przez Francję i Niemcy. Nie pozwoli on zapewnić pokoju Ukrainie, która stanie się państwem kadłubowym, prawdopodobnie bez bezpiecznego dostępu do morza i surowców Donbasu, bez szans na inwestycje i w stanie zamrożonego konfliktu. Planowanie parametrów pokoju już w czasie wojny jest często ważniejsze od przebiegu samej wojny, choć to zarazem jej przebieg i oczywiście wynik stanowią materiał, z którego ostatecznie czerpie się te parametry. Chodzi o to, że proces polityczny toczy się nieustannie i równolegle do walk na froncie i jest niezmiernie ważny. Pamiętamy przecież konferencje w Teheranie i Jałcie, czyli spotkania odbywające się w trakcie wojny, a ustalające porządek powojenny, w tym przesądzające los Polski i główne aspekty jej funkcjonowania powojennego. Nie czekano, aż umilkną działa... I to podczas wojny, która miała cechy wojny totalnej, wojny o wszystko, a jej celem było bezwarunkowe pokonanie zbrodniczego przeciwnika.

Wykorzystanie ogromnego potencjału Ukrainy i Białorusi oraz otwarcie na Morze Czarne i handel skierowany na południe byłyby pomocne, ale najpierw trzeba zablokować parcie Rosji na zachód. Umożliwiłoby to wyjście z owej nieznośnej strefy zgniotu między Europą morską żyjącą z Atlantyku a tradycyjnie słabą gospodarczo, ale bardzo silną politycznie Moskwą.

W XVI wieku, gdy Atlantyk stał się przestrzenią komunikacji, nastąpił podział Europy na część, gdzie pojawiło się wtórne poddaństwo chłopów, oraz część, gdzie praca na roli była już wolna. Wywołało to zjawisko dualizmu rozwoju gospodarczego i społecznego na kontynencie. Owa linia demarkacyjna oddzielała cywilizacyjnie Wschód od Zachodu. Na Wschodzie nie było śladów materialnego dziedzictwa rzymskiego. W przeciwieństwie do duchowego, bo ono akurat silnie w naszym regionie rezonowało.

Opisywany obszar na wschód od Łaby znajduje się pomiędzy mocno oddziałującymi zewnętrznymi obszarami rdzeniowymi: Europą morską — korzystającą z obsługi morskiej, tradycyjnie niejednorodną politycznie, ale za to z wynikającym z połączenia z Atlantykiem wysokim poziomem rozwoju społecznego i gospodarczego — a zacofanym społecznie i gospodarczo, acz silnym politycznie, lądowym imperium Rosji. Od momentu wielkich odkryć geograficznych obszar „pomiędzy" stopniowo stawał się — według słów Jana Sowy, profesora Uniwersytetu Jagiellońskiego i autora książki *Fantomowe ciało króla* — strefą pewnego niedorozwoju, niepełności, niesamoistności, braku podmiotowości, niecałkowitego ukształtowania i podrzędności. A nawet — z perspektywy Europy morskiej — niedojrzałości społeczno-kulturowej, która ma ogromne znaczenie dla gry statusowej, stanowiącej sedno software'u w polityce.

Doprowadziło to do wykształcenia się w naszym regionie charakterystycznego zjawiska. Co zjadliwsi autorzy — jak Sowa — z pogardą piszą, jakoby region „pomiędzy" zamieszkiwały społeczeństwa, które nie mogą się określić w sposób autonomiczny, bez oglądania się na innych, stanowiących dla nich punkt pozytywnej lub negatywnej idealizacji. W ten sposób społeczeństwa te dają się uwięzić w logice „uciekania" i „doganiania", która zupełnie nie ma zastosowania w odniesieniu do państw Europy Zachodniej. W Polsce wciąż silnie wybrzmiewa narracja o „nadganianiu". Jesteśmy jako społeczeństwo na etapie „siedzenia okrakiem" na cienkiej mentalnej granicy między poczuciem, że Rzeczpospolita i jej przestrzeń stanowi odrębny obszar rdzeniowy, a świadomością, że owym obszarem nie jest i nie będzie, i lepiej zaakceptować status podporządkowania państwom zachodniej Europy w zamian za pakiet modernizacyjny. Ten mechanizm dobrze tłumaczy napięcie na polskiej scenie politycznej po 1989 roku.

## POLSKA PATRZY NA WSCHÓD

Właśnie mija sto lat od podpisania traktatu pokojowego w Rydze, który zakończył naszą wojnę z Rosją Sowiecką na wschodzie i ustalił stosunki w naszej części świata na następne dwadzieścia lat, w tym zlikwidował ukraińskie i białoruskie marzenia o samostanowieniu. Następnie, wraz z Teheranem, Jałtą i Poczdamem oraz końcem drugiej wojny światowej, zamknął się także rozdział polityki jagiellońskiej państwa polskiego. Tak przynajmniej mogłoby się wydawać.

W roku 1921 w Rydze Polska wygrała wojnę, ale przegrała pokój. Tak można podsumować przebieg działań zbrojnych oraz negocjacji pokojowych. Zabrakło jeszcze jednej bitwy, gdzieś pod Orszą czy Witebskiem, w bramie smoleńskiej. Takie starcie wypchnęłoby Rosję poza Dniepr i Dźwinę i stworzyłoby podstawy do federacji z Białorusią i Ukrainą. Lecz nie było chyba do tego wystarczających sił ani politycznych, ani wojskowych. Choć nad tym, czy tak było naprawdę, wciąż trwają dyskusje. Materiały źródłowe nie dają jasnej odpowiedzi. Co bowiem „czuł" podejmujący decyzje Józef Piłsudski jesienią 1920 i wiosną 1921 roku w kontekście konkretnego układu sił i przyszłego układu geopolitycznego Europy Wschodniej? Musiał rozważać wszystkie możliwe argumenty. Finalnie Polska przegrała pokój, a sam Piłsudski był traktatem ryskim rozczarowany. Jerzy Giedroyć twierdził nawet, że Marszałek stał się po podpisaniu traktatu innym człowiekiem, zamkniętym na ludzi, niewierzącym w trwałość państwa polskiego. Czuł, że istnienie Polski jest tymczasowe, że nie zdołał zbudować nowej, korzystnej równowagi na pomoście bałtycko-czarnomorskim, która to równowaga na trwałe usuwałaby Rosję poza system europejski przez budowę federacji państw odgradzających ją od Europy. Ucząc się na błędach, obecnie nie możemy dopuścić do tego, by prezydent Wołodymyr Zełenski zgodził się na własną wersję traktatu ryskiego.

W wojnie na Ukrainie chodzi właśnie o to, czy Rosja znajdzie się w środku systemu europejskiego i czy będzie sobie w nim bezceremonialnie poczynała, czy też będzie poza nim, co Polsce, Ukrainie, Białorusi, państwom bałtyckim da szansę na rozwój z poszanowaniem bliskich nam praw cywilizacyjnych, o których tak pięknie wspomina Miłosz w przytoczonym wierszu. Życzmy zatem Ukrainie, by starczyło jej sił i by nie została przymuszona do pokoju na warunkach niemieckich i francuskich, zwłaszcza gdy pojawi się społeczny strach przed chłodem, brakiem surowców i niedoborami żywności dla sytych Europejczyków, którzy tradycyjnie zapomną o wartościach i o tym, o co chodziło w tej wojnie. Będą chcieli, żeby wszystko było po staremu...

Sto lat temu wojna nie przyniosła powstania federacji pomimo wyprawy kijowskiej, ukraińskich prób wspieranych przez Polskę, świetnych zwycięstw polskiego żołnierza pod Warszawą i nad Niemnem. Teraz bez wyraźnego rozbicia wojsk rosyjskich i odebrania zagarniętych terytoriów wojna nie wyeliminuje Rosji i nie da Ukrainie stosownego oddechu do życia. Zresztą nam także, bo wskutek pieriedyszki szybko pojawi się gra na ponowną konsolidację kontynentalną Francji i Niemiec. Różnie może być też ze Stanami Zjednoczonymi i ich wsparciem dla nas, gdyby wybuchła wojna z Chinami lub gdyby Amerykanie weszli w fazę kryzysu wewnętrznego wywołanego długiem i deficytem federalnym, o czym się często mówi za oceanem.

Uważam, że bez pełnego zwycięstwa i osłabienia Rosji albo jej rozpadu rozejm stanie się jedynie tymczasowym odpoczynkiem, który imperialna Rosja wykorzysta do szykowania kolejnych ruchów, reform czy odbudowy wojska. Wspomnianą wcześniej nową Tylżą z czasów wojen napoleońskich, która niby była rozejmem między Napoleonem a Rosją, a tak naprawdę zwiastowała odpoczynek i możliwość reorganizacji stron konfliktu, ostateczne zaś starcie pozostawało jedynie kwestią czasu. A to przecież może być dopiero pierwsza kampania wielkiej wojny o Eurazję. Obecna wojna będzie miała zapewne wiele odsłon; może przypominać okres wojen napoleońskich, blokad kontynentalnych, wielkiej rywalizacji o handel i pieniądz, które będą przeplatane kampaniami wojskowymi. Nie można dać Kremlowi tej szansy. Tymczasem Rosjanie zrobią wszystko, by zabić ideę współdziałania narodów pomostu bałtycko--czarnomorskiego, wykorzystując do tego celu współpracę z Niemcami i Francją, politykę informacyjną, podgrzewanie sentymentalizmu wobec Rosji na kontynencie.

Kawior, pierogi, rosyjska literatura i poezja oraz — oczywiście — balet. A jednocześnie okaleczanie Ukrainy, listy proskrypcyjne, eksterminacja nieprzyjaznej ludności, wywózki, niszczenie kultury i świata materialnego.

Wojna na Ukrainie zadecyduje też o losie Białorusi, która również jest państwem sworzniowym, obrotowym i pójdzie drogą wyznaczoną przez wynik tej wojny. Wygrana rosyjska skłoni obecne władze w Mińsku do jeszcze większego posłuszeństwa Kremlowi. Jeśli Ukraina by wygrała, Białoruś mogłaby się „odwrócić", co zmieniłoby diametralnie sytuację bezpieczeństwa państwa polskiego, podobnie jak przystąpienie Szwecji i Finlandii do NATO zmieni sytuację państw bałtyckich i wyeliminuje w dużym stopniu problem przesmyku suwalskiego. To oznacza, że polskie elity powinny zrobić wszystko, by te dwa państwa dołączyły do NATO i ściśle związały się z potęgą Stanów Zjednoczonych. Należy też robić, co się da, by Białoruś nie stała się częścią Rosji, również w wymiarze funkcjonalnym — jako że wtedy Rosjanie uzyskaliby praktyczną zdolność robienia z państwem białoruskim, co uważają za stosowne, podporządkowując sobie wszelkie decyzje Mińska dotyczące polityki zagranicznej, wojska, handlu zagranicznego oraz polityki energetycznej.

PRL — państwo wasalne wobec Związku Sowieckiego — nie śmiała nawet rozmyślać o polskiej polityce wschodniej. Same Kresy jawiły się polskiej inteligencji niepodległościowej w PRL jako opowieść z dawnych czasów, trochę romantyczna, trochę dworkowa, a trochę nieprzystająca do realiów XX wieku. Wydawało się, że to już raz na zawsze zamknięta przeszłość. Tymczasem w latach 1989–1991 dokonał się cud. Imperium na wschodzie upadło. Nie w wyniku wojny z naszym udziałem, ale wskutek wojny światowej między ZSRS i Stanami Zjednoczonymi, a konkretnie: przebiegu zimnej wojny i ukształtowanego w efekcie układu sił między supermocarstwami, który złamał sowieckie imperium kontynentalne, uwalniając uwięzione w nim ludy i narody. Wówczas pobiegli po wolność niemal wszyscy — a na pewno wszystkie narody pomostu bałtycko-czarnomorskiego.

Realizując pomysł Mieroszewskiego i Giedroycia, nowa Polska, która nastała po 1989 roku, uznała wszystkie nowe i niepodległe państwa na wschodzie jako bufor odgradzający nas od imperium na wschodzie i jednocześnie gwarant, że imperium się nie odrodzi. Przez kolejne lata wierzyliśmy, że potęga Zachodu, jego instytucji i stylu życia oraz wartości, jakże innych od tych uosabianych przez rosyjskie imperium, „zrobi" za nas politykę wschodnią, która niezmiennie od kilkuset lat sprowadzała się do bardzo prostego celu: zapobiegać rosyjskiej możliwości gry o równowagę w politycznym systemie europejskim, co skutkuje zazwyczaj obezwładnieniem jej sprawczości i samostanowieniem o rozwoju Polski oraz pozostałych krajów regionu.

Celnie oddaje to Herbert:

Stanęliśmy w miasteczku gospodarz
kazał stół wynieść od ogrodu pierwsza gwiazda
zapłonęła i zgasła łamaliśmy chleb

180

słychać było świerszcze w lebiodach wieczoru
płacz ale płacz dziecka poza tym krzątanina
owadów ludzi tłusty zapach ziemi
ci którzy siedzieli tyłem do muru
widzieli — liliowy teraz — pagórek szubienic
na murze gęste bluszcze egzekucji

jedliśmy dużo
jak zawsze wtedy kiedy nikt nie płaci*.

Pamiętam, jak dwa lata przed obecną wojną siedzieliśmy w ciepły lipcowy wieczór w Wilnie, jedząc dużo
i rozmawiając w Hospicjum Błogosławionego Księdza Mi-
chała Sopoćki z prowadzącą je siostrą Michaelą Rak. Po
całym dniu spędzonym w Wilnie w towarzystwie Rajmun-
da Klonowskiego byliśmy już bardzo zmęczeni. Rajmund
jako wilnianin oprowadzał nas po zakamarkach miasta,
świszcząc nam swoim pięknym wileńskim akcentem, który przypominał dawne lektury szkolne, gawędy w moim
rodzinnym domu i jako żywo kojarzył się z nagraniami
głosu marszałka Piłsudskiego na gramofonie, jakie dzisiaj
można odsłuchać w internecie. Młody, przystojny i dobrze zbudowany Rajmund był z jednej strony na wskroś
nowoczesny, z drugiej — pozostawał zanurzony w starych
czasach, w dawnym świecie kresowego osadnictwa. Zawsze miałem z nim świetny kontakt, rozumiał mnogość
wielowiekowych kodów kulturowych Rzeczypospolitej, na

* Zbigniew Herbert, *Postój* [w:] tegoż, *Napis*, Wrocław 1996, s. 15.

których piętno odcisnęły Wilno i cały świat pozostawiony za Bugiem i Niemnem, znany mi z domu rodzinnego, z opowieści (oraz akcentu babci i prababci, które mnie wychowywały).

Hospicjum, w którym wylądowaliśmy tego wieczora, mieści się w części pomieszczeń po nieistniejącym już w Wilnie klasztorze Sióstr Wizytek, tym samym, gdzie malowany był oryginalny obraz Jezusa Miłosiernego, na wzgórzu, w połowie drogi między cmentarzem Na Rossie, gdzie spoczywa matka Marszałka i jego serce, a Ostrą Bramą — dwoma obiektami, które każda wycieczka z Polski obowiązkowo odwiedza. Chociaż hospicjum (pierwsza tego rodzaju placówka na Litwie) leży w dzielnicy Rossa i przy ulicy o tejże nazwie, to od historycznego cmentarza (jednej z najważniejszych polskich nekropolii na świecie) oddziela je tor kolejowy niegdysiejszej linii Warszawa– Petersburg, obecnie obsługującej połączenia bardziej lokalne i praktyczne.

Obdarzona silnym charakterem, bardzo wyrazista, a przy tym rubaszna siostra Michaela szefowała tej wyjątkowej instytucji i wkładała mnóstwo energii, by pomagać potrzebującym. Widzieliśmy to zresztą na własne oczy podczas tamtej długiej kolacji. Jeden z nas, mój kolega lekarz, który był z nami w sumie towarzysko, na urlopie, został przez siostrę odwołany w pewnym momencie od stołu i poproszony, by pomógł komuś znajdującemu się w stanie krytycznym.

Atmosfera lipcowego Wilna, znużenie, dość specyficzne miejsce i klimat dawnych Kresów. Nic dziwnego, że rozmowa zeszła na to, co my tu ostatecznie robimy, dlaczego plany naszej wyprawy prowadziły z Augustowa na Litwę: od Mariampola i Olity przez Wilno i dalej na zachód, wzdłuż przepraw na Niemnie od strony Juborka i Taurogów, na Szawle w kierunku na Rygę, Parnawę, Rakvere, Narwę, Dorpat, Rzeżycę i Dyneburg.

„Panie Jacku, co to właściwie za wycieczka?" — zapytała mnie siostra Michaela i widziałem w jej mądrych oczach, że już wszystko wiedziała, choć nie znała naszej działalności w Polsce. „Co wy tu tak naprawdę robicie?" — nacisnęła mocniej z lekkim uśmiechem, na co i ja uśmiechnąłem się wymijająco, a Albert Świdziński zrobił minę Sfinksa. Po krótkiej chwili rzuciłem paroma ogólnikami — że badamy teren, czasy idą niepewne, patrzymy, co się dzieje, interesują nas mapy, rzeki, mosty i mamy zamiar podjechać aż pod rosyjską granicę. W lot pojęła, o co chodzi — doświadczona kobieta. Wyglądała na taką, która nie traci czasu i podjęła już w życiu wiele trudnych decyzji. Zadała kilka dodatkowych pytań o naszą marszrutę i oświadczyła, że koniecznie musimy pogadać z księdzem W. z parafii X gdzieś nad Dźwiną, już pod rosyjską granicą, na Łotwie. On miał nam wszystko naświetlić: co, gdzie i dlaczego. Jakby chciała powiedzieć: „On pozwoli wam przyłożyć ucho do ziemi i posłuchacie, co nadchodzi". Błogo płynął ten wileński lipcowy wieczór i dobrze czuliśmy się przy stole, jedząc za trzech (przynajmniej ja). Zresztą zawsze, ilekroć byłem w Wilnie, czułem się podobnie.

Już po wizycie w parafii nad Dźwiną przypomniałem sobie (i wykorzystałem tę konstatację przy pisaniu książki z George'em Friedmanem o strategiach w kosmosie), że wybitny futurolog i autor dzieł o rozwoju cywilizacji Alvin Toffler uważał, iż pierwsza fala rozwoju ludzkości to czas, kiedy wiedza była dostępna dla erudytów, przekazywana dalej przez pokolenia i ograniczona do wąskich kręgów. Potężnych kręgów — trzeba dodać. Niezwykła władza i znaczenie Kościoła w Europie od wczesnego średniowiecza do niedawna była w dużej mierze oparta na godnej podziwu sieci, systematycznie gromadzącej, przekazującej i przetwarzającej informacje o krytycznym znaczeniu dla najważniejszych przedsięwzięć i wydarzeń danych czasów. Nic dziwnego, że Kościół miał najlepszy system wywiadowczy, obsługiwany przez dobrze wykształconych mnichów i duchownych, zdolnych do oddzielania faktów istotnych od nieistotnych. Dzięki erudycji i wypracowanym metodom, a także dzięki potężnej strukturze mogli oni gromadzić i przekazywać dalej wszelkie dane zgodne z kościelnymi interesami i wartościami.

Dane, informacje i wiedza znajdowały się w tym czasie w Kościele instytucjonalnym — centrum informacyjnym dawnej epoki — w rozproszonej strukturze parafii, klasztorów i kościołów na całym kontynencie europejskim, od Morza Norweskiego po Neapol i od Lizbony po Dźwinę i Dniepr.

I to właśnie poczuliśmy wówczas w Wilnie podczas kolacji u siostry Michaeli, a potem w X nad Dźwiną. Nawet dzisiaj, długo po tym, jak Polska utraciła Kresy Wschodnie na rzecz rosyjskiego imperium lub w późniejszym okresie historii na rzecz niepodległych państw na wschodzie, rozproszone parafie Kościoła katolickiego na dawnej granicy wschodniej nad rzekami Dźwiną, Berezyną, a nawet Dnieprem przypominają dawną brytyjską imperialną sieć morskich stacji węglowych skrzętnie gromadzących ważne informacje. Niczym latarnie morskie (w tym wypadku na lądzie), które wyszukują i zbierają kluczowe dane o rosyjskich wpływach, innych istotnych faktach i wydarzeniach na danym obszarze, i mają wpływ na układ sił cywilizacyjnych.

Polski ksiądz w zapomnianej parafii nad Dźwiną mówił mało, ale wiedział wszystko, czego nie wiedzą mądrale w Warszawie... A my to widzieliśmy i słuchaliśmy tego, co mówił, w barokowym, nieco zapuszczonym kościółku tak daleko od polskiej stolicy, nad dawną linią obrony strategicznej Rzeczypospolitej, nad wspaniałą, potężną Dźwiną.

Wracałem do Polski, intensywnie myśląc i bolejąc nad tym, że polska powściągliwość strategiczna na wschodzie po 1991 roku wynikała ze złego zrozumienia naturalnego w istocie napięcia między polityką piastowską a jagiellońską. Była skutkiem wyraźnego braku orientacji, na czym polegają współcześnie wpływy i instrumenty nacisku na politykę innego państwa, tak by tymi instrumentami obsługiwać własne interesy. Polityka jagiellońska uzupełnia bowiem politykę piastowską — nie stanowi dla niej alternatywy rozłącznej. Jedna nie istnieje bez drugiej i na odwrót. W tej konstatacji zawiera się przekleństwo położenia państwa polskiego, które ma tradycyjnie zbyt słaby potencjał populacyjny i gospodarczy, by przetrwać z własną spraw-czością przy Rosji i Niemczech, gdy oba te podmioty są po-tężne i dobrze rządzone. Konsolidacja gospodarcza, rozwój, budowa infrastruktury i dbanie o kształtowanie wewnętrz-nej i zewnętrznej struktury przepływów strategicznych, tak by służyły Polsce przez „piastowskie" podłączenie do strefy gospodarczej ukierunkowanej na Atlantyk, muszą być uzu-pełnione polityką jagiellońską, polegającą na uformowaniu przyjaznej państwu polskiemu przestrzeni na wschodzie, w której nie będą pojawiały się zagrożenia dla piastow-skiej konsolidacji. Optymalnie przestrzeń ta powinna być korzystnie ukształtowana geopolitycznie, „współpracując" z nami w kształtowaniu przepływów strategicznych. Wte-dy będzie nawet dodawała siły potędze Polski.

Polityka jagiellońska jawiła się jako imperialna, bo od-nosiła się do ziem dawniej kolonizowanych przez Koro-nę Polską, na których Polacy mieli przewagę, jeśli chodzi o własność i majątek. Dlatego polityka ta kojarzyła się z do-minacją imperialną i — wbrew naszym słodkim wyobraże-niom — z często złym traktowaniem ludności ukraińskiej czy białoruskiej, a nawet litewskiej. Zresztą w debacie pu-blicznej w Polsce przeciwnicy polityki jagiellońskiej czę-sto oskarżają zwolenników ambitnej polityki wschodniej o ciągotki imperialne, a wręcz terytorialne.

Takie postrzeganie i projektowanie owej wizji, na przykład przez krytykę postulatu polityki jagiellońskiej w XXI wieku, wynika z braku zrozumienia uwarunkowań strategii obecnego stulecia. Dawniej głównym źródłem siły, a zatem wpływów i powiązań, na których opiera się polityka, były ziemia i kapitał płynący z pracy na ziemi, z własności ziemi. A zatem z terytoriów, które dają podatki, płody, surowce i rekruta. Im więcej rekruta, tym lepiej, bo jego liczba też przecież miała znaczenie. W tym okresie ukształtowały się mapy mentalne dawnej Rzeczypospolitej i dawne jej Kresy oraz kultura kresowa, którą wspominamy z sentymentem, przeglądając stare albumy. Z takiego rozumienia źródła potęgi wynikały oczywiście konflikty etniczne, wojny domowe, w tym ludobójstwo. Mamy też sobie sporo do zarzucenia, by wspomnieć na przykład represje polityczne wobec mniejszości ukraińskiej we wschodnich województwach czy swego czasu niewłaściwe potraktowanie Kozaków.

W pewnym momencie dokonała się rewolucja przemysłowa, która na Kresy raczej nie zawitała aż do XX wieku, a tymczasem gdzie indziej zmieniła istotnie źródła potęgi. Ogromne znaczenie zaczęły mieć przepływy strategiczne — przemarsze i pochody wojska, ale przede wszystkim przemieszczanie się ludzi pociągami, samochodami, samolotami, ruch towarów, surowców, energii, kapitału, technologii, wiedzy i danych. Zaczął się tworzyć zmienny i płynny system sił, które — zorganizowane przez państwo — decydowały o wpływach, instrumentach nacisku i kształtowaniu relacji z korzyścią dla państwa. W tym wyrażała się sprawczość w sensie nowoczesnym. To przepływy strategiczne stanowią bowiem szachownicę gry międzynarodowej. Oczywiście wciąż ważne są szczególne miejsca w regionie, takie jak Małaszewicze, węzeł komunikacyjny Baranowicze czy port w Gdańsku, ale ich pozycja wynika z korytarzy przepływów strategicznych, które generują zmiany znaczenia geopolitycznego.

Kształtowanie współpracy na wschodzie z korzyścią dla interesów państwa polskiego można osiągnąć przez kwestie kapitałowe, regulacyjne, biznesowe, zapewniające dźwignie nacisku politycznego, z którymi należy się liczyć w codziennej polityce. Ale do tego trzeba pozostawać i działać „w zwarciu" na wschodzie.

Na to nakłada się trwająca rewolucja informacyjna. Obróbka i przesyłanie informacji stają się zarówno towarem, jak i bronią w walce o percepcję i o budowę potęgi sprawczości. To nasilające się zjawisko jeszcze bardziej odrywa nas od jakiegokolwiek rewizjonizmu terytorialnego, jednocześnie wzmacniając istotę kontroli zasad, na jakich odbywają się przepływy strategiczne. Polityka jagiellońska na wschodzie ma zatem formować otoczenie geopolityczne państwa polskiego, bez którego po prostu nie ma polityki piastowskiej. To coś zupełnie innego niż roszczenia terytorialne czy sentymentalne pogawędki o Wilnie albo Lwowie lub wywyższanie się Polaków wobec innych narodów pomostu.

Polityka jagiellońska XXI wieku powinna się wyrażać w biznesie, penetracji kapitałowej, ekspansji banków, sprawczości w kwestii regulacji określających te przepływy, w wiązaniu ludności ze wschodu z polskim obszarem gospodarczym, w korzystnym ruchu przygranicznym, w imporcie podaży pracy ze wschodu, rewersach rurociągów, magazynach gazu na wschodzie, przesyłach energii, korzystaniu z korytarzy transportowych, dzierżawie portów w Gdańsku, Kłajpedzie, Odessie, wreszcie — we współpracy wojskowej, by stępić sprawczość rosyjską między Bałtykiem a Morzem Czarnym. Przede wszystkim chodziłoby tu o współpracę między Polską a Ukrainą, ale swój interes miałyby w tym i Rumunia, i wspominane już nieraz państwa bałtyckie oraz Szwecja i Finlandia. Amerykanie dzięki temu także osiągną korzystną dla siebie równowagę, tylko trzeba ich do tego umiejętnie przekonać.

To współzależność buduje politykę jagiellońską. Przyglądanie się z odległości jej nie buduje, a wręcz podmywa możliwości konsolidacji piastowskiej. Zwłaszcza gdy ład bezpieczeństwa w naszym regionie pęka wraz z wojną. I źle wróży Polsce, która od trzydziestu lat stara się poprawić swoją sytuację materialną. Odbudowa Ukrainy po wojnie również powinna zmienić stosunki społeczno-gospodarcze, zlikwidować oligarchię, stworzyć swoisty ukraiński ruch egzekucyjny na podobieństwo ruchu egzekucyjnego reprezentującego interesy średniej szlachty na przełomie XVI i XVII wieku w Rzeczypospolitej, tak by udało się stworzyć podwaliny pod liberalne społeczeństwo z silną klasą średnią, praworządnością i przewidywalnością gospodarczą, co umożliwi prywatnemu biznesowi polskiemu działanie i inwestowanie na wschodzie.

W tym kontekście, szczególnie biorąc pod uwagę ambiwalentną postawę Niemiec wobec wojny (która jeszcze się nasili, im dłużej będzie trwała wojna), warto przypomnieć, że istnieją dwie metody analizy spraw międzynarodowych.

Zła to taka, która każe wsłuchiwać się wyłącznie w to, co mówią politycy, oraz przyglądać się ich osobistym relacjom. Metoda ta opiera się bowiem na deklarowanych wszem wobec intencjach postępowania. Nie przewiduje ona przyszłych wydarzeń, boi się syntezy i stanowczych przewidywań. Za to zna wszystkie nazwiska, charakteryzuje się kazuistyką, wie, kto jest z jakiej partii i które środowisko reprezentuje. Jest to metoda merytorycznie wadliwa, bo ludzie (a zwłaszcza politycy) kłamią, niejednokrotnie nie mają racji, nader często nie rozumieją, co się dzieje, manipulują, chcą się komuś przypodobać albo po prostu płynąć z prądem. Mają jakąś swoją agendę i realizują własne, często ukryte, interesy. Taka analiza przypomina rozmowy w maglu lub pogawędki u wujka na imieninach i ma niewiele wspólnego z realną polityką. Jest „chybotliwa" chociażby z tego powodu, że ludzkie intencje, nawet najbardziej szczere, mogą ulec zmianie w jedną noc. Tak należy oceniać debatę publiczną w Niemczech na temat pomocy Ukrainie, importu surowców z Rosji i postawy Niemiec wobec nas i innych państw na wschodzie Unii Europejskiej.

Druga metoda, skuteczna, to taka, która stara się zrozumieć siły strukturalne, rzeczywiste zdolności (a nie intencje) rządzące gospodarką i państwem, a zatem jego polityką. Politycy są jedynie posłusznymi agentami tych sił lub, jak kto woli, ich wykonawcami, bo muszą się w nich „zmieścić". Często dzień po objęciu urzędu zaczynają rozumieć, w ramach jakich ograniczeń się poruszają. Wówczas pojawia się pytanie, jak wytłumaczyć to ludziom, którzy im uwierzyli. A już w szczególności dotyczy to trybunów ludowych, wynoszonych do władzy przez impuls ulicy. Taka jest natura polityki i jej obrzydliwa twarz.

Wbrew wyobrażeniom przeciętnego wyborcy siły te są strukturalne i wywierają tak przemożny wpływ na decydentów, że mają oni naprawdę niewielką swobodę decyzyjną. Właśnie dlatego tak często odnosimy wrażenie, że politycy obiecują nam gruszki na wierzbie. W rzeczywistości postępują oni zgodnie z siłami strukturalnymi. W przeciwnym razie tracą sprawczość, marnując swoje kariery polityczne. Koniec jest gorzki, jeśli nie brutalny. Każde państwo ma własny pejzaż sił strukturalnych, które nim rządzą. Premier czy kanclerz, car, król czy cesarz — wszyscy oni próbują jedynie skutecznie balansować, zachowując w ten sposób coś, co potocznie nazywa się władzą, i jej wiarygodność. Wokół sił strukturalnych funkcjonują realne „mięśnie i ścięgna" państwa, które przekładają się na „dźwignie" służące codziennej sprawczości w polityce, zwane inaczej, zwłaszcza na wschodzie, jakże zgrabnie aktywami.

Mężów stanu poznaje się po tym, że mając wąskie pole manewru, potrafią zmienić zastany układ sił strukturalnych, przekształcając je w taki sposób, by oni sami mogli lepiej obsługiwać interesy państwa, o które mają powinność dbać. Tego życzę prezydentowi Zełenskiemu, bo przemożne siły strukturalne naciskające z Europy Zachodniej będą próbowały odebrać mu zwycięstwo i zwycięski pokój, nawet jeśli wojskowo uda mu się pokonać Rosję. Dlatego że nowy układ geopolityczny w Europie Środkowo-Wschodniej po wypchnięciu Rosji z systemu europejskiego oraz skuteczne sankcje na surowce rosyjskie oznaczają relatywne słabnięcie sprawczości niemieckiej na rzecz wzmocnionej obecności wojskowej Stanów Zjednoczonych w Europie i sojuszu północ–południe, od Finlandii po Turcję i Rumunię. Zmiany te pozwolą na nowe ułożenie spraw w Europie. Na Zełenskiego będą zatem wywierane ogromne naciski, gdy armia ukraińska przekroczy granicę Krymu lub będzie wypierać wojska rosyjskie z miast Donbasu.

Argumenty „z wartości" w polityce międzynarodowej, jeśli bywają skuteczne, to tylko umiarkowanie. Działają w przypadku ukraińskim na zasadzie impulsu, sposobu na pobudzenie ludzi, skoro wielu zapewne chce tam żyć lepiej i w większej wolności, i bez „ruskiego knuta". Ale „ścięgna i mięśnie" władzy tak nie działają. W pierwszej kolejności to siły strukturalne państwa determinują model społeczno-gospodarczy. Kanclerz Olaf Scholz mógł sobie mówić i obiecywać w Bundestagu niestworzone rzeczy, ale potem już łagodził i rozmydlał swoje zapewnienia. Naciskają go bowiem agenci sił strukturalnych, które tworzą surowce, przepływy finansowe, kredyty, eksport, import, skomunikowanie ze światem i rynkami, wewnętrzne i zewnętrzne łańcuchy dostaw czy podział zadań w przemyśle i rolnictwie. A „obsługują" siły strukturalne konkretni ludzie, którzy mają z tego dochody i własne pola sprawstwa. Cały kontrakt społeczny oparty jest na marżach i uzgodnieniu zasad między kapitałem, pracą oraz światem politycznym. Mackinder nazywał to *going concern*.

Teraz walczymy o to, by model tworzący infrastrukturę relacyjną na naszym wschodzie (czy to na Białorusi, czy to na Ukrainie), ale także w Niemczech, nie był już zorientowany geostrategicznie na Rosję. To dawało Rosji kontrolę nad realnymi aktywami polityki, właśnie nad „ścięgnami i mięśniami" państwa, pozwalało jej wpływać na generowane przez utrwalony model działania przepływy strategiczne, a zatem też na biznes i służby specjalne, które „oblepiają" infrastrukturę relacyjną, szukając wpływów dla siebie (a czasem i zarobków — zwłaszcza na wschodzie). W takim państwie jak Białoruś politycy i służby czynią to nadzwyczaj szczelnie; w Niemczech politycy muszą się liczyć z opinią publiczną, ale już nie tak bardzo, jak byśmy w Polsce chcieli, co w kontekście wojny na Ukrainie wyraźnie widać u naszego zachodniego sąsiada.

„Duzi robią to, co mogą, a mali to, co muszą". Wiemy to od czasów starożytnych i *Wojny peloponeskiej* Tukidydesa. Chyba że mali (albo średni) zmienią swój status... czyli wystawią sprawne siły zbrojne, zaczną wygrywać wojny albo zdobędą się na własną energetykę i innowacje tworzące wartości marży pozwalające na zmianę statusu. Państwa naszego regionu jawiły się w oczach zachodniej Europy jako słabe, więc nie stanowiły podmiotu polityki międzynarodowej, ponieważ nie były eksporterami bezpieczeństwa i nie mogły wpływać na status Białorusi albo Ukrainy, jeśli zmiany owego statusu nie życzyłoby sobie mocarstwo, gotowe pójść na wojnę w obronie swojego stanowiska. Świetna postawa Ukrainy w trakcie wojny, pokonywanie armii rosyjskiej, wydatna wojskowa pomoc Polski zmieniają to postrzeganie. Mamy do czynienia z wybijaniem się na podmiotowość całego naszego regionu. Sprzyjają temu Amerykanie i Brytyjczycy, bo leży to w ich interesie — dlatego są tak hojni, jeśli chodzi o uzbrojenie. Ich postawa to mackinderowska klasyka geopolityki i koszmar dla niemieckich zwolenników konsolidacji kontynentalnej. Raz jeszcze podkreślę, że tę możliwość zawdzięczamy postawie Ukraińców w wojnie.

Józef Piłsudski po odzyskaniu niepodległości zwykł przekonywać, że pole manewru dla polskiej polityki jest na wschodzie, w realizacji koncepcji federacyjnej i w innych działaniach mających na celu budowanie instrumentów nacisku i wpływów politycznych. W trzeciej dekadzie XXI wieku (i w kolejnych) nie musi to być tym razem koncepcja federacyjna, nie musi się to nazywać w żaden sposób, który nawiązywałby do polskiej przewagi w przeszłości. Może to być coś nowego, nowa koalicja, nowy układ sił, ale niech to będzie coś, co da szansę na życie i rozwój naszej części Europy bez dominacji rosyjskiej i z czasem bez zależności peryferyjnej w podziale pracy od zachodniej Europy.

Instrumenty polityki Zachodu nie sięgają bowiem na wschód albo nie są tam aż tak skuteczne, zatem państwa zachodnie muszą się liczyć w tym regionie z Polską. Najlepszy dowód: właściwie cała pomoc materiałowa na Ukrainę idzie przez lotnisko Rzeszów-Jasionka (sławne J-Town, jak określają je Amerykanie, nie umiejąc wymówić ani jednej oryginalnej polskiej nazwy) i polskie przejścia graniczne z Ukrainą. Bez zgody Polski nie byłoby to możliwe.

W charakterystycznych dla siebie niecenzuralnych słowach oceniał Piłsudski polską politykę wobec Zachodu, gdyby zaleceń samoistności na wschodzie nie realizowano. Wówczas polityka taka nakazywałaby nam na wszystkich kierunkach posłuszeństwo i wtórność wobec woli ówczesnych mocarstw zachodnich. Pozbawiałoby to nas podmiotowości i zmuszałoby do akceptacji woli mocarstw spoza naszego regionu, co ograniczałoby nasze pole bezpieczeństwa, a także osłabiałoby perspektywy rozwojowe biznesu i możliwości penetracji rynkowej i kapitałowej. Mówiąc krótko: na zachodzie jesteśmy nikim, na wschodzie byliśmy kiedyś kimś i należy do tego dążyć zarówno w roku 2023, jak i w przyszłości.

Zgodnie zresztą z tym, co napisał wynoszony w Polsce na piedestały, acz chyba rozumiany tylko powierzchownie Jerzy Giedroyć w *Przesłaniu*: „szansą może być nasza polityka wschodnia. Nie wpadając w megalomanię narodową, musimy prowadzić samodzielną politykę, a nie być klientem Stanów Zjednoczonych czy jakiegokolwiek innego mocarstwa. (...) Powinniśmy sobie uświadomić, że im mocniejsza będzie nasza pozycja na wschodzie, tym bardziej będziemy się liczyli w Europie Zachodniej"*.

By odpowiedzieć na to wezwanie w naszych czasach, Polska musi zacząć prowadzić politykę bardziej podmiotową. Nie wystarczy kontynuowanie tego, co robiliśmy przez ostatnie trzydzieści lat, warunki i okoliczności stają się bowiem trudniejsze. I naprawdę nie chodzi tu o megalomanię ani podejście quasi-mocarstwowe, lecz po prostu

---

* Jerzy Giedroyć, *Przesłanie* [w:] tegoż, *Autobiografia na cztery ręce*, Warszawa 1999, s. 246.

o zbudowanie zdolności do stania się realnym i samo-zadaniującym się czynnikiem gry o równowagę w naszej części świata, o którego losach nie decydują wyłącznie silniejsi w ramach koncertu mocarstw. By temu sprostać, nie trzeba budować potencjału równego mocarstwom, lecz należy nauczyć się trudnej sztuki skutecznego, a nie werbalnego jedynie, wystawiania rachunków w razie próby narzucania nam przez innych swojej woli, co jest absolutnie konieczne w złożonej i coraz bardziej dynamicznej grze międzynarodowej. Wojna na Ukrainie i nasza kluczowa rola dają po temu sposobność.

Ponadto z wojskowego punktu widzenia uważam, że Polska tak postępująca wpłynie pozytywnie na realny potencjał odstraszania NATO oraz spotka się z pozytywnym przyjęciem sporej części establishmentu strategicznego i zdecydowanej większości kół wojskowych w Stanach Zjednoczonych. Amerykanie martwią się atrofią europejskich zdolności wojskowych w obliczu konieczności skierowania swojej uwagi na Pacyfik w celu konfrontacji z Chinami. Odczuliśmy to podczas wizyty S&F za oceanem w lutym 2022 roku, o czym pisałem w rozdziale pierwszym.

Również bieg wypadków na Białorusi w 2020 roku, gdy sprawę de facto rozstrzygnął układ sił — czyli przewaga Rosji nad państwami zachodniej Europy (nie mówiąc już o Polsce), oraz sytuacja wokół Ukrainy w 2021 roku, nie wspominając o samej wojnie, w której to Ukraińcy są żołnierzami walczącymi na polu walki, a Zachód dość kapryśnie i wybiórczo dostarcza uzbrojenie, ostatecznie przekonują, że niezbędne jest zbudowanie własnych instrumentów polityki w naszej części kontynentu.

Granica między pokojem a wojną została zatarta. W sumie trudno znaleźć obiektywny wyznacznik tego, czy już podlegamy rosyjskiemu instrumentarium wojny, ale na pewno toczy się kompleksowa walka o sprawczość polityczną i wpływ Rosji na decyzje innych państw w regionie. Utyskiwania kanclerza Niemiec Olafa Scholza na przełomie czerwca i lipca 2022 roku na Litwinów, którzy w myśl przepisów sankcyjnych zablokowali rosyjski tranzyt przez swoje terytorium do Kaliningradu, stanowią tu dobitny przykład, jak niejednoznaczna i złożona jest współczesna walka o sprawczość. Scholz, bojąc się o niemieckich żołnierzy w bazie Tukla na Litwie i wciągnięcia w wojnę, której Niemcy nie chcą, próbuje ograniczać sprawczość Litwinów, działając de facto w imieniu i na rzecz Rosji. W XXI wieku gęsta sieć zależności tworzy zatem istny labirynt instrumentów nacisku w wiecznej walce o sprawczość.

Aby była skuteczna, walka taka wymaga kontrolowania przez Rosję drabiny eskalacyjnej podczas przesilenia wywołanego konfliktem interesów z państwem, które opiera się naporowi rosyjskiej sprawczości. Kontrolowanie drabiny eskalacyjnej oznacza w praktyce zdolność do zadawania strat w celu zdobycia dominacji i narzucenia sprawczości, a tym samym zademonstrowania woli łamania oporu.

Wojna kinetyczna stanowi bowiem tylko instrument polityki, o czym nasza szarpana przez kolejne wojny kontynentalne i światowe ojczyzna i jej elity chyba zapomniały.

By zniwelować parcie Rosji na dołączenie do systemu europejskiego, należy złamać rosyjski punkt ciężkości owej polityki, czyli po prostu wojsko rosyjskie — bo przecież nie rubel, kapitały czy przemysł samochodowy. Pokonanie tego punktu ciężkości jest trudnym zadaniem, ale przecież realnym. Poza własnymi zdolnościami, jakie chcemy wystawić, wciąż mamy sojuszników, którzy mogą być angażowani na naszą rzecz w coraz bardziej złożoną grę o równowagę. Sęk w tym, że aby zaistniała jakakolwiek szansa na faktyczne zaangażowanie się naszych sojuszników (by chcieli to zrobić i mieli w tym interes), należy prowadzić bardziej dynamiczną politykę bezpieczeństwa, opartą na konkretnym instrumencie, jakim ma być polskie wojsko i cały system odporności państwa.

Polskie siły zbrojne mają zapobiec wytworzeniu się po stronie Rosji poczucia dominacji na drabinie eskalacyjnej, w szczególności na niższych (w mniejszej skali konfliktu i wojny) jej szczeblach. Celem jest uniemożliwienie Rosji osiągania swobodnej sprawczości politycznej w naszym regionie za pomocą domniemanej dominacji, jeśli chodzi o środki stosowania przemocy. Próg osiągnięcia tego celu nie jest tak wysoki, jak Polacy, zduszeni przez dominację sowiecką, a potem ogłuszeni wizją końca historii, myślą, bojąc się potencjalnej rosyjskiej potęgi, wobec której nie mają jakoby szans. A przynajmniej próg ów nie jest na tyle wysoki, by się z tym nie zmierzyć i tylko prosić państwa Zachodu o interwencję, której te mogą nie chcieć albo nie móc przeprowadzić, czy też zwyczajnie mogą nie mieć w tym interesu.

Kluczem do sukcesu jest zrozumienie złożonego, wielopoziomowego i wielodomenowego mechanizmu kontroli drabiny eskalacyjnej, dynamiczne zarządzanie pojawiającymi się nieustannie asymetriami na poszczególnych szczeblach tejże drabiny oraz budowanie odpowiednich zdolności, nie tylko w czasie kryzysu lub wojny, ale też w czasie pokoju. Musimy sprawniej się poruszać w dystrybucji przemocy na drabinie eskalacyjnej i w bardziej profesjonalny sposób zarządzać tym procesem. Asymetrie dotyczą zresztą wielu zagadnień, na przykład zdolności materialnych i organizacyjnych czy technologicznych, lecz także woli politycznej, spójności społecznej i kompetencji w realizacji konkretnych zadań i operacji. Każda asymetria tworzy szansę dla strony sprawniejszej, dysponującej kompetentnym instrumentem.

Skuteczne działanie w tego rodzaju wojnie zapewnia umiejętne zarządzanie drabiną eskalacyjną, czyli stopniem eskalacji przemocy i demonstrowania swojej dominacji wobec przeciwnika na kolejnych szczeblach własnych możliwości robienia mu krzywdy. Właściwie wypada stwierdzić, że ze względu na obserwowaną dziś jednoczesność działań i szybkość akcji w wielu domenach — na lądzie, w powietrzu, w cyberprzestrzeni, w spektrum elektromagnetycznym, a nawet w kosmosie oraz w najważniejszej domenie, czyli informacyjnej — brakuje dawnej sekwencyjności działań. Obecnie wszystko może dokonywać się równolegle, co przypomina nawet bardziej kratownicę niż drabinę, a przy tym zwiastuje nagłość i duże tempo współczesnej konfrontacji.

Na tym polega fundamentalna zmiana charakteru wojny, który był do niedawna sekwencyjny (zgromadzenie masy lub siły ognia, podciągnięcie logistyki, uderzenie, przegrupowanie, obrona lub kontruderzenie i tak w kolejnych cyklach). Dzisiaj ten, kto sprawniej porusza się po kratownicy aplikowania przemocy, wydaje się dominować, co nie jest trudne, gdy ma się również przewagę w domenie informacyjnej wobec świata, własnego społeczeństwa i wobec przeciwnika. Zgrabną i przekonującą narracją można łatwo zamieniać sukcesy taktyczne w wielkie zwycięstwa strategiczne, dając walutę polityczną negocjatorom, którzy przy stole będą nieprzerwanie prowadzić rokowania w sprawie rozejmu, zawieszenia broni, pokoju czy jakkolwiek nazwiemy całą tę grę dyplomatyczną. W taki sposób Ukraińcy po zdobyciu przewagi w narracji na temat przebiegu wojny uzyskali wsparcie społeczeństw, a potem rządów Zachodu.

To wszystko powoduje, że nasze państwo powinno mieć zdolność do „namiętnej" ofensywy w fazie pozakinetycznej, by wykorzystać ten relatywnie mało niebezpieczny moment do zademonstrowania swojego potencjału i sprawności, tak aby można było odmówić narzucenia nam woli przeciwnika. Zresztą w fazie pozakinetycznej tylko akcja ofensywna jest w stanie stępić przekonanie Rosji o jej domniemanej dominacji eskalacyjnej.

Samą eskalacją steruje ruch przepływów strategicznych: ruch ludzi, wojska, systemów bojowych, wymiana danych, w tym danych digitalnych, ruch towarów, kapitałów, energii, surowców, płodów rolnych, pieniędzy, informacji, propagandy i wiele innych. To owe przepływy stają się najważniejsze, generując konflikt polityczny w walce o sprawczość. Dlatego system odporności państwa musi mieć na celu zabezpieczanie przepływów strategicznych i ochronę przed skutkami manipulowania nimi przez przeciwnika we wszystkich domenach funkcjonowania nowoczesnych społeczeństw. Proszę zwrócić uwagę, jak wyglądają rosyjska polityka energetyczna, cyberdziałania, rosyjska wojna informacyjna czy rosyjskie destabilizujące dyslokacje wojskowe na wschodzie (na przykład w okolicach Grodna) systemów obrony powietrznej S-300/400, które ograniczają swobodę naszego nieba. Albo inne destabilizujące demonstracje wojskowe na wschodzie, które skutkują rozmieszczeniem jednostek polskiego wojska przy granicy wschodniej, a przy okazji zamieszaniem na obszarach przygranicznych i naruszeniem płynności ruchu handlowego.

Przedmiotem tych manipulacji są transmisje danych i cyberataki, sterowane migracje ludności, których skutki polityczne i gospodarcze obserwowaliśmy jesienią 2021 roku nad Bugiem, przy polskiej granicy szturmowanej przez strumienie ludzi. W nowoczesnym ujęciu współzależności państw i ich powiązań w regionie system odporności państwa ma zabezpieczać przed wszelkiego rodzaju akcjami destabilizacyjnymi z zewnątrz.

To kontrolowanie skomplikowanego i bardzo wrażliwego mechanizmu zarządzania przepływami strategicznymi wyznacza dziś sprawność nowoczesnego państwa, która jest czymś znacznie ważniejszym niż konflikt kinetyczny z użyciem czołgów i artylerii, zwłaszcza w fazie jawnej już konfrontacji geopolitycznej, jaka się rozpoczęła w naszej części świata.

Im dłużej, skuteczniej i bardziej profesjonalnie Polska będzie stała na własnych nogach, tym wyraźniej Rosjanie będą przegrywać. Zwłaszcza jeśli zdominujemy warstwę komunikacyjną i narracyjną idącego w świat obrazu starcia. Można sobie wyobrazić, jak diametralnie inaczej wyglądałyby dziś dymitriady z XVII wieku albo kontrolowanie zachowania Rzeczypospolitej stosowane przez Rosję w XVIII wieku, gdyby można było wtedy zarządzać przekazem informacyjnym na dzisiejszą skalę. Nasz król Stefan Batory dobrze to rozumiał i wyprzedzał swą epokę, gdy zabierał na wojny z Moskwą drukarnię polową, która miała odpowiadać za domenę informacyjną i propagowanie informacji zgodnych z interesem Rzeczypospolitej.

W tego rodzaju konfrontacji najważniejsze jest zarządzanie nieustannym „kryzysem", którym jest współczesna wojna, i zdolność skuteczniejszego niż przeciwnik działania w warunkach tego kryzysu. To nie masa, ilość czy liczba, tylko przede wszystkim gotowość wojska, jego ukompletowanie, łączność, skomunikowanie, prawidłowe zadaniowanie są decydujące. Wszystko to wpływa na tempo operacyjne i na tak zwany *kill chain*, czyli kontrolę nad tymi elementami, które muszą zadziałać, by można było odnieść sukces i pokonać lub zabić wroga uderzeniem precyzyjnym rakiety, ogniem artylerii lub manewrem pododdziału przeciw przeciwnikowi. Generalnie rzecz biorąc, odporność całego systemu państwowego, mobilność wojska, elastyczność reakcji i jej tempo — oto klucze.

Nowe wojsko polskie i system odporności państwa pomogą tym samym kształtować nasze otoczenie geopolityczne, bez którego po prostu nie ma rozwoju wewnętrznego. Gdyby dokonała się realna reforma wojskowości i gdyby sprostała ona naszym ambicjom, polskie siły zbrojne mogłyby w przyszłości działać niczym system ochronny przed rosyjskimi ingerencjami o charakterze wojny nowej generacji (*protection by denial*).

W obu „zachodnich" scenariuszach geopolitycznych będzie nam to potrzebne. W scenariuszu „europejskim" nowy federalizujący się konstrukt geopolityczny będzie siłą rzeczy naturalnie „negocjował" przestrzeń polityczną na wschodzie oraz zasady funkcjonowania Rosji na jego perymetrze. Rosja tradycyjnie będzie chciała wynegocjować dla siebie dogodne warunki demonstracjami siłowymi. W scenariuszu „atlantyckim" będziemy natomiast wysuniętą „kasztelanią" sił atlantyckich, na szpicy starcia, między Oceanem Światowym (źródłem siły Zachodu), który będzie bronił swojego stanu posiadania, a mocarstwami kontynentalnymi Eurazji. I dlatego musi istnieć niepodległa Ukraina współpracująca z nami, bo ona daje nam dodatkowy bufor w tym starciu.

Nie ma czasu do stracenia. Potrzebujemy głębokiej reformy wojskowości Rzeczypospolitej, by odstraszać przez drastyczne podniesienie Rosji kosztów narzucenia nam woli politycznej, w tym przez osłabienie rosyjskiej pewności co do sprawowania kontroli nad przewagą eskalacyjną. Musimy także podwyższyć cenę kontrolowania eskalacji przez inne mocarstwa, które będą chciały uzyskać wpływ na przebieg konfliktu.

Polskie wojsko ma zapewnić ewolucję układu sił w Europie Środkowo-Wschodniej, w tym wyprzedzająco kształtować pożądaną przez Polskę spójność i właściwą politykę naszych sojuszników w NATO i w regionie. Ma w rezultacie dać państwu instrument polityczny umożliwiający wpływanie na status Polski, jeśli chodzi o architekturę bezpieczeństwa naszej części świata. Celem jest wyeliminowanie możliwości dogadywania się przez mocarstwa na temat statusu regionu ponad naszymi głowami przez zablokowanie wykorzystania nieprawidłowych zależności do kontroli zachowania Polski w trakcie kryzysu lub wojny.

Musimy skutecznie radzić sobie zwłaszcza we wszelkich sytuacjach rywalizacji i walki z Rosją, aż do uruchomienia kolektywnej obrony zgodnie z artykułem 5 traktatu waszyngtońskiego, najważniejszego postanowienia obowiązującego w sojuszu, które ma stanowić gwarancję naszego bezpieczeństwa. Przy czym nie uruchomienia deklarowanego, lecz realnego, gdziekolwiek próg tej realności będzie się znajdować. Gdzie ów próg realnie jest, dowiemy się bowiem dopiero w trakcie kryzysu, a potem wojny. Do tego czasu musimy się zabezpieczyć na wypadek wszystkich zagrożeń i scenariuszy (w tym zupełnie nieprzewidzianych), aż do zadziałania artykułu 5. To bardzo ważne, bo Rosja z premedytacją może rozgrywać na swoją korzyść wszystkie mechanizmy przemocy pod ochroną domniemanej dominacji eskalacji, uzyskując sprawczość polityczną w całej gamie działań poniżej antycypowanego artykułu 5.

Zresztą do realnego uruchomienia artykułu 5 potrzeba całkowitej zgodności politycznej członków sojuszu, wszyscy muszą mieć też realne zdolności do udzielenia pomocy i, co najważniejsze, tożsamą ocenę sytuacji wojskowej. Do tego czasu może być już dawno po wojnie. A jak to z ową „jednością" jest, widać po reakcji na wojnę na wschodzie i woli pomocy wojskowej Ukrainie...

Grozi nam sytuacja, w której Rosjanie osiągną swoje cele polityczne — na przykład wymuszony przez zewnętrzne mocarstwa rozejm na warunkach rosyjskich (ze względu na rosyjskie ewidentne sukcesy na polu walki od samego początku konfrontacji), z pozbawieniem zaatakowanej ofiary pola manewru w polityce bezpieczeństwa, polityce zagranicznej lub energetycznej — zanim zostanie uruchomiony artykuł 5. Z pewnością wiele społeczeństw zachodniej Europy, w tym także politycy, przyjmie takie rozwiązanie z dużą ulgą, bo nikt nie będzie chciał wojny kontynentalnej z mocarstwem nuklearnym. Przebieg konfliktu na Ukrainie i naciski niektórych państw zachodnich na kierownictwo ukraińskie stanowią tu wymowny przykład i nie ma wielkiego znaczenia, że Ukraina znajduje się poza NATO, bo to nie przepisy prawa walczą, a decyzja o wojnie jest decyzją polityczną, podejmowaną w konkretnych okolicznościach, przy ocenie konkretnych argumentów za i przeciw (głównie dotyczących równowagi w trakcie wojny oraz nowej równowagi po wojnie), nie zaś automatycznie.

Nigdy zatem nie możemy być pewni, w którym momencie, czy w pełnym zakresie i czy w ogóle artykuł 5 traktatu północnoatlantyckiego zostanie uruchomiony. Na szczęście nasi politycy w debacie publicznej w 2022 roku już głośno twierdzili, że do tego czasu musimy być gotowi do walki samodzielnej, ewentualnie z pojedynczymi sojusznikami, którzy z racji własnych interesów bezpieczeństwa przyjdą nam w takiej czy innej formie z pomocą. Przy czym zrobią to wyłącznie, jeśli nie będziemy wyraźnie przegrywać od samego początku, bo w takim wypadku przyjście nam z odsieczą może nie leżeć w ich interesie. I znów postawa obrońców Kijowa oraz samego Wołodymyra Zełenskiego powinna tu być najlepszą lekcją poglądową. Pamiętamy, jak nastawienie innych państw zmieniało się wraz z krzepnącą obroną Ukraińców oraz mądrym rozgrywaniem przez nich domeny informacyjnej.

Innymi słowy, nie mamy innego wyjścia, jak przygotowywać się przede wszystkim do wojny aż do uruchomienia artykułu 5 traktatu, wyrażającego zobowiązanie NATO do pomocy napadniętemu, a nie do wojny po uruchomieniu artykułu 5, jak robiliśmy w ostatnich latach. To zupełnie inna wojna, inne są jej cele polityczne, inne wojsko jest w niej potrzebne, inaczej winno być ono uszykowane, inaczej stawia się gotowość bojową wojska i jego ukompletowanie i zupełnie inne są szanse na skuteczne odstraszanie. Obecne „ustawienie" z natury rzeczy eliminuje nasze działania ofensywne, w tym te bardzo potrzebne, które odbywają się poniżej progu starcia kinetycznego w ramach wojny hybrydowej.

To wszystko wyznacza różnicę między klęską a zwycięstwem, co jasno zdefiniowałem wyżej. Zmiana naszego nastawienia w sposób oczywisty wzmacnia szansę na udzielenie nam pomocy przez sojuszników, a na pewno jej nie zmniejsza. Takiej konfrontacji będą towarzyszyć szara strefa wojny i stałe kłamstwo, rozbijające spójność Sojuszu Północnoatlantyckiego. W wojnie tego typu można być jedynie albo jej podmiotem, albo przedmiotem. Polska tak naprawdę nie ma wyboru: bez wielkiej reformy wojskowości nigdy nie staniemy się podmiotem.

# ROZDZIAŁ 4

# WOJNA TO SPOSÓB

CZYLI O TYM, JAK POSZUKUJE SIĘ PRZEWAG,
BY WYGRYWAĆ, I DLACZEGO WYKORZYSTYWANIE
ASYMETRII JEST KLUCZEM DO NAJLEPSZEJ STRATEGII;
O SPOSOBIE WOJOWANIA, O WOJNIE MANEWROWEJ
I WOJNIE NA WYNISZCZENIE ORAZ O TYM,
CZY STRATEGIA AKTYWNEJ OBRONY JEST
NAJLEPSZA DLA POLSKI

## MAJ W WARSZAWIE

Ponoć sam Sokrates miał być autorem stwierdzenia, że „strategia jest dobrodziejstwem bogów, bowiem stanowi dla kraju środek zapewniający mu wolność i szczęście". Siwa broda, charakterystyczna postura, raczej sędziwy już wiek — wyglądający niczym Sokrates Phillip Karber siedział ze mną w majową sobotę 2022 roku w ogródku drink-baru hotelu Bristol przy Krakowskim Przedmieściu w Warszawie. Przez bez mała siedem godzin tłumaczył mi cierpliwie relacje między wielką strategią, strategią rywalizacyjną, strategią wojskową, koncepcją operacyjną i wynikającą z nich reformą wojska. Słońce mocno przypiekało. Poprzedniego dnia Karber wrócił z Kijowa, gdzie konsultował z dowódcami wojska ukraińskiego sytuację na froncie, więc miał świeże przemyślenia. I tak sobie siedzieliśmy. Phil Karber, niegdyś mój szef w The Potomac Foundation w Waszyngtonie, legenda zimnej wojny, to chyba najbardziej charyzmatyczny człowiek, jakiego poznałem. Urodził się w 1946 roku w Los Angeles, pierwsze lata swojego jakże barwnego życia spędził w sierocińcu w Hollywood, potem znalazł dom w rodzinie adopcyjnej. Wielokrotnie zeznawał przed Kongresem jako ekspert od spraw wojny i bezpieczeństwa, za Ronalda Reagana prowadził jedyną w historii Stanów Zjednoczonych symulację pełnej wojny nuklearnej z udziałem kierownictwa państwa — kryptonim „Proud Prophet". Współuczestniczył w tworzeniu sławnej AirLand Battle, dzięki której (nieco upraszczając, ale tylko w celu pokazania pozytywnych skutków wdrożenia dobrze przemyślanej strategii rywalizacyjnej) Polska odzyskała niepodległość, uwalniając się od Sowietów. W jej wyniku doszło bowiem do stworzenia przez Amerykanów krytycznej asymetrii w ewentualnej wojnie konwencjonalnej (w której wdrożono kolejne koncepcje operacyjne o czasami dziwnych, acz przyciągających uwagę i trudnych do zapomnienia nazwach: FOFA, AirLand Battle, Gwiezdne Wojny, ćwiczenia REFORGER) w ramach nowo przyjętej strategii rywalizacyjnej, która złamała Sowietów.

Karber był też doradcą strategicznym prezydenta Stanów Zjednoczonych, sekretarza obrony, sekretarza stanu, amerykańskiego ambasadora przy NATO, komisji Kongresu i komisji senackich oraz doradcą sekretarza generalnego NATO i dowódcy NATO (SACEUR).

Ten sam Karber jeździł po całym obszarze sowieckim i skupował krytyczne technologie wojskowe, czyli takie, które powodują stworzenie istotnej przewagi na polu walki lub których efekt działania jest piorunujący albo bardzo niebezpieczny. Karber robił to zaraz po załamaniu się kontynentalnego imperium zła, by technologie te nie wpadły w niepowołane ręce. Ponadto rekrutował i szkolił armię wolnego Kuwejtu i pomagał w centrum szkolenia i doktryn US Army TRADOC w tworzeniu najnowszej reformy amerykańskich wojsk lądowych. Peregrynował wreszcie uporczywie po Stanach Zjednoczonych oraz po wschodniej flance NATO (czyli po froncie — jak lubi sam mówić; jest zresztą prawdopodobnie autorem tego określenia, a w jego ślady poszli kolejni amerykańscy dowódcy US Army Europe) i instytucjach NATO, forsując konieczność przygotowań do wojny z Rosją, opracowując różnorakie symulacje, prowadząc gry wojenne i warsztaty. Zajmował się też pomocą dla nowo powstającej armii Ukrainy, która kompetentnie radziła sobie (zdecydowanie ponad oczekiwania) w wojnie z Rosją w 2022 roku.

Generalnie tego człowieka można było słuchać w nieskończoność. Ogromna wiedza o wojnie i sztuce wojennej, przy okazji talent krasomówczy, czyli — jak mówi młodzież — „totalne gadane". Praktyczna znajomość sztuki wojennej, do tego szerokie oczytanie: od Marka Aureliusza i Kanta po Sun Tzu, Mao Zedonga i Piłsudskiego, poparte praktyką i doświadczeniem emisariusza globalnego imperium Oceanu Światowego. Wszystko to skłaniało go zawsze do niestrudzonego poszerzania przywództwa Stanów Zjednoczonych w świecie i tym samym popierania pomysłu naszego rodzimego Międzymorza, który według Karbera jest naturalną konsekwencją forsowania „dobrego" (konstruktywistycznego) prymatu USA w świecie.

Przez dobre pół dnia Karber tłumaczył zatem mnie i Albertowi (który do nas dołączył), że etapy pracy intelektualnej powinny być następujące: z wielkiej strategii państwa, która powinna być jasna i klarowna (oraz dość krótka), wynika strategia rywalizacyjna wymierzona już w konkretnego przeciwnika (Rosję) w sprawach nie tylko wojskowych, ale też wszystkich innych — przemysłowych, kulturowych, informacyjnych, handlowych, technologicznych itp. Celem jest doprowadzenie do sytuacji, w której strona przeciwna jest ciągle w tyle, męczy się rywalizacją i poddaje się pokojowo, odpuszczając dalszy wyścig. Tak właśnie stało się z nuklearnym przecież Związkiem

Sowieckiem pod koniec lat osiemdziesiątych i właśnie tego rodzaju formuły poszukują teraz Amerykanie wobec Chin, choć na razie nie mogą chyba znaleźć skutecznej (ostre sankcje technologiczne wobec rodzącego się chińskiego przemysłu półprzewodników z jesieni 2022 roku stanowią przejaw tych poszukiwań, a Polska musi działać podobnie w stosunku do Rosji).

W strategii rywalizacyjnej wszystko jest zasobem lub atutem, nawet opinia społeczeństw państw zachodnich na temat Rosji. Susza, nieurodzaj pszenicy, udany lub nieudany lot rosyjskiej rakiety na orbitę okołoziemską, nie mówiąc już o małym ruchu granicznym z obwodu kaliningradzkiego, obecności NATO w Polsce, zmianie postawy sojuszników względem Rosji, wolcie polityki energetycznej w Unii Europejskiej, dostępie do rynku rolnego Rosji albo właściwym uszykowaniu wojska polskiego i pozyskaniu zdolności do rażenia rosyjskich linii komunikacyjnych oraz magazynów broni na Białorusi, powiedzmy, do linii Berezyny, a nawet górnego Dniepru — wszystko to w strategii rywalizacyjnej jest zasobem i wszystko w niej może być zagrożeniem.

Strategia rywalizacyjna może również wykorzystywać potencjał całej grupy państw zjednoczonych interesem pokonania Rosji i wyeliminowania płynącego z jej strony zagrożenia: Ukrainy, Szwecji, Finlandii, państw bałtyckich i Rumunii, scementowanych dodatkowo selektywnym wsparciem wojskowym „z odległości", spoza kontynentu — ze strony państw Oceanu Światowego: Stanów i Wielkiej Brytanii.

Wtedy do głosu może dojść dopiero strategia wojskowa: domena lądowa czy morska jako główny teatr realizacji interesów, wojna ofensywna czy obronna, wojna prewencyjna lub zastępcza, na własnym terytorium bądź obcym, daleko czy blisko, wojna pełnoskalowa, partyzancka lub szarpana. I tak w ramach obecnej reformy polskiej wojskowości będziemy na przykład musieli się zdecydować, czy szykujemy wojsko do wojny poza granicami Polski, na naszych dawnych Kresach, czyli w obszarze buforowym między Polską a Rosją — w państwach bałtyckich, na Ukrainie i Białorusi. I czy mamy zamiar zająć obwód kaliningradzki, eliminując ten rosyjski przyczółek. Przy czym musi się tu pojawić dodatkowe, acz kluczowe rozróżnienie, czy mamy tylko mieć możliwość manewru ogniowego na terytorium Białorusi i Kaliningradu, by niszczyć zlokalizowany tam rosyjski system logistyczny, czy też mamy mieć zdolność manewru ofensywnego pododdziałów, i to w dużej skali.

*Alfa* opowiadał o tym publicznie w pierwszej połowie 2022 roku. Oczywiście w innych słowach, przede wszystkim wymieniając rodzaje sprzętu, który Polska ma zakupić, i podając, do czego miałby on służyć. Ofensywna strategia wojskowa oznaczałaby konieczność wystawienia własnego kompleksu rozpoznawczo-uderzeniowego, który stanowiłby zagrożenie dla podstawy operacyjnej wojsk rosyjskich działających przeciw Polsce manewrem (kolumnami pancernymi idącymi w głąb Polski), oraz dla rosyjskiego kompleksu rozpoznawczo-uderzeniowego, gdyby ten próbował wykonywać uderzenia na cele w Polsce spoza naszego terytorium. W tym drugim wypadku oznaczałoby to tak zwany pojedynek na salwy systemów uderzeniowych (artyleria, pociski manewrujące i balistyczne, drony) oraz konieczność naszego utrzymania się w tym pojedynku, a nawet jego wygrania, zwłaszcza w oczach państw trzecich, które będą się rozwojowi wypadków przyglądać.

To wymagałoby rozbudowania kolejnych zdolności w wojsku polskim: własnej świadomości sytuacyjnej w kosmosie, powietrzu i na lądzie, czyli systemu sensorów dających szczegółowy wgląd w to, co się dzieje na terytorium Kaliningradu, Białorusi, Ukrainy, państw bałtyckich i sporej części europejskiej Rosji (najlepiej aż po Ural), możliwie w czasie rzeczywistym lub prawie rzeczywistym. Tego rodzaju system świadomości sytuacyjnej musiałby być podpięty pod całą pętlę decyzyjną oraz efektory — artylerię, wyrzutnie pocisków itp. — w sposób umożliwiający wysokie tempo operacyjne, na pewno wyższe niż u Rosjan. To powinna być chyba najważniejsza asymetria działająca na naszą korzyść, skoro na Ukrainie potwierdziło się, że Rosjanie są tradycyjnie słabi w samodzielności taktycznej i operacyjnej niższej kadry dowódczej, co nie sprzyja im szczególnie na błyskawicznym współczesnym polu walki. Mają też problemy z sensorami i szybkim odczytywaniem ich zapisów, które pozwalają mieć całościową świadomość sytuacyjną. W skali strategicznej i operacyjnej dowiodły tego nieudane działania obronne Rosjan podczas kontrofensywy ukraińskiej na Izium i Kupiańsk we wrześniu 2022 roku. Rosjanie nie przewidzieli takich działań, nie namierzyli ruchu wojsk ukraińskich na dużą przecież skalę, a potem nie wiedzieli, gdzie znajduje się główna oś uderzenia.

Opisane powyżej podejście kwalifikowałoby się (i tak należałoby je „sprzedawać", czyli wyjaśniać naszym sojusznikom) jako strategia wojskowa aktywnej obrony z nowoczesnym manewrem ogniowym na całym teatrze operacyjnym. Przyjmując takie rozwiązania, z całą pewnością musielibyśmy uwzględnić elementy ograniczonej w czasie i skali akcji ofensywnej (wojska specjalne, bezpilotowce oraz rajdy wysoko mobilnych niewielkich grup wojsk manewrowych w celu eliminacji kluczowych komponentów rosyjskiego dowodzenia, rozpoznania i rażenia zlokalizowanych poza naszymi granicami) zarówno wobec Białorusi, jak i obwodu kaliningradzkiego z terytorium Polski na kierunku Grodno–Lida–Mosty oraz na Brześć i dalej na Baranowicze, względnie Pińsk. Przy współpracy z Litwinami i Ukraińcami mogłoby to oznaczać szachowanie działaniem manewrowym na flankę rosyjską wprost z Wołynia czy obszaru na wschód od Wilna (Miedniki Królewskie) na Białoruś (kierunek Mińsk i Lida) oraz na obwód kaliningradzki z dogodnego do manewru obszaru wyjściowego Mariampola. Oczywiście to wszystko przy założeniu, że Ukraina pozostaje państwem niepodległym, w którym nie stacjonują wojska rosyjskie.

Gdyby było inaczej, system aktywnej obrony należałoby rozciągnąć na południe aż do Bieszczad, wzdłuż obecnej granicy ukraińskiej, i siłą rzeczy stracilibyśmy możliwość flankowania Rosjan od południa. Wówczas bardzo ważne byłoby współdziałanie z Rumunią, co stwarzałoby opcje działania wobec tak groźnych dla nas pozycji rosyjskich pod Lwowem i Kowlem, a nawet Truskawcem na zachodniej Ukrainie.

Nasi rządzący muszą zatem podjąć wreszcie decyzję, jakimi konkretnie zdolnościami ofensywnymi mamy dysponować w ramach aktywnej obrony i strategii odmawiania przeciwnikowi osiągnięcia zakładanych celów (bo do tego się sprowadza manewr ogniowy) i jak stworzyć polską strefę antydostępową. To, co opisałem wyżej, stanowi nader ambitne zadanie. A może Warszawie marzy się coś więcej? Może myślimy o zdolności do trwałej projekcji siły na cały obszar Ukrainy, Litwy i Białorusi, czyli o polityce jagiellońskiej w jej maksymalnym wydaniu, w której to wojsko Rzeczypospolitej jest kluczowym elementem bezpieczeństwa regionu, a nawet gwarantem bezpieczeństwa na przykład państw bałtyckich lub Ukrainy w razie związania się z nimi sojuszem wojskowym, co może się wydarzyć, gdyby gwarancje NATO wobec Polski przestały być wiarygodne. Tak stałoby się na pewno wtedy, gdyby Amerykanie odeszli na dobre na Pacyfik...

Wystawienie takich zdolności wymagałoby zupełnie innego wojska, innej jego organizacji, na pewno zupełnie innych pieniędzy i sporej dawki dyplomacji wobec naszych sojuszników w NATO. Byłoby to konieczne przede wszystkim ze względu na obronny charakter paktu oraz ryzyko niesolidaryzowania się sojuszników z naszą polityką obronną już na etapie organizowania tak ofensywnej siły zbrojnej — i to na długo przed jakąkolwiek wojną.

Problem stanowiłaby ogólna niechęć do tego, by Polska osiągnęła zdolność do samodzielnej eskalacji bez zgody NATO, a prawdziwy opór mógłby się pojawić, gdyby miało się to wydarzyć bez zgody Amerykanów, którzy bardzo nie lubią podobnych sytuacji. Niemcy również nie byliby z tego powodu szczęśliwi...

Nawet gdy piszę te słowa, Waszyngton stara się upewnić, w jakie cele Ukraińcy mogą mierzyć w trakcie wojny, by nie doszło do niekontrolowanej eskalacji. Sprowadza się to do kontroli rozpoznania, targetingu, obiegu informacji, ale też zapewne ingerencji w pętlę decyzyjną wojska ukraińskiego zależnego od amerykańskich systemów łączności i świadomości sytuacyjnej. W ten sposób można kontrolować przebieg wojny, nie angażując się w nią. Musimy w Warszawie podjąć decyzję, czy się na to zgadzamy w wypadku Polski. Jeśli nie, będzie to miało daleko idące konsekwencje dla organizowania wojska polskiego i dla relacji z Amerykanami. Dobrze, byśmy mieli na to jakąś przemyślaną strategię, której obecnie nie widzę.

Wojsko służące do prowadzenia dużych operacji ofensywnych poza granicami kraju (operacji nie ekspedycyjnych; działałoby tylko w naszym obszarze buforowym na wschodzie: na Ukrainie, Białorusi i w państwach bałtyckich) wymagałoby innej strategii wojskowej i innej koncepcji operacyjnej, by spełniało wymogi niezbędne do zdobywania i utrzymania terenu (a potem jego zabezpieczenia) z całą niezbędną logistyką dla ciężkiego komponentu, na coraz dłuższych liniach komunikacyjnych z zaplecza w kraju do miejsca projekcji siły nad Berezyną, Dźwiną,

Niemnem i Kasplą. Taką grę rozegraliśmy w 2016 roku z *Jotą* w Waszyngtonie (o czym piszę dalej w rozdziale *Sierpień i wcześniej*), choć trudno było nam wtedy podegrać, czyli zasymulować, zabezpieczenie logistyczne wymagane do utrzymania tempa operacji, które narzuciliśmy wojsku polskiemu.

Musiałyby to być potężne siły manewrowe, w tym komponent ciężki z czołgami, ich zabezpieczeniem i logistyką kołową (ze względu na różny rozstaw szyn kolei na wschodzie) na szlakach lądowych. To byłoby zupełnie inne wojsko nie tylko w stosunku do tego, które mamy teraz, ale również do tego, które opisałem wcześniej jako działające na podstawie strategii aktywnej obrony w dużej mierze opartej na manewrze ogniowym i wspartej możliwością użycia kombinowanych grup rajdowych.

To ryzykowna i bardzo wymagająca propozycja. Projekcja siły jest dużo trudniejsza od obrony antydostępowej. Właśnie taki manewr ciężkim komponentem na dość duże odległości zawiódł Rosjan w lutym i marcu 2022 roku pod Kijowem, a Amerykanów mógł zatrzymać podczas wojny z Irakiem w 2003 roku (cierpieli na braki logistyczne, zwłaszcza w jednostkach nadciągających dłuższą osią operacyjną od Nadżafu i Karbali). Gdyby tylko państwo i wojsko irackie w 2003 roku stanowiło spójną machinę wojenną, a żołnierz (jak to się działo na Ukrainie) utrzymał wysokie morale, wojna mogłaby się potoczyć inaczej. Amerykanom mógłby się nie udać błyskawiczny manewr ofensywny i w konsekwencji szybkie pobicie Iraku nie byłoby możliwe.

## MANEWR JEST KRÓLEM,
## ALE NIE ZAWSZE PANUJE

Manewr w wojnie lądowej to ruch sił wojskowych w relacji do zachowania przeciwnika, który ma doprowadzić do osiągnięcia nad nim przewagi, zarówno jeśli chodzi o czas, jak i przestrzeń. Właściwy manewr nie tylko wprowadza przeciwnika w błąd, ale przede wszystkim wyprowadza go z równowagi operacyjnej, a czasem także strategicznej, i w rezultacie umożliwia wygranie z nim bitwy, a bywa, że i całej wojny, przy jednoczesnym zachowaniu własnej swobody i impetu manewru oraz własnych sił, za których pomocą ów manewr się wykonuje. Niemieckie operacje z drugiej wojny światowej i sławne kotły pod Kijowem i pod Wiaźmą z 1941 roku to kwintesencja doskonale przeprowadzonego manewru.

Manewr ofensywny, zwłaszcza realizowany na większe odległości, stanowi najtrudniejszy element wojny lądowej. Dowódca, który go wykonuje, musi wykorzystywać sukces przełamania frontu przeciwnika, chociażby tylko przejściowy, dbając przy tym o stałe zachowanie inicjatywy, własnej swobody manewru, a jednocześnie utrzymywanie zdolności do eliminowania zawsze występujących słabości własnych sił. Słabości owe ujawniają się z czasem i wraz z rosnącym dystansem, co przysparza nie lada kłopotów logistycznych. Problemem przy manewrze jest nieoptymalny i trudny do zmiany skład własnych wojsk w stosunku do dynamicznie pojawiających się wyzwań. Jak nie forsowanie rzeki, to kontakt bojowy z piechotą wroga; jak nie walka z czołgami przeciwnika, to pole minowe lub zagrożenie ze strony śmigłowców czy trudne walki miejskie. A na wszystkie te wyzwania trzeba mieć właściwą odpowiedź. I to skuteczną, by dalej uporczywie przeć do przodu, co stanowi istotę działania manewrowego.

Dobrze przeprowadzony manewr zawsze powoduje dodatkowe problemy i wyzwania dla broniącego się przeciwnika, często więc sprawia, że jego działania są nieefektywne, spóźnione bądź trafiają w próżnię. Jak dowodzi historia wojen, dobrze wykonany manewr nieraz prowadzi do zwycięstwa. Manewr jest uznawany za klucz do sukcesu. Historia zna mnóstwo przypadków manewru jako powodu zwycięstwa: od wojen punickich przez wojnę sześciodniową i spektakularne pokonanie wojsk egipskich przez Izrael w bitwie pod Umm Kataf po drugą wojnę iracką w 2003 roku.

W wykonywaniu manewru najważniejsze jest złamanie równowagi operacyjnej wroga, swoistego equilibrium między dowodzeniem, logistyką, zapleczem, morale i odpornością wojska atakowanego, i wytworzenie w ten sposób pogłębiającej się szybko asymetrii na korzyść atakującego — aż do pełnej eksploatacji zarysowanej słabości. W tym wyrażała się idea głębokich uderzeń penetracyjnych Michaiła Tuchaczewskiego na tyły i niszczenia zaplecza oraz linii komunikacyjnych wroga; to samo dotyczyło niemieckich *Kessel*, czyli kotłów, podczas operacji „Barbarossa", kiedy to koncepcja operacyjna blitzkriegu została rozwinięta z początkowej myśli Guderiana do dojrzałej sztuki operacyjnej. Jeszcze wcześniej, bo w maju 1940 roku, Niemcy, manewrując przez Ardeny w głąb Francji, pokazali, jak złamać równowagę operacyjną, a następnie i strategiczną Francuzów i Brytyjczyków na całym właściwie froncie: od linii Maginota do wybrzeża morskiego. Skutkiem było błyskawiczne pokonanie aliantów śmiałym manewrem, ucieczka Brytyjczyków przez Dunkierkę i zupełnie inny przebieg konfliktu niż ten znany z pierwszej wojny światowej, kiedy wojska niemieckie utknęły w wojnie pozycyjnej, tracąc zdolność do śmiałego manewru rozstrzygającego wojnę.

Podobnie Niemcy uczynili z wojskiem polskim po przełamaniu frontu pod Częstochową, w korytarzu pomorskim i nad Narwią we wrześniu 1939 roku. Trudno się wymanewrowanemu wojsku wycofuje w uporządkowaniu... Pojawia się problem morale, logistki i spoistości oddziałów, a także trwałości całego frontu.

Czasami — jak właśnie w czasie pierwszej wojny światowej — manewr ofensywny zostaje zablokowany przez kompetentnego przeciwnika, który skutecznie opracował metodę przeciwdziałania manewrowi napastnika. Tak było nad Sommą i pod Verdun. Tak też było pod Kijowem na przełomie zimy i wiosny 2022 roku oraz w Donbasie wiosną i latem tegoż roku.

Możliwość wykorzystania manewru w wojnie lądowej wynika ze zdolności wojska, na którą to zdolność składają się: dobra strategia wojskowa, właściwa koncepcja operacyjna, wyposażenie, dostępność sił będących w gotowości do użycia, kadra i żołnierze, wyszkolenie i motywacja oraz cały system dowodzenia. Manewr ofensywny, ale też manewr w ramach aktywnej obrony, wymagający zdolności ofensywnych, by wyrównywać „włamania" przeciwnika lub niszczyć jego stanowiska ogniowe i dowodzenia, wymaga zintegrowania wszystkich tych elementów pod jednolitym i kompetentnym dowództwem, które rozumie koncepcję operacyjną, a ostatecznie jest możliwy dzięki wysiłkowi całego systemu odporności państwa, w tym życia cywilnego i politycznego, domeny informacyjnej i oczywiście logistyki.

Dalej wyzwania się piętrzą — a dotyczą także strony strategicznej oraz percepcji obserwatorów zewnętrznych. Na przykład przeciwnicy Izraela uważają, że wygrywają każde starcie z potężną armią izraelską, o ile go w sposób oczywisty nie przegrywają. Dzieje się tak ze względu na asymetrię potencjałów i celów politycznych starcia. Z tego powodu Izrael musi wykonywać manewr ofensywny wojskami lądowymi, aby zademonstrować możliwość przymuszenia przeciwnika do poddania się jego woli i neutralizacji zagrożenia. Inaczej wszyscy obserwatorzy, a nawet sami obywatele Izraela — są gotowi myśleć, że Izrael jest bezbronny i przegrywa.

W wojnach obronnych ten problem nie występuje, chyba że okoliczności obrony zmuszają nas do wystawienia aktywnej obrony, choćby po to, by przeciwdziałać niszczeniu naszego terytorium ostrzałem z dystansu, na przykład gdyby Rosjanie ostrzeliwali nas artylerią i pociskami manewrującymi lub balistycznymi. Współcześnie ze względu na możliwości manewru ogniowego na duże dystanse aktywna obrona staje się podstawowym wymogiem dla państw z aspiracjami takimi jak Polska, które stać na wystawienie realnych sił zbrojnych i które mają realne zdolności do prowadzenia wojny.

Dzięki zastosowaniu manewru ogniowego uzyskuje się wrażenie zdominowania eskalacji i tym samym kontroli nad eskalacją, co przekłada się na przewagę polityczną w trakcie wojny. Jeśli zaś nie można zneutralizować wroga własnym manewrem ogniowym, dronami lub siłami powietrznymi, trzeba to zrobić za pomocą manewru na lądzie — za sprawą ograniczonej operacji lądowej, ofensywnej lub rajdami. Taka strategia wojskowa pociąga za sobą dodatkowe wyzwania w wypadku Polski. Ktoś może na przykład uznać polską aktywną obronę za wojnę ofensywną, co ma znaczenie w odniesieniu do możliwości uruchomienia artykułu 5 traktatu waszyngtońskiego o solidarnej obronie zaatakowanego członka sojuszu, jakim byłaby Polska ostrzeliwana pociskami z terytorium Białorusi.

Tymczasem zdobycie terenu stanowi najczęściej wyraz tego, czy się wygrało, czy przegrało. Ponadto, jeśli przeciwnik będzie działał na odległość i w ten sposób będzie chciał wpływać na architekturę bezpieczeństwa, trzeba mieć możliwość wykonania manewru na jego systemy wojskowe pozwalające mu na wyrządzanie nam krzywdy — czyli ostrzeliwanie naszego terytorium. To jak boksowanie się z kimś o dłuższych rękach, czyli walka z kimś, kogo nie możemy skutecznie dosięgnąć, więc musimy wejść w zwarcie, skrócić dystans i zadać cios kończący. Robi się to za pomocą manewru, nawet jeśli ograniczonego do rajdów oddziałów manewrowych.

Czasem akcje ofensywne, a nawet manewr ciężkimi jednostkami, są niezbędne, ale muszą być dobrze przemyślane i zaplanowane, bo to zupełnie coś innego niż działania obronne, zwłaszcza na współczesnym polu walki, gdzie dzięki dużej ilości sensorów szybko wykrywa się ruch przeciwnika, a do tego istnieją rozmaite sposoby na rażenie skoncentrowanych sił na froncie.

Widać to na polach Ukrainy, gdzie powoli, acz nieubłaganie umiera dwudziestowieczny sposób prowadzenia wojny lądowej, z masywną koncentracją do ataku, kolumnami czołgów i dość płytkim frontem punktów starcia sił przeciwnych oraz zawsze niepełnym rozpoznaniem. W sytuacji braku świadomości sytuacyjnej panuje nasilona mgła wojny, jak pod Stalingradem, Kurskiem w 1943 czy na Synaju w 1973 roku. Oznacza ona, że strony nie mają jasności, gdzie jest przeciwnik, co robi i co zamierza. Wówczas łatwo o zaskoczenie strategiczne i operacyjne, ponieważ udaje się ukrywać koncentrację wojsk wyznaczonych do uderzenia. Stąd w przeszłości zachodziła potrzeba utrzymywania ciągłej linii frontu i styczności z wrogiem, by nie zostać oskrzydlonym przez nagle liczebniejszego i silniejszego na skrzydle przeciwnika.

Jednak przy pełnej lub prawie pełnej świadomości sytuacyjnej obu stron objawia się już nowy sposób, polegający na prowadzeniu wojny bardziej pozycyjnej, w której trudno o zdecydowany manewr ofensywny, chyba że przeciwnik nie będzie miał właściwych informacji co do położenia atakującego. Taką niekompetencją wykazali się Rosjanie na północy Donbasu we wrześniu 2022 roku, gdy ich świadomość sytuacyjna w zasadzie nie istniała. Ukraińska ofensywa byłaby niemożliwa, gdyby Rosjanie królowali w nowoczesnej bitwie zwiadowczej i zdobyli związaną z nią dominację informacyjną, osiągalną dzięki powszechnemu użyciu sensorów, w tym także bardzo tanich dronów cywilnych.

W razie równowagi stron w zakresie świadomości sytuacyjnej manewr masami czołgów na dużą odległość będzie obecnie bardzo drogo kosztował obie strony wojny, bowiem wszechobecne sensory oraz ogień precyzyjny umożliwią uderzenia głęboko w ugrupowanie wroga i na jego zaplecze, zwłaszcza podczas koncentracji do ataku. Będzie dochodziło do mnóstwa pojedynków artyleryjskich i rakietowych oraz rajdów i akcji dywersyjnych przez siłą rzeczy porowate linie frontu.

Oczywiście małe nasycenie frontu wojskiem nadal będzie służyć manewrowi i penetracji linii frontu, ale już bardziej z użyciem błyskawicznie poruszających się jednostek zmotoryzowanych, nawet korzystających z cywilnych pick-upów, samochodów terenowych zużywających mniej paliwa, ale wciąż transportujących oddziały piechoty z pociskami przeciwczołgowymi i systemami przeciwlotniczymi. Takie rozwiązanie pozwalało na przykład Ukraińcom podczas kontrofensywy na północy we wrześniu 2022 nie tylko na sianie zamętu na tyłach wroga, ale także utrzymanie zajętego terenu w razie lokalnych kontrataków rosyjskich. Przy dobrej koordynacji z własnymi czołgami i przy braku panowania przeciwnika w powietrzu można stosować mobilne odwody czołgowe na lokalnych odcinkach, na krótkie dystanse, mniejszymi ugrupowaniami, które nie są wymagające logistycznie i ciężej je wykryć przeciwnikowi.

Strony konfliktu potrafią się szachować, widząc swoje ruchy i zamierzenia, co przeciąga wojnę, zwiększając szkody i straty. Wojna zamienia się w wojnę na wyniszczenie. Bez śmiałego manewru trudno bowiem o jej rozstrzygnięcie. Samo oddziaływanie ogniowe bez manewru co najwyżej niszczy i wyczerpuje przeciwnika, ale wciąż niejasne pozostaje, kto ostatecznie wygrywa, a kto przegrywa. Widać to było w Donbasie przed wrześniową ofensywą ukraińską. Dla odmiany manewr daje jasne wyniki operacyjne: sukces lub klęskę — jak pod Kijowem w marcu 2022 czy pod Iziumem we wrześniu tego samego roku. Przy czym trzeba przyznać, że Rosjanie dobrze wykonali uporządkowany odwrót spod Kijowa, a jesienią 2022 roku z Chersonia, zanim doszło do punktu przełomowego, w którym armia rosyjska zostałaby rozbita wskutek niedostatków logistycznych, jak to stało się z wojskiem niemieckim w grudniu 1941 roku i w kolejnych miesiącach. Wówczas siły niemieckie nie zostały wycofane na czas, nie skrócono niemieckich rozciągniętych linii komunikacyjnych w głąb Związku Sowieckiego, co doprowadziło Wehrmacht do niemal całkowitej klęski już zimą na przełomie 1941 i 1942 roku.

Wytrącenie z równowagi spowodowane manewrem zaskakuje obronę, która może się kaskadowo załamać. Powoduje to nieskoordynowane i niezintegrowane działania operacyjne atakowanego, niemożność efektywnego działania oraz skutecznego dowodzenia, w tym złamanie łańcucha dowodzenia, a także kłótnie między dowódcami oraz podkomendnymi wynikające z braku zaufania. Często kończy się to utratą spójności i integralności jednostek. Spotkało to oddziały 1. Gwardyjskiej Armii Pancernej we wrześniu 2022 na wschód od Charkowa.

Siłą ognia pośredniego można skutecznie asystować przy manewrze, pomagając wojskom prącym do przodu, ale się nią manewru nie zastąpi. Może dlatego Rosjanie chcieli tak szybko zająć Kijów, bo w sztabie generalnym na pewno wszyscy wiedzieli, co znaczy manewr na polu walki. Jedno doskonale wspiera drugie, ponieważ manewr na wojnie wywołuje reakcje broniącego się przeciwnika i w ten sposób ujawnia cele manewru ogniowego, które wcześniej były ukryte, zamaskowane lub nieruchome. Przypomina to podrzucanie ziarna na przetaku: ruch przetaka powoduje ruch ziarna. Dlatego w czasie aktywnej obrony tak ważne są ofensywne zdolności manewrowe, które pozwalają tworzyć dodatkowe cele dla artylerii, rakiet i sił powietrznych: przeciwnik zaczyna się ruszać, przemieszczać i w ten sposób zdradza swoje stanowiska ogniowe, trasy przemarszu itp. Teatr wojny zostaje „poruszony", cele się ujawniają.

Pod względem psychologicznym oddziaływanie ogniowe samodzielnie nie jest w stanie wytrącić przeciwnika z równowagi; obrońcy, ponosząc straty, dalej utrzymują się w wojnie, która staje się wojną na wyczerpanie, wojną mniej „wojskową", a bardziej ekonomiczną i geopolityczną. Widać to było w Donbasie latem 2022 roku oraz podczas wojny irańsko-irackiej, zwłaszcza w jej drugiej części. Nawet systemy dowodzenia poddane oddziaływaniu ogniowemu mają nadzwyczajną możliwość przywracania własnych zdolności — dopiero manewr skutecznie je osłabia i eliminuje. Przykładowo nasz wódz naczelny Edward Rydz-Śmigły uciekł z Warszawy zagrożony manewrem niemieckim z kierunku szosy częstochowskiej. Zajęcie terenu ostatecznie uniemożliwia dostosowanie się broniącego.

Owszem, ogień na odległość ma znaczenie, bo za jego pomocą niszczy się infrastrukturę, pokazuje dominację eskalacyjną i osłabia zdolności operacyjne oraz strategiczną siłę państwa, wpływając przy okazji na percepcję jego słabości. Jeśli jednak nie wykonamy manewru fizycznego, ludzie poddani ostrzałowi artyleryjskiemu mogą prowadzić walkę i kontynuować dowodzenie nawet prymitywnymi metodami i dalej się organizować — są kurierzy, telefony komórkowe, w przeszłości wykorzystywano nawet gołębie pocztowe. Manewr ogniowy może być systemowo użyty do zniszczenia struktury siły i działania przeciwnika. W taki sposób Rosjanie niszczą Ukrainę, ale nie na tyle, by wytrącić ją z równowagi — nawet uderzeniami w system energetyczny kraju — ponieważ ludzkie zdolności do zaadaptowania się do ognia na odległość są większe niż zdolność ognia do wytrącenia przeciwnika z równowagi.

Na froncie między równymi stronami o porównywalnym stanie świadomości tego, co się dzieje, zarysowuje się asymetria przewagi obrony nad atakiem. Rzecz w tym, że liczne sensory, zarówno cywilne, jak i wojskowe (drony, dane przesyłane przez zwykłych ludzi przez internet dostępny dzięki satelitom systemu Starlink okrążającym Ziemię na niskiej orbicie okołoziemskiej, a nawet przez działające wciąż dzięki licznym BTS-om telefony komórkowe, nie mówiąc już o rozpoznaniu kosmicznym przekazywanym przez Amerykanów), powodują, że manewr przeciwnika i ogólnie ruch większą masą niezbędną do przełamania frontu jest szybko rozpoznawany. Zważywszy na to, że na polu walki występuje spore nasycenie przeciwczołgowymi pociskami kierowanymi, takimi jak sławny Javelin czy NLAW, oraz sensorami, które naprowadzają na cele artylerię z dużego zasięgu, czołgi ponoszą ogromne straty i są w coraz większym stopniu używane jako broń wsparcia, nawet do prowadzenia ognia pośredniego.

To powoduje, że gdy obie strony się dobrze widzą, nie ma śmiałych manewrów, oskrzydleń i rajdów, a jeśli już się pojawiają, to są powolne, systematyczne, poprzedzone ogniem artylerii, starannym rozpoznaniem podejścia, z osłoną dronami i masą piechoty rozmieszczonymi przed pododdziałami pancernymi i na ich bokach, zwłaszcza w wykonaniu strony rosyjskiej. To zużywa logistycznie ogromne ilości materiałów wojennych oraz powoduje neutralizację manewru na wojnie. Konflikt staje się dość statyczną wojną na wyniszczenie. Wpływa to też na psychikę wojska, które nie chce być zamknięte pod pancerzem i woli walczyć w mieście jako lekka piechota, z dokładnym rozpoznaniem i dronami. Tak wynika z rozmów prowadzonych przez nas w S&F z żołnierzami walczącymi na froncie donbaskim, którzy mieli wcześniej doświadczenie z obrony Kijowa i z bitew na wschodzie Ukrainy. Zmiany w zakresie kontrolowania terenu dokonują się powoli, ponieważ niezbędne są do tego czołgi, ale trudno je przesuwać i kosztuje to wiele wysiłku wojennego w ramach operacji połączonych. Walki toczą się przede wszystkim w miastach, między miastami pojawiają się tylko siły specjalne, minując lub naprowadzając ogień artylerii (w wypadku Ukraińców siły specjalne poruszają się zazwyczaj samochodami cywilnymi z wielką prędkością).

Gdy obie strony są w stanie nasycić pole walki bronią precyzyjną, powstaje pat przełamywany jedynie skutecznym ogniem artylerii, ale już bardzo rzadko manewrem. Wkrótce może być jeszcze gorzej: pociski precyzyjne mogą być odpalane nawet z cywilnych kontenerów, które mogą się znajdować dosłownie wszędzie.

Manewr jako dominująca forma walki pomiędzy równie kompetentnymi przeciwnikami zostanie przywrócony chyba dopiero wówczas, gdy uda się opracować system broni kierowanej energią (na przykład laser), która będzie miała za zadanie obronę pojazdów przed pociskami precyzyjnymi. Wtedy obrona przed tego typu pociskami znów stanie się skuteczna, co przywróci relatywną swobodę manewru i da mu przewagę, szczególnie jeśli systemy obronne będą sterowane sztuczną inteligencją i z wielkimi prędkościami, tworząc zespoły bojowe ludzi, dronów i robotów.

Wojna pozycyjna na wyniszczenie musi być w jakiś sposób przełamywana manewrem w terenie, w przeciwnym razie nie ma się kontroli nad przebiegiem konfliktu, chyba że mamy wpływ na dźwignie geopolityczne i strategiczne, kształtujące otoczenie konfliktu kinetycznego, takie jak źródła energii i wody, dostęp do waluty, ropy czy gazu, tak jak to częściowo kontroluje wobec Europy Rosja. Na Kremlu do niedawna jeszcze sądzono, że wojna na wyczerpanie, o ile byłaby dobrze prowadzona, mogłaby służyć interesom Rosji.

Dlatego mały Izrael obrał strategię wojskową aktywnej obrony. Pozostaje strategicznie defensywny, ale operacyjnie ofensywny, a nawet agresywny, bo odpowiedzią na zagrożenie jest atak, przesunięcie wojny na teren wroga i dążenie do szybkiego rozstrzygnięcia, tak żeby siła geopolityczna i rozmaite lewary strategiczne wokół konfliktu kinetycznego — ropa, wpływ państw arabskich na światową gospodarkę czy wielkość populacji — nie zaczęły być ważniejsze niż sama nowoczesna siła militarna Izraela.

## AKTYWNA OBRONA
## NA WSCHODNIM PRZEDPOLU

Wszystko wskazuje na to, że Polska będzie się starała wystawiać elementy niezbędne do realizacji strategii wojskowej aktywnej obrony. By była ona skuteczna na lądzie, trzeba mieć także sprawne siły powietrzne, które w strategii aktywnej obrony stanowią podręczną „skrzynkę z narzędziami", niezbędną w razie zagrożenia, ponieważ reagują bardzo szybko i na bardzo duże odległości, dając opcje ofensywne politykom i nie powodując ryzyka walk lądowych, podczas których zawsze dochodzi do strat. Ponadto, gdy będziemy mieli dobrze skrojony system rozpoznawczo-uderzeniowy, tworzący system antydostępowy przeciw manewrowi ofensywnemu, pozwoli nam to wystawić cały system wojskowy, który zabezpieczy nas przed siłowymi naciskami Rosji.

Przy decydowaniu, którą strategię wojskową przyjąć, mniej należy się skupiać na tym, na co nas stać finansowo (to ważne, ale nie najważniejsze) i jakie mamy (nadmierne lub, odwrotnie, zbyt skromne) ambicje, a bardziej na przeanalizowaniu silnych i słabych stron Rosjan i na znalezieniu asymetrii, by owe słabe strony wykorzystać. Trzeba się zastanowić, co zada Rosjanom największy ból i — uwaga — co uniemożliwi osiągnięcie celów rosyjskiej wielkiej strategii i realizowanych przez Rosję operacji wojskowych przeciw Polsce lub naszym sojusznikom i partnerom, o których pisałem w rozdziale trzecim.

Wystarczające może okazać się wykazanie, że Rosjanie nie dominują w procesie aplikowania przemocy, a tym samym nie dominują na drabinie eskalacyjnej konfliktu, i wciąż ich zaskakujemy, a widzi to obserwujący wszystko z otwartymi ustami i zapartym tchem świat. Tak społeczność międzynarodowa patrzyła na porażki najeźdźców pod Kijowem i rozbijane bezlitośnie rosyjskie kolumny pancerne. Udowodnilibyśmy, że Rosjanie nie wpływają na uzgodnioną i korzystną dla nas architekturę bezpieczeństwa, bo ich siłowemu oddziaływaniu potrafimy samodzielnie zapobiec. To jest ostateczny test sprawczości: kto komu co może nakazać, zmuszając go do tego przemocą. Od wyników owego testu zależy taka, a nie inna architektura bezpieczeństwa w regionie.

I choć przed podjęciem stosownej decyzji powinno to być przetestowane na setkach strategicznych gier wojennych z udziałem naszych polityków, oznacza to, że może wcale nie musimy budować armii ofensywnej — wystarczy nowoczesna aktywna obrona z manewrem ogniowym, by Rosjanie nie byli w stanie narzucić nam swojej woli, a zachodniej Europie przekonania, że są tak dominująco silni.

Jak widać, strategia wojskowa musi wynikać z dobrze rozpoznanej strategii rywalizacyjnej. Izrael borykał się na początku lat osiemdziesiątych z pułapką posiadania silnej armii ofensywnej, skąpanej w blasku zwycięstwa w wojnach na Bliskim Wschodzie w latach 1967 i 1973 oraz w związku z wygraniem licznych pomniejszych starć. Armii potężnej, ciężkiej i licznej, która prawie doprowadziła ten mały kraj do bankructwa. Skończyło się reformą i przeformułowaniem, czym ma być armia izraelska z punktu widzenia skuteczności tego instrumentu polityki zagranicznej i bezpieczeństwa państwa. Oznaczało to postawienie na jeszcze większe zdolności ofensywne izraelskich sił powietrznych jako „podręcznej" maszynki do utrzymywania dogodnej dla interesów Izraela równowagi w jego otoczeniu geopolitycznym bez dalszego rozbudowywania znaczenia wojsk lądowych i użycia formacji lądowych na masową skalę, jak podczas wojen w 1967 i 1973 roku.

Gdy już rozstrzygniemy te wszystkie kwestie, musimy przyjąć dla Polski odpowiednią koncepcję operacyjną wraz z odpowiedzią na pytanie, czy chcemy mieć zdolności do akcji wyprzedzającej (żeby nie powiedzieć: prewencyjnej) w ramach aktywnej obrony. Może tu chodzić nawet o uderzenie o kilka minut wyprzedzające uderzenie przeciwnika, po tym, jak nasz system świadomości sytuacyjnej wykryje zagrożenie i zyskamy pewność, że wroga akcja nadchodzi. To się często zdarza na współczesnym polu walki, gdzie tempo operacji jest błyskawiczne, rażenie dokonuje się na wielkie odległości, a brak reakcji może kosztować klęskę lub utratę ważnego obiektu czy celu. W ten sposób zacierają się granice między wojną a pokojem, a także między czystą obroną a czystym atakiem. Coś, co jest strategicznie lub operacyjnie defensywne, może być operacyjnie lub taktycznie bardzo ofensywne.

Trzeba to wytłumaczyć sojusznikom w NATO, którzy nie chcą być wciągnięci w „naszą" wojnę, do tego „rozpoczętą" (tak się może wydawać) przez nasz ruch wyprzedzający. W przeciwnym razie może zostać zakwestionowana możliwość uruchomienia artykułu 5 traktatu waszyngtońskiego, czego byśmy nie chcieli, albo możemy nadwyrężyć relacje ze Stanami Zjednoczonymi, które zawsze chcą same decydować o eskalacji i kontrolować swoich junior sojuszników — a takim właśnie jest Polska, bo tylko tak z zachowaniem kurtuazji można nazwać tę relację. Amerykanie będą stawiać nam poważne przeszkody na drodze do budowy takich zdolności. A jesteśmy dopiero na początku drogi do zrozumienia tej potrzeby, nie mówiąc o tworzeniu systemu i własnych zdolności.

Izrael borykał się z tym zagadnieniem od lat siedemdziesiątych XX wieku, od kiedy tylko Stany Zjednoczone zaczęły na poważnie wspierać Tel Awiw. W tym czasie awantur i kłótni między Waszyngtonem a Tel Awiwem było sporo. Tak się stało po skutecznym nalocie na iracki reaktor atomowy jeszcze w XX wieku, którego to nalotu nie uzgodniono z Amerykanami, a zostały do niego użyte nowe wówczas samoloty F-16. Tak samo było po ataku na syryjskie instalacje domniemanego programu nuklearnego już w XXI wieku. Podobnie się działo z wieloma, naprawdę wieloma akcjami izraelskich sił powietrznych, zresztą nie tylko powietrznych. Izraelczycy dbają, by systemy łączności i dowodzenia, systemy wykrywania i namierzania oraz naprowadzania na cel należały do nich i znajdowały się pod ich pełną kontrolą. Po kilkudziesięciu latach współpracy ze Stanami Zjednoczonymi stało się to normą i oczywistością, o ile Izrael chce realizować własne, a nie amerykańskie interesy w swoim otoczeniu. Elity izraelskie nie muszą już na ten temat debatować, to dogmat.

Izraelczycy próbują omijać przeszkody i blokady amerykańskie, instalując na przykład własne systemy elektroniczne i systemy uzbrojenia, by mieć zagwarantowaną niezależność podczas akcji ofensywnych w ramach własnej strategicznej aktywnej obrony, z którą Amerykanie w danym momencie geopolitycznym nie muszą się zgadzać, a przez kontrolę systemów uzbrojenia i obserwacji mogliby takie akcje blokować. Izraelczycy jednak postawili i nadal konsekwentnie stawiają na swoim: zbudowali własny system świadomości sytuacyjnej, własny system pętli decyzyjnej, własną logistykę, wymieniają nawet „bebechy" samolotów, zostawiając tylko amerykański płatowiec i elementy uzbrojenia. Teraz, gdy Amerykanie odchodzą z Bliskiego Wschodu (a Izrael nie mógł się przecież relokować magicznie ze swoimi interesami w inny region świata), wojsko izraelskie skutecznie podtrzymuje swoją strategię wojskową natychmiastowego eliminowania zagrożeń na wysuniętym przedpolu za pomocą uderzeń lotniczych i bezpilotowców, bez ingerencji Amerykanów, które inaczej byłyby nagminne i obsługiwałyby amerykańskie, a nie izraelskie, interesy. Rozmawialiśmy o tym podczas wspomnianej już wizyty S&F w Izraelu z byłym dowódcą sił powietrznych Izraela i izraelskimi pilotami oraz z Dimą Adamskim, często pracującym dla rządu w Tel Awiwie i konsultującym różne kwestie w Office of Net Assessment w Pentagonie, autorem wielu książek i publikacji o strategii. Urodzony na Ukrainie, błyskotliwy i konkretny, w Izraelu uchodzi za geniusza strategii. Generalnie wszyscy w Izreaelu są mocno wyczuleni na kwestię wojskowej strategii, dobrze rozumiejąc, że od niej zależy los ich państwa.

W wypadku bardzo ambitnej ofensywnej wersji polskiej koncepcji operacyjnej, która rozmachem znacząco wykracza poza aktywną obronę, będziemy potrzebowali znacznie potężniejszych sił powietrznych, zdolnych do penetracji systemów obrony powietrznej wroga i utrzymywania się nad polem walki na terytorium przeciwnika. Będziemy też potrzebować rozbudowanej floty dronów uderzeniowych w skali operacyjnej. Inne elementy również muszą być albo rozbudowane, albo przeformatowane: wojska specjalne szkolone do działania na terytorium przeciwnika w dużo większej liczbie, ofensywny wywiad i nasłuch elektroniczny, polskie wojska kosmiczne (o nich w kolejnych rozdziałach), operowanie dużymi formacjami zarówno w ciężkim, jak i w lżejszym komponencie (na flankach) ze stosowną logistyką, która sama w sobie będzie trudną sprawą. A jeśli jakieś istotne sprawy zostaną w tej kwestii zaniedbane, może się to skończyć porażką na podobieństwo tej, którą poniosły wojska rosyjskie pod Kijowem. Ofensywna projekcja siły to coś znacznie trudniejszego niż aktywna obrona i strefa antydostępowa.

Jeśli zaś poprzestaniemy na strategii obronnej (z elementami działań wyprzedzających — pytanie, jak daleko idących), chcąc zachować spójność NATO i zdolności do pożądanej przez nas reakcji w ramach artykułu 5, wówczas konkretna koncepcja operacyjna może przypominać Armię Nowego Wzoru. Owa strategia ze wszystkich rozważanych jest najbardziej przyjazna NATO i współpracy z Zachodem. Była przygotowywana przy założeniu istniejącej woli politycznej i przy uwzględnieniu potencjału NATO, ocenianego realistycznie, w myśl powiedzenia, że nie liczą się intencje i obietnice, tylko realne zdolności. A także przy realistycznej ocenie tempa podejmowania decyzji przez sojuszników i zarysowujących się różnic interesów w obliczu wojny z Rosją, do której musieliby przystąpić. Według założeń projektu Armii Nowego Wzoru NATO miałoby przyjść nam z pomocą, ale nie od razu, dlatego trzeba do tego czasu kompetentnie prowadzić walkę.

W takim układzie nie wolno nam zatem atakować wcześniej, wyprzedzająco, by nie zaprzepaścić możliwości uruchomienia artykułu 5 z racji tego, że na przykład Niemcy znajdą łatwo wymówkę, by nam nie pomagać. Armia Nowego Wzoru zakłada więc przyjęcie uderzenia, wręcz

nawet zachęcenie wroga do popełnienia błędu, i sprowo-
kowanie Rosjan do próby szybkiego rozstrzygnięcia wojny ryzykownym manewrem operacyjnym (bo nie możemy aktualnie toczyć pojedynku salwowego z rosyjskim
kompleksem rozpoznawczo-uderzeniowym). Tak właśnie
zrobili Ukraińcy pod Kijowem, by odseparować Rosjan od
logistyki dla posuwających się do przodu ciężkich oddziałów i od wsparcia potężnej rosyjskiej artylerii.

Jednocześnie musimy zadbać o wrażenie, że nie prze-
grywamy, że bijemy się kompetentnie, wykorzystując teren w „strefie nękania" i „strefie śmierci". Nie możemy
też wykluczać zabezpieczenia flank z Litwy i z Ukrainy,
by wybić przeciwnika z rytmu i zdyskontować stosunkowo najłatwiej osiągalną przewagę w tempie operacyjnym
i pętli decyzyjnej. Wszystko to pod warunkiem, że zostanie
zaaplikowana spora dawka reformy związana z „czynnikiem ludzkim", czyli uformowaniem oficera i żołnierza
Armii Nowego Wzoru, oraz wytworzy się nowa kultura
organizacji, w której młody dowódca nie będzie się bał podejmować decyzji bez konieczności czekania na mozolnie
dochodzące rozkazy z góry.

Armia Nowego Wzoru została przygotowana właśnie
do tego: by wbrew temu, co mówią nasi krytycy, NATO
podjęło działanie, a jednocześnie byśmy stali się partnerem
(choćby tylko junior partnerem czy junior sojusznikiem)
dla Stanów Zjednoczonych, które oczekują (pomimo tysięcy pustych słów amerykańskich oficjeli, mających pod-
trzymać wiarygodność Waszyngtonu w regionie, a jednocześnie zagwarantować amerykańską sprawczość, zależną

od tego, jak bardzo uważamy amerykańską siłę za wiarygodną), że w domenie lądowej w Eurazji będą teraz działali samodzielnie amerykańscy sojusznicy, inwestujący potężnie w swoje bezpieczeństwo. Stany Zjednoczone mają zapewnić jedynie daleki wywiad, informacje i namierzanie celów, może siły powietrzne — ale nie od razu.

Z taką propozycją pojechaliśmy z zespołem S&F do Stanów w lutym 2022 roku i tak to zostało odczytane. To jest bowiem w naszym przekonaniu jedyna droga do ułożenia sobie relacji z Amerykanami. Tylko wtedy będą nas traktowali poważnie, a nie jak „dzieci we mgle", co osłabia nasze bezpieczeństwo i godzi w nasze interesy, dokładnie odwrotnie, niż uważają rozmaici bajkopisarze i inni opowiadacze legend o stałej wspólnocie interesów i solidarności NATO. Tak jakby polskie stanowisko mogło popsuć NATO. To infantylne! NATO popsuć może przede wszystkim rozziew interesów wynikający z odmiennej stawki ryzyka między sojusznikami na flance i na zachodzie kontynentu — o ile nie zostanie ono wyrównane, bo w godzinie próby objawi się to z całą mocą. I stanie się końcem NATO, w naszych sercach i rozumach, a co najważniejsze — w kalkulacji wroga. Dlatego właśnie naszym obowiązkiem jest przypominanie o tym, że ryzyko należy możliwie najmocniej wyrównać albo zbudować własne zdolności tak, by ową różnicę zminimalizować.

Z oficjalnych dokumentów państwa polskiego nie wynika oczywiście, jaka jest nasza strategia. I wcale nie dlatego, że powinna ona być tajna, a państwo polskie jest tak przewidujące, że wspaniale ją przemyślało i przygotowało, a teraz ukrywa ją przed debatą publiczną, by Rosjanie jej nie znali! Otóż jej po prostu — oficjalnie i nieoficjalnie — nie ma, nie została przedyskutowana. Śmiem twierdzić, że nie ma żadnych strukturalnych i syntetycznych przemyśleń w tym zakresie. Strategia jest zastępowana zakupami sprzętu.

Pocieszam się ostatnio tym, co powtarzał Colin Gray, brytyjsko-amerykański pisarz zajmujący się geopolityką i profesor stosunków międzynarodowych i studiów strategicznych na Uniwersytecie w Reading — że strategia polega na zadawaniu pytań. Więc je zadajemy, publicznie.

Już czas na publiczną debatę z udziałem naszego wojska, ale nie będzie jej bez zmian opisanych w tej książce, w tym rozdziale. Czas także usłyszeć, jaka jest dokładnie polska strategia wojskowa, i mam nadzieję, że wystarczająco wyjaśniłem czytelnikowi, dlaczego społeczeństwo powinno wiedzieć, jaka ona jest, i nie można się tu zasłaniać rzekomą tajemnicą wojskową czy wrażliwością sprawy.

Jedyne, co nam pozostaje, to próbować „odcyfrować" strategię z chaotycznych ruchów MON. A z wypowiedzi decydentów i ze zdolności, które politycy pragną pozyskiwać, kupując sprzęt (czym się chwalą w mediach i na spotkaniach z obywatelami), wynika, że powinno to przypominać Armię Nowego Wzoru powiększoną w wojskach lądowych o element potrzebny do ewentualnego zajęcia obwodu kaliningradzkiego i do ograniczonych rajdów manewrowych na Białoruś, co najmniej do Mińska. Mówi się także o uzyskaniu odporności do wytrzymania pojedynku salwowego z rosyjskim systemem rozpoznawczo–uderzeniowym.

Generalnie z tych wszystkich obietnic, przemówień, deklaracji, wywiadów i całego szumu informacyjnego (ale już nie z dokumentów) może wynikać, że chcemy mieć jednak inną armię niż Ukraina. Wojsko nowoczesne, duże, potężne również w czasie pokoju, dosłownie armię artyleryjską z elementem manewrowym (zarówno ciężkim, jak i lekkim) oraz gotowością do wymiany wszelkich ciosów z Rosją. Że chcemy odstraszać przeciwnika przez oddziaływania ogniowe na całym teatrze wojny, czyli że postawimy ścianę ognia, umożliwiając sobie pod tą osłoną rozstrzyganie starć w obwodzie kaliningradzkim i na Białorusi. Bez wątpienia byłaby to realizacja tak zwanej polityki jagiellońskiej 2.0, o której się mówi w kuluarach systemu politycznego państwa w związku z wojną na Ukrainie.

## SPOSÓB WOJOWANIA

Wojna, do której powinniśmy przygotować nową strategię wojskową, nie musi być wcale krótka. To może stanowić wyzwanie, jeśli chodzi o broń precyzyjną, masowo wykorzystywaną na początku konfliktu na Ukrainie. A co będzie, gdy się skończy? Zwłaszcza gdy Rosjanie będą się uczyć nowego sposobu wojowania, wyciągnąwszy wnioski z pierwszej fazy wojny. Jak już podkreślałem, uczą się tradycyjnie w trakcie walk, mają sporą odporność i zdolność do nauki, dostosowywania się.

Nie bez przyczyny używam określenia: sposób wojowania. Wojna to bowiem sposób, a nie sprzęt, wyposażenie i jego imponujące najczęściej parametry, którymi się zaczytujemy w folderach przygotowanych przez producentów. Dane z folderu nie walczą, wie to każdy doświadczony żołnierz. To dlatego operację kijowską w marcu 2022 prowadzono inaczej niż późniejsze walki w Donbasie (od kwietnia), choć posługiwano się tym samym sprzętem, za to po gruntownej wymianie dowódców. Tak samo było ze wszystkimi armiami uczestniczącymi w drugiej wojnie światowej. Każda uczyła się sposobu wojowania, by mieć szansę na wygraną: wymieniano dowódców, inaczej prowadzono wojnę manewrową, z czasem inaczej używano lotnictwa, inaczej przygotowywano obronę w głąb, zamieniając ją na obronę punktów infrastruktury. Wojska Rzeczypospolitej również inaczej zaczynały, gdy na Polskę spadł potop szwedzki, a innym sposobem walczyły, powiedzmy, w 1656 czy 1657 roku. Sposób jest wszystkim, wojna bowiem to sposób na zwyciężanie, pokonanie przeciwnika.

Dawna Rzeczpospolita stroniła od domeny morskiej, preferując domenę lądową, walkę w otwartym polu, górując nad przeciwnikiem szybkością operacyjnego poruszania się i szybkością pętli decyzyjnej oraz umiejętnie przemieszczając się z niskim obciążeniem logistycznym (a czasem nawet komunikiem — czyli bez taborów) po przeogromnym obszarze dawnego imperium lądowego Rzeczypospolitej i w jej sąsiedztwie. To pozwalało w mniejszym stopniu opierać działania na twierdzach i miastach, jak robili na przykład Szwedzi. Do pewnego momentu wojska Rzeczypospolitej mogły się pochwalić także lepszym wyszkoleniem taktycznym pododdziałów. Wojny inflanckie ze Szwecją i z Rosją są dobrą tego ilustracją.

Wojsko dawnej Rzeczypospolitej, walcząc ze Szwedami, wykorzystywało swoją większą mobilność logistyczną i operacyjną, a nawet taktyczną jazdy polskiej. Dbano także o większą mobilność innych rodzajów wojska względem piechoty i artylerii przeciwnika w ówczesnych działaniach połączonych.

Celowali w tym polscy dowódcy tamtego czasu, uczeni na traktatach hetmana Jana Tarnowskiego i Wegecjusza. Wykorzystywano przede wszystkim większą elastyczność operacyjną staropolskiej metody wojennej, którą dziś można nazwać koncepcją operacyjną, ponieważ było to coś więcej niż tylko szyk bitewny czy taktyka walki zwanej „starym urządzeniem polskim". Koncepcja owa służyła stałemu zachowywaniu inicjatywy operacyjnej i taktycznej, wyprzedzaniu poruszeń przeciwnika, a nawet kształtowaniu jego zachowania oraz wyzyskaniu przewagi tego ukształtowania przez prowadzenie działań połączonych (różnych rodzajów broni) w trakcie samej bitwy i tuż przed nią. W praktyce oznaczało to uzyskiwanie efektu nierównowagi na rzecz wojsk Rzeczypospolitej, zmierzającej szybko w kierunku krytycznej asymetryczności. Tak właśnie było pod Kircholmem, Kłuszynem, w walkach inflanckich, pod Kiesią czy Dorpatem oraz w wielu innych kampaniach wojennych naszego dawnego państwa.

Sytuacja uległa zmianie, gdy Szwedzi zaczęli górować nad nami w otwartym polu (z wielu powodów) już na dobre podczas potopu w latach 1655–1660 i siłą rzeczy Stefan Czarniecki był zmuszony zastosować strategię wojskową wojny szarpanej. Słabnąca Rzeczpospolita musiała w kolejnych latach sięgać coraz częściej do metod tego rodzaju albo różnych ich kombinacji. Widać to po sposobie walki, jaki zastosował hetman Jan Sobieski podczas kampanii podhojeckiej w roku 1667, szarpiąc potężne siły kozacko-tatarskie z wykorzystaniem punktów obronnych i fortyfikacji oraz ogromnego obszaru, który miał do obrony. Musiał improwizować ze względu na szczupłość sił własnych oraz sposób działania przeciwników. Wojna manewrowo-szarpana nabrała nowego znaczenia w polskiej tradycji wojskowej.

Obrona Kijowa w 2022 roku przypominała pod pewnymi względami wspomnianą kampanię jesienną Sobieskiego z roku 1667. „Strefa nękania" w Armii Nowego Wzoru też do pewnego stopnia posiłkowała się staropolską wojskowością, a na kampanię podhojecką naprowadził nas znany autor świetnych powieści o czasach dawnej Rzeczypospolitej Jacek Komuda, który zaprosił mnie do siebie w 2021 roku na Podkarpacie, gdzie własnym sumptem odtworzył tradycyjny dworek szlachecki. Jacek zaraz po tym, jak obejrzał naszą prezentację na YouTubie, zadzwonił do mnie i wypalił: „Wasza Armia Nowego Wzoru przypomina mi jako żywo kampanię jesienną Sobieskiego z 1667 roku. Przyjedź do mnie i do muzeum na Podkarpaciu, to porozmawiamy". Podesłał mi też opracowanie na temat tej mało znanej kampanii wojennej pióra Wiesława Majewskiego, w którym czytamy:

„Króla mocno zresztą schorowanego absorbowały przygotowania do elekcji Kondeusza. Hetman wielki koronny

Stanisław Potocki zmarł 22 lutego 1667 r., w związku z tym naczelne dowództwo znalazło się w rękach hetmana polnego Jana Sobieskiego. Wówczas 38-letni miał duże doświadczenie wojskowe, służył w wojsku od roku 1648, a zatem 19 lat. Pułkownikiem został w 1655 r., a hetmanem polnym w 1666. W latach 1658 i 1663–1664 dowodził samodzielnie większymi grupami prowadzącymi małą wojnę [czyli wojnę szarpaną, asymetryczną — J.B.]. Sposoby i technikę walk Kozaków i Tatarów znał doskonale, stykając się z nimi bądź jako wrogami, bądź jako sojusznikami w kampaniach: zborowskiej, beresteckiej, żwanieckiej, ochmatowskiej, przeciw Rakoczemu, cudnowskiej i zadnieprskiej. Z doświadczenia własnego kawalerzysta, miał sposobność przyjrzenia się sztuce wojennej Szwedów podczas pobytu w obozie wojennym Karola Gustawa od października 1655 do marca 1656 roku. Poznał wojnę szarpaną w walkach z Rakoczym i później ze Szwedami. Uczestniczył w wielu walnych bitwach: pod Zborowem, Beresteczkiem, Ochmatowem, Warszawą i Słobodyszczem. Oglądał zapewne wspaniałą szarżę husarii pod Warszawą przełamującą dwie linie szwedzkie, ale pamiętał też, jak pod ogniem piechoty polskiej załamały się szarże tatarskie pod Beresteczkiem, a polskie pod ogniem Szwedów pod Kłeckiem. Wespół z posiłkowymi Tatarami dobierał się do tyłów szwedzkich pod Warszawą"*.

* Ten i dalsze cytaty pochodzą z artykułu Wiesława Majewskiego, *Podhajce — letnia i jesienna kampania 1667 r.*, który ukazał się w roczniku „Studia i Materiały do Historii Wojskowości", 1960, t. 6, cz. 1.

Na temat hetmana Sobieskiego i stanu wojska Rzeczy-pospolitej Majewski pisze dalej tak:

„Sztukę fortyfikacyjną studiował teoretycznie pod kie-runkiem Stampiona w Holandii, miał wiele sposobności przyjrzenia się jej zastosowaniu w praktyce. Musiał znać z opowiadań obronę Zbaraża, w której uczestniczył jego brat. Oglądał szańce szwedzkie pod Sandomierzem, brał udział w oblężeniu Warszawy i Torunia, był też wtedy, gdy za pomocą fortyfikacji polowych zamknięto i osaczono Szeremietiewa pod Cudnowem; zdobywał w latach 1663–1665 miasta kozackie. Walcząc z powstaniem Chmielnic-kiego i biorąc udział w ogólnonarodowym powstaniu przeciw Szwedom, dowiedział się, jak siły wojska regular-nego może zwiększyć ukryta rezerwa: masy ludowe. Jak nikt inny powołany był do dania syntezy sztuki wojennej Wschodu i Zachodu.

Na działaniach kampanii roku 1667 nieco ujemnie odbił się fakt, że Sobieski znajdował się w chwili objęcia dowództw pod wrażeniem dwóch klęsk: jednej, za którą sam był w części odpowiedzialny — pod Mątwami sprzed niecałego roku, i drugiej — sprzed sześciu miesięcy pod Brahiłowem. Mimo tego nie załamało to jego ducha i trzeź-wości umysłu".

Jak pisze autor, spora część rotmistrzów husarskich i kozackich oraz obersztów służyła w wojsku tylko teo-retycznie, nigdy obozu nie oglądając; druga część, nawet pułkownicy jazdy, nieczęsto zjawiała się w wojsku, biorąc zwykle udział jedynie w większych wyprawach. W prak-tyce chorągwiami dowodzili zwykle porucznicy. W wojsku polskim znajdowało się wielu wybitnych dowódców. Olbrzymia większość oficerów rzeczywistych, nie tytularnych, miała za sobą po kilkanaście, czasem dwadzieścia kilka lat służby (Gabriel Silnicki, stolnik podolski, nawet dwadzieścia siedem lat), i to służby pełnionej podczas nieustających wojen. Wielu pułkowników, rotmistrzów rzeczywistych i poruczników po kilkanaście lat piastowało swoje stanowiska (na przykład Jakub i Andrzej Potoccy, Władysław Wilczkowski, Dymitr Wiśniowiecki, Michał Zbrożek, Aleksander Kryczyński, Aleksander Polanowski, Stanisław Jabłonowski, Krzysztof Łasko, Marcin Bogusz oraz wybitni zagończycy: rotmistrze Piwo, Ruszczyc i Modrzejowski).

Majewski opisał też przeciwników Rzeczypospolitej w jesiennej kampanii roku 1667 — Kozaków i Tatarów: „Sposób ich prowadzenia wojny był następujący: Kozacy lubowali się w działaniach obronnych, opartych na ogniu i artylerii, piechota o strzelczym charakterze stanowiła trzon armii. Jazda nieliczna. Świetne użycie taborów zaporowych i fortyfikacji, mistrzostwo w szybkim sypaniu wałów i zaciekłej obronie, do działań zaczepnych nadawali się mniej. Niski poziom sztuki oblężniczej, mają problemy ze zdobywaniem miast.

Tatarzy natomiast to głównie jazda świetna, szybkie pochody i poruszenia, umiejętność rozczłonkowania armii w pochodzie, mądry podział na czambuły i kosz. Tendencja do okrążania i zaskoczenia manewrem, wykorzystania lasów i terenu do niepostrzeżonego marszu. Świetni w przeskrzydlaniu przeciwnika i pozorowaniu ucieczki".

Dzisiejszy czytelnik może nie zdawać sobie z tego sprawy, oceniając powierzchownie brak ciężkiego uzbrojenia jazdy tatarskiej, ale Tatarzy byli bardzo trudni do pobicia, a jeszcze trudniejsi do ścigania, zaskoczenia czy okrążenia. Nie można było ich rozpoznać, a potem złapać i zetrzeć się w bliskim kontakcie, bo zawsze poruszali się szybciej od wojska przeciwnego. Czasami w walce z nimi ogarniała przeciwnika prawdziwa frustracja, zwłaszcza na dużych obszarach Ukrainy, gdyż nieustannie wroga wyprzedzali i zaskakiwali. Majewski podaje, że zachodnia kawaleria była wobec nich bezradna i chroniła się przed Tatarami pod osłonę ognia piechoty.

Teren działań podczas kampanii jesiennej 1667 roku był zamknięty Bugiem, bagnami poleskimi, Dnieprem, Dzikimi Polami i Dniestrem oraz Karpatami. Na południu dominował step, na północy teren bagienno-leśny. Bieg rzek stanowił obszar otwarty dla nieprzyjaciela, gdzie rzeki płynęły prostopadle do kierunku działań, zostawiając dwa szlaki zbiegające się w okolicach Lwowa: szlak kuczmański, idący doliną Dniestru, i szlak czarny, prowadzący działem wodnym między dopływami Dniestru i Prypeci.

Majewski ocenia, że Sobieski musiał się mocno nagłowić nad sposobem przeprowadzenia nadchodzącej wojny. Pomysł na rozegranie tej kampanii polegał na połączeniu doświadczeń z kampanii zbaraskiej, kiedy Kozacy wykazali niski poziom sztuki oblężniczej, która u Tatarów w ogóle nie istniała. Tatarzy z kolei mieli w zwyczaju rabunkowo rozlewać się po całym kraju. Aby temu zapobiec, Sobieski postanowił utworzyć kilka ugrupowań jazdy, z których każde — czy to z wykorzystaniem twierdz, czy ufortyfikowanego obozu — miałoby dość siły, żeby stawić czoła nawałnicy nawet przez dłuższy czas. Szkieletem obrony stała się sieć kilkudziesięciu większych lub mniejszych twierdz i forteczek strzegących głównie przepraw na licznych rzekach i rzeczkach Wołynia i Podola. Ich załogi stanowili mieszczanie, chłopi, szlachta, trochę wojska. Chroniły je wały ziemne, czasem mury. Mury i fortyfikacje bywały zarówno nowoczesne, jak i jeszcze średniowieczne. W większych twierdzach stało wojsko komputowe (Kamieniec, Brzeżany, Stanisławów, Złoczów, Tarnopol, Trembowla, Budzanów, Brody, Dubno). Z wykorzystaniem twierdz miało działać kilka grup jazdy komputowej, której zasadniczym zadaniem była aktywna osłona większych rejonów i pasów poruszania się przeciwnika.

Sobieski z głównymi siłami stał na szlaku pokuckim pod Kamieńcem w warownym obozie na czele trzech tysięcy ludzi, głównie piechoty. W okolicach Lwowa trzymano odwód Silnickiego, dwa tysiące jazdy i dragonów, komunikiem, czyli bez taborów. Grupa Sobieskiego miała odciągać nieprzyjaciela od otwartego szlaku na Lwów i zwabić go w zamknięty z trzech stron rzekami ciasny kąt między Dniestrem, Smotryczem i Żwańczykiem (Zbruczem), skąd każda próba wyjścia na rabunek czambułów tatarskich oznaczałaby konieczność zdobywania przepraw strzeżonych przez twierdże i forteczki.

Majewski słusznie ocenia, że plan wojny był planem ograniczonym: chodziło nie o zniszczenie nieprzyjaciela, lecz o obronę kraju, opartą na dobrej znajomości wroga i jego słabych stron. Trafny okazał się podział wojska na grupy, które mogły bić czambuły tatarskie, i dobrze dobrano rodzaje broni. Dzisiaj powiedzielibyśmy, że były to działania połączone różnych rodzajów broni. Mieszane wojska okazały się skuteczne; składały się z grup przeznaczonych do obrony rejonów czy pasów, złożonych w większości z lekkiej piechoty, zdolnej gromić lotne czambuły, oraz grupy przeznaczonej do związania głównych sił przeciwnika, z dużą siłą odporną, w tym piechotą i dragonami, ciężką jazdą i husarią.

Przy wyborze Kamieńca jako stanowiska głównej grupy widać było jednak pewne lekceważenie, jak ujął to Majewski, „umysłowości przeciwnika". Zapomniano, że nawet najlepszą pozycję można obejść. Sobieski zapłacił za to spustoszeniem swoich dóbr przez Tatarów. Jedynie dobry wywiad strony polskiej, rozpoznanie (dzisiejszym językiem: system świadomości sytuacyjnej) oraz szybka decyzja (dziś powiedzielibyśmy: pętla decyzyjna) pozwoliły na zamknięcie tej drogi.

Sobieski celowo podzielił swe siły i się przy tym nie zawahał, bo taki był sposób potrzebny na tego konkretnego przeciwnika, w takiej kampanii i w takiej geografii. Przygotował zatem należytą koncepcję operacyjną, która uwzględniała to, czym sam dysponował, to, jak walczyli przeciwnicy i co sobą reprezentowali, oraz wszystkie uwarunkowania nadchodzącej wojny.

Co bardzo charakterystyczne, było to połączenie działań obronnych z zaczepnymi (dziś powiedzielibyśmy:

aktywna obrona manewrowa), wykorzystanie fortyfikacji
i twierdz (dzisiaj: wykorzystanie miast i terenów zurbanizowanych, jak robią to Ukraińcy w 2022 roku), skąd jazda
mogła wychodzić w pole zaczepnie i chować się do nich
w razie niepowodzenia. Słabość liczebna została zrekom-
pensowana zaskoczeniem i wiedzą o przeciwniku dzięki
licznym podjazdom, ponieważ Sobieski nie bał się roz-
dzielania sił na tak ogromnym teatrze (zadbał o przewagę
w świadomości sytuacyjnej, by mógł reagować bardziej
elastycznie i szybciej niż przeciwnik). Nauczono się wówczas dzielić armię na kilka grup operacyjnych.

Sobieski rozwiązał jeden z głównych problemów naszej dawnej sztuki wojennej: jak osłonić całość kraju przed
czambułami, nie rozpraszając swej armii na zbyt małe
grupy, które Tatarzy z łatwością mogliby pobić. Owa asymetria wydawała się nienaprawialna, ale udało się tego
dokonać dzięki elastyczności i ruchliwości polskiej jazdy,
która zachowała wciąż stosowną siłę uderzeniową.

W praktyce Sobieski pomimo kilkudziesięciotysięcznej
armii wroga powstrzymał z pomocą swej głównej, paro-
tysięcznej siły marsz nieprzyjaciela na tyły naszych wojsk,
trafnie zakładając, że gęsta sieć rzek i warowni przy intensywnym „oświeceniu" drogi przez podjazdy (świadomość
sytuacyjna) pozwoli na oparcie obrony na czas o zamek
lub powstrzymanie nieprzyjaciela na przeprawie przez
rzekę. Nie próbował dopędzić wroga i zastąpić mu drogi
w sposób tradycyjny, ale zajął pozycje o kilkadziesiąt kilometrów za nieprzyjacielem i spokojnie się okopał, słusznie
przewidując, że ten sam zaatakuje.

Sobieski znalazł właściwy sposób wojny, a kampania jesienna 1667 roku wniosła wiele nowego do staropolskiej sztuki wojennej. Tak podsumował to niezastąpiony Majewski: „elastyczność umysłu Sobieskiego, mieszanie działań asymetrycznych wojny szarpanej z otwartą walką i wspieranie jednych elementów drugimi: szarże husarii, ogień piechoty i artylerii, wspieranie wojska ochotnikami, starannie dobierane fortyfikacje, to okazany kunszt w obliczu przeważającego wroga, którego plan wojny został pokonany sposobem przyjętym przez Jana Sobieskiego".

Zastanówmy się, czy w 2022 roku generał Walerij Załużny dowodzący wojskami ukraińskimi nie rozegrał bitwy o Kijów podobnie jak Sobieski kampanię jesienną 1667 roku, pokazując tym samym, że wojna jest przede wszystkim sposobem. Inaczej rzecz ujmując: sukces w wojnie polega na pomyśle (i jego wykonaniu), jak użyć różnego rodzaju zasobów, które mamy do dyspozycji, tak, by zniweczyć plany i realizowaną zgodnie z nimi taktykę przeciwnika. Dlatego przy tworzeniu strategii wojskowej kluczowe jest dokładne zidentyfikowanie i zdefiniowanie, gdzie są lub pojawiają się asymetrie — czy jesteśmy lepsi w powietrzu (tak postępują Amerykanie i Izraelczycy), czy na morzu (jak przez wiele wieków robili Brytyjczycy), a może na lądzie (jak tradycyjnie działali Niemcy, Rosjanie i Polacy) — w lesie, na otwartym polu albo na pustyni. Czy mamy przewagę liczebną, czy nie, czy mamy lepszy niż przeciwnik system rezerw lub może właśnie nie i musimy być oszczędni w szafowaniu ludźmi. Przed takim problemem stoją teraz Rosjanie, do czego nie są przyzwyczajeni, gdyż od Piotra

Wielkiego przywykli do tego, że mają przeważającą nad przeciwnikiem liczbę wojska. A może grać na czas, oddając terytorium i wciągając przeciwnika coraz głębiej, tworząc korzystną dla nas asymetrię logistyki, pod warunkiem podtrzymania naszej determinacji (jak robili tradycyjnie Rosjanie/Sowieci wobec przewyższającego ich jakością przeciwnika podczas wojen w roku 1812 i w latach 1941–1945). Ważne są zewnętrzne i przemijające czynniki, na przykład pogoda: zima w Rosji lub pora deszczowa w Wietnamie, które sprawiły, że logistyka Wehrmachtu i US Army stały się koszmarem. Właściwie Amerykanie mieli szczęście, że zdążyli wprowadzić do wojska na dużą skalę śmigłowce, które „trzymały" tę wojnę, bowiem lekka piechota Wietkongu miała przewagę nad Amerykanami na swoim terenie, w górzystej dżungli, na dodatek w porze deszczowej. Bez logistyki zapewnianej przez śmigłowce wojna w Indochinach mogłaby się skończyć jeszcze szybciej.

Miękka ziemia i opady między zimą a wiosną na Kijowszczyźnie zmusiły ciężkich Rosjan do poruszania się drogami, przez co ich ruchy były przewidywalne, a kolumny pojazdów mogły zostać łatwo zniszczone przez lekką piechotę. Czołgi nie mogły w starciach zjeżdżać na pola, czyli oskrzydlać i zbliżać się do przeciwnika, bo zakopywały się gąsienicami, co zneutralizowało naturalne przewagi tego sprzętu: dobry manewr taktyczny dzięki gąsienicom, tempo poruszania się w kontakcie bojowym i częstotliwość oddawania ognia wzdłuż różnych osi zmieniających się wskutek ruchu czołgu. Rozmokła ziemia zniwelowała ową asymetrię, a dodatkowo dzięki przewidywalności zachowania kolumn wojsk rosyjskich, zablokowanych na drogach kanalizujących ruch kolumn rosyjskich w jedną lub w drugą stronę, pozwoliła na uzyskanie przewagi, tworząc asymetrię na rzecz ukraińskiej lekkiej piechoty. Rosyjskie pojazdy kołowe grzęzły w błocie i rozmokłej ziemi Ukrainy jeszcze bardziej niż gąsienicowe. Historia zna już podobny przypadek, kiedy to jesienią 1941 roku zaskakująca dla Niemców zimowa pogoda i później wczesna wiosna w podobny sposób uratowały tym razem Sowietów, dodatkowo wzmacniając zarysowaną wcześniej asymetrię. Rosjanie pod naciskiem wyraźnych dyspozycji Stalina gotowi byli spowolnić tempo posuwania się Niemców od wczesnej jesieni, żołnierze niemieccy nie byli jednak w stanie ponosić ofiar wymaganych takim postępowaniem wojsk sowieckich. Do tego doszło rozciągnięcie logistyczne, zła pogoda, a ostatecznie nadejście surowej zimy.

Już wcześniej wspominałem, że obecnie w wojnie najważniejsza jest pętla decyzyjna i wynikające z niej tempo operacyjne: wykrycie, rozpoznanie, orientacja, rozkaz, uderzenie — sekwencja zdarzeń w pętli, w której jednostki, takie jak czołg czy oddział lekkiej piechoty, stanowią tylko element, efektor. Błyskawiczne tempo operacji, precyzja i konieczność dobrej orientacji w tym, co się dzieje, a nade wszystko wysokie morale żołnierza na takiej wojnie są niezbędne do tego, by zwyciężyć.

Swoją drogą, efekt działania broni precyzyjnej na organizację oddziałów jest podobny do efektu użycia broni jądrowej — powoduje rozproszenie zamiast zasady koncentracji do starcia, która obowiązywała co najmniej od czasów napoleońskich. Przewidział to marszałek ZSRS, wizjoner strategii wojskowej Nikołaj Ogarkow jeszcze w czasach zimnej wojny. Na takim polu walki, nasyconym bronią precyzyjną, czołg staje się bardzo ryzykownym elementem: żeby przetransportować armatę 120 mm lub 125 mm na odcinku kilkudziesięciu kilometrów, tak by mogła strzelić kilkadziesiąt razy, potrzeba mnóstwa wysiłku, śrubek, części zamiennych i paliwa oraz technicznego zaplecza, co pożera zasoby logistyki, nie wspominając o wykonaniu, ilości materiału na pancerz itd.

Nie oznacza to jednak, że czołg umarł jako środek bojowy czy efektor. Świadczy tylko o tym, że jego sposób użycia się zmienił, po to by mógł przetrwać i pozostać wydajnym środkiem bojowym. Wciąż jest na przykład potrzebny, by zająć teren i go utrzymać. Przy czym musi się chować w umocnieniach i zabudowaniach — zarówno stojąc, jak i poruszając się, musi być obudowany sensorami na ziemi i w powietrzu (drony i piechota), wykrywającymi zagrożenie ze stosownym wyprzedzeniem.

Wracając do naszych polskich dylematów dotyczących przygotowań do wojny... Pojawiają się w debacie publicznej stwierdzenia, że nie możemy stracić żadnego miasta, ani kawałka kluczowego terytorium. Że taka jest natura tej konkretnej konfrontacji geopolitycznej, jak było zresztą z naszą obroną wrześniową w 1939 roku. Warto o tym podyskutować, choć bardzo trudno mi zaakceptować pojawiający się tutaj demagogiczny argument, że żaden polski obywatel nie może zginąć i dlatego mamy bronić się na granicy. Na wojnie ludzie giną, takie są fakty, więc nasza strategia wojskowa musi uwzględniać elementarne realia, a nie grać na emocjach — jak w wypadku często przywoływanego przez polityków argumentu, że „nie dopuścimy do drugiej Buczy".

W 1939 roku próbowaliśmy bronić linii granicznej kordonowo ze względu na naturę niemieckich żądań i obawy o solidarność sojuszniczą w obliczu potencjalnej szybkiej utraty dużych miast granicznych: Katowic, Poznania, Łodzi, Częstochowy. Obrona kordonowa zawiodła nas jednak również podczas lipcowej ofensywy Tuchaczewskiego w 1920 roku, kiedy przywiodła naszych wrogów aż pod Warszawę i doprowadziła niemal do upadku odrodzonego państwa. Na polskim teatrze wojny lepiej działa obrona manewrowa, urzutowana w głąb terytorium, dzięki geografii umożliwiająca tworzenie asymetrii niekorzystnych dla przeciwnika, wynikających z jego manewrów, zwłaszcza na rozciągniętych liniach logistycznych — jak było w sierpniu 1920 roku.

Dlatego zawsze ważne jest to, jaki mamy stosunek do kluczowej kwestii: czasu strategicznego. Przykładowo w wojnie wrześniowej 1939 roku nie broniliśmy miast — inaczej niż Ukraińcy w 2022. Ci kurczowo trzymali się swoich terenów zurbanizowanych i rozległych miasteczek satelickich Kijowa, Czernihowa i Charkowa, prowadząc obronę nawet w okrążeniu, wykorzystując słabość Rosji, czyli brak piechoty niezbędnej do zdobywania i zabezpieczania miast, i wiążąc w ten sposób znaczne siły rosyjskie. Dodatkowo powszechnie obecne dzisiaj przeciwpancerne pociski kierowane w skali taktycznej dają piechocie szansę przetrwania konfrontacji z czołgiem, o ile piechota jest osłonięta i wykorzystuje teren (najlepiej zurbanizowany lub poszatkowany). Do tego dochodzą drony jako sensory, ale też jako amunicja krążąca na zasadzie kamikaze, co czyni lekką piechotę efektorem o naturalnie bardzo niskiej sygnaturze emisyjnej (ciężej ją wykryć), a zatem jest bardzo trudnym przeciwnikiem, jeśli tylko teren na to pozwala.

Na przykład między Donbasem a linią Dniepru dobrego terenu dla lekkiej piechoty jest mniej i trudniej przygotować miejsca, na których mogłaby się ona oprzeć i stoczyć walkę z czołgami na dogodnych dla siebie dystansach i z wykorzystaniem rzeźby terenu. Akurat we wschodniej Polsce teren dla lekkiej piechoty jest znakomity, choć zróżnicowany: zurbanizowany, wiejski, wiejski rozproszony, leśny, leśno-polny itp. – na pewno mamy tutaj dużo wszelkiego rodzaju zabudowań i naniesień. Znów decyduje tu sposób użycia piechoty jako efektora bojowego – jak zawsze w zależności od terenu i wyposażenia oraz postępowania i zamiaru przeciwnika, który chcemy zniweczyć.

Dokonuje się rewolucja cenowa w zakresie broni precyzyjnej, przede wszystkim tej używanej przez zwykłego żołnierza, o niewielkim taktycznym zasięgu. Elektronika i głowice bojowe nie są już tak drogie, cena pocisku rośnie głównie ze względu na jego napęd i zasięg. To powoduje, że w skali taktycznej broń precyzyjna i drony będą coraz bardziej powszechnie, żeby nie powiedzieć: masowo, używane. To zmienia strukturę pola walki taktycznej. Można się spodziewać, że proliferacja technologii oraz jej potanienie spowodują poszerzenie bezpośredniego pola starcia taktycznego na niewyobrażalne dzisiaj 10–30 kilometrów, bo na tyle będzie mógł oddziaływać piechur z pociskiem kierowanym lub amunicją krążącą. Oczywiście jeśli będzie miał łączność z sensorem — czy to ukrytym żołnierzem wojsk specjalnych, który naprowadzi pocisk na cel, oświetli go albo poda koordynaty GPS, czy z dronem, który będzie przesyłał informacje do żołnierza. Rewolucja przyspieszy, gdy na pole walki zostaną wprowadzone sztuczna inteligencja i algorytmy, wspomagające proces decyzyjny żołnierzy i ich dowódców.

Bob Work, były zastępca sekretarza obrony Stanów Zjednoczonych, promotor sławnej trzeciej strategii offsetowej wprowadzanej swego czasu w Pentagonie — zwiastuna nadchodzącej wojny w Eurazji, o której sporo pisałem w swoich poprzednich książkach — tłumaczył mi i kilkunastu innym osobom w rozmowie zorganizowanej przez Luisa Simona, wybitnego europejskiego stratega, w czerwcu 2022 roku, że widać gołym okiem, jak decydujące jest współcześnie tempo operacyjne, czyli poruszanie się w pętli decyzyjnej. Według Worka to właśnie algorytmy i sztuczna inteligencja wspomagające ludzi będą skokowo zwiększały tempo operacji i jakość decyzji. Korporacja RAND — tak twierdził Bob Work — zastosowała niedawno w symulacji wojny „Storm", czyli sztuczną inteligencję wspomagającą proces decyzyjny graczy, którzy uczestniczyli w grze pierwszy raz, a przeciw sobie mieli starych wyjadaczy, znających system na wylot. Sztuczna inteligencja pozwoliła żółtodziobom zagrać tak dobrze, że co rusz remisowali z doświadczonymi weteranami.

Decyzje w wojnach opierały się zawsze na poszukiwaniu sposobu na osłabienie i pokonanie przeciwnika poprzez właśnie takie, a nie inne zachowanie. Tak było w dawnych czasach i tak jest obecnie. Wydaje się to banalnie oczywiste, ale mówienie wciąż o sprzęcie i technologii wojskowej zaburza nam tę oczywistą konstatację. Podam przykład: z punktu widzenia atakującego mijanie miast, jak zrobili to w 2003 w Iraku Amerykanie, szybciej może prowadzić do złamania środka ciężkości obrony w stolicy atakowanego kraju. Dzieje się tak wskutek eliminacji jego kierownictwa politycznego. Przy czym, gdy stolica nie jest zaraz przy granicy, potrzebna jest bardzo silna logistyka zapewniana oddziałom czołowym, prącym naprzód bez spokojnego i metodycznego zabezpieczenia kolejnych mijanych węzłów logistycznych (właściwie węzły logistyczne zawsze występują w miastach, bo taka jest natura skomunikowania człowieka). Takiej silnej logistyki wyraźnie zabrakło Rosjanom w 2022 roku pod Kijowem i na to znaleźli sposób Ukraińcy. Rosjanie bowiem chcieli przeprowadzić równie ambitną operację co Amerykanie w 2003 roku w stylu *shock and awe*, używając retoryki Donalda Rumsfelda. Ich celem było doprowadzenie do paraliżu państwa ukraińskiego, jednak bez niepotrzebnego antagonizowania ludności ani nawet nadmiernego niszczenia ukraińskiego sprzętu czy infrastruktury, które mogły się za chwilę przydać powiększonemu i wzmocnionemu moskiewskiemu imperium do dalszej rozgrywki z Zachodem, NATO, państwami bałtyckimi czy Polską.

Do takich założeń strategicznych przygotowano sposób działania. Okazały się błędne. Operacja się nie udała i poczynione przez Rosjan założenia, słaba jakość wykonania i dobry sposób przeciwdziałania ze strony Ukraińców spowodowały niepowodzenie armii silniejszej materiałowo i sprzętowo — silniejszej przynajmniej na papierze.

Z takich powodów krótkie wojny zamieniają się w długie, często na wyniszczenie, gdy żadna ze stron nie może osiągnąć znacznej przewagi wynikającej z zarysowania się asymetrii i skutecznego jej wykorzystania. Pierwsza wojna światowa na zachodzie jest doskonałą ilustracją tej zasady. Miała potrwać do końca lata 1914 roku. Podobnie było z planem „Barbarossa" w 1941 i z wojną na Ukrainie w 2022 roku. Często zawodzi teoria wojny, czyli to, jaki jest jej cel, co mamy osiągnąć poza ogólnym stwierdzeniem, że trzeba pokonać przeciwnika, by uznać, że cel został zrealizowany. Rosjanie akurat są w tym zazwyczaj sprawni, bo rozumieją, że wojna musi mieć jakiś cel polityczny. Za to Amerykanie mają z tym problemy: cel musi być jasny, ale dla nich, przychodzących z daleka, przez oceany do Eurazji, często nie jest. Stąd niemrawe prowadzenie wojen w Wietnamie, w Afganistanie i Iraku, gdzie albo nie było sprecyzowanego celu, albo był on nieosiągalny.

Wynikająca ze strategii wojskowej koncepcja operacyjna jest oczywiście oparta także na wykorzystaniu istniejących albo wytworzeniu pożądanych asymetrii na poziomie operacyjno-taktycznym. Artyleria precyzyjna i drony a poruszanie się w masie; rosyjskie batalionowe grupy bojowe a rozproszona obrona atakująca wyciągnięte rosyjskie linie logistyczne; masa a rozproszenie i precyzja ognia; sprawność logistyki i głębokość manewru a mankamenty logistyki; morale wojska a jego brak; teren a manewr operacyjny; topografia terenu a wyposażenie w starciach taktycznych. Nieustannie kiełkujących asymetrii powstaje całe mnóstwo w trakcie wojny, zarówno w wymiarze materialnym, jak i motywacyjnym czy mentalnym.

Procesowi wdrożenia nowej strategii wojskowej i koncepcji operacyjnej powinny towarzyszyć zmiany kulturowe i cywilizacyjne w funkcjonowaniu wojska, niezbędne dla każdej nowej strategii lub koncepcji operacyjnej. Z bardzo oczywistego powodu: wszystko w życiu płynie, ciągle się rozwijamy jako ludzie, ewoluuje nasz sposób życia i funkcjonowania w życiu cywilnym. Sposób pracy, styl życia, spędzania wolnego czasu, nawet dieta i metody przemieszczania się i komunikowania z innymi nieustannie się zmieniają, co prowadzi do zmian kulturowych, a nawet cywilizacyjnych. Wystarczy porównać, jak Polacy w dużych miastach pracują albo spędzają wolny czas dziś, a jak to robili w latach osiemdziesiątych lub dziewięćdziesiątych XX wieku, nie mówiąc już o diecie albo surfowaniu w sieci. Nawet język ojczysty ewoluuje. A pole walki zmienia się w nie mniejszym rytmie i tempie.

Organizacja i technika wojskowa również podlegają ciągłym modyfikacjom, wymuszając zmiany kulturowe co do zorganizowania skutecznej siły wojskowej, która by za naturalnymi zmianami nadążała. Po to, by była skuteczna.

I właśnie dynamicznie kształtujące się asymetrie zawsze brutalnie uwypuklają owe braki nadążania czy rozwoju, co widać było w naszej przegranej wojnie we wrześniu 1939 roku. Przewaga niemiecka w kompetentnym poruszaniu się w pętli decyzyjnej, przewaga niemieckiej wiedzy i informacji, gdzie jest wojsko polskie, połączona z lepszymi kwalifikacjami niemieckiej kadry wojskowej, zwłaszcza na szczeblu taktycznym, oraz nowa organizacja siły zbrojnej (w tym techniki wojskowej), umożliwiającej blitzkrieg, rozstrzygnęły wrześniowe starcie. W większym stopniu niż same „suche" liczby z tabelki, którymi katowane są polskie dzieci w szkołach na lekcjach historii.

Zatem reformując wojsko, należy dokonać niezbędnych zmian organizacyjnych siły wojskowej, a dopiero potem, na samym końcu, planować zakupy sprzętu. I nie powinno się ich realizować „randomowo": tu czołgi, tam fregaty, i to głównie tak zwane efektory, czyli sprzęt do walki kinetycznej (dobrze wygląda na defiladach, przy chwaleniu się zakupem na Twitterze, jakby społeczeństwo miało poczuć się lepiej, słysząc, że „za dwa lata będziemy mieli F-35" albo że kupujemy trzy rodzaje czołgów, każdy po kilkaset sztuk z odmienną logistyką), lecz tak, by udało się stworzyć realne zdolności wpięte w cały system obronności i wojska.

Wojsko w XXI wieku jest bowiem systemem. Zawsze było. Legiony rzymskie i dobór rzymskiego rekruta, jego szkolenie, poruszanie się, szyk i ćwiczenia, obozy, rzymska logistyka, wyposażenie i oręż — wszystko to stanowiło system, o czym pięknie pisze Wegecjusz w swoim dziele o wojsku rzymskim zatytułowanym *O sztuce wojskowej* (*Epitoma rei militaris*). Zwłaszcza współcześnie jest to wyjątkowo ważne ze względu na szybkość działania, szybkość rażenia i szybkość poruszania się oraz zasięg oddziaływania. Wojsko musi działać jako system. Zakupy efektorów, takich jak czołgi czy samoloty, są efektowne PR-owo, ale nie tworzą systemu. Za to wiele innych zakupów, choć mniej efektownych, tworzy system — jak zakup systemu radiolokacji czy łączności dla wojska lub stworzenie systemu szkolenia pilotów, by przypadało ich dużo więcej niż dwóch na jeden samolot i by nie odchodzili przedwcześnie z wojska. Te zdolności zdecydowanie słabo wyglądają na defiladach, a ministrowi trudno się nimi pochwalić przed wyborcami. Zakupy sprzętu dopiero wraz ze zmianami kulturowymi i organizacyjnymi tworzą system oparty na zdolnościach i dopiero taki system wpływa na realną zmianę na polu walki.

**DYNAMICZNE ASYMETRIE**

Wojna w swoim bezwzględnym dążeniu do pokonania wroga (bo przecież nie koncyliacyjnego współistnienia) ma na celu uzyskanie krytycznej nierównowagi wskutek pogłębiającej się asymetrii. Logistyka kontra jej brak lub niedobory; masa i koncentracja kontra rozproszenie; przewaga liczebna kontra szczuplejsze siły; rozpoznanie kontra brak świadomości sytuacyjnej; bronie precyzyjne dalekiego zasięgu i lotnictwo kontra odporność infrastruktury; posiadanie broni nuklearnej kontra jej brak.

Pojawiające się na wojnie asymetrie generują szanse nawet stronie liczebnie lub materialnie słabszej, które mądry dowódca w odpowiednim czasie lub przy nadarzającej się sposobności wykorzystuje. W trakcie wojny w Wietnamie naturalne asymetrie między Wietkongiem a wojskiem amerykańskim powodowały, że punktem ciężkości działań wojennych Wietkongu było w istocie całe społeczeństwo amerykańskie. Polegało to na „aplikowaniu" wojny za pomocą propagandy i przekazu medialnego wymierzonego w Wietnam Południowy, co miało udowodnić bezsensowność dalszego prowadzenia działań przez Stany Zjednoczone.

Ofensywa Tet stanowi tu doskonały przykład, bo choć Amerykanie pokonali siły Wietkongu, to przegrali w sercach własnego narodu za oceanem, więc ich wojskowa przegrana stała się kwestią czasu, mimo że w starciu kinetycznym nie było tego widać, bo działo się wręcz przeciwnie. Wynikało to z różnicy determinacji zaangażowanych stron i stawki w tej wojnie. Wietnamczycy z północy i Wietkong, prowadząc wojnę szarpaną i partyzancką, mądrze stosowali asymetrię wobec Amerykanów, po tym jak doskonale zidentyfikowali słabą stronę Stanów Zjednoczonych. Było nią właśnie wątpliwe poparcie społeczne dla wojny (niejasna i odległa geograficznie stawka), spotęgowane obawą o straty wśród amerykańskiego rekruta (w Stanach obowiązywał wówczas pobór) w dalekich Indochinach — bez wyraźnych efektów na polu walki i namacalnych rezultatów politycznych. Trudno było utrzymać determinację, a zatem poparcie polityczne społeczeństwa dla tej wojny. I to wszystko pomimo gigantycznej przewagi w potencjale wojskowym na rzecz oczywiście Amerykanów.

Celem wojennym Rosji na Ukrainie w 2022 roku było początkowo zniszczenie prozachodniego systemu politycznego. Kremlowi wydawało się, że dotyczy to w istocie wąskiego kręgu ludzi władzy wykonawczej skupionej wokół prezydenta Zełenskiego, którego pozbycie się — jak uważano w Moskwie — miało rozstrzygnąć wojnę szybko i łatwo. Nie udało się wyeliminować ośrodka władzy, a naród ukraiński poparł wojnę z Rosją, co było zaskoczeniem dla rosyjskich służb; widać to było po wadliwym sposobie, w jaki Rosjanie chcieli rozegrać tę w zamyśle „szybką i możliwie mało krwawą" wojnę.

Jak podeszliby natomiast do pokonania Polski? Co byłoby sposobem na pokonanie nas? Co stanowiłoby nasz punkt ciężkości w opinii Rosjan? To dobre pytania, na które musimy sobie odpowiedzieć w Polsce, bo w to uderzą Rosjanie i do tego się będą teraz szykować. Pod to właśnie musimy przygotować wojsko i system odporności państwa. Czy celem będzie nasz system dowodzenia i doprowadzenie do szybkiego rozpadu siły zbrojnej, by pokazać w ten sposób, jak jesteśmy niekompetentni? Czy może zajęcie tak zwanego trójkąta strategicznego na wschód od Wisły i prowadzenie stamtąd ciężkiego ostrzału artyleryjskiego Warszawy, by terrorem ognia wymusić rozwiązania polityczne korzystne dla Rosji? A może poprzestaliby na wykorzystaniu kompleksu rozpoznawczo-uderzeniowego bez wchodzenia w ryzykowną bitwę manewrową na terenie Polski, by jedynie zastraszyć nasz system polityczny i społeczeństwo i zmusić Polskę do ustępstw, czyli pozbawić ją sprawczości i podmiotowości, co może się okazać zupełnie wystarczające dla rosyjskiej wielkiej strategii? A może powinniśmy przygotowywać się do udziału w wojnie na pomoście bałtycko-czarnomorskim na wschód i północny wschód od naszych granic, w dawnych Inflantach, nad Dźwiną, Niemnem, Berezyną, w bramie smoleńskiej albo nad Dnieprem i Dońcem, by wspomagać naszych sojuszników w nowej wojnie z Rosją?

Musimy się dobrze zastanowić, która z tych opcji jest najbardziej prawdopodobna, i przygotować się na takie decyzje i zachowania, które pozwolą „złamać" plan rosyjski. Będziemy bowiem wystawiać nasze zdolności wojskowe w zależności od spodziewanej konfrontacji i ewentualnie kombinacji scenariuszy bądź ich postępującej sekwencji i eskalacji. Spróbujemy zastanowić się nad tym w kolejnych rozdziałach.

Na przykład w razie ostrzeliwania nas jedynie z terytorium Białorusi i Kaliningradu będziemy musieli mieć własne zdolności rażenia na terytorium białoruskie i obwodu kaliningradzkiego, a zatem powinniśmy dysponować systemem rozpoznania dalekiego oraz zdolnościami rażenia (artyleria i pociski manewrujące oraz lotnictwo), które mogą niszczyć systemy rakietowo-artyleryjskie Rosji. To inne zdolności niż te potrzebne do wojny manewrowej w obronie Warszawy. Pytanie, czy mamy możliwości finansowe oraz organizacyjno-ludzkie, aby przeprowadzić obie, tak różne od siebie kampanie. Do tego być może będziemy musieli umieć uderzać wojskami lądowymi na terytorium Białorusi i Kaliningradu, by eliminować zagrożenia, jak robi to Turcja w Syrii albo Izrael w Libanie. To już trzeci rodzaj kampanii, który wymaga jeszcze innej koncepcji operacyjnej i innej teorii zwycięstwa, czyli dokładnego planu politycznego określającego, co chcemy daną wojną osiągnąć.

Wojna Hezbollahu z Izraelem w 2006 roku dobrze pokazuje, jak poważne problemy mogą się pojawiać z ustaleniem realnej teorii zwycięstwa. W 2006 roku Izrael przez całą wojnę, aż do dnia zawarcia rozejmu, nie mógł przeszkodzić bombardowaniu swojego terytorium rakietami z południowego Libanu i był doprawdy bezradny pomimo posiadania potężnych sił powietrznych i rozbudowanych wojsk lądowych. Wojska lądowe ponosiły poważne straty, stosując stary sposób działania, poruszając się masą w kolumnach w trudnym terenie południowego Libanu, zdatnym do przygotowania pułapek ogniowych dla lekkiej piechoty Hezbollahu, wyposażonej w kierowane pociski przeciwpancerne, miny i ładunki wybuchowe. Siły powietrzne Izraela nie były w stanie skrócić obiegu pętli decyzyjnej, by w szybkim tempie likwidować wykryte wyrzutnie i żołnierzy przeciwnika. Skończyło się to dojmującym przekonaniem obywateli Izraela (i o to chodziło Hezbollahowi), że wróg może bombardować izraelskie miasta, a wojsko Izraela nie może temu zapobiec.

Odpowiedni sposób prowadzenia wojny oraz mądra teoria zwycięstwa, czyli ustalenie konkretnego celu wojny, czyli: jaki stan należy osiągnąć wskutek konfrontacji przy jednoczesnej demonstracji własnej kontroli nad eskalacją i dynamiką wymiany kinetycznej, są najważniejsze. To one przeważyły nawet w obliczu zastosowania przez Izrael

metody masowego niszczenia bombami i ogniem artyleryjskim wsi i całych miasteczek w południowym Libanie, by
pozbawić bojowników Hezbollahu sanktuariów, w których
mogą się schronić, odpocząć, pobrać broń, uzupełnić straty. Ostatecznie Izrael musiał użyć nawały ogniowej w stylu
znanym z Donbasu z 2022 roku (choć o mniejszej intensywności), by wyeskalować kryzys humanitarny i skalę
zniszczeń. Musiał to zrobić, bo nie umiał inaczej zatrzymać ostrzału rakietowego własnego terytorium.

Dzięki temu doprowadził do sytuacji, w której to „społeczność międzynarodowa" wynegocjowała rozejm z Hez-
bollahem ze względów humanitarnych. Jak widać, wojna
jest tylko siłowym negocjowaniem układów politycznych,
jakkolwiek brzmi to cynicznie i okrutnie; i podczas wojny
człowiek ima się różnych sposobów, by nie przegrać. Po-
wtórzę kolejny raz: wojna to sposób.

Co warte podkreślenia — i jest w tym pewien para-
doks — to, co początkowo wydaje się przewagą, przy dobrze przemyślanym sposobie przeciwdziałania przeciwnika może się okazać nie lada kłopotem. Przykładem są
czołgi i paliwo, które te maszyny spalają w szalonych
ilościach. Zwłaszcza w walce lub w stanie zagrożenia, gdy
czołgiści starają się mieć włączone silniki, żeby utrzymać
stałą gotowość do operowania systemami bojowymi czołgu. Skutkuje to przekroczeniem planowego zużycia paliwa
i generuje zatory logistyczne. Coraz bardziej ociężały ogon
logistyczny staje się wtedy bardzo łatwym celem do atakowania nawet przez dużo słabiej uzbrojonego przeciwnika.

Pod Kijowem w lutym i marcu 2022 roku okazało się, że rosyjska masa ciężkiego sprzętu, źle użyta na dużych dystansach, bez zabezpieczenia logistyki, stanowi problem, bo pomimo teoretycznie wielkiej siły uderzeniowej potrzebuje mnóstwa paliwa i niezakłóconych linii komunikacyjnych z frontu na zaplecze. Do tego czołgiści i żołnierze muszą wierzyć, że dostawy są niezakłócone (potrzebują przecież paliwa, by przeżyć na polu walki, szczególnie w obliczu ognia przeciwnika: uciec spod ognia, poruszyć wieżą, zamknąć włazy), inaczej zaczynają „oszczędzać", uniemożliwiając zaplanowane operacje, co skutkuje niekontrolowanym rozmyciem się planów i oczywiście wejściem na prostą drogę do klęski.

Powyższa asymetria zarysowująca się na podejściach pod Kijów została wykorzystana przez mobilną taktykę lekkiej piechoty ukraińskiej, stosującej nowoczesne systemy pocisków przeciwczołgowych. Niepotrzebna była koncentracja dużej liczby żołnierzy, by wykonać uderzenie, ani też żadna wysublimowana logistyka. Rosjanie zbyt rozciągnęli swe linie komunikacyjne i postawili sobie zbyt ambitny cel polityczny: zajęcie Kijowa w krótkim czasie. Nie mieli jednak ani sił, ani środków w batalionowych grupach taktycznych, by prąc na Kijów, dodatkowo zajmować i obsadzać miasta czy węzły komunikacyjne. Za to Ukraińcy w małych mobilnych oddziałach nieustannie pojawiali się na rosyjskich tyłach i flankach, zbliżając się skrycie do niezabezpieczonych należycie pojazdów, ponieważ przy czołowych oddziałach było zbyt mało organicznej piechoty rosyjskiej, która ochroniłaby je przed rajdami małych pododdziałów armii ukraińskiej.

Ponadto Ukraińcy wyprowadzali z bronionych miast rajdy czołgów na krótkie dystanse, zakłócając dodatkowo logistykę przeciwnika i jego dowodzenie, rozpraszając uwagę Rosjan i wygrywając w ten sposób domenę informacyjną. Obrazki niszczenia rosyjskich oddziałów logistyki, zagubionych i pozbawionych paliwa, wspaniale prezentowały się w mediach społecznościowych, na YouTubie, Facebooku czy Telegramie, i pozyskiwały przychylność społeczeństw Zachodu, a z czasem także elit politycznych, „przymuszonych" emocjonalnym odruchem. Bo choć na papierze Ukraińcy byli słabsi, właśnie z tego powodu budzili sympatię i podziw, że tak dzielnie się bronili.

Zakłócenie rosyjskiej logistyki stworzyło ostatecznie w marcu 2022 roku na froncie kijowskim krytyczną nierównowagę, gdy odizolowane od dowództwa, działające bez pewnego dostępu do prowiantu i paliwa czołowe oddziały rosyjskie, pozbawione osłony piechoty, były trwale narażone na zniszczenie. Krytyczna nierównowaga doprowadziła do pokonania wojska rosyjskiego przez słabsze materialnie i liczebnie wojsko ukraińskie pomimo znanych obu stronom potencjałów wynikających z publikowanych w całej światowej prasie zestawień sprzętu.

Zasada wojny jest w istocie prosta, acz niełatwa do realizacji: co jest siłą, może jednocześnie okazać się słabością przy umiejętnym sposobie przeciwdziałania i dyscyplinie kierownictwa wojny. Wielka liczba czołgów wydaje się teoretycznie pożądana, ale przy umiejętnym sposobie działania przeciw ich logistyce i zaopatrzeniu w paliwo ta liczba staje się problemem, który może zostać wykorzystany przez dobrą organizację obrony lub przeciwdziałania. Na tym polega wojna i geniusz dowodzenia, by umieć przewidywać asymetrie i przygotować adekwatne środki, pozwalające je wykorzystać.

Kto nie opanował tej sztuki (bo jest to faktycznie sztuka, a nie nauka, dlatego mówi się o „sztuce wojennej"), ten przegrywa i najczęściej nikt o nim nie pamięta. Wojna jest sposobem, a nie matematyczną kalkulacją potencjałów — liczby wojska i posiadanej techniki. Po lądowaniu w Normandii alianci nie próbowali staczać wielkich bitew czołgowych ze znakomitą niemiecką techniką pancerną i doświadczonymi pancerniakami (asymetria na rzecz Niemiec — jakość czołgów i doświadczenie), tylko przy pomocy lotnictwa niszczyli logistykę kolejową, by wojskom pancernym zabrakło paliwa i amunicji. W razie kontaktu bojowego po pierwszym, najczęściej przegranym, starciu (różnica jakości sprzętu i doświadczenia daje wtedy o sobie szybko znać) po prostu wzywali własne lotnictwo do wsparcia pola walki, na którym panowali niepodzielnie. Thunderbolty masakrowały niemieckie wojska lądowe, gdy tylko pogoda na to pozwalała. Alianci powoli, acz właśnie w ten metodyczny sposób, posuwali się w kierunku serca Rzeszy bez wielkich strat własnych. Robili tak, zamiast wytracać ludzi i sprzęt w próbie symetrycznego sprostania wrogowi na polu walki tępą metodą „czołg na czołg", a mówiąc konkretnie: liczba i jakość czołgów na liczbę i jakość czołgów przeciwnika. To metody dobre dla teoretyków, dla miłośników militariów czy fanów rozmaitych periodyków opisujących technikę wojskową, wypatrujących „nowych Kursków i Prochorowek" — te zaś mogą wyglądać spektakularnie jedynie na ekranie telewizora, w kinie czy na planszy gry wojennej. Na wojnie unika się, jeśli to tylko możliwe, takich symetrycznych starć, a gdy już do nich dochodzi, stanowią wypadkową szeregu rzadko wspólnie występujących okoliczności.

O wojnie jako sposobie pisali wielcy myśliciele i znawcy tej sztuki: Sun Tzu, Wegecjusz czy hetman Jan Tarnowski. Wegecjusz wspaniale rozpoczyna swoje dzieło z czasów cesarstwa rzymskiego, wskazując najpierw na negatywne asymetrie rekruta rzymskiego: słabszą fizyczność niż u Germanów, mniejszą liczbę wojska niż u Galów i Hiszpanów. A jednak Rzymianie wygrywali sposobem, który w wypadku legionów zależał przede wszystkim od dyscypliny używania kolektywnej siły legionu, jakiej brakowało przeciwnikom imperium rzymskiego. Wodzowie tacy jak Mao Zedong, Võ Nguyên Giáp czy Stefan Czarniecki zgodziliby się z tym podejściem, prowadząc asymetryczne wojny nieregularne, zwane w polskiej tradycji wojskowej wojnami szarpanymi.

Książę Wellington, znakomity brytyjski dowódca, również osłabiał Napoleona przez asymetryczne kampanie peryferyjne, wykorzystując wyzwania geografii rozległego, nowo powstałego kontynentalnego imperium Francji — jak chociażby w Portugalii, gdy długo unikał frontalnego starcia z „bogiem wojny".

Staram się tu wprowadzić czytelnika w temat wojny, a konkretnie w to, czym jest wojna na jej poziomie funkcjonalnym. Otóż wygrywanie i przegrywanie na wojnie opiera się na tak zwanych równaniach wojny, czyli na zarządzaniu ciągle pojawiającymi się asymetriami. Wojna polega bowiem na tym samym, na czym w istocie polega nasze życie. Na wiecznej próbie utrzymania równowagi między pojawiającymi się asymetriami w relacjach międzyludzkich, a w razie sposobności na stworzeniu pożądanej nierównowagi w konkretnym czasie i miejscu i potem jej wykorzystaniu, często „do cna".

Wojna i konflikt są częścią naszego życia, tak jak grawitacja jest podstawowym zjawiskiem we wszechświecie. Z tą jednak istotną różnicą, że biorąc udział w wojnie, człowiek celowo wzmacnia asymetrię zjawisk, zamiast je neutralizować, jak zazwyczaj postępuje w życiu cywilnym – chyba że znajduje się w konflikcie biznesowym, małżeńskim czy jakimkolwiek innym. W sytuacji konfliktu człowiek dąży do „przesilenia" – czyli wzmocnienia i wykorzystania zidentyfikowanych korzystnych dla siebie asymetrii, tak by osiągnąć „krytyczną nierównowagę" prowadzącą do pokonania, a nawet zniszczenia przeciwnika: zniszczenia zawodowego, psychicznego, a na wojnie także materialnego i fizycznego.

Nasze życie polega na zarządzaniu, a często jawnym manipulowaniu dynamicznie pojawiającymi się czy samoczynnie (z natury spraw) kształtującymi się asymetriami. Czynimy to świadomie, intuicyjnie lub podświadomie. Jeśli tego nie robimy, często inni uważają nas za ludzi nieinteligentnych. Codzienne sprawy naszego życia stanowią tego idealny przykład. Wszystkie zjawiska, w tym relacje społeczne (a tym jest przecież wojna), są z natury asymetryczne, i to dynamicznie asymetryczne, ponieważ nieustanne korelacje między ludźmi i zjawiskami, które ich dotyczą, podlegają ciągłej zmianie, fluktuują. Stąd częste zatargi w pracy, rodzinie, w biznesie, małżeństwie. Konflikty generuje zjawisko zmiany, gdyż to właśnie ona uruchamia asymetrię, „kołysząc" wpisaną w naturę człowieka potrzebą stabilizacji, której jednak nigdy nie możemy zaznać, choć wielkie narracje filozoficzne i religijne próbują przynieść nam ukojenie, podsuwając sposoby radzenia sobie z niechcianą dynamiką asymetrii i z samym pozycjonowaniem, czyli ustosunkowaniem się do nich.

Konflikt potrafią spowodować nawet tak, wydawałoby się, błahe sprawy jak zmiana pracy, poziomu zarobków, diety, wagi ciała, urody, zdrowia, hobby, kręgu znajomych, a także nagła popularność małżonka lub wspólnika, której towarzyszy większy wpływ na innych, zmiana miejsca zamieszkania czy pojawienie się innych zmiennych zewnętrznych, takich jak otrzymanie pozwu, choroba albo niespodziewane problemy przy budowie domu. Próbujemy to bezwzględne i nieuchronne (nawet przykre i chciałoby się powiedzieć: zbędne) zjawisko okiełznać, ignorując naukę płynącą z myśli starożytnego filozofa Heraklita, że wszystko w życiu płynie. Próbując zapobiec powstającym asymetriom i ich skutkom, które zmieniają naszą pozycję „wobec innych", tworzymy złożone konstrukty mentalne i instytucje społeczne, by „przytrzymać" znajdujące się w ciągłym „ruchu" zjawiska i doprowadzić wreszcie do upragnionej symetrii, czyli do docelowej trwałej równowagi. Podpisujemy umowy, kontrakty, akty małżeńskie i inne obietnice stałości, której nigdy nie jesteśmy w stanie osiągnąć.

Pragnienie to wydaje się nam dość naturalne, ale w istocie jest niemożliwe do urzeczywistnienia. Staramy się natomiast bardzo, choć nigdy w pełni się to nie udaje; mamy dobre zamiary, usiłując współdziałać, zmierzając w kierunku ideału symetrii i instynktownie próbując zapobiegać potencjalnym konfliktom między ludźmi, wynikającym naturalnie z pojawiających się asymetrii, które kształtują nasze interesy i pozycje.

Kiedyś system społeczny radził sobie z owym frapującym zagadnieniem zmiany, akceptując feudalizm i hierarchiczny podział społeczeństwa jako antidotum na napięcie generowane przez asymetrie. Akt małżeństwa jest dobrym przykładem próby fotograficznego uchwycenia momentu, o którym wszyscy chcemy myśleć, że opisuje zaistniałą w tym właśnie momencie symetrię, by idealistycznie próbować „złapać" symetrię — czyli równowagę między małżonkami — i użyć tajnych zaklęć znanych ludzkości z wielkich ksiąg mądrościowych, by owa domniemana symetria trwała na zawsze.

Lecz na tym polega nasze życie i jego trudność. Wiele przedsięwzięć się nie udaje właśnie z powodu tajemniczego mechanizmu powstawania asymetrii, którą można było (choć nie zawsze) przewidzieć. Majątek, płeć, wiek,

zdrowie, zdolności osobiste, możliwości zawodowe, pocho-
dzenie, rodzina, stosunki z innymi osobami, cechy charakteru, atrakcyjność fizyczna i społeczna, wreszcie czynnik
czasu oraz cała gama zjawisk pojawiających się ni stąd,
ni zowąd nieubłaganie powodują powstawanie asymetrii.

Podobnie jest z wojną. Z tą jednak zasadniczą różnicą,
że wojna jest zjawiskiem społecznym opartym na chęci
zniszczenia i zabicia, a nie budowania. Nie ma tego począt-
kowego pierwiastka wiary i zaufania ani chęci zmierzania
w kierunku symetrii. Strona prąca do zwycięstwa w wojnie dodatkowo więc wyszukuje i bezwzględnie wykorzystuje na swoją korzyść wszystkie możliwe asymetrie. Nic
jej przy tym nie ogranicza (moralność, sumienie, dobre
serce, umowa społeczna, liczenie się z innymi), bo wojna
jest kwestią życia i śmierci — i jak twierdził Sun Tzu, najpo-
ważniejszą sprawą, jaką może zajmować się państwo. Druga strona stara się naturalnie temu wszystkiemu przeciwdziałać i jednocześnie szukać asymetrii na swoją korzyść.

To są właśnie równania wojny. Kto je rozumie i umie
ich używać na polu walki, biorąc pod uwagę rozliczne
czynniki, takie jak morale, liczba żołnierzy, logistyka, teren,
pogoda, cele wojny, wytrwałość, stawka ryzyka, determinacja, wyposażenie, możliwość manewru lub umocnienia
polowe, ten jest Napoleonem, Hannibalem, Guderianem,
a nawet Mao Zedongiem czy Giápem, którzy w wojnie
partyzanckiej i szarpanej byli mistrzami, o czym w Polsce
nie każdy wie. Bo choć słusznie jesteśmy negatywnie nastawieni do komunizmu, zapominamy przy tym, że i Mao
Zedong, i Giáp mieli ogromny talent wojskowy sprawdzo-

ny w długoletniej wojnie prowadzonej z materialnie prze-
ważającymi siłami przeciwnika.

Wszystko to, co starałem się syntetycznie opisać w tym
rozdziale, sprawia, że wojna jest sposobem i mówimy
o sztuce wojennej. Jeśli myślimy o wojnie, doskonalimy tę
sztukę i wyostrzamy zmysły, by prawidłowo odczytywać
zmiany i reagować na wiele parametrów generujących
asymetrie. Asymetrii zaś albo trzeba unikać, albo — gdy
stwarzają okazję do zwycięstwa — umieć je bezwzględnie
wykorzystywać.

# ROZDZIAŁ 5

# WOJNA JAK BALET

CZYLI O STANIE POLSKIEGO WOJSKA, O JAKOŚCI
POLSKIEJ KLASY POLITYCZNEJ I O TYM, NA JAKICH
ZASADACH FUNKCJONUJĄ NASZ SYSTEM PUBLICZNY
ORAZ DEBATA PUBLICZNA

## SYSTEM

Niniejsza opowieść dotyczy zupełnie różnych ludzi, z różnych środowisk i o różnej proweniencji, również spoza Polski, w tym wielu oficerów i żołnierzy sił zbrojnych RP w służbie czynnej, którzy niezależnie od rangi i sprawowanej funkcji niezmiennie obawiali się, że przedstawienie poglądów niezgodnych z aktualnymi oczekiwaniami politycznymi Ministerstwa Obrony Narodowej może negatywnie wpłynąć na ich kariery wojskowe. Tak jest skonstruowany ten system. To odczuwalne i potężne napięcie w kadrze naszego wojska, o którym musi wiedzieć czytelnik i całe społeczeństwo finansujące z podatków wojsko polskie.

W trakcie debaty publicznej o Armii Nowego Wzoru zdaliśmy sobie sprawę, że społeczeństwo (zwłaszcza to działające w sektorze prywatnym, daleko od sfery publicznej, ale nie tylko) najzwyczajniej tego nie wie, nawet właściwie nie rozumie tych zależności. Zatem na przykład pokłada nadmierną ufność w to, co mówią publicznie — „pod linię" — oficerowie czy politycy lub przedstawiciele przemysłu zbrojeniowego. Powstaje zupełnie nieprawdziwy obraz „profesjonalistów" wykonujących swoją robotę, a cały „gmach" państwa jawi się jako poważna sprawa z miliardami złotych do dyspozycji, więc „musi być profesjonalnie". Nie jest. A na pewno nie jest na poziomie, jakiego powinno się wymagać dla kraju położonego w tak kluczowym geopolitycznie miejscu na świecie, przez które wojny przetaczają się z zadziwiającą regularnością.

Zatem zarówno formalnie (bo oficerowie i żołnierze nie mogą mówić, co myślą, z powodów wyżej przedstawionych), jak i substancjonalnie (bo jakość kadry oficerskiej, w tym także generalskiej, jest, mówiąc eufemistycznie, zróżnicowana) przekaz, który trafia do społeczeństwa, nie pokrywa się z rzeczywistością i stanowi parawan, za którym ukrywa się różnorakie interesy polityczne, finansowe, niejednokrotnie brak strategii, pomysłu, nader często „paździerz", strach, a na pewno dominację polityków nad wojskiem. I celowo nie mówię tu o „cywilnej i demokratycznej kontroli", „zwierzchnictwie" oraz „ogólnym kierownictwie w dziedzinie obronności", jak wynika z konstytucji. Liczni faryzeusze, najczęściej ci związani z interesami systemu politycznego, będą zaraz obłudnie krytykować moją tezę. Mówię o cywilnym pełnym kierowaniu, a nawet cywilnym dowodzeniu, często w drobnych szczegółach, tak zwanym mikrozarządzaniu, a nawet „nanozarządzaniu", w szczególności tam, gdzie są wydawane większe publiczne pieniądze, gdzie podejmuje się kluczowe decyzje personalne lub objawia się potencjał PR-owego sukcesu lub porażki. To potężna patologia niwecząca starania wielu oficerów i żołnierzy szczerze oddanych służbie Rzeczypospolitej, którzy stale mnie zachęcali, bym o tym napisał, bo być może podniesienie tego tematu na forum publicznym w końcu zmieni coś na lepsze.

Sam system zaś obsługuje raczej frakcje polityczne w ramach tej czy innej grupy rządzącej, korzystające z przepływów finansowych wynikających z redystrybucji pieniędzy publicznych związanych z wydatkami na wojsko.

Mniej chodzi o realne zdolności naszej armii do prowadzenia wojny, a bardziej o interesy grup i frakcji politycznych przepychających zakupy dla wojska i forsujących je. W tej dziedzinie „mielony" jest potężny pieniądz publiczny, a w związku z decyzją o przyspieszonej modernizacji sprzętowej po wybuchu wojny na Ukrainie będzie „mielony" dużo, dużo większy. Najlepiej zatem, by wszystko zostało po staremu, tylko żeby do wydania było więcej, dużo więcej i jeszcze więcej pieniędzy, bo ci, którzy kontrolują owe mechanizmy, czerpią i chcą dalej czerpać ze swojego „ustawienia" siłę polityczną i korzyści ekonomiczne. System ma charakter klientystyczny, z budowaniem własnych domen, księstw i baronii, w których pozycja indywidualna jest postrzegana przez pryzmat wielkości i zasobności domeny, jaką się zarządza. Uniemożliwia to nie tylko merytoryczną debatę i prawidłową alokację ograniczonych zasobów, ale również zbudowanie właściwej hierarchii celów, co w swej istocie jest niedemokratyczne.

I to akurat wszyscy w wojsku wiedzą, ale nikt nie chce o tym mówić głośno i publicznie ze względu na wdrukowany strach, hierarchiczne posłuszeństwo i brak w państwie polskim dobrych obyczajów, by wojsko mogło się wypowiadać publicznie. Chociażby tylko na tematy związane z oceną ewolucji pola walki (chyba że w pełni odpowiada ona linii zakupowej MON), potrzebami kadry, strategią wojskową, wyborem koncepcji operacyjnej — a zatem ze sposobem organizacji wojska, ustaleniem miejsca stacjonowania, siedziby garnizonów czy zakupem sprzętu. W tych tematach zaklęte są bowiem potężne, utrwalone interesy, wielkie pieniądze i biznesy polityczne, związane chociażby z wyborami i układem sił, nawet w samorządach lokalnych.

Jednocześnie ludzie tworzący system polityczny naszego kraju przeważnie nie mają za sobą służby wojskowej (która jest standardem na przykład w wypadku polityków w Izraelu), nie rozumieją, czym jest wojsko i wojna. Sprawy te są dla nich obce, a czasami nawet dziwne. Nie wytwarza się poczucie wspólnoty interesów oraz zrozumienia między wojskowymi a klasą polityczną. Zwłaszcza że w Polsce przez ponad trzydzieści ostatnich lat wojsko było czymś niejasnym, zewnętrznym, nawet oderwanym od modernizującego się społeczeństwa, na pewno nie klasycznym instrumentem polityki zagranicznej państwa, w szczególności w naszym regionie. Takie postrzeganie sił zbrojnych miało należeć już do przeszłości, w Europie miał zapanować wieczny pokój. Jakże inne to było wojsko niż zbudowane na bazie społeczeństwa siły zbrojne Izraela, które są z obywatelami tego kraju cały czas. Obywatele są wojskiem, a wojsko składa się z obywateli. Inaczej wygląda to także w USA, gdzie wojsko co prawda jest nieobywatelskie, bo stałe i zawodowe, lecz cieszy się zasłużoną estymą w społeczeństwie, jakość i kwalifikacje kadry oraz zasady promocji są cenione i akceptowane, a Amerykanie są ze swojej armii dumni. Elity polityczne chociażby z tego powodu liczą się z potrzebami swojego najważniejszego instrumentu polityki zagranicznej, służącego do projekcji siły i woli Stanów Zjednoczonych przez oceany i kontynenty, w każdym niemal zakątku globu.

W Polsce zaś chodzi właśnie o to, drogi czytelniku, by wojskowi nie mieli nic do powiedzenia. Wtedy bowiem to wyłącznie politycy będą arbitralnie decydowali o zakupach sprzętu, budując swoimi działaniami (i oczywiście potężnymi pieniędzmi publicznymi, z których to finansują) system dominiów politycznych i różnorakich zależności, co daje im władzę czy — jak kto woli — siłę do politycznych zapasów z innymi politykami. Taka jest logika władzy i polityki, w których panuje walka o przewagę, a zatem swoista gra o sumie zerowej. Nie jestem w tych sądach oryginalny: Machiavelli, Hobbes, Arystoteles, Monteskiusz i setki innych myślicieli postawili już tę diagnozę. Nawet ludzie o wysokiej etyce i najlepszych charakterach popadają najpierw w apatię, a z czasem adaptują się do systemu, ponieważ premiuje on zdemoralizowane zachowania — więc by zawalczyć o swoje życie zawodowe, uczestnicy tej gry muszą ulegać swoistej deprawacji.

W zapasach politycznych panuje bezwzględna zasada, że jak nie „my" skorzystamy z okazji, to skorzystają „oni" i frakcja X się wzmocni na przepływach redystrybucyjnych państwa kosztem (wrogiej, konkurencyjnej) frakcji Y. To taka nowoczesna i mniej ordynarna wersja „drużyny Mieszka", kontrolującej główne wodopoje i zasoby surowców oraz owoce pracy mieszkańców kraju dzięki takiej czy innej legitymacji władzy — czy to z nadania miecza, czy mandatu wyborczego. Logika sprawowania władzy jest identyczna. W dynamice walk między frakcjami i w rywalizacji o dominia polityczne oraz przepływy grosza publicznego nader często zatraca się to, o co miało chodzić na samym początku — zdolności do prowadzenia i wygrania prawdziwej wojny przez wojsko polskie.

Dla utrzymania władzy i swojej pozycji w systemie ważniejsze staje się budowanie w społeczeństwie wrażenia, że jest bezpiecznie, co załatwia się polityką informacyjną na Twitterze i w telewizji. Równie istotne są zazębiające się z tym wpływy danej frakcji politycznej i jej ludzi, oparte na redystrybucji potężnych pieniędzy publicznych.

A wtedy nie idzie już o Polskę, tylko o własną siłę polityczną. Zwłaszcza o to, by nikt się nie wtrącał w ów system, a już na pewno nie jakieś tam wojsko i niezależni eksperci, bo przecież wojsko można sobie podporządkować za pomocą prawa i praktyki codziennego działania kadrowego, a jego rzekomą służebność wobec politycznego świata wyinterpretować z pojemnych sformułowań konstytucyjnych. Podlewa się to jeszcze sosem manipulacyjnej argumentacji, mówiąc o „uczestniczeniu przez wojsko w stanie wojennym czterdzieści lat temu" czy o „karygodnym występku obiadu drawskiego z lat dziewięćdziesiątych". A przecież wszystko się w międzyczasie zmieniło: kraj, społeczeństwo, kadra oficerska, podoficerska i żołnierze, pole walki i sytuacja geopolityczna. Radykalnie zmieniły się przede wszystkim polski PKB, zasobność budżetu państwa i sposób funkcjonowania zmodernizowanego społeczeństwa, szczególnie tego działającego w sferze prywatnej.

Niestety kadra wojskowa stanowi w tym systemie „wkładkę mięsną" — dokładnie takie sformułowanie słyszeliśmy w rozmowach z oficerami i żołnierzami naszych sił zbrojnych. Najbardziej zadowoleni z tego stanu rzeczy są różnej maści lobbyści przemysłu zbrojeniowego, bo w takim układzie istnieje mniejsza liczba zmiennych do ogarnięcia oraz mniejsza liczba osób decyzyjnych i instytucji konsultujących decyzje zakupowe. Zatem mniejszą liczbę ludzi i kluczowych „miejsc" w systemie redystrybucji pieniądza publicznego trzeba „zorganizować" — przekonując decydentów, uzależniając ich od siebie bądź nimi manipulując. Im mniej transparentne decyzje, tym lepiej, a jeśli są podejmowane arbitralnie przez jednego czy kilku polityków, którzy pozjadali wszystkie rozumy (to przecież ich resort! ich pieniądze i ich wojsko!) i kierują się logiką budowania swojego dominium — to już sytuacja idealna. Prowadzi to do powstania armii de facto „pustej" i „nieistotnej" w zakresie realnych zdolności do prowadzenia wojny — jak mówiono nam wielokrotnie na spotkaniach u sojuszników, którzy najpierw zadają pytania o morale, organizację, strukturę i uszykowanie, stawiane zadania, kulturę organizacji, motywację, a dopiero na końcu o sprzęt.

Nie jesteśmy w S&F naiwnymi dziećmi, by nie rozumieć, że taka jest mechanika władzy, od kiedy ludzie zaczęli dzielić się pracą i organizować społeczeństwa w Mezopotamii, nad Nilem czy Żółtą Rzeką. Ktoś pracował w polu, a ktoś nim rządził, kontrolując owoce jego pracy. Niemniej jednak grupy interesów i frakcje polityczne w państwie polskim w trzeciej dekadzie XXI wieku mogłyby zachować jakiś umiar i okazywać cnotę racjonalności w walce o podział korzyści, zamiast iść aż tak „na rympał".

Można by wówczas, skoro są na to pieniądze, nie eliminując tej całej paskudnej makiawelicznej kotłowaniny władzy i zaspokajając apetyty frakcji, wystawić siły zbrojne z prawdziwego zdarzenia, które miałyby znaczenie dla układu sił w naszym regionie, a to stanowiłoby wyraz dojrzałości elit politycznych Rzeczypospolitej. W tej sprawie wszystko zaczyna się i kończy na etyce służby publicznej — i słowa te wpisuję do sztambucha elitom politycznym naszego „najlepszego miejsca na świecie". I kieruję do ich sumienia.

„U was jest jak w Maroku" — wypalił obcesowo w Waszyngtonie w lutym 2022 roku zaprzyjaźniony z nami od lat i często odwiedzający Polskę amerykański analityk, który pracował w Pentagonie przy zakupach dla wojska. Skomentował w ten sposób podejmowanie decyzji przy zakupach dla naszych sił zbrojnych, gdy zapoznał się ze szczegółami oraz instytucjonalną stroną tego procesu (choć właściwie można mówić o jej braku pomimo formalnej fasadowości). Z tym bezpośrednio wiąże się brak prawdziwej strategii wojskowej oraz wynikającej z niej koncepcji operacyjnej na wypadek wojny, bo takie rozważania wiązałyby ręce tym, którzy chcą kupować sprzęt arbitralnie.

— Witam, koledzy. Dalej macie tak kiepskie myślenie strategiczne i kiepskie zakupy sprzętu? — mniej więcej w tym duchu przywitał nas w Waszyngtonie w lutym 2022 roku sławny analityk rosyjskiej sztuki wojennej i guru wielu fanów OSINT-u w Polsce Michael Kofman kilka dni przed wojną na Ukrainie, w Peet's Coffee, pod siedzibą jego macierzystego think tanku Center for Naval Analysis przy Washington Boulevard. Albert Świdziński i ja poczuliśmy — już po raz któryś podczas lutowej wizyty za oceanem — szczery wstyd za naszą umiłowaną ojczyznę. Był wtedy z nami jeszcze Nick Myers, ze swoimi bokobrodami przypominający cesarza c.k. monarchii Franciszka Józefa, jak żywcem zdjęty z portretów w zadymionych krakowskich piwiarniach, które pamiętam z czasów studenckich. Myers, iście szalony analityk OSINT-u obszaru całej północnej Eurazji, teraz pracujący w US Naval War College na Rhode Island, o tych bolączkach dobrze wiedział, przygotowując z nami Armię Nowego Wzoru (był kluczowym autorem planu bitwy manewrowej), a wcześniej w The Potomac Foundation w Stanach przez lata zajmując się symulacjami i grami wojennymi na całej wschodniej flance NATO (jako główny operator *white cell*, czyli arbiter w grze), w których uczestniczyli także ludzie z naszego MON. Znał więc już państwo polskie dość dobrze i nie był zaskoczony jego mankamentami.

Narzekań z ust pojawiających się w Polsce oficjalnie Amerykanów zazwyczaj nie usłyszymy, gdyż cała sieć powiązań biznesowo-politycznych w polskim postkolonialnym dyskursie dba o stosowne zakupy wojskowe. Ale nawet Amerykanie, gdy rozmawia się z nimi szczerze — chociażby z kolejnymi ambasadorami Stanów Zjednoczonych w Warszawie — i gdy mówi się o prawdziwej strategii, a nie forsuje taką czy inną firmę zbrojeniową i jej produkty, zaczynają słuchać. Sam tego doświadczyłem. Potrafią zmienić ton, przestać forsować swoje interesy zbrojeniowe i zaczynają opowiadać o prawdziwej strategii. Cokolwiek by myśleć o Amerykanach, szanują autentyczność.

W odniesieniu do nas wiedzą, że S&F działa na bazie subskrypcji i nie diluje z interesariuszami redystrybucji środków publicznych ani z przemysłem zbrojeniowym. Stąd nie mamy problemu z dostępem do byłych dowódców NATO, żeby wymienić tylko generała Phila Breedlove'a, generała Wesleya Clarka czy byłego dowódcę amerykańskich wojsk lądowych w Europie generała Bena Hodgesa, którzy szanują nas za to, co robimy, i za pracę nad strategią, a nie forsowanie partykularnych interesów, co zazwyczaj jest czytelne i dość szybko budzi jeśli nie pogardę, to lekceważenie i dystans.

Wśród ludzi, którzy zajmują się bezpieczeństwem i strategiami wojskowymi w Stanach Zjednoczonych, raczej standardem pozostaje bowiem złe zdanie na temat polskiego systemu publicznego, w tym establishmentu polityczno-strategicznego. Miejmy nadzieję, że wojna na Ukrainie to zmieni, gdyż państwo, podobnie zresztą jak człowiek w swej naturze, opracowuje prawdziwą strategię zazwyczaj dopiero wtedy, gdy pojawia się poważny kryzys, który może mu grozić zniszczeniem. Może to być załamanie się koniunktury geopolitycznej, upadek systemu bezpieczeństwa, grożące wojną żądania terytorialne sąsiada, a także bankructwo czy upadek systemu gospodarczego, pod który gospodarka danego państwa była podczepiona — jak stało się z nami po upadku RWPG. Dopiero kryzys wywołuje szok, wymagający przygotowania strategii dotyczącej tego, co dalej i jak przetrwać.

Polski establishment odbiera obecnie przyspieszoną lekcję wojny i polityki międzynarodowej. W kierownictwie naszego wojska i na jego styku z politycznymi decydentami po kilku miesiącach wojny na wschodzie dostrzegłem pozytywne sygnały dokonującej się przemiany, coś, co przypomina „zmężnienie", „tężenie woli" — jeśli można tak to ująć. Momenty, w których trzeba podejmować decyzje dotyczące wojny: w sprawie dostaw naszego sprzętu na walczącą Ukrainę, zabezpieczenia własnego obszaru w razie eskalacji czy rozlania się wojny po regionie, przyjęcia procedur reakcji automatycznych w razie rosyjskiego ataku rakietowego na bazy przeładunkowe na Rzeszowszczyźnie, które zasilają front ukraiński, w wypadku twardych negocjacji z Amerykanami odnośnie do przekazania nam sprzętu (tak zwanego roll-overu) i w wielu innych sytuacjach związanych z trwającą wojną, które uczą życia i hartują. To, miejmy nadzieję, okres przyspieszenia formowania się kultury strategicznej w Polsce.

Pocieszam się czasami, że podobne napięcia, choć pewnie nie aż w takim stopniu, występowały też w innych państwach. Pominąwszy kraje niedemokratyczne, wystarczy przypomnieć spór w Wielkiej Brytanii w przededniu pierwszej wojny światowej między zwolennikami strategii morskiej na czele z admirałem Johnem Fisherem, wspieranym przez Juliana Corbetta, genialnego prawnika i stratega, który był twórcą morskiej strategii morskiego imperium, a frakcjami forsującymi politykę zaangażowania kontynentalnego, w tym udział w pełnej wojnie na kontynencie. Ci ostatni zamierzali zatem postąpić odmiennie niż podczas kontynentalnej wojny napoleońskiej — poprzedniej „wojny światowej". Jak twierdzili Fisher i Corbett, Wielka Brytania lepiej poradziłaby sobie, stosując tradycyjną strategię morską. Szybciej pobiłaby Niemcy, nakładając na nie blokadę morską i zwalczając kontrblokadę wykonywaną U-Bootami, zamiast rozpraszać siły na wojska lądowe na kontynencie, co niszczyło zasoby imperium. Napięcie tego sporu było tak duże, że Fisher stracił stanowisko pierwszego lorda morskiego po sporze z Churchillem i kłótni co do zasadności ataku na Gallipoli, a Corbettowi Churchill blokował druk jego książki przez cały długi rok — ponieważ zawierała oceny stawiające w złym świetle dokonania przyszłego premiera, poważnie zaniepokojonego o swoją polityczną reputację. Nie był on z pewnością postacią kryształową...

## KULT CARGO WIECZNIE ŻYWY

Gdy piszę te słowa, mija już ponad rok od grudnia 2021 roku, kiedy przedstawiliśmy w Warszawie projekt Armii Nowego Wzoru, która była konkretną propozycją koncepcji operacyjnej na ówczesny moment geopolityczny, a wynikała ze strategii wojskowej opartej na założeniu, że NATO istnieje i nie chce, byśmy się zachowali prowokacyjnie lub prewencyjnie, bo wtedy mógłby powstać problem z solidarnym uruchomieniem artykułu 5. Nasze zachowanie w obliczu nadchodzącej wojny nie mogło podważać woli sojuszu, by przyjść nam z pomocą, a Rosjanie wchodziliby zapewne do wojny z marszu — po to, by uzyskać własne cele wojny, zanim realnie zadziałałby uruchomiony artykuł 5, zmieniając architekturę bezpieczeństwa. Do tego w tamtej chwili wiedzieliśmy, że Amerykanie chcą, by ich sojusznicy w Europie w pełni odpowiadali za domenę lądową, a oni, ewentualnie i nie od razu, byli gotowi pomóc w innych obszarach prowadzenia wojny.

To było ponad dziesięć godzin nieprzerwanej prezentacji w siedzibie Stowarzyszenia Dziennikarzy Polskich w Warszawie. Działo się to wszystko trzysta metrów od siedziby S&F, w pięknym miejscu, nieco kameralnym, na końcu ulicy Foksal, gdzie niespodziewanie między przedwojennymi kamienicami i pałacykami objawiają się spacerowiczom niemal tajne przejścia między kasztanami w kierunku skarpy nadwiślańskiej, warszawskiego Powiśla i samej Wisły. Transmitowaliśmy wydarzenie na żywo na kanale YouTube, a zorganizowano to wszystko dzięki wydatnej pomocy Krzysztofa Skowrońskiego, szefa warszawskiego Radia Wnet (którego siedziba mieści się w świetnym miejscu placu Zamkowego, z ich wspaniałym balkonem z widokiem na okazały Zamek Królewski, most trasy Wschód-Zachód i gorset płynącej przez stolicę naszego państwa Wisły, patrząc na wschód w kierunku tradycyjnego zagrożenia dla Rzeczypospolitej).

Krzysztof zawsze nie tylko nam pomagał, gdy tylko mógł, ale przede wszystkim pilnował otwartości debaty publicznej, co widziałem wielokrotnie przy różnych okazjach i co jest szlachetne, acz nieczęste, w polskim dyskursie publicznym, zbyt szybko dzielącym się na frakcje, obozy, koterie i grupy interesu. Od razu też spodobał mu się iście szalony pomysł wielogodzinnej prezentacji publicznej na temat otoczony zazwyczaj nimbem tajności. Nasze intencje były jasne: krzykiem skierowanym do społeczeństwa zażądać rozmowy o przygotowaniach do wojny!

I zrobiliśmy to. Ponad sześćset tysięcy wejść na naszą prezentację na YouTubie nadal robi wrażenie. Ponad milion trzysta tysięcy razy nasz raport Armii Nowego Wzoru był oglądany przez ludzi na samym tylko Twitterze, nie wspominając o Facebooku, Instagramie i LinkedInie, gdzie mamy swoje konta społecznościowe. Za oceanem (a także w Izraelu) nie chcieli uwierzyć w te liczby. Ale jaka była energia społeczna w kraju! Czuliśmy ją codziennie, przygotowując projekt; ludzie zaczepiali nas na ulicy. A tymczasem wojna zbliżała się wielkimi krokami. Dokładnie w tym czasie szef rosyjskiego MSZ postawił ultimatum, które miało rozstrzygnąć status naszej części świata na kolejne pokolenia — zażądał dla Rosji strefy wpływów aż po Odrę. Wojna w regionie wisiała w powietrzu, a Polska była na nią absolutnie niegotowa. Po grudniowej prezentacji w styczniu 2022 roku opublikowaliśmy dodatkowo pisemny raport liczący ponad czterysta stron i ruszyliśmy z jego wersją w języku angielskim na tournée po Stanach Zjednoczonych, odwiedzając wiele instytucji za oceanem.

Nieoceniony Albert Świdziński pisał w S&F: „Niemal dwa lata minęły już z kolei od wyborów na Białorusi i następujących po nich protestów, kiedy to poczuliśmy — jak najbardziej dosłownie — że porządek międzynarodowy, który i tak funkcjonował już de facto tylko siłą rozpędu, dezintegruje się na naszych oczach. Wraz z następującym w wyniku wyborów chaosem na Białorusi, którego okiełznanie kosztowało Łukaszenkę całkowite — i permanentne, jak się wówczas wydawało — podporządkowanie Moskwie, pojawiło się u nas przekonanie, że okres pieriedyszki dla naszego państwa dobiegł końca. To z kolei oznaczało, że na pomoście bałtycko-czarnomorskim, jak zazwyczaj w historii, zagadnienia dziejowe na powrót rozstrzygane będą nie gadaniną w parlamentach, ale krwią i żelazem"*. I dlatego zaczęliśmy prace nad Armią Nowego Wzoru. O motywach i przebiegu tych prac oraz publicznej dyskusji, która się potem rozpętała, Albert Świdziński napisał w S&F w maju 2022 bardzo gorzki tekst zatytułowany *To my*. Wiele obserwacji w nim zawartych pozostaje boleśnie aktualnych także dzisiaj. Dlatego warto je przytoczyć, chociażby z tego powodu, że ANW nigdy nie miała być prawdą objawioną, nigdy nie miała być ostateczną i definitywną odpowiedzią na to, w jaki sposób należy kształtować system obronności państwa. „ANW miała być, i dalej jest, zaproszeniem do debaty. I właśnie na debatę — bardzo potrzebną, i bardzo dotychczas nieobecną — o polskiej wielkiej strategii oraz wynikających z niej kolejno: strategii rywalizacyjnej z Rosją i o ich częściach składowych, czyli strategii wojskowej, koncepcji operacyjnej i wreszcie naszej sile zbrojnej, bardzo liczyliśmy".

* Albert Świdziński, *To my*, www.strategyandfuture.org, 5/2022.

Tymczasem, jak celnie określił to Albert i poświęcił temu cały duży tekst, z którego kluczowe argumenty i co barwniejsze fragmenty przytaczam poniżej, „debaty tej właściwie nie ma — otrzymaliśmy za to produkt debatopodobny. Jest to niestety zgodne z interesami systemu publicznego. Jak najmniej zmiany, informacja udostępniana wobec jak najmniejszej liczby osób i zasłanianie się powagą tajemnicy państwowej czy «naturą sprawy». Były za to niekończące się wojny twitterowe o to, ile kosztuje Javelin, jakie zdolności ma radar w F-35, czy Abrams to dobry czołg i czy Apache to dobry helikopter. (...) To dość paradoksalny rezultat, bo w raporcie ANW nie ma właściwie nic o konkretnych typach uzbrojenia — i jest to oczywiście działanie celowe. Jest tak dlatego, że raport ten miał być próbą przeniesienia na grunt polskiej debaty publicznej *net assessment*, a więc metody analitycznej pozwalającej na tak obiektywne, jak to tylko możliwe, zbadanie stanu równowagi sił (militarnych, ekonomicznych, społecznych, kulturowych) pomiędzy dwoma lub więcej graczami — w tym ocenę ich zdolności, interesów, środków, celów — i co być może najważniejsze, zidentyfikowanie asymetrii pomiędzy zestawami tych parametrów.

Departament Obrony USA definiuje *net assessment* jako «analizę porównawczą czynników wojskowych, technologicznych, politycznych, gospodarczych wpływających na zdolności militarne państw». Publikacja Carnegie Endowment z 2013 roku uzupełnia ową definicję stwierdzeniem, iż *net assessment* to «podejście intelektualne stworzone, aby zadawać pytania — i znajdywać na nie odpowiedzi —

dotyczące najważniejszych kwestii strategicznych związanych z przyszłym środowiskiem bezpieczeństwa, i zaprezentować realistyczne alternatywne scenariusze rozwoju tego środowiska, z perspektywy długoterminowej i przy wzięciu pod uwagę wszystkich istotnych czynników, wojskowych i pozamilitarnych». (...) *net assessment* to «podejście pozwalające na zadanie pytań i uzyskanie odpowiedzi na strategiczne wyzwania stojące przed Stanami Zjednoczonymi (...) rozumiane przez pryzmat clausewitzowskiej definicji strategii, a więc zarówno wykorzystania siły wojskowej w celu osiągnięcia celów politycznych, jak i zagadnień związanych z osiąganiem owych celów przy wykorzystaniu siły zbrojnej w realiach innych niż konflikt». *Net assessment* dotyczy więc (...) tego, «jak będzie wyglądać wojna i jaka będzie charakterystyka długoterminowa rywalizacji» geopolitycznej”. *Net assessment* dotyczy bowiem sposobu wygrania przy poszukiwaniu asymetrii, a nie parcia do starcia kinetycznego za wszelką cenę, i to symetrycznego, by rozstrzygał sprzęt wojskowy. Co jest zresztą absurdalne — wbrew naszym powierzchownym przekonaniom nigdy tak nie jest, a kwestię zwycięstwa i klęski rozstrzyga sposób prowadzenia wojny, czasem nawet technologicznie, wydawałoby się, zacofany — Algieria, Indochiny, Afganistan są tu dobitnymi przykładami.

„Z samej natury owocem analizy *net assessment* nie jest więc i nie może być praca obfitująca w dane techniczne rakiet, samolotów czy radarów. Nie znajdzie się tu miejsce dla opisu charakterystyki takiego czy innego stopu metalu, różnic pomiędzy armatą takiego lub innego czołgu czy też sygnaturą radarową danego samolotu i jego zasięgiem. Dyskusja o parametrach sprzętu wojskowego jest nie tylko wtórna w stosunku do znacznie istotniejszych pytań, choćby tych, do jakiej wojny się przygotowujemy, w jakim celu, przeciwko komu i jak zamierzamy ją prowadzić, ale jest również z zasady obarczona szeregiem problemów". Szczególnie jeżeli prowadzona jest przez ludzi niemających z nią na co dzień do czynienia. OSINT-owa (czyli oparta na materiałach dostępnych w sieci i masowych publikacjach) analiza parametrów sprzętu wojskowego siłą rzeczy pozwala przede wszystkim na analizę zawartości folderów reklamowych. Bez codziennego, intymnego kontaktu z danym typem uzbrojenia nie sposób się dowiedzieć, w jakich warunkach sprzęt ów faktycznie się wykorzystuje, jakie są jego błędy konstrukcyjne lub „humory" — wiemy tylko, jak powinien działać. Nie wiedzą tego też często wojskowi stopy pokojowej, bo ostatecznie sprawdza się to na wojnie, w stresie, pod presją czasu, w kontakcie z wrogiem, przyrodą, klimatem i taką, a nie inną kulturą techniczną danego narodu i społeczeństwa. „Dokładnych parametrów tej broni, problemów trapiących jej użytkowników oraz jej zalet nie poznamy nigdy — wymagałoby to dostępu do informacji niejawnych i nie tylko wielu rozmów z pilotami czy inżynierami, którzy z nią pracują, ale też specjalistycznej wiedzy, aby odpowiednio z tych informacji skorzystać i odpowiednio je zinterpretować.

Jest z pewnością miejsce w całościowym procesie analizy na szczegółowe dyskusje na temat zdolności konkretnych typów uzbrojenia, na roztrząsanie niezliczonych detali technicznych, na obróbkę informacji zarówno OSINT-owych, jak i tych pochodzących ze źródeł niejawnych — ale jest to margines, który w odpowiednim systemie jest ograniczony albo do pasjonatów, albo do specjalistów od uzbrojenia. W realiach polskich, gdyby tego rodzaju gadanina nie zastępowała debaty na tematy strategiczne, byłaby zwyczajnie impotentna. Jednak w momencie, gdy tworzy ona wrażenie, że realna dyskusja na temat roli sił zbrojnych faktycznie się odbywa, staje się szkodliwa".

Albert Świdziński, śledząc kaleką polską debatę, podał przykład egzystencjalnych interesów Australii, które stanowią ramę australijskiej wielkiej strategii i definiowanej przez nią strategii wojskowej: „To dopiero wskutek dobrego zrozumienia tych interesów australijski establishment strategiczny «wypluwa» ostatecznie zdolności i idące za nimi rodzaje uzbrojenia, które są potrzebne do ich realizacji. Jak argumentuje Hugh White, metodą myślenia o interesach narodowych Australii, zarysowaną w dokumentach strategicznych (chociażby kolejne Defense White Papers), jest ujęcie ich w model Palmerstonowskich «koncentrycznych kręgów». Pierwszy, najbardziej wewnętrzny z nich, dotyczy obrony samej Australii, samego kontynentu, a więc stosunku sił w wodach bezpośrednio okalających Australię i w przestrzeni powietrznej ponad nią. Następny jest krąg drugi, który odnosi się do «stabilności i spójności bezpośredniego sąsiedztwa Australii», od Nowej Zelandii, przez Papuę-Nową Gwineę, aż po Indonezję. Tu kluczem jest zadbanie (a więc i wypracowanie odpowiednich narzędzi), aby państwa te nie uległy destabilizacji, zarówno w wyniku utraty spójności wewnętrznej, jak i działań państw trzecich. Jest to ważne, bo z terytorium tych państw prowadzić można projekcję siły w stosunku do kontynentu australijskiego, zarówno przez te państwa (Indonezja), jak i potencjalnie wrogo nastawione potęgi regionalne lub globalne. Krąg trzeci rozpościera się na archipelagi Azji Południowo-Wschodniej, od Indonezji po Filipiny. Jak pisze White, przestrzeń ta może «albo stanowić barierę, albo rampę dla odległych mocarstw chcących zamanifestować obecność w bezpośrednim sąsiedztwie Australii. W interesie Canberry jest więc uniemożliwienie (lub podwyższenie kosztów) potencjalnie wrogim graczom ustanowienia znaczącej obecności wojskowej w tej przestrzeni». Krąg czwarty odnosi się do «szeroko rozumianej Azji» i znajdujących się w niej państw, które dysponują potencjałem mogącym pozwolić im na zagrożenie Australii: Chin, Indii, Japonii i w perspektywie także Indonezji. Jak pisze White, ten opis interesów strategicznych jest «konkretny, pozwalający na priorytetyzację», a same interesy ujęte w ten sposób cechują się trwałym charakterem; są one również dość wąsko skupione na zagrożeniach stricte militarnych. Wszystko to pozwala na stworzenie ram umożliwiających takie formowanie sił zbrojnych i sprzętu, z których one korzystają, aby jak najlepiej odpowiedzieć na stojące przed Australią wyzwania. Tak się tworzy wielką strategię i z niej wypływają inne elementy.

Ujmując rzecz skrótowo: przydatność danej klasy uzbrojenia do realizacji celów politycznych oceniać można dzięki zdefiniowaniu wielkiej strategii, strategii rywalizacyjnej oraz wynikającej z nich strategii wojskowej i koncepcji operacyjnej, i w tych ramach intelektualnych — i dopiero po wykonaniu tej pracy!

Polska metoda natomiast robienia tych spraw przypomina swoisty kult cargo. Gwoli wyjaśnienia i w dużym uproszczeniu: kulty cargo powstały między innymi na wyspach Melanezji, na których podczas drugiej wojny światowej najpierw Japończycy, a potem Amerykanie zaczęli budować bazy lotnicze niezbędne do realizowania wysiłku wojennego. Oczywiście pojawienie się Amerykanów wraz z ich samolotami, ciężarówkami, ubraniami, lekami i racjami żywnościowymi pośród neolitycznych ludów Melanezji oznaczało rewolucyjny przeskok w standardzie życia, którego źródło było rzecz jasna niemożliwe do racjonalnego wytłumaczenia. W rezultacie autochtoni zaczęli czcić Amerykanów jak bogów, w swej nieskończonej i niepojętej łaskawości zapewniających im dobrobyt. Oczywiście, jak to zazwyczaj z rajami bywa, sytuacja ta nie trwała wiecznie; wraz z zakończeniem wojny światowej Amerykanie przestali pojawiać się na wyspach Melanezji — a wraz z tym końca dobiegła era nieograniczonego dobrobytu tambylców. Próbując na powrót przywołać identyfikowanych z bogami Amerykanów, mieszkańcy Melanezji zaczęli kopiować te zachowania, które zaobserwowali wśród żołnierzy przebywających wcześniej na wyspach. Budowali więc samoloty z trzciny, wieże kontroli lotów z drewna, zakładali utkane z łyka słuchawki i rozpalali ogniska, aby doświetlić pasy startowe.

W Polsce dyskusja o sprzęcie wojskowym stanowi debatę zastępczą dla tej prawdziwej — o strategii państwa polskiego i o parametrach, które definiują naszą rzeczywistość geopolityczną — boisko, na którym ta strategia jest (albo częściej: nie jest) realizowana. Brakuje szczebla kolejnego, czyli strategii rywalizacyjnej wymierzonej już w konkretnego, zidentyfikowanego przeciwnika — Rosję, która stoi na drodze do realizacji założeń prymarnych wielkiej strategii państwa polskiego, w rozlicznych domenach działań państwa, nie tylko wojskowych".

Albert Świdziński w cytowanym tekście słusznie obawia się, że oznacza to, iż przy niemal absolutnym braku myślenia i o strategii, i o mechanizmach pozwalających zasilić ją odpowiednim „wsadem" (*net assessment*), debata publiczna w Polsce jest bezmyślną kalką, pustym naśladownictwem debat, których zewnętrzne znamiona można czasami obserwować chociażby w Stanach Zjednoczonych. A właściwie — jest wyobrażeniem na temat owych debat, w praktyce bowiem debaty na temat strategii i kształtowania amerykańskich sił zbrojnych są całkowicie niemal wolne od tego rodzaju dyskusji.

Podczas wszystkich naszych wizyt w Waszyngtonie — od spotkań z pracownikami Office of Net Assessment przez US Army War College po waszyngtońskie think tanki — dyskusja ani razu nie zeszła na temat sprzętu wojskowego. Ani razu. Jeżeli nieufny czytelnik nie dowierza, niech zajrzy na dyskusje dostępne na YouTubie w związku z publikacją książki pióra Thomasa Mahnkena *Net Assessment and Military Strategy*, i do samej książki oczywiście też.

Albert Świdziński tak scharakteryzował to zjawisko: „to jest mniej więcej tak, jak wyciągnąć z naturalnego habitatu Hotentota albo Indianina z dorzecza Orinoko i wysłać go na wycieczkę do Mayo Clinic w USA. Tam ów przybysz mógłby przejść się po bloku operacyjnym, zobaczyć, jak chirurdzy myją ręce przed wejściem na salę operacyjną, jak anestezjolodzy przygotowują znieczulenie i monitorują stan pacjenta albo jak się robi tomografię komputerową. I potem po powrocie w rodzinne strony ów Hotentot, ubrany w biały fartuch i ze stetoskopem na szyi, otoczony wianuszkiem swoich pobratymców powtarzałby bezmyślnie wszystkie mądre słowa, które usłyszał za Wielką Wodą.

Homocysteina, tomografia komputerowa z kontrastem, amunicja M829 z rdzeniem z u-238, gładkolufowa armata M256 kalibru 120 mm, AGM-86B po modernizacji SLEP. Chcąc zaimponować swym pobratymcom, Hotentot zaczyna kopiować («małpa widzieć, małpa robić») podpatrzone za granicą zachowania. Bez zrozumienia, rzecz jasna, dlaczego pewne procedury czy działania wyglądają tak, a nie inaczej. Dlaczego w szpitalach zakłada się biały kitel, do czego służy stetoskop czy dlaczego przed wejściem do tomografu należy zdjąć z siebie biżuterię (...). Zupełnie jak w kultach cargo jest to rytualna imitacja pozbawiona jakiegokolwiek głębszego zrozumienia rzeczywistości.

Tym jest właśnie (...) debata o strategii i wojskowości w Polsce. Jest jej naiwną, prostoduszną imitacją. Taką mniej więcej, jaka musiała się przetaczać wśród mieszkańców wysp Pacyfiku po tym, jak Amerykanie już te wyspy opuścili. Czy samoloty i pasy startowe należy budować z trzciny, czy ze słomy? I czy ich śmigła powinny być z drewna lipowego, czy z balsy?

Tyle że o ile łatwo zrozumieć jest rozczulająco naiwne starania mieszkańców Melanezji, którzy z racji położenia geograficznego nigdy ani nie mieli okazji wykształcić własnej myśli, ani też podpatrywać dłużej niż przez kilka lat czyjejś, o tyle w przypadku Polski jest to niewybaczalny regres w stosunku do kultury strategicznej, która kiedyś przecież tu istniała – i była nasza własna, a nie skopiowana od innych". A ja dodam, że wydała też wielkich hetmanów i wielkich wodzów.

Najsmutniejsze chyba jest to, że w trakcie wojny na Ukrainie polscy politycy na odprawach z wojskiem podniecają się tak zwaną ikonografią, czyli oznaczaniem postępów poszczególnych jednostek na mapie operacyjnej! A to która rosyjska batalionowa grupa taktyczna podeszła pod Izium czy Popasną w Donbasie, a to która forsuje Doniec; względnie interesowało ich oglądanie z szeroko otwartymi oczami po raz trzydziesty piąty, jak działa Javelin, na filmiku z Twittera czy z jego rosyjskiej wersji – Telegrama, a tymczasem trzeba się zastanawiać nad strategią, w tym nad polskim planem zwycięstwa politycznego w wojnie, oraz, bagatela, nad całą rozgrywką z sojusznikami, z których przecież każdy ma inny interes w przebiegu tej wojny. Choć sojusznicy udają oczywiście, że jest inaczej.

Albert dobitnie kończy swój opis kultu cargo, podnosząc, że od samego początku istnienia, nawet bez potrzeby jakiejś przesadnej egzegezy czy ustaleń, „chcieliśmy, aby Strategy&Future nie była kolejnym zbiorem poubieranych w pióropusze i pomalowanych w barwy wojenne szamanów, rozprawiających nad tym, czy złe mzimu rozgniewa się, jeżeli pas startowy, na którym kiedyś znowu wylądują stalowe ptaki Johna Fruma, będą wydeptywać dziewice, a nie wojownicy. Zamiast tego, krok po kroku, chcieliśmy zacząć zastanawiać się — i rezultatami naszych rozważań dzielić się z innymi członkami naszego zdziczałego plemienia — jak to właściwie jest, że ich stalowe ptaki w ogóle latają. Co to jest siła nośna? Co to jest grawitacja? Jak działa i jak ją dla własnej korzyści wykorzystać, i dlaczego właściwie potrzebne są samoloty i pasy startowe, na których muszą lądować".

Społeczeństwo ma prawo nie wiedzieć, że zakupy sprzętu wojskowego, w tym nawet bardzo drogiego i bardzo nowoczesnego, nie zastępują strategii. Trudno się temu dziwić po trzydziestu latach apatii strategicznej III RP spowodowanej „końcem historii", czyli przekonaniem, że wojen nie będzie, rywalizacja geopolityczna między mocarstwami zniknęła, a czeka nas tylko okres pokoju i prosperity. Tym bardziej trudno się temu dziwić po czterdziestu pięciu latach PRL, gdy Sowieci pilnowali, byśmy nie uczyli się strategii, a nasi oficerowie na sowieckich uczelniach w Moskwie na czas zajęć o geopolityce i strategii byli wysyłani na lekcje wychowania fizycznego. Trudno się tym bardziej dziwić takiemu stanowi rzeczy po dwóch wojnach światowych na naszej nieszczęsnej ziemi i po ponad stu dwudziestu latach zaborów bez funkcjonujących stabilnie polskich instytucji i spokojnego czasu na myślenie.

Zakupy sprzętu bez pomyślunku i związku ze strategią wojskową często uniemożliwiają jej wykonanie, zwłaszcza gdy są „do bani" albo za drogie, albo nie tworzą tak zwanych asymetrii w kierunku krytycznej nierównowagi, która stanowi istotę zwyciężania na polu walki (o czym dużo więcej w dalszej części książki). Właśnie nie symetria ani gonienie przeciwnika pod względem wyposażenia bądź struktury organizacyjnej, ale asymetria, jej pogłębianie i wykorzystywanie w rywalizacji, co jest podstawą *net assessment*, stosowaną w Office of Net Assessment w Pentagonie, i swoistym „wzorcem z Sèvres" na świecie. Odsyłam do książki *Net Assessment for SecDef. Future Implications from Early Formulations* Phillipa Karbera lub *Net Assessment and Military Strategy* Thomasa Mahnkena. W końcu Karber jako jedyny ponoć człowiek, któremu pozwalano palić elektroniczne papierosy w Pentagonie (jak powtarzali z nutką humoru i zazdrości jego amerykańscy koledzy z innych ośrodków analitycznych), musi wiedzieć, co mówi i pisze, skoro cieszy się taką estymą w takim miejscu...

Albert Świdziński dodaje jeszcze w przywoływanym przeze mnie szeroko tekście: „pojawienie się na rynku tego rodzaju inicjatywy jak S&F i forsowanie Armii Nowego Wzoru musiało rzecz jasna wzbudzić słuszny gniew dzierżących dotychczas monopol na prawdę szamanów — zwłaszcza że celem debaty nie miała być już ochrona statusu i okadzanie słuchaczy trybalnymi tańcami i zaklęciami (radar dookólny, RCS F-35, rakiety PAC-2/GEM+), mającymi zaimponować i zamknąć gęby przysłuchującej się im czerni, ale zadanie podstawowych pytań i opisanie rzeczywistości i rządzących nią mechanik mające być próbą zrozumienia, czym jesteśmy, dlaczego jesteśmy, gdzie jesteśmy i jak się z naszego nieszczęsnego stanu wydźwignąć.

Innymi słowy, chcieliśmy dociec, dlaczego przed operacją myje się ręce (...), a nie debatować nad tym, czy lepsze są środki na bazie chloroheksydyny, czy może jodopowidonu. Jeżeli wydaje ci się, czytelniku, pracujący być może w racjonalnie poukładanej organizacji podlegającej mechanizmom rynkowym, że debata tego rodzaju, odnosząca się do wielkiej strategii Rzeczypospolitej, której narzędziem realizacji są też siły zbrojne, odbyła się lub odbywa obecnie w naszym kraju, to się mylisz. Zamiast tego przedstawia się ci słabo wyreżyserowany performance, będący nieudolną imitacją nawet nie debat strategicznych mających miejsce na Zachodzie, ale najbardziej powierzchownych ich zewnętrznych znamion. Tak jak posiadanie stetoskopu czy wyszczekiwanie nazw leków nie czyni lekarzem, nie zastąpi studiów medycznych i nie pozwoli skutecznie leczyć chorób lub im zapobiegać, tak sałatka słowna o «możliwościach fregat», «zdolnościach F-35» czy «horyzoncie radiolokacyjnym» nie jest i nie może być postrzegana jako debata o celach państwa, strategii mającej umożliwić ich osiągnięcie czy wreszcie nagiej sile — armii — będącej narzędziem osiągnięcia tych celów. Gorące spory o grubość pancerza czołgu czy model helikoptera bojowego nie zastąpią debaty nad «koncentrycznymi kręgami» Palmerstona.

(...) To się musi zmienić. Inaczej już zawsze wódz naszego plemienia, jadąc do Stanów Zjednoczonych, będzie sadzany przy stole obok handlarza sprzętem wojskowym. Na stole tym stać będzie srebrne lusterko, radyjko na baterie, paciorki albo ozdobiony polską szachownicą malutki modelik czołgu czy helikoptera, który akurat Rzeczpospolita postanowi za nasze pieniądze kupić. Nie wiedząc nawet — dlaczego i po co, czyli na jaką wojnę i jakim sposobem prowadzoną".

## AMBICJE I CHAOS

Majowego popołudnia 2022 roku poszliśmy z Phillipem Karberem i Albertem Świdzińskim do *Gammy* i przez ponad sześć godzin rozmawialiśmy do późna w nocy. Rozmowa dotyczyła właśnie tego wyjątkowego momentu geopolitycznego dla Polski na wschodzie, który się teraz rysował, przebiegu samej wojny, zależności z tym związanych i generalnie planu zwycięstwa w wojnie z Rosją. Ogólnie — cygara, dym i „samo gęste". Karber prostodusznie radził *Gammie*, żeby Polacy nie pytali nikogo, w tym Amerykanów, co robić teraz na wschodzie, ale by narzucali swoją agendę. Są bowiem takie momenty, by odnaleźć się w formacie większym niż do tej pory — tak postrzegał rolę Polski w regionie w obliczu wojny i sporów wewnątrz Zachodu na temat tego, jak bardzo należy pomagać Ukrainie. Podkreślił raz jeszcze, co bardzo utkwiło mi w pamięci, by nie pytać USA o zgodę, a budując Międzymorze, mniej mówić o Polsce, a więcej o budowie stosownej równowagi, która zmieni układ sił w Europie i powstrzyma Rosję. Dopiero takie postawienie akcentów — według niego — da Polsce oddech do rozwoju, a całemu regionowi podmiotowość, i powstrzyma zapędy Rosji.

Bardzo mi odpowiadała ta wrażliwość i dalekowzroczność Karbera, wskazująca, by nie przesadzać z naszymi narodowymi emocjami i tym samym z imperialną przeszłością Polski. Dobrze to współgrało z jego przenikliwością doświadczonego emisariusza imperium Oceanu Światowego, intuicyjnie rozumującego w kategoriach stosownych równowag, a nie ideologii czy forsowania partykularyzmów. Uważam to niezmiennie do dziś za dojrzałość życiową i przy okazji polityczną. Czas pokaże, czy jego słowa przenikną do naszego systemu publicznego i elit Rzeczypospolitej.

Społeczeństwo, które będzie teraz wydawać grube miliardy na wojsko, nie zdaje sobie sprawy, że nie ma w MON grupy specjalistów, która pracowałaby wyłącznie nad reformą wojska czy przygotowywała w szczegółach strategię wojskową albo koncepcję wojny z Rosją, tak jak byśmy sobie tę pracę wyobrażali: potężne sztaby i bazy danych, projekcje, liczby, statystyki, praca w terenie, zaawansowane koncepcje, wzajemne podważanie ustaleń, by uzyskać doskonały efekt lub pomysł. Nie ma tego. Wojskowi w służbie czynnej często dzwonili do nas, do S&F, pytając: kto właściwie pracował nad reformą zakładającą zwiększenie wojska do trzystu tysięcy (i więcej) stałej armii na stopie pokojowej, co deklaruje MON od jesieni 2021 roku? Oni nie wiedzą, kto z wojska to przygotowuje! Jaka jest strategia wojskowa i wynikająca z niej koncepcja operacyjna, która wykazuje takie liczby w stanie pokoju? Wojsko polskie jako takie nie słyszało o całościowym zespole, który by nad tym pracował. To dość dziwne.

Brak korelacji między wielką strategią, strategią rywalizacyjną i wojskową oraz ewentualną koncepcją operacyjną i idący za tym chaos zakupowy to nie wszystko. Jakby tego było mało, w systemie obronności Rzeczypospolitej mamy również chaos prawny. Ze względu na charakter współczesnej rywalizacji może nie być wiadomo, kiedy mamy wojnę, kto dowodzi wojskiem i kiedy. Obowiązujące w Polsce rozwiązania prawne przygotowują państwo do wojny w klasycznym jej rozumieniu, poprzedzonej sekwencyjnym rozwojem sytuacji kryzysowej o charakterze polityczno-militarnym, jak w XX wieku, są więc w dużej mierze nieadekwatne do współczesnych zagrożeń i sytuacji geopolitycznej. W obecnym stanie prawnym reagowanie na tak zwane zagrożenia hybrydowe i działania poniżej progu wojny jest możliwe wyłącznie z wykorzystaniem środków i procedur przewidzianych do użycia w czasie pokoju (nie istnieją prawne definicje tych pojęć ani specjalne sposoby działania w razie ich wystąpienia). Stany nadzwyczajne w obecnym kształcie (odzwierciedlające niebezpieczeństwa z przełomu XX i XXI wieku) mogą się okazać nieadekwatnym środkiem zaradczym wobec zagrożeń.

Wprowadzenie na przykład stanu wojennego jako narzędzia umożliwiającego reagowanie na zagrożenia o charakterze zewnętrznym w postaci działań poniżej progu wojny stanowi niezwykle trudną decyzję polityczną.

Na zewnątrz państwa może być ona odebrana jako próba eskalacji i przygotowywanie do wojny i może dać agresorowi pretekst do działań przeciw danemu państwu na arenie międzynarodowej. Dotyczy to zwłaszcza delikatnej materii solidarności w ramach NATO na podstawie artykułu 5 traktatu, gdy chociażby w toku gier wojennych prowadzonych przez S&F w 2021 roku okazało się, że postępowanie Polski przed otwartym konfliktem było analizowane przez raczej niepewnych sojuszników, jakimi są Niemcy czy Francja, czy aby Polsce pomagać w razie wojny. Rosji dawało to możliwość odseparowania politycznego Polski od reszty sojuszników, co obniżało efekt odstraszania w ramach mechanizmu sojuszniczego. Mówiąc wprost: Niemcy tylko szukali pretekstu, żeby nie pomóc Polsce i starali się deeskalować konflikt, by nie musieć nam pomagać i wchodzić do wojny, a niejasność prawna polskiego systemu odporności państwa po prostu tylko sprzyja tak niekorzystnemu obrotowi sytuacji.

Wewnątrz państwa stan wojenny budzi nadal niezwykle silne skojarzenia z 13 grudnia 1981 roku, co może się spotykać z negatywnym odbiorem przez społeczeństwo oraz media. Politycy też mają zdystansowany stosunek do wojska, zwłaszcza na prawicy, co powoduje rozdźwięk wewnątrz polskiej kultury strategicznej między strategią wojskową a strategią rywalizacyjną i ostatecznie fatalny efekt chaosu zakupów. Prawna niejasność systemu dowodzenia może także wywoływać potężne spory kompetencyjne między ministrem obrony narodowej, ministrem spraw wewnętrznych, premierem, prezydentem i szefem sztabu generalnego oraz dowódcami: operacyjnym rodzajów sił zbrojnych oraz generalnym rodzajów sił zbrojnych.

W ostatnich latach bardzo dużą wagę przywiązywano do dyskusji na temat reformy systemu kierowania i dowodzenia siłami zbrojnymi, zapominając o istnieniu systemu kierowania obroną państwa w czasie wojny, który ma zdecydowanie szersze znaczenie. Dotyczy on całokształtu działania państwa, w tym także wojska. Jego zasadniczym elementem są politycy sprawujący najważniejsze urzędy w państwie. To od ich przygotowania (oraz ich świadomości zagrożeń, a także zrozumienia roli, jaką mają do odegrania) będzie zależeć szybkość i sprawność działania systemu w czasie zagrożenia i wojny.

Z tym były zawsze problemy w Rzeczypospolitej. Wystarczy przypomnieć sobie spory między Józefem Piłsudskim a całym systemem politycznym, który nieustannie starał się ograniczać Naczelnika Państwa w trakcie wojny. Nie lepiej było za czasów królewskich. Rozgrywki między hetmanami a królem, nader często zazdrosnym o sukcesy hetmańskie w kampaniach wojennych, były na porządku dziennym. Przykładem jest spór hetmana wielkiego litewskiego Krzysztofa „Pioruna" Radziwiłła z królem Zygmuntem III, co wpłynęło na przebieg naszych wojen inflanckich, a w dalszym planie skutkowało być może brakiem zwycięskiego rozwiązania sprawy Moskwy dla Rzeczypospolitej na początku XVII wieku, gdy nasze dawne państwo miało po temu zdolności, a kwestia inflanckiego okna na świat pozostawała dla Moskwy sprawą kluczową. Nie jest tajemnicą, że obecnie również trwa niezgoda między

cywilnym kierownictwem MON a dowódcami wojska polskiego, którzy są bezradni, próbując reformować strukturę
i wprowadzać powiew nowego w obliczu wojny na wschodzie, ale nie za wiele mogą zrobić, tkwiąc w ciasnym gor-
secie władzy cywilnej i jej mikrozarządzania.

Dla porównania, proszę zobaczyć, jak dobrze radzi sobie podczas trwającej wojny na Ukrainie kierownictwo polityczne pod przywództwem prezydenta Zełenskiego (choć
i tam nie brakuje napięć między nim a wojskiem, zwłaszcza w kwestii metody wojowania w Donbasie oraz próby
odzyskania Chersonia, a knowania polityczne próbują odebrać sukces obrony Kijowa w lutym i marcu 2022 roku
jej autorom), a jak źle radzili sobie nasi rządzący we wrześniu 1939 roku. To właśnie sprawny proces decyzyjny oparty na systemie świadomości sytuacyjnej będzie stanowił
jeden z najważniejszych czynników umożliwiających obronę państwa. Niestety brak przygotowania polityków na
różnych szczeblach administracji publicznej jest wielką
bolączką systemu kierowania obroną naszego państwa.
Niechęć do udziału w szkoleniach i ćwiczeniach oraz
niezrozumienie roli i znaczenia w systemie to tylko część
przejawów dotyczących takiego, a nie innego traktowania
obronności przez polityków i system publiczny.

W czasie gier i symulacji wojennych ich obecność jest
nie do wyegzekwowania, bo politycy „nigdy nie mają czasu", zawsze zajęci „ważniejszymi sprawami", głównie zresztą występami w mediach i „knuciem na kolegów", „plota-
mi", obarczeni syndromem „pustych taczek" (kto pracował
w polskim ministerstwie, ten wie, o co chodzi) i ciężarem

w gruncie pustego utrzymywania gry formalnej w systemie. Czyli ciągłego spotykania się z innymi uczestnikami owej gry (zbyt często na kawie, w kawiarni), by zachować percepcję własnej pozycji (najlepiej wiecznie rosnącej). Percepcja pozycji jest ważniejsza niż realnie wykonywana praca, zresztą na czym ona obecnie tak właściwie polega? Wielokrotnie zadawałem sobie to pytanie, widząc te sprawy z bliska.

Politycy nie chcą poza tym zajmować się sprawami, na których się zupełnie nie znają, by nie pokazać słabości i niekompetencji. Nie daj Boże mogłoby to wyciec do prasy albo stać się przedmiotem „plotek" w wiecznej grze o status z kolegami z partii. Kiedyś może być argumentem przeciw politykowi w jakiejś oczywiście „ultraważnej" walce personalnej o stanowisko w partii lub w spółce Skarbu Państwa dla lojalnych partyjnych kolegów czy wspierającego go „aktywu partyjnego".

Nie jest to oczywiście tylko bolączka Polski. Podczas wspomnianych wcześniej symulacji wojny nuklearnej „Proud Prophet" z lat osiemdziesiątych XX wieku, które prowadził Phillip Karber dla sekretarza obrony Stanów Zjednoczonych — jedynych, w których trakcie przetestowano system kierowania państwem amerykańskim w wojnie nuklearnej — okazało się, że amerykańscy politycy sprawujący urzędy mieli podobne obawy dotyczące przecieków co do ich decyzji i zachowania. Dlatego nad Potomakiem zadbano, żeby system organizacji tej symulacji był szczelny i nie przepuszczał na zewnątrz informacji o tym, co się tam działo.

W Polsce zawsze jest z tym problem, cała oficjalna Warszawa natychmiast plotkuje o tym, kto się spisał, a kto nie — tak jak było chociażby po sławetnych ćwiczeniach wojny z Rosją pod kryptonimem „Zima" w 2021 roku. W tym konkretnym wypadku plotki i opisy w prasie nie oddawały ani realnych rachub stron, ani istoty rzeczy, czyli co miała ta gra wykazać i czy sposób użycia sił obu stron był realistyczny. Plotki zaczęły żyć własnym życiem (gra formalna), szkodząc nie tylko niektórym ludziom, ale także państwu polskiemu.

Mając to wszystko na uwadze, wierzę, że z czasem kadra naszego wojska, być może ośmielona tym, co się dzieje na Ukrainie, oraz odnowionym zapałem polskiego społeczeństwa do reformy wojskowości, zabierze głos i przekaże społeczeństwu to, co mówiła nam w ostatnich latach o obecnym stanie wojska polskiego i co uważa, że należałoby zmienić. Polska debata publiczna na temat stanu odporności państwa, stanu wojska, a przede wszystkim na temat bardzo potrzebnej głębokiej reformy polskiej wojskowości ogromnie by na tym zyskała.

Należy wykorzystać więc emocje społeczne w Polsce, wywołane agresją Rosji, do zbudowania wojska z prawdziwego zdarzenia. Wojna na Ukrainie może być bowiem tylko pierwszą kampanią w wojnie o Eurazję i nie należy lekceważyć groźby bardzo prawdopodobnego konfliktu z naszym udziałem. Rosjanie (Sowieci) potrafili się podnosić z niepowodzeń dużo większych niż nieudany szturm Kijowa lub upadek Iziumu, o czym słusznie mówił publicznie wiosną 2022 roku *Gamma* na konferencji w Warszawie.

Jak stwierdził podczas kameralnego spotkania przy kawie i ciasteczkach wysoki przedstawiciel administracji Stanów Zjednoczonych w marcu 2022 roku, „zawsze z każdym rządem polskim musimy rozmawiać, bo to rząd kontroluje armię, a mamy wojnę na wschodzie, która zmieni nasz świat". Zatem nie ma znaczenia, czy lubimy *Alfę*, *Betę* albo *Lambdę*, czy też nie. Ostatecznie to liderzy polityczni kraju decydują — obecni mówią przynajmniej o konieczności znacznego zwiększenia wydatków na nasze bezpieczeństwo. Z tym że w razie konfliktu zbrojnego możemy i musimy polegać przede wszystkim na własnych siłach i być w stanie walczyć z rosyjskim zagrożeniem samodzielnie przez bardzo długi czas. Jak wielokrotnie, między innymi w sejmie, mówił *Alfa* już w trakcie agresji na Ukrainę, wojna pokazała, że pomaga się tylko tym, którzy potrafią i chcą się sami bronić.

## REFORMA I JESZCZE RAZ REFORMA

Gdy obserwujemy to, co się dzieje na wschodzie, rzeczywiście staje się jasne, że pomaga się tylko tym, którzy bronią się kompetentnie. Potrzebujemy natychmiast głębokiej reformy polskiej wojskowości. Nie może być to powielanie starych schematów, tylko za dużo większe pieniądze, które obiecują liderzy polityczni. To nie zadziała i nie tak się to robi. Jeszcze jesienią 2021 roku, czyli kilka miesięcy przed wojną, wezwaliśmy jako S&F publicznie (i bardziej dyskretnie, przez ludzi związanych z rządem) kierownictwo resortu obrony do rozpoczęcia publicznej debaty, do której gotowi jesteśmy stanąć. Przed ogłoszeniem przygotowanej w Strategy&Future koncepcji Armii Nowego Wzoru proponowaliśmy odbycie zamkniętego seminarium w gronie specjalistów, podczas którego można byłoby przedyskutować zarówno podstawowe wyzwania stojące przed polskimi siłami zbrojnymi, jak i to, w jaki sposób możemy na nie odpowiedzieć. Proponowaliśmy, aby na wzór słynnej dyskusji strategicznej, jaka toczyła się w Stanach Zjednoczonych w latach siedemdziesiątych, powołać „Team A" i „Team B", dwa umowne zespoły analityczne, które mogłyby poddać ocenie koncepcje reformy sił zbrojnych. Bez dyskusji na temat głębokości i zakresu reform żadne zmiany się nie powiodą. Decyduje o tym skala wyzwań, ale również niezbędnych wyrzeczeń, i zakres koniecznego konsensu społecznego i politycznego.

Pracując nad Armią Nowego Wzoru, mieliśmy poczucie misji wobec ojczyzny — i nie boję się tych wielkich słów. Znaleźliśmy się też w niezwykle komfortowym jak na polskie warunki położeniu, ponieważ nie byliśmy zależni od pieniędzy publicznych, więc nie autocenzurowaliśmy się w obawie przed utratą strumienia środków płynących od polityków (zjawisko stare jak świat i powszechne w Polsce). Nie byliśmy ani nie jesteśmy zależni od pieniędzy z firm zbrojeniowych. Mieliśmy pieniądze bezpośrednio od obywateli, którzy po zapłaceniu podatków i składek ZUS na rzecz państwa postanowili się dobrowolnie „opodatkować" na rzecz S&F czy na rzecz projektu Armii Nowego Wzoru. A do tego zdobyliśmy szacunek wielu osób w administracji publicznej i wojsku oraz świetne kontakty z Amerykanami zajmującymi się strategią i bezpieczeństwem w Pentagonie, w czołowych think tankach Stanów Zjednoczonych i Europy, w ośrodkach i instytucjach świata euroatlantyckiego i anglosaskiego, od Australii przez Teksas po Estonię, a nie tylko tych, które obsługują „linie przesyłowe" amerykańskiej zbrojeniówki, rozdającej karty w Polsce.

Pozwoliłem sobie raz jeszcze podkreślić nasze atuty, ponieważ mają one ogromne znaczenie w polskim postkolonialnym i zakompleksionym piekiełku wyznaczanym tak zwaną grą statusową, w której znaczenie danego człowieka zależy w dość dużej mierze od jego znaczenia dla Amerykanów i jego bliskości do Amerykanów lub innych ważnych ludzi na Zachodzie. Brzmi to jak żart albo horror, a właściwie jest żałosne, ale w formalnej grze percepcyjnej naszego świata publicznego tak to właśnie działa, o czym powinieneś się, drogi czytelniku, z niniejszej książki dowiedzieć, jeśli jeszcze tego nie wiedziałeś. Przez lata wyrobiliśmy sobie w S&F świetne relacje z ludźmi w Stanach Zjednoczonych, od wojska po strategię w Pentagonie, i to uwierało wielu naszych polityków oraz zawistników biorących udział w debacie publicznej. Nie aż tak ich drażniło (co bardzo znamienne!), że mamy ciekawe czy mniej lub bardziej mądre teksty albo wykłady, lecz strasznie uwierały ich nasza pozycja i szacunek u Amerykanów.

To wynik wciąż postfeudalnego społeczeństwa, w którym o więziach profesjonalnych nie decyduje wyłącznie praca i fachowość, ale „stosunek do" i „relacje" — relacje pionowe lub co najwyżej diagonalne. Relacje ponad wszystko, i to najlepiej z kimś, kto ma wyższy status niż Polacy; w kwestiach bezpieczeństwa to oczywiście Amerykanie — im bliżej Pentagonu i Białego Domu, tym lepiej. Absolutnie żenujące. Zamiast relacji poziomych, promujących fachowość i nagradzających za zwiększanie swoich merytorycznych kompetencji.

Od 2015 roku doświadczyłem osobiście wielu pomówień, kiedy to Polacy oskarżali mnie wobec Amerykanów. Na początku nie mogłem uwierzyć, że to się dzieje naprawdę. Że amator, że chiński agent, że agent izraelski — w zależności od amerykańskiego rozmówcy, któremu sączono te bzdury. Polacy mają paskudną cechę pomawiania swoich rodaków, zwłaszcza wobec obcych, i pozycjonowania opartego na plotce i insynuacji, a więc „lewarowania na pustym powietrzu", a nie na realnym wkładzie pracy i osiągnięciach. Uważam, że strukturalnym powodem takiego stanu rzeczy jest wspomniany postfeudalizm, brak dużego polskiego kapitału i dostępu do niego, brak poważnego przemysłu prywatnego i organicznej innowacyjności. Polacy insynuują po to, by w swoim mniemaniu osłabić konkurenta w oczach kogoś z zagranicy, kto zajmuje według nich „wyższą" pozycję w grze statusowej.

U poważnych ludzi za oceanem, zwłaszcza z kręgów zajmujących się strategią, insynuacja jest traktowana z pogardą. Insynuacja to nasza obrzydliwa cecha narodowa. Do tego wielu ludzi w Polsce myśli, że tak można robić i jest to akceptowalne. Zamiast sztyletu — obmowa i plotka. Często wywołuje to efekt dokładnie odwrotny lub co najwyżej eliminujący z kręgu towarzyskiego czy biznesowego wszystkich zaangażowanych w tę toksyczność Polaków — zarówno obmawiających, jak i obmawianych.

Nawet jeszcze na początku roku 2022 jacyś śmieszni ludzie z Polski próbowali dowiadywać się w Pentagonie, czy aby na pewno mamy spotkania z Andrew Mayem w Office of Net Assessment, by zrobić z tej informacji — gdyby okazała się nieprawdziwa — argument w dyskusji publicznej w kraju na temat naszej Armii Nowego Wzoru.

Tacy jesteśmy jako naród, społeczeństwo, elity publiczne, drodzy państwo. To nasz system publiczny, cały system powiązań między władzą a redystrybucją środków publicznych w postaci subwencji, grantów oraz percepcji czy dystrybucji szacunku, gry personalnej i „całego tego zoo" nieistotnych spraw banalnych ludzi, z których większość nie świadczy usług ani nie wytwarza produktów potrzebnych społeczeństwu, więc musi krążyć „po liniach przesyłowych" redystrybucji środków publicznych, pilnować do nich dostępu i utrzymywać dobre kontakty z dysponentami tych środków (głównie politykami i ich ekspozyturą).

Chcę przy tym podkreślić, że nie wszyscy są tacy; istnieją chlubne wyjątki — ludzie światli i z charakterem, do tego państwowe instytucje z prawdziwego zdarzenia, ale nie ma to natury systemowej, tylko zależy od postawy etycznej i osobowości poszczególnych ludzi, a to za mało na państwo o naszym położeniu geopolitycznym.

Wskutek takiego pozycjonowania celem (i środkiem) większości uczestników systemu publicznego jest powtarzanie frazesów i „mieszczenie się" w oczekiwanym publicznym dyskursie, który niewiele ma do zaoferowania Polsce, nauce, społeczeństwu. Daje natomiast pretekst do wypłaty środków publicznych. To wasze (nasze) państwo, drodzy czytelnicy. I nasze „najlepsze miejsce na świecie".

Kluczowym problemem są też po prostu niewielkie pieniądze, jakie się oficjalnie zarabia w sferze publicznej. Ludzie zarabiają mało i jest tych ludzi zbyt dużo. Rodzinie i „lojalnym" znajomym rozdaje się posady, budując dominia i system wdzięczności, a nigdy nie wiadomo, kiedy taki wdzięczny znajomy się przyda, może gdy będę potrzebował lekarza, chciał umieścić dziecko w dobrej szkole czy szukał poręczyciela kredytu. Nikt nie pamięta, że buduje system wdzięczności nie za swój pieniądz, lecz za publiczny, nie mówiąc już o merytorycznych podstawach takiego zatrudniania na publicznej posadzie. „Obdarowana" w ten sposób osoba nie odmówi spełnienia w przyszłości takiej czy innej prośby, bo przecież powinna się odwdzięczyć temu, komu tę posadę zawdzięcza. W sferze publicznej zarabia się naprawdę słabo w stosunku do rynku prywatnego i nader często wynika z tego szokująco namiętny stosunek do pieniędzy, co widziałem na własne oczy. Na takim stanowisku ciężko też podjąć szybko poważne decyzje, które są chlebem powszednim przedsiębiorców.

Przedsiębiorcy muszą zamówić tony mąki do piekarni, na rano, po określonej cenie, żeby się zmieścić w marży i nie rozczarować klientów, i nie mogą zwlekać z decyzją. Jej skutek będzie odczuwalny już rano. Decyzja łączy się jasno i klarownie (i uczciwie) z odpowiedzialnością i ryzykiem, czego nie ma w sferze publicznej. Niestety odpowiedzialność i radzenie sobie z nią przychodzą wraz z obrotem pieniędzmi, a w systemie publicznym to tak nie działa, bo ludzie w sferze publicznej nie ponoszą tego rodzaju odpowiedzialności, a ich praca nader często nie przynosi widzialnych efektów, które bezpośrednio i szybko kojarzą się z wcześniejszą decyzją. Stąd choroba „dupokryjek", barier biurokratycznych i odwlekania decyzji lub wszelkiego rodzaju zwodzenia. Tym bardziej gdy biurokracja jest coraz większa, zaczyna mieć własne interesy strukturalne, a interesy związane z groszem publicznym są potężne albo niejasne. Pojawia się inercja i apatia demoralizująca ludzi pracujących w systemie publicznym.

Tak dzieje się również w wojsku, które stanowi część tego systemu, do tego bardzo specyficzną część. Z całym układem zależności: kwaterunki, dodatki mieszkaniowe, dodatki za skoki spadochronowe, za misje zagraniczne, lepsze i gorsze garnizony itp. Cały system ma tendencję do krępowania wolności i horyzontów myślenia, działania, tworzenia.

Stąd w świecie anglosaskim tylu cywilnych strategów. W wypadku wielkiej strategii panuje pełna dominacja cywilna: Halford Mackinder, Elbridge Colby czy Wess Mitchell (w Polsce w przeszłości: Romer, Wakar, Dmowski, Piłsudski). Co do strategii rywalizacyjnej — Zbigniew Brzeziński, Henry Kissinger, Andy Marshall czy Andrew May. Cywile mają potężny głos nawet w kwestii strategii wojskowej, jak wspominany już przeze mnie nieraz

Publius Flavius Vegetius Renatus, czyli Wegecjusz, żyjący w IV wieku naszej ery autor jedynego zachowanego traktatu o rzymskiej wojskowości. Jego dzieło stanowiło podstawowy podręcznik sztuki wojny w czasach renesansu i fundament staropolskiej sztuki wojennej, z której powinniśmy być dumni. Inny przykład cywila działającego na tym polu to legendarny brytyjski strateg morski, wzmiankowany już wcześniej Julian Corbett, prawnik z wykształcenia, doświadczony barrister sądowy, z którego książek, nawet bardziej niż z dzieł Alfreda Mahana, uczą się marynarze w Stanach Zjednoczonych i Wielkiej Brytanii. Albo Elbridge Colby, główny autor podstawowego dokumentu nowej globalnej strategii wojskowej w Pentagonie za prezydentury Donalda Trumpa (i autor dyskutowanej teraz głośno w świecie książki na ten temat zatytułowanej *Strategy of Denial*), czy guru anglosaskiej strategii, zmarły niedawno Colin Gray lub geniusz teorii wojny Reginald Bretnor.

Józef Piłsudski (tak, tak — on) też nie miał wojskowego wykształcenia, trudno nawet określić, czy był wojskowym w tradycyjnym rozumieniu tego słowa. Rzecz jasna także wielu wojskowych zajmowało się strategią wojskową: hetman Jan Tarnowski, Ignacy Prądzyński, Jan Zamoyski, Władysław Sikorski, Alfred Mahan, Antoine-Henri Jomini czy Carl von Clausewitz. Wojskowi są oczywiście potrzebni do opracowania dokumentu wykonawczego, czyli koncepcji operacyjnej, stanowiącej ostatni szczebel procesu intelektualnego rozpoczętego zdefiniowaniem wielkiej strategii. Nie widać jednak, by dokonywało się to w Polsce i byśmy mogli zapoznać się z owocami tej pracy (przynajmniej ich częścią jawną), tak jak można to zrobić w Stanach Zjednoczonych. I naprawdę dzieje się to bez uszczerbku dla bezpieczeństwa Ameryki.

W S&F mieliśmy zapewnioną niezależność badaczy i dobre kontakty z ludźmi mającymi pojęcie o wojnie, bo na niej byli, i z osobami, które pracowały dla takich instytucji jak Office of Net Assessment czy liczne amerykańskie think tanki. Jednocześnie zaczęliśmy się cieszyć nieoficjalnym (a zdarzało się też, że i oficjalnym) szacunkiem u polskich polityków, dowódców wojska polskiego, a nawet urzędników, którzy liczyli się z naszymi poglądami i byli ich zwyczajnie ciekawi. Nikt też się nie bał, że chcemy zająć jego miejsce w systemie czy przeprowadzić gry personalne — zwyczajnie, nie byliśmy częścią systemu ani „niczyimi" ludźmi. Uznaliśmy w zespole, i wielokrotnie o tym rozmawialiśmy, że mamy przez to unikatową pozycję do rozpoczęcia w Polsce publicznej szczerej debaty o potrzebie reformy wojskowości. Te sprzyjające okoliczności nakładały wręcz na nas moralny obowiązek robienia tego, co robiliśmy, bo czuliśmy się odpowiedzialni wobec społeczeństwa. Uważaliśmy to za wyraz odpowiedzialności za losy istniejącego (choć z przerwami) tysiąc lat państwa polskiego i przejaw naszej wiary w ciągłość kultury strategicznej Rzeczypospolitej przy jednoczesnej próbie jej kształtowania, odbudowy, uhonorowania po okresie PRL i niemrawości III RP. Nasza praca nad Armią Nowego Wzoru oraz wszystkie opisywane działania i peregrynacje były zatem także wyrazem szacunku dla prób i reform państwa polskiego inicjowanych przez tych, którzy działali przed nami i którzy w trosce o ojczyznę starali się nawigować losem państwa. Bo istnienie, pomyślność i rozwój państwa uważali za warte wysiłku i ciężkiej pracy.

Determinacji dodały nam zawstydzające pytania padające w Waszyngtonie i innych miejscach w świecie. Mnie osobiście najbardziej zabolała rozmowa z jednym z ambasadorów w Warszawie (nie był to ambasador amerykański) późną jesienią 2021 roku. Dosłownie wbiła mnie w fotel. Zapytał mnie wtedy: „Kiedy Rzeczpospolita obudzi się z geopolitycznej drzemki. Gdzie wasze (polskie) myślenie? Gdzie wojskowa kultura i gdzie wasza kultura strategiczna?". Albert Świdziński doświadczył podobnego upokorzenia w tej samej ambasadzie.


### BALET CZY „ANTYBALET"?
Nick Myers i ja uważaliśmy początkowo, że wojna bardzo przypomina balet. Rytm manewru, rytm logistyki, rytm natarcia, rytm dopływu informacji do dowódcy zarządzającego rytmem. Dowódca niczym dyrygent pilnuje rytmu muzyki do baletu w celu uzyskania przewagi nad przeciwnikiem, po osiągnięciu krytycznej nierównowagi na danym odcinku i w danym czasie. W różnych epokach historycznych zmieniały się rodzaje broni, sposób przemieszczania wojska, oczywiście logistyka, sposób rażenia, czyli niszczenia przeciwnika, ale istota sztuki wojennej pozostawała niezmienna. Po namyśle zrozumieliśmy jednak, że wraz z odchodzeniem od wojen industrialnych, gdy już nie masa i liczba (choć one wciąż przecież mają znaczenie),

lecz przewaga informacyjna daje największy atut, wojna staje się powoli bardziej „antybaletem" niż baletem. Tu pojawia się absolutnie kluczowa kwestia pętli decyzyjnej jako Clausewitzowski *Schwerpunkt* w XXI wieku, którą trzeba zrozumieć na samym początku rozważań o współczesnej wojnie. Pętla decyzyjna bierze się z przewagi informacyjnej i własnego odpornego systemu komunikacji, którego efektywność w obliczu szoku zadanego przez przeciwnika jeszcze się poprawia. Jak to się mówi — za Nassimem Talebem, amerykańskim ekonomistą, filozofem i analitykiem ryzyka — system ten musi być „antykruchy". Bo może zapanować chaos — jednoczesność i brak sekwencyjności działań. Obieg informacji w pętli decyzyjnej ma na celu zwycięstwo. Chyba że obieg informacji, a zatem i wojna są tak szybkie i jednoczesne, że panuje chaos i trzeba sobie w nim radzić.

Dominacja informacyjna, coraz częstsze użycie broni precyzyjnych, kiedy strona liczebnie słabsza może atakować stronę liczebnie silniejszą, wykorzystanie dronów, satelitów, poszerzenie pola starcia kinetycznego w głąb, likwidacja płaskości i linearności konfliktu — wszystko to pozwala przełamywać sekwencyjność tradycyjnego rytmu wojny.

Owa sekwencyjność baletu — rozpoznanie, manewr w kierunku wroga, koncentracja masy, uderzenie w przewadze skutecznie zasilanej w stosownym momencie przez logistykę — tradycyjnie musiała się rozgrywać zanim cała machina obu stron doprowadziła do kinetycznego starcia. Dzisiaj mniejszy liczebnie może atakować większego, jeśli zapewnił sobie dominację informacyjną wynikającą z posiadanych dronów, satelitów i jeśli ma możliwość poszerzenia pola starcia kinetycznego w głąb. Likwidując płaskość i linearność konfliktu, elementy te pozwalają przełamywać sekwencyjność tradycyjnego rytmu wojny. Dziś zdolności rażenia przeciwnika nie muszą zawsze wynikać z tej sekwencyjności.

Dobry dowódca dba dziś o to, żeby jego siły nie ścierały się kinetycznie — nie daj Boże w starciu symetrycznym, które jest maszynką do niszczenia ludzi i sprzętu! Dobry dowódca czeka na moment, aż asymetria (a najlepiej krytyczna nierównowaga z niej wynikająca) zostanie zagwarantowana jeszcze przed rozstrzygnięciem kinetycznym. Wtedy dochodzi do eskalacji przemocy. Współczesne pole walki, ów „antybalet", daje po temu możliwości.

Zasada pozostaje taka sama: zachowanie na polu bitwy i zwycięstwo zależą od kontrolowania przepływów i od korelacji między nimi. Chodzi o przepływ danych z wywiadu, logistyki, o ocenę dostępności własnych zasobów w porównaniu ze zdolnościami przeciwnika. Współczesna wojna bywa tak szybka i jednoczesna, że coraz bardziej może przypominać „antybalet", bez wyżej opisanej sekwencyjności działań, za to z ogromnym chaosem sytuacyjnym.

Właściwy i terminowy rytm oraz dostosowana organizacja siły wojskowej zapewniały na polach bitew zwycięstwo przez podtrzymywanie działań, tworzenie przewag, wykorzystywanie pojawiających się asymetrii i ustanawianie dominacji w pożądanych okienkach czasowych i wybranych domenach. W XXI wieku bardzo ważne jest, by skorelować to wszystko z przekazem informacyjnym, który idzie w świat. Stałe i skoordynowane we właściwym rytmie przepływy zapewniają dziś płynność operacji.

Głębokie rozpoznanie udostępniane Ukraińcom przez Amerykanów, dostęp do internetu dzięki Starlinkowi firmy SpaceX, szybszy obieg informacji w pętli decyzyjnej strony ukraińskiej — to wszystko zapewnia większą „amorficzność" dowodzenia i łatwiejszą komunikację w obronie swego terytorium. Zwycięstwo pod Kijowem dała też Ukraińcom gotowość kadry dowódczej w polu do własnej inicjatywy. Nie mniej ważna okazała się rozgrywana w cyfrowym świecie wojna informacyjna, toczona o ludzkie serca i umysły. To ona przyniosła polityczne wsparcie świata dla sprawy ukraińskiej, co skutkowało potem dostawami broni i amunicji niezbędnej do podtrzymywania wysiłku wojennego.

Skoro pętla decyzyjna stanowi dzisiaj punkt ciężkości, to najlepszą opcją byłoby wejście wprost w pętlę decyzyjną wroga i przecięcie jego łańcucha dowodzenia i kontroli. To właśnie środek ciężkości współczesnego pola bitwy. W tym Ukraińcy wykazali wyższość nad Rosjanami w 2022 roku. Ważne są również decyzje polityczne i wojskowe w błyskawicznej sekwencji pętli decyzyjnej. Dotyczy to także wspomnianej wcześniej kwestii przepisów prawnych, muszą one bowiem pozwalać na błyskawiczne, a nawet wyprzedzające działanie w tak zwanych okienkach decyzyjnych, by w momencie próby było wiadomo, kto ma podejmować decyzje. Ten ktoś musi być zresztą do tego przygotowany mentalnie i merytorycznie. Dotyczy to w szczególności polityków. Zarówno w razie sytuacji konfliktowej, przed wojną, jak i w jej trakcie. Dotyczy to wreszcie ukształtowania sekwencji elementów pętli, powiązania dowództw i rodzajów sił zbrojnych. Pętla decyzyjna nie może zależeć od nikogo z zewnątrz, nawet od najbliższych sojuszników, którzy w razie konfliktu uzyskaliby w ten sposób kontrolę nad drabiną eskalacyjną, czyli pozbawiliby nas decyzyjności i mogli wpływać na to, co chcemy osiągnąć na polu bitwy czy w czasie narastania kryzysu.

# ROZDZIAŁ 6

# SIERPIEŃ I WCZEŚNIEJ

CZYLI NA CZYM MUSIAŁABY POLEGAĆ OFENSYWNA
PROJEKCJA SIŁY NA WSCHODZIE W PORÓWNANIU
Z BARDZIEJ POŻĄDANĄ DLA POLSKI STRATEGIĄ
AKTYWNEJ OBRONY

## NA DZIEDZIŃCU

Był ranek 13 sierpnia 2021 roku. Bardzo słoneczny. Przyjechałem do Warszawy specjalnie z wakacji, znad jeziora malowniczo rozciągniętego między pagórkami i kapliczkami Warmii, by znaleźć się na tym dziedzińcu w Warszawie. Wokół zabudowania sztabu generalnego ukończone w 1939 roku. Wentylacja specjalnego bunkra pod budynkiem ponoć nie działała dobrze już wtedy. Owszem, bunkier był wykorzystywany w trakcie działań wojennych w pamiętnym wrześniu, ale wielu oficerów sztabu naczelnego wodza (w trakcie wojny poprzednia nazwa się zmieniła) ryzykowało, pracując w tych podziemnych pomieszczeniach bez dostępu do świeżego powietrza. Szefem sztabu był generał Wacław Stachiewicz, który został zdymisjonowany pod koniec epopei wrześniowej przez ludzi generała Sikorskiego, masowo pozbywających się oficerów sanacji, gdy historia wydała już werdykt o „tak przegranej" wojnie. Generał Stachiewicz został zdymisjonowany już dobrze po tym, jak wcześniej opuścił Warszawę 9 września, by na rozkaz naczelnego wodza marszałka Rydza-Śmigłego przekroczyć granicę rumuńską 18 września; tam został internowany przez rumuńskich „sojuszników" w Slănic Prahova koło Ploeszti. Koleje losu samego budynku sztabu przy Rakowieckiej były oczywiście „wojenne". Zresztą Niemcy często wykorzystywali w Warszawic modernistyczne obiekty publiczne na koszary dla SS i wojska.

Zaprojektowany w moim ulubionym stylu modernizmu przez Stanisława Brukalskiego i wybudowany w latach 1938–1939, do dziś wygląda nowocześnie. Jak opisują fachowcy: „Bryła budynku sytuuje się w nurcie umiarkowanego modernizmu obecnego przede wszystkim w reprezentacyjnej monumentalnej architekturze gmachów państwowych, z symetrycznymi akcentami, prostymi horyzontalnymi skrzydłami i charakterystycznym słupowym prześwitem, osłaniającym strefę wejścia".

Na ten słupowy prześwit zwracałem uwagę za każdym razem, gdy w ostatnich latach odwiedzałem sztab generalny. Nie inaczej było tamtego sierpnia, w roku przed wojną na Ukrainie, gdy po dwóch tygodniach wakacyjnej laby przyszło mi włożyć garnitur (z kamizelką), białą koszulę i krawat, by przemierzyć pieszo cały blisko czterdziestominutowy odcinek z Powiśla na Mokotów, co latem nie jest sprawą komfortową. Niemniej uwielbiam chodzić po swojej ukochanej Warszawie, w której się urodziłem i która jest moim miejscem na ziemi. Znam chyba każdy jej zakątek, na pewno po lewej stronie Wisły. Stojąc na dziedzińcu na Rakowieckiej, czułem uwieranie marynarki, spodni, a nawet ciasnej białej koszuli — nad jeziorem wyraźnie zaniedbałem ćwiczenia fizyczne...

W sztabie nie zjawiłem się sam, był jeszcze ze mną Marek Budzisz. Razem reprezentowaliśmy S&F. Był piątek, i to trzynastego! Obok nas, już na wewnętrznym dziedzińcu, stało sporo osób: wojsko, wyższe szarże i jacyś cywile — głównie z MON i całej gamy służb. Po naszej lewej stronie stanął *Jota*, człowiek bardzo szczególny, jeśli chodzi o tematykę, która nas interesuje w tej książce.

Dziedziniec, wyłożony płytami betonowymi albo kamieniem, był i nadal oczywiście jest dość kameralny, więc wszystko było dobrze słychać. Żeby się tam dostać, trzeba przejść przez biuro przepustek. Przeszliśmy. Wszystko zorganizowane jak w zegarku.

Ja tradycyjnie podpierałem nogą murek (w szkole na apelach też tak robiłem). Nie pamiętam, jaką pozę przybrał *Jota*, ale zwykle był na udawanym luzie, czyli bez krawata, choć w marynarce. Marek po mojej prawej wyprostowany jak struna.

Staliśmy więc pod murem, lekki cień padał od ściany budynku i pod jego osłoną szukaliśmy ulgi od promieni słońca. Nigdy nie mogę wystać w miejscu, przenoszę ciężar ciała z nogi na nogę. Za to Marek Budzisz, niższy ode mnie wzrostem, stał dystyngowany. Tęgi umysł, niebywale pracowity człowiek, zanurzony we wszystkim, co się dzieje na wschodzie, codziennie co najmniej od 7.00 rano do 23.00, a nieraz pewnie i dłużej. Ciągle pisze nowe teksty, tytan pracy. Wcale nie znamy się długo. Poznałem go dopiero w 2019 roku, a potem, zaraz na początku 2020 roku, rozpoczęliśmy współpracę w S&F.

Celowo podkreślam pracowitość Marka, bo mam zwyczaj oceniać ludzi po jakości pracy, którą wykonują tu i teraz, a nie po opinii na ich temat z przeszłości, co jest zarazem wadą i zaletą. Wadą, bo inni ludzie różnie oceniają moje wybory personalne. I zdarza mi się oczywiście popełniać tego typu błędy. Zaletą, bo w Polsce za bardzo skupiamy się na czyimś środowiskowym pochodzeniu i grupach przynależnościowych czy afiliacjach, nawet przy takiej sprawie jak wybór murarza czy dekarza do remontu domu, co jest wielce nieproduktywne i przecież krzywdzące, skrzywiające też w istocie uczciwy rynek usług i starania o jakość wykonania. To pozostałości naszego dawnego życia, nie tylko z PRL, ale chyba jeszcze z czasów szlacheckich dworków, przewagi społecznej szlachty i gospodarki opartej na relacjach i „stosunkach". W porównaniu z Zachodem zbyt dużą wagę przykłada się w Polsce do przynależności środowiskowej czy grupowej, a zbyt małą do jakości bieżącej pracy, poświęcenia, zapału, determinacji, nie mówiąc już o solidności w pracy, co ma bardzo negatywne konsekwencje dla naszego życia politycznego i publicznego, petryfikując awanse i szanse rozwoju, a także, a może przede wszystkim, odbijając się na efektywności i produktywności pracy i jej jakości. Za dużo jest źle pojmowanej lojalności wobec danej grupy, a za mało ciężkiej pracy i merytoryki posuwającej daną pracę lub zadanie do przodu.

Kończy się to najczęściej tak, że mówienie i plotkowanie (zwłaszcza o kimś) zastępuje nam pracę, a samo wypowiedzenie słów sprawia, że czujemy, iż coś zostało zrobione. Słowa i ich wygłaszanie to praca, tak myślą zwłaszcza politycy i ludzie pracujący w systemie publicznym... Wiąże się z tym zjawisko „pustych taczek", tysięcy zbędnych zebrań, kalendarze zapisane po marginesy spotkaniami, a wszystko po to, by utrzymać „stosunki". To, że nie wynika z nich nic konstruktywnego, jest bez znaczenia. Ważne, że nie można odmówić uczestniczenia w tym korowodzie spotkań, gdy ktoś takowe proponuje lub zaprasza, bo powiedzą, że się „wynosisz ponad innych", by potem, podczas kawiarnianych plotek, przylepić etykietę — i już

„po człowieku". Dotyka to zwłaszcza ludzi, którzy chcą żyć z redystrybucji pieniądza publicznego, a takich istnieje bardzo wielu. Dlatego odnajdują się jakoś w środku takiego systemu obmówień i obgadywań. Bo jakie jest wówczas inne kryterium oceny człowieka aniżeli opinie innych osób z tego systemu? Przecież nie kwoty sprzedaży wyprodukowanych towarów ani wartość świadczonych i sprzedanych usług, pozyskani klienci, liczba zbudowanych własnymi rękami domów czy wygranych spraw sądowych. Pozycja przy mechanizmie redystrybucji pieniądza publicznego w ogóle nie zależy od tych w miarę obiektywnych czynników, lecz właśnie od owych ludzi i ich opinii, a oni ciągle obmawiają innych funkcjonujących w systemie lub znajdujących się na jego brzegach, chcących do niego wejść.

Niektórzy stają się w tej materii, w manipulowaniu informacją, prawdziwymi mistrzami. Daje im to sporą władzę nad losem innych i „siłę" sprawczą w systemie, z którą trzeba się liczyć. Takich też wielu spotkałem na swojej drodze, czując wobec nich instynktowną pogardę, zbyt mało skrywaną, co nie raz i nie dwa mi zaszkodziło, choć nie przejmowałem się tym zanadto, pozostając człowiekiem niezależnym. Przy okazji przylgnęła do mnie łatka „nieracjonalnego politycznie" (bo niekontrolowalnego) i „kontrowersyjnego" (bo nie akceptowałem reguł gry), co nawet mi się podobało.

Typowy delikwent działający w systemie publicznym nie ma czasu na czytanie długich raportów, przemyślenie sprawy, tak zwane przespanie się z nią; całe dnie zajmuje mu za to mnóstwo pustych spotkań, z czym dodatkowo wiąże się wieczne spóźnianie się ministrów i urzędników urzędów centralnych. Spotkania są więc w rezultacie raczej pobieżne, oczy spotykających rozbiegane, zjawisko „pustych taczek" narasta i coraz bardziej nie ma czasu ani miejsca, by je załadować. Do tego słowa, mnóstwo słów. Ogólne wrażenie zapracowania „pod dekiel", z którego nic najczęściej nie wynika. To szokujące obserwacje dla ludzi mających wieloletnie doświadczenie z sektora prywatnego, gdzie każdego rozlicza się z efektywnej pracy i wyników. Opisywane wyżej podejście jest też skrajnie niewydolne z punktu widzenia stałości, stabilności przyjętego przez instytucję kursu działania i z perspektywy produktywności, czyli załatwienia danej sprawy. Metaforycznie mówiąc: wygląda to jak młodzieżowy obóz letni lub kolonia, gdzie wszyscy kotłują się między sobą o władzę, wpływ i organizację obozu. Zważywszy na zadania, jakie musi wykonywać państwo, a zwłaszcza państwo polskie, i to szczególnie w obecnych czasach, w obliczu wojny — jest w tym coś przerażająco infantylnego.

Dlatego, na przekór systemowi, w modelu funkcjonowania S&F wszystko jest pracą, niewiele czasu poświęcamy na spotkania z ludźmi z „wieży" lub zabieganie o ich względy. Za to mamy duże tempo interakcji publicznej (teksty, wykłady, wizyty, rozmowy, kontakt z ludźmi przez media społecznościowe), ale przede wszystkim czytamy, czytamy i jeszcze raz czytamy — całe masy tekstów i książek, po to, by potem pisać i mówić de facto o tym, co czytamy i jak to wpływa na postrzeganie spraw, co z tego wynika i jak to kształtuje nasze myślenie o Polsce i świecie.

I tak na przykład Marek Budzisz robił w życiu różne rzeczy. Za czasów PRL młody i bardzo zatwardziały przeciwnik ustroju, siedział za działalność opozycyjną. W latach dziewięćdziesiątych zajmował się polityką i dziennikarstwem, potem był menedżerem firm rolniczych, w tym za granicą.

Marek jest wprost znakomity w sprawach posowieckiego Wschodu. Prawdziwa podpora S&F. Na naszych wewnętrznych naradach mówi najwięcej ze wszystkich, czytał chyba wszystkie książki świata, świetnie zna polską literaturę i historię, nigdy się nie spóźnia. Pamiętam, że chyba tylko raz się spóźnił. I to tylko dlatego, że pociąg, którym dojeżdża spod Warszawy, był opóźniony...

Z kolei z *Jotą* znamy się jeszcze z czasów Narodowego Centrum Studiów Strategicznych, czyli — jak się dziś wydaje — z zamierzchłych lat. Potem nasze drogi się rozeszły. Moim zdaniem był z nas wszystkich najtęższą głową w sprawach wojny lądowej w Europie. Fachowiec od geografii wojskowej. Według słów Amerykanów z Pentagonu *Jota* to najlepszy geograf wojskowy w Europie. Phil Petersen, nasz wspólny kolega z The Potomac Foundation, legenda zimnej wojny, opisywany w książce *The Great Cold War. The Journey through the Hall of Mirrors* Gordona S. Barrassa, wypowiadał się o *Jocie* w samych superlatywach zarówno w Waszyngtonie, jak i podczas różnych gier wojennych, w których z nim uczestniczyłem — od Warszawy po Dorpat w Estonii i Rygę na Łotwie.

Amerykanie widzieli ogrom jego wiedzy, ale Polacy, zwłaszcza ci od polityki lub jej zaplecza, w moim odczuciu manipulowali *Jotą*, starając się wykorzystać jego kontakty z Amerykanami do własnych celów, czyli budowania osobistych sieci połączeń. Smutno było na to patrzeć. Powiedziałem mu to kiedyś, ale nie zareagował, spętany jakąś dziwną blokadą.

W takich przypadkach nie sposób nie oddać się refleksji, że państwo polskie potrafi zadawać ból i krzywdzić na wiele sposobów poprzez używanie ludzi takich jak *Jota* instrumentalnie. Ileż to ja słyszałem (i widziałem) historii o ludziach motywowanych szacunkiem do ojczyzny, czy to inżynierów, czy informatyków, czy wynalazców, którzy starając się pracować z pasją dla Polski, są wykorzystywani, także finansowo. Dzielą się know-how, nie dostając za to wynagrodzenia, a wiedza dziwnym trafem wycieka do kontrolowanych przez polityków spółek i podmiotów. Obwiniam o to oczywiście system publiczny i jego cwaniackie zasady, choć właściwie przecież robią to konkretni ludzie, wykorzystujący gmach i majestat państwa. Więc już nie wiem, kogo ganić: ludzi i ich dobór czy sam system. Wiele jest bowiem patologicznych relacji ograniczających potencjał Polaków, a tym samym możliwości naszego kraju. Aż się prosi po trzydziestu latach rozglądania się po świecie i skokowego wzrostu PKB o zmianę cywilizacyjno-kulturową, która dałaby szansę na wyeliminowanie takich zachowań, jakże charakterystycznych dla nas.

Wracając do mojej z *Jotą* historii, po zajęciu Krymu przez Rosjan w 2014 roku Amerykanie rozpoczęli wizyty w regionie i to wtedy namierzyli mnie, *Jotę* i kilku innych, w tym Narodowe Centrum Studiów Strategicznych. Wzięli nas ze sobą, a my mieliśmy się zajmować wojnami, geopolityką, strategiami wojskowymi i koncepcjami operacyjnymi — uważali nas za obiecujące „młode strzelby". Robili to, bo ich zdaniem nadchodziły w Eurazji czasy wojenne.

Nie będzie żadną przesadą, jeśli napiszę, że *Jota* znał każdą drogę, przejście, most, mostek, bród, dosłownie wszystko, co dotyczy ruchu wojskowego od Odry po Dźwinę i Dniepr, czyli na tak zwanym polskim teatrze wojny, a sądzę, że także po Wołgę i za Okę czy nawet za rzekę Moskwę. Znał je na pamięć, z przykładami absolutnic wszystkich manewrów w bitwie czy wyzwań logistyki w wojnie lądowej ostatnich trzystu lat. Jest w tym wybitny. Tak wybitny, że wspólnie z *Jotą* robiliśmy z Amerykanami bardzo wiele gier w The Potomac Foundation w Waszyngtonie, które dotyczyły flanki wschodniej NATO, a w istocie on robił je merytorycznie niemal samodzielnie od strony polskiej. Zresztą trudno tu mówić o flance, raczej należy za Philem Karberem nazywać to frontem. Od niego pojęcie frontu w naszym Międzymorzu przejął też generał Ben Hodges, ówczesny dowódca amerykańskich wojsk lądowych w Europie, z którym przez dwa lata z rzędu uczestniczyliśmy w symulacji wojny podczas warsztatów we Florencji organizowanych przez The Potomac Foundation. W języku angielskim front to coś znacznie więcej niż flanka, czego język polski nie oddaje tak dokładnie. Front to cały spójny system ze skrzydłami, flanka oznacza coś mniej istotnego, wyizolowanego.

W międzyczasie *Jota* wybrał współpracę z jednym z urzędów administracji rządowej (kluczowym w sprawach bezpieczeństwa i obronności) na warunkach, których ja bym nie zaakceptował. Sam koncentrowałem się na współpracy z Amerykanami, dotyczącej przyszłej wojny na Pacyfiku, pisząc książkę na ten temat i broniąc doktorat w Polskiej Akademii Nauk. Interesowało mnie wtedy głównie to, jak Amerykanie poradzą sobie z Chinami, a *Jota* robił Europę. Dla mnie Europa stała się ważna dopiero później.

Z ciekawości pod koniec części oficjalnych przemówień na dziedzińcu sztabu generalnego w Warszawie zapytałem *Jotę*: „Słuchaj, czy wy szykujecie się w ogóle na wojnę? Widzisz przecież, co się dzieje". Odpowiedział wprost: „Daj spokój, będziemy musieli najpierw przegrać wojnę, by zacząć coś zmieniać. Ale fakt, wszystko zmierza ku wojnie". Zapytałem go wtedy jeszcze, czy rzeczywiście kupują abramsy do 18. Dywizji na wschód od Wisły, na co on, że chyba tak, i sam się zastanawia, w jakim kierunku pójdzie ewolucja pola walki: czy masa, czy rozproszenie i czy, co za tym idzie, drony i przeciwpancerne pociski kierowane, a czołgi działające w większym rozproszeniu. Powiedziałem, że robimy nasz projekt Armii Nowego Wzoru i że jesteśmy w S&F za nową szkołą, czyli za precyzyjnym polem walki i dominacją informacyjną oraz pętlą decyzyjną jako punktem ciężkości pola walki. „Tak, znam — stwierdził — nie wiem, jak jest na pewno, ale może coś w tym być..."

Zaczęliśmy wspominać „stare czasy" (lata 2015–2017) — wspólne wyjazdy, spotkania i gry nad Potomakiem — i obaj przyznaliśmy, że „się porobiło na świecie" od tamtej pory. Nagle *Jota* napomknął o formowaniu przez Rosjan 1. Gwardyjskiej Armii Pancernej w bramie smoleńskiej, co nas naprowadziło na wątek konkretnej gry wojennej, rozegranej w lutym 2016 roku na przedmieściach Waszyngtonu, w ówczesnej siedzibie The Potomac Foundation. To była iście epicka rozgrywka. *Jota* rzucił, że chyba wynik tej właśnie gry doprowadził do sformowania przez Rosjan 1. Gwardyjskiej Pancernej na kierunku bramy smoleńskiej z możliwością rozwinięcia na kierunek bramy brzeskiej i grodzieńskiej już u granic RP. Ja na to, że chyba żartuje... A *Jota* dalej: „Mówię ci, oni to zrobili po naszej grze i po szczycie NATO w Warszawie w 2016 roku, by mieć tak zwany *pinning effect*, podobnie jak generał Schwarzkopf zrobił z groźbą użycia piechoty morskiej na plażach Kuwejtu podczas «Pustynnej Burzy» na Irakijczykach". Dodał, że wtedy, podczas gry w Waszyngtonie, mogły tam być „rosyjskie oczy i uszy", i przypomniał mi: „Pamiętasz te tłumaczki, Ukrainki, które były na grze?". Rzeczywiście były. „No właśnie... Nie zauważyłeś, że potem właśnie ustawili 1. Gwardyjską Pancerną w bramie smoleńskiej?" Ja na to: „No nie mów, że to po naszej grze...". *Jota* puścił do mnie oko i rzucił: „Sam widzisz".

## GRA NAD POTOMAKIEM

Owa pamiętna gra trwała kilka dni, była z pewnością spektakularna i wpłynęła wówczas na moje postrzeganie przyszłej wojny w naszej części świata. Widać, że na *Jocie* również zrobiła wrażenie, więc poniżej przedstawię fragmenty raportu, który współtworzyłem, a który według mnie

*Jota* dostarczył naszym politycznym decydentom, choć bezpośrednich dowodów na to nie mam (jedynie poszlaki oraz podejrzenia co do powiązań i sekwencji zdarzeń). Być może dlatego ówczesny minister obrony przeniósł leopardy 2 z zachodniej Polski na przedmoście warszawskie do Wesołej... Kto wie, może ten raport faktycznie „umeblował" jakiś fragment postrzegania spraw przez MON, bowiem poprzez Narodowe Centrum Studiów Strategicznych wywierano wówczas istotny wpływ na kierownictwo państwa i na Strategiczny Przegląd Obronny.

Części argumentów z tamtej gry użyłem w swojej książce *Rzeczpospolita między lądem a morzem. O wojnie i pokoju*, choć przez kolejne sześć lat kontaktów z wojskowymi i strategami z Zachodu moje poglądy na temat wojny i pola bitwy znacznie ewoluowały. Przesunąłem się zdecydowanie w kierunku nowej szkoły i precyzyjnego pola walki, ognia kierowanego, rozproszonego dowodzenia i dominacji informacyjnej jako klucza do nowoczesnego wojska i nowoczesnego wojowania. Manewr masą zszedł na dalszy plan, przypominał za bardzo drugą wojnę światową i wojny z lat 1967 lub 1973 na Bliskim Wschodzie.

Pod Kijowem i w Donbasie widać to wyraźnie — przy sprawnej świadomości sytuacyjnej precyzyjne pole walki przeważa nad manewrem ciężkim komponentem, wymagającym ciężkiej logistyki.

Postanowiłem opisać tamtą rozgrywkę, ponieważ świetnie pasuje do myślenia, które zdradzał *Alfa* w swoich przemówieniach w 2022 roku. Była to rozgrywka prowadzona przy założeniach strategii wojskowej aktywnej obrony, ale z potężnymi elementami ofensywnej projekcji siły na wschód i północ i z wymaganą do tego ciężką logistyką. Choć należy zastrzec, że potomacowski system do prowadzenia gry o nazwie Hegemon nie oddawał tego, jak wielkim wymaganiom logistycznym taka operacja musiałaby sprostać. Siłą rzeczy nie zapewniało nam to więc pełnego obrazu skali trudności operacji ofensywnych.

Gra umiejętnie rekonstruowała raczej kampanię manewrową, czyli manewr jako metodę wytrącenia przeciwnika z równowagi, odebrania mu inicjatywy i pokrzyżowania jego planów operacyjnych i strategicznych. Natomiast znacznie gorzej według mnie odwzorowywała pojedynki artyleryjskie, zwłaszcza na dużą odległość, w ramach kompleksu rozpoznawczo-uderzeniowego, oraz nie pokazywała należycie ogromnych wymagań logistyki niezbędnej do wsparcia manewru ofensywnego. Jak wiemy, same czołgi (i ich parametry oraz dane z folderów firm zbrojeniowych) nie strzelają i nie walczą, gdyż potrzebują potężnego zaplecza logistycznego, w szczególności w ofensywie. Stąd mówi się o ogonie logistycznym.

Zadania zostały sformułowane nader ambitnie: wojsko polskie miało być zdolne do manewru operacyjnego, czyli do zajmowania i utrzymywania terenu poza granicami kraju. Zatem absolutnie ponad realnie dostępne Polsce siły, które braliśmy pod uwagę przy Armii Nowego Wzoru, przygotowując nasz projekt pięć lat później. Podczas gry w Waszyngtonie w 2016 roku nie mieliśmy też ograniczeń eskalacji, co jest absolutnie nierealistyczne. Amerykanie nam na to nie pozwolą. Dlatego kierownictwo państwa polskiego musi rozumieć, że jeśli chce wystawić wojsko zdolne do aktywnej obrony na przedpolu (a do tego skłaniają geografia teatru wojny oraz tendencje ewolucji pola walki), potrzebuje także pomysłu na poradzenie sobie z Amerykanami, którzy mogą być temu niechętni i stosować obstrukcję, bo ograniczy im to pole sprawczości w kontrolowaniu regionalnej eskalacji. Nie chcą być bowiem wciągnięci przez Polskę do wojny jako patron i gwarant bezpieczeństwa naszego kraju. Technicznie w naszej grze zostało to rozegrane tak, że my jako Polacy mogliśmy dowodzić całością sił amerykańskich znajdujących się lub pojawiających się w trakcie wojny na teatrze europejskim i używać ich jak własnego wojska. To było całkowicie nierealne założenie, ale celem gry było pokazanie prawidłowości teatru wojny, zwłaszcza terenowych (to chcieli sprawdzić Amerykanie), oraz tego, jak myśleliby Polacy w trakcie wojny, gdyby mieli wojsko z prawdziwego zdarzenia (to też Amerykanie chcieli sprawdzić) i gdyby nie dali sobie odebrać kontroli eskalacji (to chcieliśmy sprawdzić my — czyli *Jota* i ja).

*Jota* wojnę w obronie Polski i państw bałtyckich w lutym 2016 roku w Waszyngtonie rozegrał tradycyjnie, czyli manewrem operacyjnym, i zrobił to wzorowo. Używam określenia „rozegrał", bo to on właściwie samodzielnie dowodził Polską w trakcie symulacji. Ja w zasadzie się przyglądałem i asystowałem, prowadząc po polsku i angielsku notatki dotyczące raczej samej sztuki wojennej i jej prawideł na kanwie gry. Decyzje podejmował *Jota*.

Znam biegle angielski, więc *Jota* na początku gry powiedział do mnie: „Jacek, idź, proszę, do Amerykanów i ustal ponad wszelką wątpliwość, że my Polską możemy grać, jak chcemy, w tym używać Amerykanów w Europie swobodnie, tak by pokonać Rosjan bez zważania na drabinę eskalacyjną, kontrolę eskalacji. I upewnij się, że nie mamy ograniczeń co do geografii wojny, użycia środków, przyjęcia celów politycznych wojny. No wiesz, że robimy, co chcemy, i nie mamy ograniczeń...". Upewniwszy się dwa razy, że tak właśnie jest, wróciłem i poinformowałem go, że jest zielone światło. Na co *Jota* stwierdził: „No to zobaczysz teraz, jak wygrywamy". Potraktowałem to jako żart. A potem było już tylko coraz piękniej...

Tych kilka dni symulacji — dzień i noc, mapy w hotelu między kolejnymi rundami, gdy wojsko polskie biło po kolei siły rosyjskie na Białorusi, potem w obwodzie kaliningradzkim, a potem zamykało na Wileńszczyźnie w „półkotle" główną część wojsk lądowych Federacji Rosyjskiej — było niesamowite. Przyglądała się temu naszemu wysiłkowi Ukrainka z Waszyngtonu, która z Karberem jeździła na front ukraiński od 2014 roku. Przydzielona do naszego polskiego zespołu, z niedowierzaniem patrzyła, jak koroniarze tudzież Lachy bez kompleksów planują pobić, a potem biją Rosjan. Z jakiegoś powodu ciągle słuchaliśmy wtedy za oceanem ukraińskiej muzyki; pamiętam jak przez mgłę chyba *Okean Olzy* i coś jeszcze. Więc był też klimat, był nastrój.

W obliczu zwycięstwa kijowskiego armii ukraińskiej i zażartych walk w Donbasie w 2022 roku nasza ówczesna gra nie zaskakuje aż tak bardzo, ale jej przebieg i nasze decyzje były wtedy szokujące zarówno dla naszej ukraińskiej towarzyszki, jak i dla Amerykanów grających zespołem czerwonym, czyli Rosją. Był to też szok dla nas — jak nam szło i jaki arbitrzy mieli ubaw, patrząc na Phila Karbera, który dowodził Rosjanami i gorączkował się, że chyba źle poprzeliczano wyniki starć między turami. Phil Petersen mu pomagał. Na grze pojawił się też pewnego wieczora sam Tom Ehrhard, ówczesny szef Biura Wojny Powietrzno-Morskiej w Pentagonie, przygotowującego się do wojny na Pacyfiku z Chinami, by zajrzeć, co tam robimy w siedzibie The Potomac Foundation. Gdy zobaczył przebieg wojny, postanowił pomóc zespołowi czerwonemu.

Ehrhard, z którym się polubiłem i utrzymuję kontakt, jest typem gościa z Pentagonu, który na wszystko chce przygotowywać plan operacji. Zaprosiłem go też kiedyś na grę na Stadionie Narodowym w Warszawie, organizowaną przez Fundację Pułaskiego, bo Tom nie odpuszcza żadnej okazji na dobrą grę wojenną. To kolejny po Karberze uczeń „mistrza Yody" i jeden z „rycerzy zakonu Jedi" — czyli grupy strategów skupionych wokół Andy'ego Marshalla, który przez dziesięciolecia szefował Office of Net Assessment w Pentagonie. Wszystkie starania „rycerzy zakonu Jedi" w 2016 spełzły na niczym. Wygraliśmy tę wojnę, a konkretnie wygrał ją *Jota*.

Przez tych kilka lutowych dni 2016 roku byliśmy pochłonięci planowaniem operacji nad Niemnem i Prypecią, a nawet nad Berezyną, w Grodnie, Brześciu, Lidzie, Mostach, Baranowiczach, Stołpcach nad błękitnym Niemnem — gdzie przed wojną światową była stacja graniczna z Sowietami i gdzie mieszkali moi pradziadkowie i młoda wówczas moja wciąż żyjąca babcia. I planując działania wojskowe, widziałem na Google Earth pozostałości po dawnym majątku mojej rodziny w Imieninie koło Kobrynia, już za Brześciem, gdzie moja babcia spędziła z kuzynostwem ostatnie wakacje przed wojną. Wojną, która rozdzieliła moją dumną rodzinę kresową na tych, którzy pozostali na zawsze pochowani na nieludzkiej ziemi sowieckiego imperium, tych, którzy przez wywózki i łagry wydostali się z matni kontynentalnej tyranii przez Kazachstan z Andersem i przez II Korpus, Palestynę i Polskie Siły Zbrojne na Zachodzie trafili do Londynu, do Szkocji, a nawet do Nowego Jorku i Chicago; oraz tych, którzy jak moja młoda i piękna babcia (żywcem jak z powieści Józefa Mackiewicza) przechodzili pod Białymstokiem przez chwilowo otwarty niemiecko-sowiecki kordon. Ci uciekali przed spodziewanymi wywózkami i rozstrzeliwaniami sowieckimi do części niemieckiej, która miała być przecież bardziej cywilizowana, jak w poprzedniej wojnie światowej, kiedy co do zasady taką była.

Tym razem jednak stało się inaczej, więc najpierw okupacja, akcja „Burza" i powstanie, później próba odnalezienia się rodziny „uprzywilejowanych" przedwojennych posiadaczy w ludowej Polsce, w zupełnie nowej rzeczywistości. A potem czterdzieści lat PRL. Typowe losy ludzi z naszej strefy zgniotu, między Bałtykiem a Morzem Czarnym, deptanych i rozrzucanych przez historię jak pionki. Deptanych — bo jak inaczej nazwać stan, w którym wielkie mocarstwa próbują narzucać swoją wolę naszej ojczyźnie, a ona nie ma wystarczających sił, by się przed narzucaniem tej woli bronić, i w efekcie obcy stosują wobec opierających się przemożną przemoc.

I tak przyglądaliśmy się z *Jotą* terenowi, na którym planowaliśmy manewr, a potem wydawaliśmy rozkazy. Byliśmy w Berezie Kartuskiej, Prużanach, Słonimiu, Wołkowysku, Pińsku i wielu innych miejscach. Tego bowiem wymagało planowanie operacji tak, by wygrać w naszej grze. *Jota* znał na wschód od Warszawy wszystkie „triki" wojen w regionie z ostatnich czterystu lat. Amerykanie byli w szoku.

Później cały przebieg gry opisaliśmy w raporcie. Poniżej spróbuję więc przedstawić pokrótce to, co się w nim znalazło. Minęło sporo czasu, a wojna na Ukrainie zmieniła nasze obawy i normy ostrożności. Nie ma już przeciwwskazań, by to ujawnić. To, co było szokujące w 2016 roku, nie jest szokujące w roku 2023, a to, co wydawało się niemożliwe w 2016 — wojna, która toczy się na naszych oczach — w 2022 roku stało się faktem.

I tak: w trakcie trzech pierwszych dni działań wojennych Rosjanie zajęli Narwę w Estonii oraz drogą morską przeprowadzili desant na wyspy Hiuma i Sarema położone u wybrzeży Estonii, na których rozmieścili systemy A2AD (S-300). Skutecznie stworzyło to strefę braku dostępu dla natowskiego lotnictwa transportowego i taktycznego do terytoriów Estonii i Łotwy oraz w połączeniu z systemami A2AD z obwodu kaliningradzkiego nad Litwę oraz część Polski (oczywiście ani Finlandia, ani Szwecja nie były wtedy nawet kandydatami do sojuszu). Poza tym Rosjanie generalnie byli mniej aktywni na Litwie niż na terytoriach Łotwy i Estonii. Uderzeniem z okolic Pskowa specnaz uchwycił kluczową drogę między Estonią a Łotwą i wojska rosyjskie kontynuowały marsz na północ Łotwy. Rzecz jasna NATO do dziś nie zmieniło swojego wadliwego stacjonowania i nie wysunęło się pod granicę rosyjską w dużej liczbie, by uniemożliwić Rosjanom szybki manewr w głąb w myśl zakorzenionych od czasów Tuchaczewskiego i Szaposznikowa tradycji operacji głębokich, penetrujących, niszczących zaplecze i linie komunikacyjne, a państwa bałtyckie nadal nie przyjęły jednolitego planu obrony. Jednocześnie przez Rzeżycę wykonano silne uderzenie w kierunku Rygi, przecinając faktycznie kraj na pół. Rosyjskie wojska powietrznodesantowe (WDW) pojawiły się na przedpolach Rygi, głównego miasta regionu i punktu ciężkości całej operacji w państwach bałtyckich. Z terytorium Białorusi rosyjska brygada zmechanizowana wykonała atak na Dyneburg. Siły łotewskie skoncentrowały się w Rydze i wokół niej, czekając na wsparcie sojuszników.

Działania na Litwie w pierwszych trzech dniach wojny polegały na próbie opanowania terenu na południe i zachód od Wilna i Kowna, tak by szybko odciąć siły litewskie i same państwa bałtyckie od ewentualnej pomocy z Polski. Rosjanie ruszyli na Mariampol i mosty na Niemnie, a jednostki specnazu próbowały uchwycić Olitę i mosty na Niemnie, by stworzyć na południe od miasta rubież blokującą ewentualny marsz jednostek polskich i sojuszniczych z przesmyku suwalskiego. Od północnego zachodu z obwodu kaliningradzkiego to samo zrobiła rosyjska brygada zmechanizowana, tak by połączyć się z oddziałami

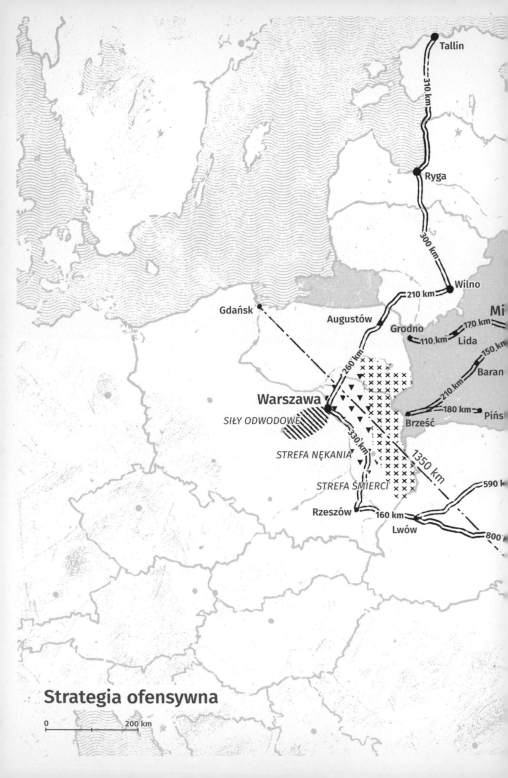

# Strategia ofensywna

Tallin

310 km

Ryga

300 km

Wilno

210 km

Gdańsk

Augustów

Grodno

Mi

170 km

110 km

Lida

150 km

260 km

Baran

Warszawa

210 km

180 km

Pińs

*SIŁY ODWODOWE*

Brześć

330 km

1350 km

*STREFA NĘKANIA*

*STREFA ŚMIERCI*

590 k

Rzeszów

160 km

Lwów

800

0        200 km

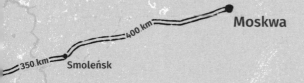

Moskwa

400 km

350 km   Smoleńsk

Kijów

Charków

480 km

480 km

650 km

310 km

Donieck

Mariupol

420 km

Odessa   Chersoń

rosyjskimi, które weszły z Białorusi. Wojska litewskie trwały na zadanych pozycjach, jedynie niewielki oddział spod Kłajpedy próbował wykonać akcję ofensywną i uchwycić most na Niemnie w Sowiecku, na granicy z obwodem kaliningradzkim, kluczowy dla ryglowania obrony przed atakiem z Kaliningradu na Litwę.

W tym czasie siły zbrojne RP dokonywały zmasowanego przemieszczania jednostek na wschód kraju. Do Warszawy została przerzucona cała 6. Brygada Powietrznodesantowa. Z kolei 21. Brygada Strzelców Podhalańskich otrzymała rozkaz przemarszu na północ w kierunku Włodawy, a 25. Brygada Kawalerii Powietrznej oraz 7. Brygada Obrony Wybrzeża pozostały przez pierwsze trzy dni w swoich lokalizacjach. W tym czasie do Polski dotarły amerykańska 173. Brygada Powietrznodesantowa (pod granicę z obwodem kaliningradzkim, pomiędzy 20. a 15. Brygadą polską) oraz amerykański 2. Pułk Pancerny (pomiędzy Siedlce a Terespol). Amerykanie rozpoczęli także przerzut dziesięciu eskadr lotnictwa taktycznego F-16 do Polski, w tym dwóch eskadr F-22, oraz rozpoczęli przygotowania do szybkiego przerzucenia do Norwegii jednostki ekspedycyjnej Korpusu Piechoty Morskiej w celu pobrania zmagazynowanego tam sprzętu. To jednak zajęło trochę czasu. Dziś, czyli w 2023 roku, dalej nie ma stałej obecności Amerykanów na wschodniej flance, chyba że za takową chcemy uznać obiecaną na szczycie NATO w Madrycie w lipcu 2022 siedzibę V Korpusu w Poznaniu.

Między czwartym a szóstym dniem wojny Rosjanie utrzymali swoje zdobycze w Estonii oraz w północnej Łotwie i zacieśniali pętlę wokół Rygi, atakując także lotnisko w mieście. Ani Tallin, ani Ryga nie zostały zdobyte, ale Rosjanie nie podjęli poważnych prób opanowania obu stolic. Rosyjska brygada zmechanizowana wykonała ze środkowej Łotwy uderzenie na litewskie Szawle, a także z okolic Dyneburga na Poniewież. W pobliżu Kowna pojawiły się poważne zgrupowania rosyjskiej artylerii lufowej i rakietowej, wokół Wilna zaś dali o sobie znać po raz pierwszy żołnierze białoruscy, udający nieumundurowane grupy zbrojne. Jednocześnie między Olitą a Druskiennikami pojawiły się dwie rosyjskie brygady pancerne wsparte oddziałami specnazu — w okolicach granicy z Polską.

Wtedy się zaczęło. *Jota* poczekał, aż Rosjanie wykonają te wszystkie ruchy i wpędzą się w asymetrię wynikającą z geografii polskiego teatru wojny. Czwartego dnia wojny wojsko polskie we współpracy z jednostkami amerykańskimi (siły dowodzone przez nas) wykonało głębokie uderzenie na Białoruś w celu poszerzenia frontu z pozycji środkowej po wewnętrznych liniach komunikacyjnych i uchwycenia inicjatywy operacyjnej w wojnie na całym wschodzie. Natomiast 17. Brygada Zmechanizowana uderzyła na Grodno i zgodnie z planem zajęła część miasta, w tym kluczowy most na Niemnie, w celu ryglowania pozycji podejścia wojsk rosyjskich i osłaniania północnego skrzydła manewru ofensywnego na Białoruś. W tym czasie brygady pancerne 34. i 10. miały wykonać potężny manewr ofensywny (unikając poważnego kontaktu z przeciwnikiem) na południe od Słonimia na ogólny kierunek Baranowicze. Zadanie to zostało wykonane. Z kolei 1. Brygada

Pancerna miała wykonać uderzenie oskrzydlające na wschód od Brześcia i po drodze zniszczyć 19. Brygadę Zmechanizowaną armii białoruskiej, co jej się udało. Amerykański 2. Pułk Pancerny miał wykonać szybki i głęboki rajd pancerny w kierunku na Iwancewicze i dalej Baranowicze oraz Stołpce, jeśli się uda — z uchwyceniem mostów na Niemnie. Te cele nie zostały zrealizowane, gdyż po drodze doszło do poważnych starć pułku z trzema białoruskimi brygadami zmechanizowanymi, które zostały rozbite po ciężkich walkach przy jednoczesnej utracie znacznej liczby organicznych śmigłowców uderzeniowych pułku. Całe uderzenie na Białoruś miało mieć taktyczne wsparcie lotnicze, choć w praktyce rosyjskie i białoruskie środki zwalczania napadu powietrznego okazały się bardzo trudnym przeciwnikiem nad własnym terytorium, co zneutralizowało siłę lotnictwa na kierunku uderzenia.

W dalszej kolejności 21. Brygada Strzelców Podhalańskich wykonała uderzenie na Brześć i zdobyła ten ważny węzeł. Generalnie o sto dwadzieścia kilometrów i więcej odsunięto od Warszawy zagrożenie ze strony wojsk stacjonujących na Białorusi. W tym zagrożenie ze strony rosyjskiego kompleksu rozpoznawczo-uderzeniowego, który mógłby terroryzować ludność i terytorium naszego kraju zmasowanym ogniem artyleryjskim i rakietowym, jak to robili Rosjanie jesienią 2022 roku wobec Ukrainy. Przeciwnik zaczął się w tym okresie poważnie obawiać, że Polacy wykonają uderzenie na Mińsk, co wydawało się w polskim zasięgu operacyjnym, zważywszy na rozkład sił i geografię teatru wojny. To przyspieszyło decyzję przeciwnika o zmontowaniu wielkiego uderzenia pancernego na przesmyk suwalski i po planowanym pokonaniu wojsk polskich o rozpoczęciu marszu na Warszawę. Tak zamierzali to zrobić Karber z Petersenem, ale przebieg wojny pokrzyżował im plany.

W tym czasie wojsko polskie umacniało swoje pozycje obronne na przesmyku suwalskim, podciągnięto artylerię lufową i rakietową wspierającą obronę. W Polsce pojawiły się dwie brygady amerykańskiej 82. Dywizji Powietrznodesantowej, które zostały rozlokowane w okolicach Terespola w oczekiwaniu na dalszy rozwój sytuacji. Polska 7. Brygada Obrony Wybrzeża przemieściła się w okolice Gdańska, by szachować możliwość desantu z morza na Trójmiasto oraz by być bliżej teatru operacyjnego, a 25. Brygada Kawalerii Powietrznej została przetransportowana w okolice węzła komunikacyjnego Wyszkowa nad Bugiem, na północny wschód od Warszawy, by szybciej reagować na wydarzenia w okolicach przesmyku suwalskiego.

Między siódmym a dziewiątym dniem wojny został złamany opór Estończyków z wyjątkiem samej stolicy. Alianci rozważali desantowanie w Tallinie czterech batalionów amerykańskiej piechoty morskiej za pomocą wiropłatów V-22 Osprey, które uniknęłyby systemów S-300, lecąc z baz w Finlandii na bardzo niskiej wysokości. Ostatecznie desant wykonano dziewiątego dnia wojny przy sporych stratach. Na Łotwie opór ograniczał się już tylko do części Rygi, i to pomimo że większość oddziałów rosyjskich odeszła na południe na front polski. Na Litwie Rosjanie zdobyli Szawle i rozpoczęli ostateczny manewr na oblężone Kowno i Wilno.

Na froncie białoruskim Polacy przeprowadzili manewr zluzowania brygad pancernych 10. i 34., które zostały po liniach wewnętrznych przez Grodno i Augustów skierowane do wsparcia planowanego na siódmy dzień wojny wielkiego uderzenia na obwód kaliningradzki. Jednostki te zostały zluzowane pomiędzy Słonimiem a Grodnem przez brygadę amerykańskiej 82. Dywizji Powietrznodesantowej, która zaraz potem została zaatakowana przez rosyjską 18. Brygadę Pancerną i w dużej bitwie poniosła znaczne straty, wycofując się nieznacznie na południe, ale trzymając front. Pod samym Słonimiem polskie brygady odchodzące na zachód i północ zostały zluzowane przez amerykański 2. Pułk Kawalerii Pancernej, który wcześniej po długim rajdzie zajął pozycje na wschód od Iwancewicz. Z kolei na jego miejsce dyslokowano amerykańską 173. Brygadę Powietrznodesantową, a samo południe frontu białoruskiego trzymała bardzo poraniona w walkach z białoruską brygadą zmechanizowaną 1. Warszawska Brygada Pancerna zajmująca pozycje w Pińsku i jego okolicach (pozostała siła, 30 procent stanu wyjściowego, czekała na uzupełnienia). Oddziały 17. Brygady Zmechanizowanej były atakowane w Grodnie przez białoruską 6. Brygadę w celu wypchnięcia z miasta, ale bez sukcesu. Front na Białorusi ustabilizował się zatem na linii Pińsk–Baranowicze–Słonim, skręcając na zachód wzdłuż Niemna, aż do Grodna i granicy polskiej. Rosjanie zaczęli przygotowywać się do obrony Niemna, obawiając się dalszego polsko-amerykańskiego marszu na Mińsk i gromadząc tam poważne siły.

Pozycja zajmowana na Białorusi dawała też Polakom i Amerykanom szansę uderzenia w przyszłości od południa w kierunku na Wilno w celu zniszczenia znajdujących się tam dość słabych dotychczas jednostek rosyjskich i białoruskich przez dogodne przejście terenowe wokół Miedników Królewskich. W tym czasie 21. Brygada Strzelców Podhalańskich zajmowała się ostatecznym zniszczeniem pozostałości rozbitych wcześniej brygad białoruskich w okolicach Brześcia, z sukcesem ścigając je w ogólnym kierunku na granicę polską i Białystok. Z frontu białoruskiego pod Kaliningrad zostały przerzucone polskie brygady artylerii: 5. i 23., które miały wesprzeć planowany atak.

Ósmego dnia wojny siły rosyjskie, odpowiadające wielkością zimnowojennej armii pancernej Związku Sowieckiego, wyprowadziły z okolic Olity i Mariampola na Litwie atak na pozycje polskie w przesmyku suwalskim, zajmowane przez okopane, wsparte artylerią i własnym lotnictwem brygady zmechanizowane: 15., 17. i 2., oraz 34. Brygadę Kawalerii Pancernej z Żagania, która nie zdołała dojechać — jak planowano — do podstaw wyjściowych polskiego ataku na Kaliningrad i w związku z tym wzięła udział w bitwie na przesmyku suwalskim. W starciu tym uczestniczyła też przybyła właśnie do Polski 1. Amerykańska Brygada Pancerna z 4. Dywizji Piechoty, która starła się w czołgowym boju spotkaniowym z rosyjską 6. Brygadą

Pancerną. Samo starcie obu brygad okazało się bardzo wyrównane, a obie strony poniosły duże straty. To był bardzo ważny moment wojny.

Wtedy właśnie Amerykanie grający Rosją nie chcieli uwierzyć werdyktom arbitrów, że nie udało im się przebić na Warszawę, więc powstało trochę zamieszania. Chyba rozumieli, co to oznacza dla ich wojsk w nadchodzących dniach. W skali operacyjnej bowiem atak rosyjski na przesmyk suwalski załamał się i strona rosyjska poniosła poważne straty (około 50 procent stanów wyjściowych). Pamiętam tłumaczenie arbitrów, żeby grający Rosjanami popatrzyli sobie na mapę, przez jaki teren chcieli wykonywać uderzenie.

Ósmego dnia wojny rozpoczęły się zmasowane amerykańskie ataki lotnicze i rakietowe na obwód kaliningradzki. Postanowiliśmy z *Jotą* się nie krygować. Najpierw za pomocą rakiet Tomahawk wystrzeliwanych z okrętów podwodnych i nawodnych US Navy z Morza Północnego zostały rażone systemy obrony powietrznej i świadomości sytuacyjnej. Atak ten wsparły bezpośrednie uderzenia lotnicze samolotów stealth B-2 i F-22 oraz uderzenia z odległości (*stand-off*) rakietami Tomahawk z bombowców strategicznych B-52 — wszystko w celu neutralizacji nowoczesnego zintegrowanego systemu obrony powietrznej Rosji w Kaliningradzie i okolicach. Po tym rozpoczął się zmasowany atak lotniczy połowy dostępnych eskadr taktycznych sił powietrznych Stanów Zjednoczonych oraz części polskich na oddziały rosyjskie w obwodzie. Samo miasto Kaliningrad zostało dosłownie zrównane z ziemią. Do szturmowania miasta wyznaczono 9. Brygadę Kawalerii Pancernej z Braniewa i 20. Brygadę Zmechanizowaną z Bartoszyc. Odwodem w zachodniej części obwodu kaliningradzkiego miała być 7. Brygada Obrony Wybrzeża i właśnie przybyła amerykańska 2. Brygada Zmechanizowana 4. Dywizji Piechoty, które miały wejść do akcji potem, po zdobyciu miasta, i uchwycić rubież obronną na północ od Kaliningradu, by przeciwdziałać próbie odbicia miasta i ewentualnie uchwycić przyczółki na Niemnie, tak by w sytuacji braku oporu mogły kontynuować rajd w celu wyzwolenia Kłajpedy i uwolnienia dalej na północ Rygi. We wschodniej części obwodu 10. Brygada Kawalerii Pancernej miała zdobyć Gusiew oraz pokonać obronę przeciwnika i uchwycić most na Niemnie w Sowiecku, co się jednak nie udało, bo doszło do boju spotkaniowego z rosyjską 32. Brygadą Pancerną idącą z Litwy, wspartą przez silne dwie brygady artylerii: 217. i 7. Mimo to do końca dziewiątego dnia wojny cały obwód kaliningradzki został de facto zdobyty przez wojsko polskie wsparte przez Amerykanów. Następnie siły polsko-amerykańskie zaczęły się szykować do forsowania Pregoły i zamknięcia wojsk rosyjskich w przesmyku suwalskim, w kotle kończącym właściwie wojnę w regionie.

Dziesiątego dnia wojny wojska polsko-amerykańskie rozważały marsz na Kłajpedę oraz uderzenie przez Szawle i Możejki w kierunku Rygi (7. Brygada Obrony Wybrzeża). Amerykańska 1. Brygada Pancerna i polska 10. Brygada Kawalerii Pancernej ze styku obwodu kaliningradzkiego i rejonu Gołdapi rozpoczęły atak w kierunku Niemna, na Mariampol i Olitę, na rosyjskie brygady zmechanizowane 59. i 136. w celu przecięcia przeciwnikowi drogi odwrotu z przesmyku suwalskiego, dochodząc w niektórych miejscach do rogatek Wilna. Jednocześnie wojska rosyjskie w samym przesmyku suwalskim zostały poddane masywnemu atakowi z powietrza, łącznie z bombardowaniem dywanowym przez bombowce B-52, po to, by udaremnić lub opóźnić ich potencjalny manewr odwrotu, zanim zamknie się na nich na Niemnie pierścień okrążenia wskutek ataku brygad pancernych 1. i 10. oraz ewentualnego manewru oskrzydlającego z Białorusi. Ta operacja miała rozstrzygnąć wojnę – w jej wyniku zniszczeniu uległaby większość sił pancernych i zmechanizowanych Federacji Rosyjskiej w zachodnim okręgu wojskowym. Trzy polskie brygady: 15., 12. i 2., wciąż zajmowały pozycje obronne na przesmyku suwalskim, a 17. Brygada w ryglującym pole bitwy Grodnie. Natomiast 25. Brygada Kawalerii Powietrznej otrzymała rozkaz przebazowania do Białegostoku w razie próby uderzenia w słaby punkt frontu polskiego między przesmykiem suwalskim a Grodnem, co Rosjanie próbowali uczynić siłami pancernymi przez trudny lesisty teren wokół Białegostoku. Jednocześnie we wschodniej Białorusi, na wschód od Pińska, Rosjanie starali się odbudować swoją bazę operacyjną z wykorzystaniem ściągniętej tam brygady pancernej i trzech brygad zmechanizowanych, by w ten sposób zagrozić kierunkowi operacyjnemu na Warszawę. W tym celu pospiesznie ściągali z całej Rosji pozostałe oddziały zmechanizowane, także te z Dalekiego Wschodu i Kaukazu.

Z tej bazy operacyjnej jedenastego dnia wojny Rosjanie podjęli atak na południowym odcinku polskiego frontu, niszcząc okopaną w Pińsku 1. Warszawską Brygadę Pancerną i spychając oddziały polskie w okolice przedpola Brześcia. Na północy Białorusi front nie ruszył się do końca dwunastego dnia wojny.

Ostatecznie Rosjanie (czyli grający czerwonymi Amerykanie) zdecydowali się na użycie taktycznej broni jądrowej przeciw oddziałom polsko-amerykańskim — w razie przebicia się amerykańskiej 1. Brygady Pancernej i polskiej 10. Brygady Pancernej do Olity i zajęcia mostów na Niemnie, a tym samym półokrążenia ściśniętych wojsk rosyjskich w kotle suwalskim; podobny krok miał być podjęty w razie skutecznego spychania wojsk rosyjskich w samym kotle, co również groziłoby zniszczeniem głównych sił rosyjskich. Gra wojenna co najmniej dwukrotnie rozważała zatem dokonanie uderzenia jądrowego: w celu zapobieżenia zniszczeniu własnych sił i zniweczenia polskiego wysiłku wojennego (wyłom w rejonie rzeki Pregoły prowadzący z obwodu kaliningradzkiego na Litwę) oraz, odrębnie, w celu zapobieżenia zniszczeniu na wpół okrążonych wojsk rosyjskich w okolicach przesmyku suwalskiego w dwunastym i trzynastym dniu operacji. Polska nie miała środków, by przeciwdziałać rosyjskiej strategii eskalacji-deeskalacji, więc gra nad Potomakiem zakończyła się właśnie w tym momencie.

Amerykanie z niedowierzeniem przyglądali się naszemu zespołowi. Co ci Polacy nawywijali, i z jaką śmiałością!
A to wynikało po prostu z geografii teatru, która premiuje
manewr ofensywny na tej wielkiej przepustnicy ruchów
wojsk między Smoleńskiem a Warszawą.

## ZNISZCZYĆ WOJSKA ROSYJSKIE

Wojnę w naszym regionie świata można podsumować
następująco: duża wojna na pomoście bałtycko-czarnomorskim ma tendencję do zamieniania się w wojnę o przyszłość wszystkich narodów pomostu, dlatego teraz Polska
i państwa bałtyckie, wiedzione instynktem samozacho-
wawczym, pomagają w wojnie Ukrainie. Stawką bowiem
jest docelowy układ sił, który rozstrzyga status polityczno-
-gospodarczy, a zatem i cywilizacyjny, społeczeństw pomostu na całe pokolenia.

Z naszej gry wynikało, że w sytuacji, gdy istnieje niepodległa Ukraina, w razie wojny Rosji z Polską i państwami bałtyckimi pomimo walk prowadzonych w państwach
bałtyckich główny ciężar starć będzie zawsze spoczywał
w trójkącie rozpościerającym się pomiędzy północno-
-zachodnią Białorusią, polskim przesmykiem suwalskim
a obwodem kaliningradzkim zamykającym ten trójkąt od
północy. Przesmyk suwalski to teren niezwykle trudny
do prowadzenia działań ofensywnych i niestanowiący
dobrej podstawy do zapewnienia linii komunikacyjnych
w celu wsparcia sojuszników z państw bałtyckich. Dlatego tak ważne jest przystąpienie Szwecji i Finlandii do

NATO i do ewentualnej wojny, bo wówczas komunikację do państw bałtyckich będzie można zrealizować morzem (dzięki wysiłkowi innych, nie naszemu), a do tego rozciągnąć działania rosyjskie na całą północ. To zmieni znaczenie przesmyku suwalskiego dla komunikacji z państwami bałtyckimi oraz przesunie oś naszego wysiłku wojennego na równinę białoruską z możliwością dodatkowego wyeliminowania obwodu kaliningradzkiego, pozbawionego głębi strategicznej, oraz wsparcia z morza przez rosyjską Flotę Bałtycką.

Pomimo rosyjskiej ofensywy na terytorium państw bałtyckich środek ciężkości konfliktu spoczął w trójkątnej osi łączącej północno-zachodnią Białoruś, północno-wschodnią Polskę (przesmyk suwalski) i obwód kaliningradzki. Środkowa część tej osi, czyli przesmyk suwalski oraz przyległy obszar na pograniczu Polski i Litwy, udowodniła w przeszłości swoją reputację terenu niezwykle trudnego z punktu widzenia działań ofensywnych obu stron z powodu wąskich ciągów komunikacyjnych, wielości jezior, lasów i nielicznych dróg. Wszystkie operacje prowadzone w tym rejonie pokazywały, że próba dokonania przełamania na tym odcinku w obliczu dobrze zorganizowanej obrony wspartej artylerią i dysponującej wsparciem powietrznym jest przedsięwzięciem niosącym ze sobą ciężkie straty. Rosyjska próba natarcia przez przesmyk zakończyła się poważną porażką. Strona polska od samego początku konfliktu niechętnie podchodziła do pomysłu wsparcia swoich bałtyckich sojuszników poprzez przesmyk suwalski, przez co w krótkim czasie walki toczone na terenie państw bałtyckich z punktu widzenia teatru działań wojennych stały się epizodami oderwanymi od głównych starć, które miały się rozegrać wzdłuż trzech wierzchołków wspomnianego trójkąta. Państwa bałtyckie były jednak w stanie bronić się jeszcze przez mniej więcej dziesięć dni.

Polacy podjęli natarcie przez przesmyk dopiero po zakończeniu dwóch innych starć prowadzonych na skrzydłach oraz po pokonaniu atakujących sił rosyjskich w decydującej bitwie pod Suwałkami, a także dodatkowo po uprzednim poddaniu przeciwnika oddziaływaniu artylerii i lotnictwa. Dopiero wtedy oddziały polskie zdecydowały się przejść do natarcia mającego na celu wsparcie Litwinów, uchwycenie mostów na Niemnie, a ostatecznie okrążenie i zniszczenie pozostałych rosyjskich jednostek zmechanizowanych w manewrze, który miał zakończyć wojnę.

Polska parła do walnego starcia i zniszczenia większych sił rosyjskich, korzystając z dogodnego położenia środkowego, operując manewrem wzdłuż wewnętrznych linii komunikacyjnych, z których nie chciała zrezygnować w zamian za szybszą pomoc państwom bałtyckim. W celu osiągnięcia zwycięstwa wzięliśmy na siebie operacyjny ciężar rozwiązania kwestii białoruskiej w wojnie, co mogłoby wpłynąć na skutki geopolityczne wojny dla całej Europy Wschodniej, w tym dla Ukrainy. Gra wojenna pod względem intensywności, terytorium objętego działaniami, długości linii frontu oraz użytych sił i środków szybko eskalowała wraz z polskim planem przeniesienia linii frontu na południe i wschód w kierunku środkowej Białorusi, wymuszając tym samym rosyjski manewr w kierunku

Białorusi oraz przesmyku suwalskiego i próbę podejścia nieco na południe od przesmyku. Intencją strony polskiej było zmuszenie jednostek rosyjskich do marszu przez trudny teren liniami komunikacyjnymi nękanymi przez litewskie grupy oporu, z niezlikwidowanymi, izolowanymi punktami oporu w szerszym bałtyckim teatrze działań wojennych. To wszystko miało na celu spowolnienie Rosjan oraz uczynienie ich potencjalnie wrażliwymi na polskie i amerykańskie uderzenia z powietrza w trakcie marszu przez nieprzyjacielskie terytorium lub w jego pobliżu, bez pewności co do miejsca decydującego starcia z oddziałami polskimi.

Ogólnym zamierzeniem Polski było spowodowanie, by Rosjanie tracili cenny czas, a tym samym obrócenie wniwecz ich planu stłumienia oporu państw bałtyckich, przez prowokowanie obawy o utratę Białorusi, która dzięki polskiemu uderzeniu mogłaby zostać szybko wyłączona z wojny (lub zmuszona do negocjacji dotyczących zmiany stron konfliktu albo ogłoszenia neutralności), co zniweczyłoby rosyjskie plany użycia w wojnie białoruskich sił zbrojnych, terytorium lub potencjału zbrojnego. Jeżeliby do tego doszło, siły i środki na Białorusi stanęłyby w obliczu okrążenia przez połączone polsko-amerykańskie siły uderzające z południa w kierunku Wilna. Natarcie w kierunku na Białoruś zostałoby poprowadzone przez dwie polskie brygady pancerne na północy, jeden amerykański pułk pancerny atakujący z rejonu Międzyrzeca Podlaskiego w kierunku na Wołkowysk, Baranowicze i Stołpce, wsparty dalej na południe przez kolejną polską brygadę pancerną, maszerującą w kierunku na wschód od Brześcia, naprzeciw białoruskiej brygady pancernej. Na południe od Brześcia jedna polska brygada zaatakowałaby w kierunku miasta z zadaniem zabezpieczenia linii komunikacyjnych. Na północ od rejonu ofensywy polskie jednostki uchwyciłyby most na Niemnie w Grodnie i utworzyłyby pozycję ryglującą na wypadek, gdyby jakakolwiek kontrofensywa zagroziła natarciu na Białoruś.

W trakcie wojny Polska dążyła do likwidacji operacyjnego i strategicznego zagrożenia ze strony obwodu kaliningradzkiego i w tym celu rozdzielała swoje siły. Aby to osiągnąć, w czasie gry niezbędny był udział amerykańskich wojsk lądowych, w tym jednostek ciężkich, dla manewru pod ogniem artylerii przeciwnika. Alternatywnie, żeby zbudować zdolność do takiej projekcji siły w ramach aktywnej obrony, niezbędne jest sformowanie i wyposażenie pięciu–sześciu dodatkowych nowoczesnych pierwszorzutowych polskich brygad, w tym co najmniej trzech brygad pancernych w pełni ukompletowanych i z zapleczem logistycznym. Może dlatego *Alfa* mówił w czerwcu 2022 roku o konieczności utworzenia dwóch nowych dywizji, co odpowiadałoby właśnie tym potrzebom...

Po dokonaniu przełamania na głębokość około stu dwudziestu kilometrów na terytorium Białorusi na północy oraz po uchwyceniu mostu w Grodnie i objęciu kontroli nad północną częścią kraju, a także po zmuszeniu Rosjan do przeniesienia sił na południe w celu przeciwdziałania niespodziewanemu polskiemu atakowi na Białoruś następną zaplanowaną fazą polskiego planu wojennego było przerwanie natarcia przed poważną konfrontacją z wojskami rosyjskimi i wycofanie się na terytorium Polski z północnej części terenu ofensywy dwóch elitarnych jednostek pancernych (i zastąpienie ich jednostkami lekkimi, w tym powietrznodesantowymi, maskującymi ten manewr) po wewnętrznych liniach komunikacyjnych trójkątnej osi (które są o wiele krótsze niż linie rosyjskie, i do tego przebiegają w pobliżu terenu objętego sojuszniczym wsparciem artyleryjskim i powietrznym) tak, by mieć wybór co do miejsca ponownego zaangażowania tych sił: czy to w rejonie przesmyku suwalskiego w razie ofensywy Rosjan, czy też w ataku na obwód kaliningradzki. Pozostałe siły (w tym jednostki amerykańskie) formowały front wzdłuż linii Pińsk–Baranowicze–rzeka Niemen, który umocnił zdobycz terytorialną i wywołał niepokój po stronie rosyjskiej, związany z obawą, że przeciwnik zdobędzie Mińsk (co oznaczałoby utratę stolicy sojusznika i węzła transportowego z głębi Rosji, a tym samym kolejną już stratę czasu spowodowaną koniecznością rewizji rosyjskich planów i ruchów).

Jeżeli z jakichkolwiek przyczyn którakolwiek z dwóch brygad pancernych (lub żadna z nich) nie dotarłaby w rejon ofensywy kaliningradzkiej, zostałyby one użyte w ramach sił blokujących przesmyk suwalski w perspektywie spodziewanego natarcia rosyjskiego (w trakcie gry jedna z wycofanych brygad pancernych została związana walką w rejonie przesmyku suwalskiego, podczas gdy drugiej udało się dotrzeć bardziej na północ i pomimo poniesionych strat przyczynić się do zakończonego sukcesem ataku na Kaliningrad i jednostki rosyjskie w obwodzie). Jednostki amerykańskie brały udział we wszystkich operacjach: na Białorusi konsolidowały front rozciągnięty w jego najbardziej na wschód wysuniętym punkcie i monitorowały północną flankę; w przesmyku suwalskim amerykańska brygada pancerna dotarła na czas, by wesprzeć obronę przed rosyjskim natarciem; w rejonie Kaliningradu amerykańska lekka brygada zabezpieczała rejon na północ od niego na wypadek, gdyby Rosjanie przeszli do kontrnatarcia w celu odbicia miasta. Z geograficznego punktu widzenia teren obwodu kaliningradzkiego okazał się trudniejszy do obrony niż do przeprowadzenia ataku z Polski.

Wojna była z natury rzeczy wojną ofensywną i przyniosła ciężkie straty wszystkim zaangażowanym siłom. W dalszych rozdziałach skonfrontuję to z lekcjami z wojny na Ukrainie i napiszę, jakie znaczenie dla takich zamierzeń ma ewolucja pola walki. Bałtycki teatr działań wojennych był terenem drugorzędnym. Wojnę prowadzono praktycznie całkowicie siłami, które już znajdowały się na terytorium Polski i państw bałtyckich, z wyjątkiem amerykańskiej taktycznej i strategicznej powietrznej projekcji siły, morskich środków rażenia typu *stand-off*, zmagazynowanych sprzętowo w teatrze wojny jednostek, których personel został przerzucony w trakcie konfliktu drogą powietrzną, dwóch lekkich brygad powietrznodesantowych i jednej jednostki ekspedycyjnej piechoty morskiej, która dotarła na miejsce w czasie pięciu–siedmiu dni, w zależności od drogi przerzutu i miejsca użycia.

Nadrzędnym celem polskiego planu wojny było zwabienie Rosjan w jakikolwiek sposób w rejon przesmyku suwalskiego, utrzymanie inicjatywy operacyjnej i zniszczenie większych sił rosyjskich w czasie i na warunkach wybranych przez stronę polską, co umożliwiło zakończenie wojny i odciążenie lub wyzwolenie państw bałtyckich. Plan wojny nie mógł być w założeniu defensywny i nie mógł skupiać całej uwagi i wysiłku na przesmyku suwalskim, jako że dawało to nikłe szanse na wygranie wojny. Szansę na zwycięstwo dawała ofensywa i przejęcie inicjatywy operacyjnej. Polacy nie brali pod uwagę realnej pomocy państwom bałtyckim (zważywszy na uwarunkowania terenowe i odległość do poszczególnych stolic) bez uprzedniego zniszczenia sił rosyjskich zagrażających Polsce, czyli w rzeczywistości większości sił przeciwnika. Dopiero po zniszczeniu sił rosyjskich mogliśmy rozważyć natarcie w kierunku północnym, by udzielić bezpośredniej pomocy Bałtom w odzyskaniu straconego terenu. Polacy i jednostki amerykańskie, operując wzdłuż wewnętrznych linii komunikacyjnych, zdołali początkowo pokonać oddziały rosyjskie i białoruskie na terenie Białorusi, wytrzymać natarcie całej rosyjskiej armii pancernej reprezentującej siłę uderzeniową z czasów zimnej wojny, która próbowała dokonać wyłomu w przesmyku suwalskim podczas decydującej bitwy, pozbawiając tym samym siły rosyjskie zdolności ofensywnych. Jednocześnie na północnym skrzydle Polakom przy bardzo dużym wsparciu amerykańskiego lotnictwa udało się opanować obwód kaliningradzki, zdobyć miasto i odepchnąć z tego rejonu siły nieprzyjaciela. Dziesiątego dnia walk polsko-amerykańskie siły były zdolne do podjęcia marszu w kierunku Wilna i Kowna, by wyzwolić

Litwę. Jednakże rosyjska armia była w stanie odtworzyć swoją bazę operacyjną w południowo-wschodniej części Białorusi i wysyłała praktycznie wszystkie dostępne jednostki zmechanizowane z Dalekowschodniego i Centralnego Okręgu Wojskowego oraz niektóre jednostki z Kaukazu w celu utrzymania frontu. Artyleria sprzymierzonych okazała się bardzo skuteczna, ze szczególnym wskazaniem na systemy rakietowe dalekiego zasięgu.

Ze względu na rolę w konflikcie i położenie geograficzne Rosjanie mogą bowiem próbować izolować Polskę, wykorzystując do tego dyplomację oraz taktykę wymuszania (pod groźbą użycia broni jądrowej), i powstrzymać Polskę przed zaangażowaniem się w wojnę o państwa bałtyckie. W wypadku niewystarczającej obecności wojsk amerykańskich oraz nieadekwatnego zaangażowania materiałowego, a także braku chęci ponoszenia ryzyka (na przykład jednostki biorące udział w operacjach przeciwko Rosjanom i wykonujące plany operacyjne pozostające w zgodzie z polskimi celami wojennymi, nakierowane na wsparcie polskiego sojusznika), nasz kraj — w zależności od okoliczności — mógłby zdecydować się na nieudzielenie pomocy bałtyckim sprzymierzeńcom.

Szwecja i Finlandia ze względów geograficznych stanowią dla Łotwy i Estonii niezbędne wsparcie. Stała znacząca obecność amerykańska w regionie pozwoliłaby skonsolidować obronę państw bałtyckich i być może w ogóle zapobiec agresji. Punkty oporu w Wilnie, Rydze, Tallinie i w innych rejonach cały czas utrzymywały pozycje. Rosyjski teatr działań wojennych od Tallina i Narwy do przesmyku suwalskiego i frontu białoruskiego jest bardzo rozciągnięty, a szlaki komunikacyjne wydłużone i narażone na ataki. Jednostka ekspedycyjna US Marines z pomocą fińską zdołała wylądować w Tallinie pod koniec operacji. Finlandia powinna zaminować wejście do Zatoki Fińskiej przed rozpoczęciem działań wojennych. Rosjanie rozmieścili zestawy S-300 o zdolnościach A2AD na wyspach Hiuma i Sarema, co uniemożliwiło udzielenie państwom bałtyckim pomocy drogą powietrzną oraz taktyczną projekcję sił w kierunku Estonii i Łotwy, które to systemy S-300 wraz ze zdolnościami antydostępowymi z obwodu kaliningradzkiego utworzyłyby strefę wyłączoną z sojuszniczych operacji powietrznych wszelkiego rodzaju, od Estonii po Kaliningrad. Nie wolno dopuścić do tego, by Rosjanie opanowali powyższe wyspy i rozmieścili na nich zestawy A2AD. Łotwa stanowi klucz do każdej rosyjskiej ofensywy, jest łatwa do pokonania i przecięcia na dwie części. Rosjanie ponawiali swoje propozycje zawieszenia broni wobec państw bałtyckich, z których część została przyjęta. Wyczuwalny był brak wspólnego dowództwa nad oddziałami państw bałtyckich, oddziałami polskimi i amerykańskimi i Bałtowie mieli poczucie osamotnienia.

Polacy nie uspokoili ich obaw, stwierdzając, że w pierwszej kolejności należy pokonać większość sił rosyjskich zmierzających na południe oraz że „droga do trzech stolic nadbałtyckich prowadzi przez Białoruś i Kaliningrad", a także że Polacy będą musieli wziąć na siebie ciężar zniszczenia większych sił przeciwnika.

Stała znacząca obecność amerykańska pozwoliłaby na skonsolidowanie obrony państw bałtyckich i być może zażegnanie groźby agresji, jako że silny opór w tym regionie mógłby pokrzyżować szyki Rosjan dążących do przeciwdziałania polskim ruchom na południu.

Potencjał lotniczy Stanów Zjednoczonych okazał się niezbędny i odegrał rolę decydującą w zniszczeniu zdolności A2AD obwodu kaliningradzkiego oraz w zajęciu miasta; udzielił też wsparcia operacjom lądowym, wykonując między innymi misje wsparcia bezpośredniego. W obliczu braku znaczącej pomocy ze strony USA Polska musi być zdolna do wystawienia silnych, bardzo potrzebnych własnych sił powietrznych, by móc prowadzić działania wojenne o charakterze ofensywnym, w tym przełamujące obronę powietrzną Rosji, oraz utrzymywać się nad polem walki, nad terytorium obcego państwa, gdzie wykonywany jest manewr lądowy, z dala od baz własnych. Do tego potrzebne będzie moim zdaniem posiadanie także samolotów przewagi powietrznej o dużym zasięgu i udźwigu uzbrojenia, które będą „wymiatać" rosyjskie samoloty znad pola walki.

Potem jeszcze wiele razy brałem udział w symulacjach, grach wojennych i warsztatach wojennych w Waszyngtonie, we Florencji, w Warszawie, Rydze i Dorpacie. Podstawowe konkluzje z opisanej powyżej gry nie uległy zmianie. Stąd moje liczne publiczne wystąpienia w Polsce po 2016 roku na temat konieczności rozwiązania przez Warszawę dylematu strategicznego: przesmyk suwalski czy obrona Warszawy, stała obecność Amerykanów na wschód od Wisły i konieczność posiadania własnego systemu świadomości sytuacyjnej.

Stoczyliśmy jako S&F wiele bitew w debacie publicznej, by znaczenie tych słów zaczęło być analizowane w Polsce. I chyba się udało, zaczęto o tym mówić. Ostatecznym zwieńczeniem mojej pracy nad tym zagadnieniem był międzynarodowy projekt CEPA — znanego think tanku — w którym pod kierownictwem byłego dowódcy amerykańskich wojsk lądowych w Europie generała Bena Hodgesa, mojego przyjaciela, powierzono mi zadanie kierowania zespołem odpowiedzialnym za przerzucenie jednostek amerykańskich z portów morskich północnych Niemiec na przesmyk suwalski, tak by zdążyć na czas, zanim Rosjanie osiągną swoje cele i trzeba będzie myśleć o długiej i żmudnej kampanii odbijania państw bałtyckich i północno-wschodniej Polski w obliczu prawdopodobnego szantażu nuklearnego Rosji.

Niestety nigdy nam się nie udało dotrzeć na czas. To oznacza, że los państw bałtyckich zależy od Polski, jej postawy i strategii wojskowej obowiązującej w czasie ewentualnej wojny. Z kolei Polska jest chroniona przez Ukrainę. To cud, że Ukraina jeszcze się broni i istnieje. Bez niej wszystko wyglądałoby inaczej.

# ROZDZIAŁ 7

# KAPITAN BOMBA I INNI

CZYLI O JAKOŚCI LUDZI JAKO NAJWAŻNIEJSZYM,
CO POLSKA MA I POWINNA MIEĆ, BY STAĆ SIĘ
NAJLEPSZYM MIEJSCEM NA ŚWIECIE

nie wszystko zdaniem
Pana Cogito
z perspektywy tego świata

ten świat
to właściwie tamten świat
ot takie figle teorii względności
to co tu
jest tam
to co tamten świat
tutaj

więc nie wszystko
idzie dobrze

czy Pan Cogito
nie tłumaczył
cierpliwie
że nie należało
podpisywać traktatu
ze złoczyńcą
ani oczekiwać
że dobre intencje
prowokują nieodmiennie
korzystne skutki

ani tysiąca innych
zaleceń ogólnych
i ich szczegółowych zastosowań

więc nadal
sufluje władcom świata
swoje dobre rady

jak zawsze
zawsze
bez skutku*

* Zbigniew Herbert, *Zaświaty Pana Cogito*
[w:] tegoż, *Epilog burzy*, Wrocław 1998, s. 71–72.

## NIE OCENIAJ PO POZORACH

24 lutego 2022 roku rano, w dniu wybuchu wojny na wschodzie, byłem w jednym z dowództw wojska polskiego i długo przyglądałem się *Dzecie* — dowódcy, jak mówił na sali odprawowo-wykładowej do swoich podkomendnych. Tak właściwie to grzmiał, a nawet „darł ryja", do czego jego żołnierze są najwyraźniej przyzwyczajeni. *Dzeta* to kawał chłopa o tubalnym głosie, który swoim „kwadratowym" wyglądem, sposobem mówienia i nierzadko treścią komunikatów przypominał mi jako żywo (i nie tylko mnie!) kapitana Bombę ze słynnej kreskówki, dowódcę patrolu Gwiezdnej Floty.

Jak te pozory mogą zwodzić... Dwa miesiące wcześniej usiadłem w gabinecie *Dzety* po jednym z wykładów S&F dla wojska i miałem chwilę, by z nim jako dowódcą porozmawiać bez obecności jego żołnierzy. Ku mojemu zdumieniu *Dzeta* rozpoczął spotkanie od rozważań o Adolfie Bocheńskim i jego refleksjach na temat tragicznego polskiego położenia między Rosją a Niemcami, by potem płynnie przejść do naszej literatury romantycznej, współczesnej eseistyki, a nawet poezji. Siedziałem w osłupieniu, słuchając wyjątkowo kanciastego dowódcy elitarnej jednostki, który na odprawach sypie mało eleganckimi dowcipami, a tymczasem, siedząc ze mną w gabinecie, snuje głęboko erudycyjne rozważania, zanurzone w kodach kulturowych i literaturze naszej drogiej ojczyzny i jej bogatego języka. Oczytanie *Dzety* mogło zadziwić.

Ani na pierwszy, ani na drugi rzut oka nie sprawiał takiego wrażenia. Ale wielokrotnie zaskakiwały mnie też erudycja i oczytanie wielu młodszych i starszych oficerów naszego wojska, których spotkałem na swojej drodze w ostatnich latach, zarówno w wojskach specjalnych, jak i w „zielonym wojsku", czyli w wojskach lądowych i nowych wojskach obrony terytorialnej, nie wspominając już o siłach powietrznych czy marynarce wojennej. Niezmienny szacunek budziła erudycja wspomnianego wcześniej *Gammy*, który książki o strategii i wojsku pochłaniał całymi tonami. Często z nim o nich rozmawiałem, co było ucztą intelektualną i żywą wymianą myśli, zawsze z akcentem na konieczność strategii dla Polski na nowe czasy.

Oczywiście spotkałem też wielu ignorantów, często z wysokimi stopniami oficerskimi, bucowatych i pyszałkowatych typków bez wiedzy wojskowej czy strategicznej, zarówno z wojsk liniowych, jak i ze szkół oficerskich i akademii oraz — zresztą nader często — z samego budynku MON; wielu ludzi „obłych" i bez charakteru, skupionych jedynie na kolejnych szczeblach kariery i zabieganiu o dobre relacje z decydentami politycznymi; oficerów, którzy zmieniali poglądy w zależności od kierunku wiatrów politycznych. Jeszcze więcej było wśród nich zwykłych oportunistów, których system funkcjonowania naszego wojska uczynił biernymi trybikami w maszynie, bez ambicji i aspiracji, bez samodyscypliny i chęci rozwoju, bez determinacji do doskonalenia siebie i organizacji, którą reprezentują i w której służą, a której sprawność i użyteczność ma ogromne znaczenie dla naszego państwa i bezpieczeństwa.

Uznałem, że trzeba o tym napisać. Należy opowiedzieć o ludziach, a konkretnie: o jakości ludzi ze służb mundurowych. Oni bowiem decydują o tym, czym jest nasze wojsko i nasze państwo. W dniu wybuchu wojny na Ukrainie, gdy patrzyłem na *Dzetę*, miałem nadzieję, że wojna na Ukrainie będzie przynajmniej katalizatorem głębokiej zmiany kulturowo-mentalnej w Polsce. Skoro nie udało się uruchomić zdrowych procesów naprawy w Rzeczypospolitej przed wojną, niech wojna da do nich impuls. Niestety okazało się, że tak się nie stało, i gdy piszę te słowa na początku 2023 roku, po długich miesiącach wojny, jest to dla mnie jasne.

Polska klasa polityczna — owszem — czuje zmianę wynikającą ze słabnięcia Rosji, w szczególności na skutek zaskakującej niemożności należytego zmobilizowania siły armii rosyjskiej, która od trzystu lat szokowała Europę swoją nieprzebraną liczbą odpornego na trudy żołnierza, którego „nie wystarczyło zabić, ale jeszcze trzeba było przewrócić”. Widzą, że na ukraińskiej wojnie brakuje Rosjanom piechoty, rezerw, zmotywowanych żołnierzy i funkcjonującego systemu rozwinięcia operacyjnego. Ale jest pewnym paradoksem, że wojna nie stała się wystarczająco zimnym prysznicem dla naszego systemu publicznego. Nie nastąpił wstrząs zapoczątkowujący niezbędne według mnie zmiany kulturowe w funkcjonowaniu i mentalności osób odpowiedzialnych za organizację i użyteczność wojska polskiego oraz system odporności państwa.

Może jest tak, że nader kompetentne prowadzenie wojny przez Ukraińców ostudziło w Polsce zapał do niezbędnych, acz fundamentalnych zmian. „Skoro Rosjanie okazali się tak niekompetentni w starciu z biedniejszymi od nas Ukraińcami, to co dopiero my — Polacy. My dopiero im pokażemy!" Pycha ma w zwyczaju kroczyć przed upadkiem i owo dziwne rojenie Polaków o wyższości nad Ukraińcami może nas zwodzić co do naszej domniemanej kompetencji wojskowej i gotowości do wojny, jakoby nie gorszych niż u Ukraińców, a pewnie i lepszych...

Po wielu miesiącach wojny zarysowała się wręcz wyraźna niechęć do zmiany „wewnątrz" pomimo politycznej deklaracji wlania do systemu miliardów złotych na ogłoszone publicznie zakupy sprzętu i powołanie dwóch nowych dywizji wojsk lądowych. Wlewanie pieniędzy w to samo i w taki sam sposób, tylko tym razem dużo większej ich ilości, nie zmieni istotnie zdolności wojska polskiego ani nie odstraszy Rosjan bardziej. Może natomiast doprowadzić do kryzysu w wojsku, załamania organizacyjnego oraz osłabienia gotowości bojowej, zwłaszcza na początku reformy, przez nadmierne rozbudowywanie struktur zawieszonych na niskiej liczebnie kadrze i nie najwyższej jakości żołnierza. W efekcie może to zachwiać wielką reformą polskiej wojskowości, o której przecież marzymy.

To było lato przed wojną, 2021 rok. Byłem w Ustce nad naszym zawsze zimnym morzem, gdy przez platformę Zoom naradzałem się ze wspominanym już Heiko Borchertem, szwajcarsko-niemieckim ekspertem od innowacji wojskowej. Heiko uparcie tłumaczył mi, że w procesie reform wojskowych to ludzie są najważniejsi. Do tego, by duże reformy wojska się udały, społeczeństwo musi je popierać, wierzyć w nie i rozumieć, że jego poparcie stanowi zarazem warunek i wynik reformy. Bardzo ważny jest bowiem kontekst socjopolityczny. Chodzi o to, by odpowiedzieć sobie na pytanie, czy społeczeństwo zgadza się na reformy. Długo o tym potem rozmyślałem. Rzeczywiście zgoda społeczeństwa — narodu politycznego, czyli szlachty — potrzebna była niegdyś, by stworzyć wojsko kwarciane, piechotę wybraniecką, wojsko Sejmu Wielkiego czy dokonać potężnych reform batoriańskich. Niestety wieczne niedofinansowanie armii oraz lekceważenie jakości kadr stanowiło przez wieki stały mankament kultury strategicznej Rzeczypospolitej. Wyjątkiem była Druga Rzeczpospolita, w której przynajmniej deklarowano odwrócenie dysfunkcji dawnego państwa. Dlatego tym większym szokiem dla społeczeństwa była wojna wrześniowa 1939 roku, kiedy deklaracje okazały się nie pokrywać z przebiegiem wojny i zakończyły się tak strasznym wynikiem.

Ponieważ kluczowym elementem jest człowiek, u żołnierzy, a w szczególności u oficerów wojska polskiego, musi się dokonać rewolucja mentalna, która przygotuje ich do wyzwań, jakie stawia przed nimi nowoczesna wojna. W polskich warunkach owa rewolta koniecznie powinna dotyczyć także elity publicznej kraju odpowiedzialnej za bezpieczeństwo. A tu mamy problem wynikający ze sporej różnicy jakości: społeczeństwa („placu") w stosunku do ludzi działających w systemie publicznym.

Nasze społeczeństwo, poddane modernizacji w ostatnich trzydziestu latach, wykonało wielki skok w nowoczesność — również, a może przede wszystkim, skok ów dotyczył mentalności. Jednakże system publiczny, w tym wojsko i system bezpieczeństwa państwa niestety nie zmodernizowały się w stopniu równie imponującym. Czas wyrównać tę dysproporcję. Wojna na Ukrainie mogła być bardzo dobrym, choć niewitanym ciepło katalizatorem. Na to liczyliśmy w S&F, nie mogąc doprosić się wcześniej rozpoczęcia reform i zapowiadając od lat nadchodzący nieład geopolityczny.

W tym duchu i w celu pobudzenia debaty na temat zmian mentalnych i kulturowych — by poruszyć naszą ojczyznę i obywateli — w 2021 roku napisałem symulowane przemówienie premiera rządu polskiego, skierowane z Wawelu do wszystkich Polaków i ogromnej rozproszonej po całym świecie Polonii. Wprawdzie główny akcent położyłem w nim na skłonienie sporej części z naszej dwudziestomilionowej emigracji do powrotu do ojczyzny, ale w istocie było to wołanie o reformę funkcjonowania systemu publicznego, w tym o nową jakość relacji społeczeństwo — system publiczny.

Marzyłoby mi się, by obecna wojna, zwycięstwa Ukraińców i pojawiająca się nadzieja na nowy układ geopolityczny upodmiotawiający nasz region doprowadziły do nowego otwarcia, które w symulowanym przemówieniu premiera z Wawelu nazwałem „nową pieśnią". Ten nowy impuls mógłby dać nam wszystkim dodatkową energię i wiarę, by wyznaczyć sobie nowe cele, czyli zdecydować, czym i kim chcemy być za dwadzieścia, trzydzieści lat, i w jakim miejscu ma być Polska, gdy już przeminie zaczynający się chaos geopolityczny i okrzepnie nowy ład.

W symulowanym przemówieniu premier Rzeczypospolitej ogłaszał wielki program, który miał skłonić do powrotu do kraju miliony Polaków żyjących za granicą i oczywiście ich rodziny. Była w nim mowa o tym, jak dokonać rewolucji mentalno-kulturowej w Polsce, między innymi dzięki powrotowi milionów ludzi, którzy poznali zachodni sposób funkcjonowania w biznesie, nauce, sferze innowacji i świecie akademickim, ale postanowili wrócić nad Wisłę i Wartę, by tu żyć i pracować. Wszystko, co było w tamtym przemówieniu istotne, pozostaje aktualne, w tym tezy i pomysły odnoszące się do reformy mentalnej, niezbędnej w polskim wojsku.

## ZAŚPIEWAĆ NOWĄ PIEŚŃ

W życiu społeczeństw i państw zamykają się i otwierają okresy, z których wyłaniają się nowe wizje, rodzą się dążenia do osiągnięcia określonych celów. Okresy te wyznaczają przełomowe wydarzenia. Często są to wojny, rewolucje, deklaracje niepodległości lub upadki imperiów; czasem szczególne przemówienia, które mają wskazać, co dalej, jaka jest wizja danej wspólnoty. Tak samo jest z Polską i nabrzmiałą już potrzebą zamknięcia pewnego rozdziału, pewnej epoki, w obliczu tego, co dzieje się w świecie. Żyjemy bowiem w innej rzeczywistości niż trzy czy pięć lat temu.

Dlatego nadszedł czas, by zostawić za sobą ostatnie trzydzieści lat okresu transformacji, który historycy kiedyś ocenią. Nasze wnuki i prawnuki będą się uczyć o tym w szkole. Był to czas bardzo trudny. Społeczeństwo musiało gwałtownie się zmodernizować, aby sprostać wymogom

otwartego nagle nowoczesnego świata, globalizacji, międzynarodowej konkurencji gospodarczej, często we współ-
zawodnictwie z silniejszymi organizacyjnie i znacznie bo-
gatszymi państwami.

Po 1989 roku chyba jeszcze nie zaśpiewaliśmy swojej
nowej pieśni, a przynajmniej nie było w niej wszystkich
niezbędnych zwrotek wraz z dobrze skomponowanym
i melodyjnym refrenem. Proces forsownej modernizacji
uderzył w społeczeństwo bardzo mocno, ale ustaliśmy na
nogach i ruszyliśmy do przodu. Kto wie, czy nie poradzili-
śmy sobie najlepiej ze wszystkich państw dawnego RWPG
i Układu Warszawskiego... Dużo w tym było chaosu, wy-
chodziliśmy ku wolności ze strasznej biedy i zacofania,
kierując się raczej emocjami niż zrozumieniem, że świat,
który do nas przychodzi, potrafi być bezwzględny.

Przez te wszystkie lata na pewno nieco dojrzeliśmy,
rozejrzeliśmy się po świecie z nową pewnością siebie.
Można powiedzieć metaforycznie: odmalowaliśmy płoty,
poprawiliśmy obejścia, coś tam zarobiliśmy, poszerzyły się
nasze horyzonty rozumienia świata, poprawił się obiek-
tywnie średni stan materialny i estetyka kraju. Niemniej
nie zerwaliśmy z rozwojem zależnym, nie spodziewaliśmy
się także aż tak ostrej i bezlitosnej konkurencji na rynku
globalnym. Lepiej mogliśmy rozegrać kwestię przesunięć
i penetracji kapitałowych, i oczywiście zasad akumulacji
kapitału w Polsce.

Mniejsza teraz o to, dlaczego tak się stało i kto za to odpowiada. Nie czas na roztrząsanie takich kwestii. Dzisiaj
nadszedł moment, by zaśpiewać nową pieśń. Uznajmy, że

lata 1989–2021 stanowiły zaledwie preludium. Teraz dobrze by było, żebyśmy chcieli rozpocząć nowy etap, nową podróż w życiu nas wszystkich. Nie da się tego zrobić bez ludzi, bo Rzeczpospolita to ludzie. To oni są wszystkim, co ten kraj ma, to jego największy skarb. Nasze państwo nie ma ropy naftowej ani pokładów złota. To ludzie i ich energia oraz talenty są jego złotem. W przeszłości, w tym przez ostatnich trzydzieści lat, zbyt łatwo godzono się z tym, że wyjeżdżali. Tracono ludzi, co odbywało się z ogromnym uszczerbkiem dla rozwoju kraju i pomyślności nas wszystkich. Cóż to było za archaiczne myślenie i przejaw ignorancji, a zarazem braku strategii na przyszłość! Do zaśpiewania nowej pieśni potrzebni są przede wszystkim ludzie. To oni mają ją zaśpiewać i dla nich ma ona być śpiewana. Wszystko po to, by ludzka energia i pomysłowość zamieniały się w owoce pracy, które przysłużą się w końcu krajowi.

Jakże byłoby wspaniale w naszym „najlepszym miejscu na świecie", gdyby Polacy masowo wrócili z emigracji, z zachodu i ze wschodu, z południa i zza oceanu. Ci, których wiatry historii, wojen i złych ustrojów politycznych wypędzały z kraju przez ostatnie kilkaset lat! Z obszaru byłego Związku Sowieckiego, gdzie przecież masowo i przemocą deportowano ludzi, pozbawiając ich ojczyzny, wolności, a nawet jakże często rodziny. Z państw wolnego w XX wieku Zachodu, z obu Ameryk! Niech powrócą ci, którzy szukali lepszych lub pomyślniejszych dróg życiowych na emigracji, nieraz jadąc za chlebem i godnym życiem! Polscy emigranci to przecież także ci, którzy wyruszyli ze swojej ziemi jeszcze w XIX wieku, jak górnicy we Flandrii, w okręgu Lille czy w Zagłębiu Ruhry, liczna Polonia amerykańska, emigracje XX wieku, w tym Warmiacy i Ślązacy, czy wreszcie ostatnie fale emigracji młodych rodaków urodzonych w ostatnich latach PRL i później, którzy wyruszyli z Polski w świat w XXI wieku, zwłaszcza gdy otworzyły się granice, a swoboda pracy i podróży dała nadzwyczajne, wydawałoby się, możliwości rozwoju i podniesienia stopy życiowej. Niech wracają potomkowie kolejnych fal emigracji. Przyjmiemy was z otwartymi ramionami. Ktokolwiek ma w rodzinie przodka Polaka i czuje związek z krajem lub chce ten związek odnowić i poznać ojczyznę przodków, powinien być mile widziany. Niech wrócą ci, którzy nadal mają polskie obywatelstwo, ale w ostatnich latach zdecydowali się na wyjazd do państw unijnych w poszukiwaniu lepszych warunków zawodowych. W końcu różnie z życiem na obczyźnie bywało. Chleb emigranta bywa gorzki.

Niestety nie powiedziano emigrantom tego ani w roku 1989, ani w 1991, gdy rozpadał się na kawałki straszny Związek Sowiecki, ani w roku 1993, gdy wojska rosyjskie opuściły wreszcie naszą ojczyznę. Przeciwnie, ówczesne elity chyba nawet się cieszyły, że ludzie wyjeżdżają, bo to zmniejszało jakoby napięcie polityczne w kraju, wywołane trudami transformacji i sytuacją na rynku pracy. Wiele złych rzeczy pojawiło się w tym czasie. Należało do nich przekonanie, w gruncie rzeczy cwaniackie i głupie, że po co mają się pojawiać kapitał z emigracji czy pomysły ludzi wracających do Polski, które byłyby konkurencyjne dla gwałtownych (i często nieprzejrzystych) przesunięć majątkowych czasu transformacji i oczywiście niewygodne dla tych w naszym kraju, którzy na tym korzystali. Po co beneficjenci mieliby wpuszczać ludzi z zewnątrz... Tak, można mieć wiele zastrzeżeń do tego okresu. Co za prymitywne myślenie wtedy panowało! Myślenie rodem z czasów, gdy nie wiedzieliśmy jeszcze, co to znaczy budować państwo!

Marzy mi się, by emigranci sprowadzili do kraju wszelkie inwestycje w branżach przyszłości, takich jak sztuczna inteligencja, komunikacja kwantowa, obliczenia kwantowe, bioinżynieria, biotechnologia, technologie kosmiczne czy inżynieria materiałowa. Mogłyby powstać nowe uniwersytety i nowe politechniki, gdzie kadra naukowa składałaby się początkowo wyłącznie z ludzi wracających do kraju po uzyskaniu przez nich obywatelstwa w trybie ustawowym. W ten sposób zyskalibyśmy nową krew, sporo nowatorskich pomysłów, świeżych wzorców organizacji nauki, technologii i innowacji. Nowa kadra tych placówek, składająca się wyłącznie z osób z emigracji, bez wcinania się krajowych polityków, sama zorganizowałaby statut i zasady ich funkcjonowania, bez tych wszystkich quasi--feudalnych powiązań i relacji międzyludzkich, które krępują Polskę ciasnym gorsetem, dusząc jej rozwój.

Należy jednak liczyć się z poważnym oporem tych, którzy nie chcieliby takich zmian, bo zajęli w systemie wygodną, często „ryglową" pozycję, nieskłaniającą do stawania do konkurencji i tym samym rozwoju. A przecież pobudzenie zdrowej konkurencji dla krajowej nauki mogłoby dać nową kulturę funkcjonowania, dzięki której polska nauka zaczęłaby zmniejszać dystans do zagranicznych ośrodków, a polski biznes zacząłby korzystać z realnej współpracy z uczelniami generującymi wiedzę i postęp.

Wówczas pozostałe ośrodki naukowe będą mogły podpatrywać, jak należy się zmieniać w dynamicznym świecie rosnącej rywalizacji technologicznej i rywalizacji o dostęp do wiedzy. Niezmiernie ważne jest, aby ani dotychczasowa kadra naukowa z kraju, ani jacykolwiek politycy nie mogli przez określony czas brać udziału w powstawaniu nowych ośrodków naukowych. Ośrodki te same ustalą sobie zasady funkcjonowania, rozliczania się z pracy naukowej, nauki studentów i finansowania uczelni ze środków pochodzących spoza początkowej i określonej ustawą subwencji celowej z budżetu państwa. Idealnie by było, aby na początku państwo zasiliło nowe placówki naukowe stosowną subwencją, a następnie chroniło ten pomysł, tak by mogła się dokonać zmiana w polskiej nauce.

Chciałoby się w szczególności postępu w naukach technicznych, z których kiedyś nasz kraj słynął. Wydaje się, że XXI wiek będzie należał do inżynierów. Trwająca rywalizacja wielkich mocarstw dokonuje się, jak widać, w istotnym stopniu na polu technologicznym. Kto nie da się wyprzedzić w owym wyścigu, zajmie wyższe miejsce w podziale pracy i lepiej przetrwa okres zmiany. To bardzo ważny element naszej wizji na następne trzydzieści lat. Z takich rozwiązań powstaną, mam nadzieję, polskie cykle technologiczne, wyższe marże, wyższa wartość pracy, pojawi się nasza organiczna kapitalizacja. To klucz do sukcesu i pomyślności nas wszystkich — całego społeczeństwa.

W słabiej zaludnionych województwach mogłyby zostać ustalone dodatkowe, jeszcze korzystniejsze warunki preferencyjne pracy zarobkowej i organizowania się ludzi, którzy zechcą wrócić do kraju. W końcu polska emigracja jest ogromna, czwarta na świecie pod względem liczebności po chińskiej, niemieckiej i włoskiej. Ziemi i przestrzeni do życia nad Wisłą, Odrą i Wartą wystarczy dla wszystkich. Polskie miasta nie są przeludnione, a jakość życia mierzona wskaźnikami materialno-kulturowymi — naprawdę wysoka. Polska jest wystarczająco duża i oferuje nadal tyle przestrzeni do rozwoju: od Zamościa po Szczecin, od Zgorzelca i Szczyrku po Suwałki, od Bugu po Bałtyk, Odrę i Tatry. By nasz kraj rozkwitł, potrzebujemy ludzi, tak jak każdy organizm potrzebuje wody i powietrza.

## MODERNIZACJA „WIEŻY"

By to się mogło wydarzyć, polska klasa polityczna, a właściwie cały system „wieży" i ludzi żyjących w ten czy inny sposób wokół redystrybucji pieniądza publicznego (a to bardzo duża część populacji kraju), musi zdać sobie sprawę z własnych niedomagań ostatnich trzydziestu lat. Kiedy społeczeństwo usiłowało się wydobyć z biedy i zacofania, wchodząc na konkurencyjny rynek pracy, zostało poddane ogromnej presji modernizacji i penetracji zarówno kapitałowej, jak i organizacyjnej z Zachodu. Ów rozwój i unowocześnienie udały się nadspodziewanie dobrze i obecnie możemy być z tego dumni. Do największej pozytywnej zmiany doszło tam, gdzie ludzie, chcąc konkurować na wolnym rynku lub w międzynarodowych firmach i korporacjach, musieli wziąć sprawy w swoje ręce, a nie liczyć na państwo. Tam natomiast, gdzie dominowała sfera publiczna i decydujący głos miała szeroko pojęta klasa polityczna oraz wszystko kręciło się wokół redystrybucji pieniędzy publicznych, modernizacja nie dokonała się w stopniu nawet zbliżonym do skali modernizacji samego społeczeństwa.

Mamy zatem obecnie dwie Polski: jedną całkiem nowoczesną mentalnie i rozwiniętą, rozumiejącą potrzebę konkurencyjności, i drugą, wcale niemałą, z wciąż ogromnymi deficytami, związaną ze sferą publiczną, w tym — należy to otwarcie powiedzieć — z niedomagającą klasą polityczną.

Owa nierównowaga jakości musi zostać wyrównana przez podciągnięcie poziomu szeroko rozumianej sfery publicznej. Wtedy społeczeństwo nabierze, mam nadzieję, szacunku do samego państwa i sfery publicznej, bowiem brak tego szacunku mocno ciążył przez ostatnich trzydzieści lat na Polsce i na nas. Tym samym ciążył także na wojsku i opinii społeczeństwa na jego temat, co przekładało się na jakość kadr, organizacji i wiele innych spraw. Dużo bym dał, żeby nasze społeczeństwo mogło być dumne ze swojego państwa, z wojska i ze swoich elit politycznych i by one na ten szacunek zasługiwały. Aby to się dokonało, sfera publiczna musi dorównać społeczeństwu, jeśli chodzi o kulturę funkcjonowania, kulturę pracy, mapy mentalne i cywilizacyjne w relacjach międzyludzkich. Jej poziom nie może budzić wątpliwości, jeśli chodzi o podejmowanie decyzji, ocenę ryzyka, branie odpowiedzialności za kraj.

Po czym poznaje się wielkie narody i wielkie kultury? Właśnie po mentalności sfery publicznej. Jeśli jest ona nieprawidłowo rozwinięta staje na drodze rozwojowi i modernizacji, powodując z czasem uwiąd państwa w konkurencji z zawsze dynamicznym światem.

Zapewne w jakiejś mierze wina leży w tym, że w dobie pauzy geopolitycznej ostatnich trzydziestu lat nie trzeba było podejmować bardzo trudnych decyzji ani organizować swojego otoczenia. Po rozstrzygnięciach geopolitycznych na korzyść zwycięskiego Zachodu uwarunkowania makroekonomiczne działały na Polskę na swoistym „autopilocie", a bezpieczeństwo gwarantowali nam potężni sojusznicy. W zamian za to my akceptowaliśmy rozwój zależny. Zmyliła nas owa drzemka geopolityczna, która się właśnie kończy. Bo oto jest łamany ład światowy ostatnich trzydziestu lat, zmiany na globie zwiastują zachwianie stabilizacji oraz utrwalonych hierarchii, w tym przewag państw Zachodu. To już widać. Możliwe, że zostanie złamany kontrakt społeczny zachodniej klasy średniej. Sprawy, które były pewne, już pewne nie będą. Nadchodzą zmiany i przetasowania.


## OPÓR WOBEC ZMIAN

Ludzie są i będą skarbem Rzeczypospolitej — przede wszystkim w zbliżającym się przełomowym dla świata okresie. Wymagające czasy, które nadchodzą, będą dotyczyć też wojska i systemu odporności państwa oraz przewagi na polu walki bądź innowacji. Musimy być po prostu lepsi niż Rosjanie i profesjonalnie się prezentować wobec Europejczyków z zachodu kontynentu. Pamiętajmy, że innowacja wojskowa to zmiana, dzięki której wojsko tak się przygotowuje i walczy, że wygrywa wojnę. Wynika ona ze zmian koncepcyjnych, kulturowych, organizacyjnych i technologicznych. Dokładnie w tej kolejności. To bardzo ważne, byśmy to zrozumieli. Reformy i innowacje wojskowe to proces, a nie stan, ani nawet wynik.

Zawsze znajdą się przeciwnicy reform. Relacja między technologią a innowacją wojskową stanowi konstrukt społeczny. To rozbudza grę statusową przeciw zmianie, bo godzi ona we wpływy tak zwanych ludzi Saula ze starotestamentowej opowieści o Dawidzie i Goliacie, czyli tych, którzy bronią swojej pozycji statusowej oraz prestiżu w społeczeństwie i w systemie powiązań finansowo-gospodarczych. Przede wszystkim, kiedy mamy do czynienia z realną innowacją, nigdy nie dotyczy ona samej technologii, ale zawsze nowego sposobu organizacji i dzięki temu nowego sposobu użycia siły.

Na metodę reformowania wpływa kultura strategiczna, na którą składają się ocena aktualnego zagrożenia, wielka strategia państwa, kultura ogólna (w tym materialna) społeczeństwa, doświadczenie bojowe, zasoby, moce produkcyjne i wytwórcze, technologia oraz kompetencje organizacyjne. Sam sposób wojowania może wynikać z ambicji i otoczenia geopolitycznego — wojna może być ofensywna, morska, defensywna, prewencyjna, może to być obrona aktywna itd.

Reformy są uruchamiane wskutek zmian w aktualnym środowisku bezpieczeństwa, ono zaś wynika ze zmiany w równowadze sił w regionie. Chyba nie budzi wątpliwości fakt, że z taką sytuacją mamy teraz do czynienia.

Często nowego sposobu funkcjonowania nie chce zaakceptować samo wojsko. Prawdziwa zmiana i reforma nie są łatwe do imitowania, bo nie wynikają z samej technologii, lecz stanowią raczej splot kultury i organizacji. I dlatego zazwyczaj pojawiają się tak zwane inkubatory nowoczesności, gdzie testuje się nowy sposób działania. W Polsce wojska specjalne mogłyby być świetnym miejscem testowania reformy, w tym doskonalenia pętli decyzyjnej i metod działania nowego wojska z wykorzystaniem dominacji informacyjnej, która jest wizytówką nowoczesnego pola walki bardziej niż czołgi i karabiny.

Mamy pieniądze na wojsko. W trakcie trwającej wojny na wschodzie nasi politycy wiosną 2022 roku ogłosili, że są gotowi na wielkie wydatki i wielkie zakupy. Ważniejsze jest jednak to, jak się owe pieniądze wyda. Firmy i lobbyści zacierają ręce na myśl o tym ogromnym strumieniu gotówki. Za nimi pojawia się walka frakcji politycznych w obozie rządzącym o dysponowanie środkami. Tymczasem najważniejsza jest zmiana mentalna. Znakiem firmowym powinno być promowanie kompetencji, a nie protekcji, nepotyzmu i feudalnych zależności tudzież lenistwa, i niechęci wobec nowoczesności. I od tego należy zacząć reformę. W wojsku nie powinno być miejsca dla osób niekompetentnych. Szczególnie trzeba zadbać o to, by społeczeństwo poczuło, że nowe wojsko oznacza „nowe", by uwierzyło w zmianę na poważnie. Służba ma budzić respekt Polaków. To jest punkt ciężkości reformy.

W reformie wojska nie chodzi wyłącznie o wojsko czy o klasę polityczną i system odporności państwa. Chodzi o społeczeństwo, które zasługuje na to, by się przekonać, że transformacja naszego systemu obronnego dokonuje się na serio, a ludzi w systemie dobiera się według klucza, który jest wzorcem akceptowanym przez szybko modernizujące się społeczeństwo. Że w wojsku panują zasady moralne dające nadzieję na sukces i dominuje wiara, że służba wojskowa jest wielką sprawą. Ma to oznaczać nowoczesność i szansę, w tym szansę rozwoju dla gospodarki cywilnej. Bo transformacja wojska w kierunku nowego modelu, czyli nowego sposobu funkcjonowania, charakteryzuje się zazwyczaj tym, że przestaje ono ciążyć gospodarce cywilnej, a zaczyna ją ciągnąć, także technologicznie i organizacyjnie, stając się jej kołem zamachowym, a nawet — mówiąc górnolotnie — aspiracją obywateli. Nowe sposoby organizacji i technologie mogą być wówczas absorbowane przez gospodarkę cywilną, zwłaszcza w nowych dziedzinach.

Reforma wojska, sama wojna również, podobnie jak sztuka stanowi pochodną duszy społeczeństwa i jego organizacji. Niektóre społeczeństwa, gdy znajdą się na skrzyżowaniu historii i geografii tak jak Polacy, są przez okoliczności zmuszone do reorganizacji i innowacji wojskowych — w obliczu przeciwności muszą dokonać transformacji swoich metod wojowania. Dawna Rzeczpospolita nie imitowała sztuki wojennej innych państw. Stworzyła własną, szczególną. Owszem, stosowała obce elementy —

jak na przykład zapożyczony od Węgrów atak jazdy zwężonym szykiem w pełnym cwale, wywołujący szok uderzeniowy, czy walka w obronnym obozie taborowym (*Wagenburg*) na wzór czeski. Mieliśmy swoją polską (staropolską) sztukę wojenną, która pod pewnymi względami przewyższała zarówno zachodnią, jak i wschodnią konkurencję, dając syntezę Wschodu i Zachodu. A już na pewno działo się tak, jeśli chodzi o stosunek kosztów do efektów i o sprawność pętli decyzyjnej dostosowanej do naszej konkretnej geografii wojskowej.

Razem ze zmianami pola walki ewoluuje oczekiwany model oficera i podoficera — ci na pewno będą musieli mieć zdolność do krytycznego myślenia i samodzielnego podejmowania decyzji. Czasy, gdy żołnierze ślepo wykonywali rozkazy bez możliwości wykazania inicjatywy, bezpowrotnie minęły; tym samym należy położyć nacisk na inne elementy kształcenia kadry, takie jak przygotowanie do funkcjonowania we współczesnym sieciowym środowisku informacyjnym oraz znajomość przynajmniej podstaw polskiej kultury strategicznej czy dorobku myśli wojskowej Rzeczypospolitej. To powinno się wprost przekładać na wychowanie i edukację studentów w akademiach i szkołach wojskowych w duchu „kultury zwycięstwa" i szczególnie w pierwszym okresie wprowadzania zmian skutkować odejściem od bezkrytycznego aplikowania, czy wręcz kopiowania na polski grunt wzorców zaczerpniętych z obcych sił zbrojnych. Ważne będzie także zbudowanie świadomości podstawowych współczesnych realiów strategicznych, wynikających między innymi z takiego, a nie innego położenia geopolitycznego Polski. Co istotne, należałoby ową świadomość własnej historii w zakresie wojskowości budować na przykładach tych dowódców, którzy osiągali realne zwycięstwa w boju, a nie tylko chwalebnie oddawali życie za ojczyznę.

Na tym powinna być budowana „kultura zwycięstwa". W praktycznym wymiarze należy odejść od obecnego zwyczaju obsadzania stanowisk dowódczych i dydaktycznych w akademii oficerami niemającymi za sobą przynajmniej kilkuletniej służby w jednostkach liniowych wojska polskiego. Trzeba skończyć ze zjawiskiem poparcia politycznego dla awansów oficerskich w miejscu stacjonowania jednostki i innymi karygodnymi praktykami wynikającymi z dysfunkcyjnego działania systemu publicznego w Polsce. W tym akurat aspekcie wszystko zaczyna się i kończy na etyce służby publicznej, której poziom należy podnieść — tak samo jak oczekiwania wobec osób w niej działających, nawet, a może w szczególności, kosztem wielkich cięć personalnych.

Prowadzącymi zajęcia, zwłaszcza praktyczne, z zakresu taktyki nie mogą być na przykład młodsi oficerowie, którzy trafili do akademii tuż po promocji, ani ci, którzy przez ostatnie lata zajmowali stanowiska sztabowe w jednostkach innych niż liniowe. Kadrę powinni stanowić oficerowie z doświadczeniem w jednostkach liniowych, którzy swoją aktualną wiedzą i znajomością wojskowego rzemiosła będą mogli w sposób naturalny zdobyć sobie szacunek wśród podchorążych. Kadra szkoląca w akademiach wojskowych powinna podlegać rotacji w systemie dwu-, trzyletnim, tak by służbę w nich traktowano jako przystanek przed dalszą karierą zawodową, a nie miejsce, w którym można spokojnie dotrwać do emerytury. Najsilniejsze narzędzia kształtowania charakteru to budowanie odpowiedniej postawy przez przykład własny (w tym wypadku kompetentnej i doświadczonej kadry) oraz obdarzenie odpowiedzialnością. Właściwe wykorzystanie tych narzędzi w procesie kształcenia wojskowych może przynieść pożądane efekty w postaci zmotywowanych do służby młodych oficerów o wysokim morale i przekonaniu o sensie i celowości swojej służby.

Widać promyki nadziei, także wśród ludzi z „wieży". Jeszcze przed opublikowaniem prezentacji Armii Nowego Wzoru spotkałem się z *Tau*. Bardzo mądry oficer, świetnie rozumiejący, co się dzieje w nowej domenie wojny — w kosmosie. Zawsze dobrze nam się rozmawiało, nie miał tylko siły przebicia, a do tego był ostrożny w kontaktach zewnętrznych. Zdołał jednak przemycić wiele ze swoich pomysłów do Armii Nowego Wzoru, z czego skrzętnie skorzystałem i za co jestem mu wdzięczny. Był jednym z wielu oficerów i ludzi „wieży", którzy budzili we mnie nadzieję, że można pokonać system i zmienić coś pomimo jego „ustawień".

W trakcie pracy z wojskiem spotykałem się także z oficerami służb specjalnych, którzy pojawili się wokół mnie już po pierwszej prezentacji Armii Nowego Wzoru w Złotych Tarasach, gdy okazało się, że jednak możemy mieć wpływ na „wieżę". Widać było, że mogą powstawać nowe „łańcuchy wartości", czyli zamówienia, ruch pieniądza publicznego, i wskutek tego różne frakcje mogą się układać, wykorzystując te nowe lub potencjalnie nowe linie zależności, na których dokonuje się redystrybucja pieniądza publicznego. Po drugiej prezentacji kontakty z panami ze służb się nasiliły, ale gdy wybuchła wojna, a potem *Alfa* i *Lambda* oznajmili, że reforma wojskowości będzie przebiegać inaczej, niż proponuje S&F, ich zainteresowanie wyraźnie osłabło. Widocznie zrozumieli, że nie reprezentujemy lobby ani nie stoi za nami frakcja czy siła polityczna, więc nie mamy istotnego wpływu na bieg spraw w „wieży". Nie muszą nas zatem „oswajać", wiedzieć o nas dużo po to, by kontrolować nasze relacje lub tymi relacjami manipulować.

Uważam, że przestali się interesować S&F, gdy wokół nas i w związku z naszymi działaniami przy ewentualnej Armii Nowego Wzoru nie pojawiły się przepływy finansowe. Niestety z naszego doświadczenia wynika, że służby — ogólnie rzecz ujmując i nie chcąc krzywdząco ocenić sumiennych oficerów tych służb (bo tacy też są) — zajmują się głównie rozpoznaniem i obsługą rywalizujących frakcji i sił w państwie, nieustannie kotłujących się o wpływy wokół redystrybucji grosza publicznego, czyli tak zwanego mieszania i tasowania (używając języka bohatera filmu *Człowiek z żelaza* — starego Birkuta granego przez Jerzego Radziwiłowicza, który wykrzykuje tę bolesną prawdę swojemu naiwnemu synowi podczas wydarzeń 1968 roku, by ten nie dał się zmanipulować) w układzie sił wewnątrz

„wieży". Przestaliśmy być jako S&F interesujący, gdy służbom zaczęło się wydawać, że nie możemy wpłynąć na wydatki na reformy wojskowości.

Wracając do tego, jak mogłoby wyglądać „najlepsze miejsce na świecie" i jego wojsko... Musi ono zbudować prestiż służby i wysokie morale oficerów i żołnierzy, czyli między innymi przekonanie o niepodlegającej dyskusji własnej wyższości bojowej i organizacyjnej nad przeciwnikiem w starciach taktycznych. Koniecznie trzeba wyrobić w żołnierzu i społeczeństwie przeświadczenie, że nowe wojsko oznacza głęboką transformację systemu odporności państwa, a nie jest dawnym „paździerzem". To powinna być organizacja działająca na bazie własnej sprawnej i autonomicznej (w tym autonomicznej od sojuszników) pętli decyzyjnej. Zmiany należy wprowadzać stopniowo, acz stanowczo, począwszy od wojsk specjalnych, które staną się inkubatorem zmian. Od nich trzeba zacząć przegląd kadr i procesów szkoleniowych. Powinno to pójść szybko, bo siły te są nieduże, za to sprawne — to one były w ostatnich latach inkubatorem nowoczesności w wojsku polskim, i to inkubatorem wysoko ocenianym przez sojuszników.

Józef Piłsudski pisał w *Roku 1920*, że „Polacy walczą tylko ci, co chcą, lub głupcy". Trzymając się wskazania Marszałka, uważam, że zdolności naszego wojska będą wynikać z prawidłowego ukształtowania jego organizacji oraz z wolności autonomicznej wytwarzającej etos profesjonalizmu kadry. Nie należy Polaków zmuszać do służby wojskowej.

Wojsko stopy pokojowej nie musi być bardzo liczne, ale ma być znacznie potężniejsze niż obecne dzięki wystawianiu realnych zdolności. Nie potrzebujemy ogromnej armii, tylko armii ukompletowanej i w razie zagrożenia wojną szybko przechodzącej w stan gotowości bojowej. Struktura sił zbrojnych i ich uszykowanie do ewentualnej wojny (stacjonowanie i pełne ukompletowanie lub nie) dużo więcej mówią o zdolnościach i planach kraju niż kwestie zakupów nowych systemów uzbrojenia. System odporności państwa w XXI wieku coraz bardziej będzie wymuszał fuzje zdolności cywilnych i wojskowych dla swojej skuteczności. Należy na pewno ostatecznie skończyć z wojskiem jako organizacją społeczną o funkcji socjalnej, gdzie otrzymuje się emerytury i uposażenia za robienie rzeczy niezwiązanych z ryzykowaniem życia dla ojczyzny.

Jednocześnie trzeba zwiększyć wydatki na obronę w relacji do PKB, co da skokowy wzrost uposażenia żołnierzy i oficerów, którzy przejdą pozytywnie przegląd osobowy do nowego wojska. Powinniśmy stawiać na wysokie morale, etyczną jakość kadry i innowacyjność myślenia oficerów, podoficerów i żołnierzy. Warto skończyć ze starymi nawykami, rozrośniętymi służbami zaplecza, brakiem rotacji kadry, wygodnymi posadami i synekurami.

To ludzie będą punktem ciężkości reformy i znajdą się w centrum systemu. Będą się liczyły morale i dyscyplina, wiara w skuteczność wojska i w jego wartość dla naszego państwa. Służba ma być prestiżowa, a po jej zakończeniu członek armii łatwo znajdzie zatrudnienie w gospodarce, bo będzie miał wysokie zdolności interpersonalne, dobre nawyki samodyscypliny i umiejętność działania w nowoczesnym i dynamicznym środowisku. Są takie kraje na świecie, gdzie tak to działa. I tak powinno być nad Wisłą. Przy produkcji wojskowej i dostawach powinniśmy ściślej niż do tej pory współpracować z państwami, które dzielą z nami los państw średnich, takimi jak Korea Południowa, Australia czy Turcja. One wiedzą, jakie zdolności własne muszą rozwijać, jak kształtować swoje wojsko i współdziałać z rodzimym przemysłem, by nie pozwolić się obezwładnić woli wielkich mocarstw.

Musimy uważać, żeby nie popaść w zależność od nich, gdyż mogą poświęcać nasze interesy dla obrony swoich. Mocarstwa te mogą również nie być zainteresowane dzieleniem się zaawansowanymi technologiami, takimi jak nowoczesna broń rakietowa, amunicja precyzyjna czy zaawansowane drony. Naszymi partnerami coraz częściej powinny stawać się państwa średnie, których interesy nie kolidują z naszymi, a państwa mające (lub mogące mieć) sprzeczne interesy z Polską nie będą mogły wywrzeć na nie skutecznego nacisku, by zerwały lub sabotowały współpracę wojskowo-zbrojeniowo-technologiczną z naszym krajem. Współczesne wojsko jest jeszcze bardziej niż kiedyś zależne od systemu certyfikacji, konserwacji i napraw. Należy więc publicznie i uroczyście ogłosić koniec z zakupami niezgodnymi z potrzebami polskiego wojska.

Wszelkie zakupy powinny być realizowane zgodnie z planem całego rządu, a nie pozostawać jedynie w gestii ministra obrony narodowej, co generuje strukturalny rozziew interesów między potrzebą wzmacniania zdolności a ambicjami politycznymi ministrów dysponujących zbyt dużym polem władzy i ogromnymi pieniędzmi publicznymi. Zakupy te trzeba podporządkować planom koalicyjnym i rządowym. Powinien się zmienić system zakupów, czyli ustawa o zamówieniach dla wojska. Należy wprowadzić cywilne i błyskawiczne metody zakupów, zwłaszcza nowinek technicznych wymaganych na nowoczesnym polu walki. To oznacza sporą rozbudowę zdolności do rywalizacji pozakinetycznej, czy to poprzez operacje specjalne, czy cyberrywalizację, czy działania nieszablonowe. Nasz system polityczny i decydenci nie powinni się bać operacji ofensywnych, wystawiania listów żelaznych, tak zwanych listów kaperskich, w nowych domenach rywalizacji, na przykład w cyberprzestrzeni. Rzeczpospolita musi twardo stać na nogach i bronić swoich interesów na wszystkich szczeblach drabiny eskalacyjnej, a w szczególności na tych niskich, by podwyższać przeciwnikowi koszty próby aż do osiągnięcia efektu włączenia do pomocy państw wcześniej nam jedynie sprzyjających, które poczują się zagrożone raptowną eskalacją rosyjską wobec Polski.

Jakiekolwiek myślenie o ukształtowaniu wojska czy — szerzej — systemu odporności państwa polskiego należy zacząć od prawidłowego ukształtowania pętli decyzyjnej oraz podporządkowania jej elementów wyłącznie naszej kontroli. Ona bowiem stanowi fundament najważniejszej obecnie sprawy, czyli świadomości sytuacyjnej na polu walki. Prawidłowo ukształtowana i zintegrowana jest kręgosłupem nowoczesnego wojska i w ogóle zdolności państwa do działania w razie konfliktu, w tym również konfliktu hybrydowego. Istnieje wiele zagadnień dotyczących niezbędnych reform wojska, którymi należy się zająć, ale zacznijmy od najważniejszego — od pętli decyzyjnej. Budowanie nowego wojska należy zacząć od niej, a potem dopiero myśleć o reszcie.

Rywalizacja na nowoczesnym polu walki dotyczy bowiem przede wszystkim dominacji informacyjnej, wszystko jedno, jak ją nazwiemy: nowoczesną bitwą zwiadowczą, świadomością sytuacyjną, siecią bitewną (*battle network*) czy zdolnością do rozpoznania i precyzyjnego oraz szybkiego rażenia. Jej podstawę stanowi mechanizm pętli decyzyjnej, a dokładnie pętla sekwencji zdarzeń, o której już wcześniej wspominałem: obserwacja — orientacja — decyzja — działanie. Pętla owa opiera się na koncepcji Johna R. Boyda, amerykańskiego instruktora i stratega wojskowego, dotyczącej sekwencjonowania przepływów informacji między węzłami obserwacji, orientacji, podejmowania decyzji i działań — dominuje ona na współczesnym polu bitwy, gdzie dokładne informacje przekazywane szybko i w odpowiednim czasie determinują wyniki starć i sytuację.

W przeszłości obserwację zapewniały czynniki wywiadowcze, czyli szpiedzy, zdrajcy, dezerterzy, zwiadowcy, potem samoloty i sensory naziemne czy powietrzne. Ale orientacja w sytuacji, czyli przetwarzanie danych przez system pętli decyzyjnej, zajmowała mnóstwo czasu. Ostatnio drony, satelity, osieciowanie systemów bojowych i żołnierzy, możliwe w epoce cyfrowej dzięki błyskawicznej transmisji masy danych, całkowicie zmieniły zasady tej gry. Pamiętajmy, że naszym przeciwnikiem jest wojsko rosyjskie, co ustawia nam pułap tempa poruszania się po pętli decyzyjnej. To do rosyjskich sił się porównujemy, to od nich musimy być szybsi i lepsi w poruszaniu się po owej pętli.

Dysponując pierwszym stopniem sekwencji, czyli nowoczesnym systemem obserwacji na wielu poziomach i w wielu domenach (czego w wojsku polskim nie mamy w żadnym stopniu wymaganym na współczesnym polu walki), musimy następnie rozporządzać sprawnym systemem analizy, przetwarzania i segregacji wielkich ilości danych oraz syntetyzowania świadomości sytuacyjnej (całościowo również tego nie mamy). Zapewniwszy sobie dwie pierwsze sekwencje pętli, musimy następnie mieć dowódców, którzy potrafią podjąć decyzję szybciej i lepiej niż nasi przeciwnicy — dowódcy rosyjscy. Niezbędne są też procedury, które umożliwią wystarczająco szybkie podejmowanie decyzji. Z czasem wesprą je systemy sztucznej inteligencji, stanowiące przyszłość i technologię, która skokowo poprawi skuteczność wojska i wojowania.

Odpowiednie kadry dowódcze trzeba szkolić, wychowywać, dbać o ich jakość charakterologiczną i moralną w nowych czasach. Samodzielność, inicjatywa, zdolność syntezy, rozumienie równowagi przepływów na polu walki (danych i oddziałów) — oto kunszt dowódcy. Obecnie często dzieje się też tak, że technologia potrafi zaburzyć rozumienie pola walki, dlatego tym ważniejsze jest wychowanie prawdziwych wodzów. Intuicja wciąż ma znaczenie w podejmowaniu decyzji i należy szkolić kadrę odpowiednio także w tym zakresie i podług tego oceniać zasługi w kontekście promocji i awansów.

Trzy stopnie sekwencji obserwacji i orientacji oraz decyzji pozwalają na wydanie szybko i prawidłowo polecenia do efektora — czy to do samolotu, czy do rakiety, czy do plutonu czołgów. Stanowią one tylko efektory wpięte w sieć obsługującą pętlę decyzyjną, działającą pod ogromną presją czasu i rozpoznania przeciwnika, nie są więc najważniejsze, co może być szokujące dla licznych nad Wisłą entuzjastów technologii wojskowych. Pokazały to dobitnie wydarzenia w Afganistanie i w innych miejscach. I oczywiście na Ukrainie. Talibowie nie musieli dysponować świetnymi efektorami, by osiągnąć cele wojenne i polityczne. Na pewno za to mieli znakomite rozpoznanie: wiedzieli, co przeciwnik robi, co zamierza i co się w ogóle u niego dzieje. Byli także doskonale zgrani, jeśli chodzi o podejmowanie decyzji.

Wojska dawnej Rzeczypospolitej odnosiły wielkie sukcesy nie tyle z powodu siły uderzeniowej i taktycznego mistrzostwa husarii (jak często myślimy), ile z powodu mistrzowskiego opanowania koncepcji użycia różnych rodzajów sił zbrojnych do zadanego celu wojskowego — dzięki właściwemu poruszaniu wojskiem, manewrowaniu na teatrze wojny i w obliczu przeciwnika. Zawsze starano się zachować przewagę manewru i dbałość o znajomość terenu, a także o szczegółową wiedzę na temat poczynań wroga. W sposób asymetryczny wykorzystywano rozpoznane słabości wroga dzięki posiadaniu lepszej pętli decyzyjnej.

Z tego słynęła staropolska koncepcja operacyjna zwana „starym urządzeniem polskim". Kircholm, Kłuszyn i inne sukcesy dawnego wojska Rzeczypospolitej stanowiły wynik opanowania właśnie tej sztuki, a nie efekt naszej przewagi liczebnej czy technologicznej, ani nawet nie rezultat taktycznej doskonałości husarii. Trzeba było bowiem wiedzieć, jak, kiedy, gdzie, na jakiego przeciwnika, czego i z jaką przewagą użyć. W naszej geografii wojskowej ówczesna pętla decyzyjna wojsk Rzeczypospolitej znakomicie odpowiadała relacji koszt — efekt i na długo dawała poczucie, że to wystarczy. Można nawet powiedzieć, że przekonanie o naszej przewadze w pętli decyzyjnej dodawało argumentów tym przedstawicielom szlachty, którzy nie chcieli wydawać zbyt wiele na wojsko. Paradoksalnie pośrednio z tego powodu nasze dawne państwo zawsze miało za mało żołnierza.

Zabrakło natomiast panowania nad pętlą decyzyjną podczas kolejnych klęsk na Ukrainie w 1648 roku, nie mówiąc już o wrześniu roku 1939. Niezależnie od fatalnej sytuacji geopolitycznej, która zawisła nad wojną wrześniową, to słabość (a potem upadek) pętli decyzyjnej była największym problemem wojskowym kampanii wrześniowej. Dużo ważniejszym niż brak podobnej do niemieckiej liczby czołgów, samolotów czy karabinów, czego nas uczą, przesadnie to akcentując, w polskiej szkole. Tymczasem dwadzieścia lat wcześniej, w kampanii 1919–1921, polskie wojsko wyraźnie górowało w tym aspekcie nad sowieckim przeciwnikiem. Dlatego w latach międzywojennych podczas szkolenia wojskowego kładziono duży nacisk na akcję ofensywną i inicjatywę taktyczną. A ta jest możliwa wyłącznie przy przewadze w poruszaniu się w pętli decyzyjnej. Kiedyś uważano, że to właśnie inicjatywa ofensywna i przewaga świadomości sytuacyjnej stanowią nasze wojskowe DNA, zwłaszcza w obliczu słabszego materiału ludzkiego u naszego rosyjskiego i sowieckiego wroga. A jak jest teraz? Czas odpowiedzieć sobie na to pytanie.

Jeśli kontrolujesz przepływy i ich kolejność, jak w balecie, i jesteś w tym sprawniejszy niż twój przeciwnik, możesz również zablokować jego przepływy lub oddziaływać na nie (w fazie przedkinetycznej i w fazie kinetycznej), zakłócając jego pętlę decyzyjną, czy nawet wchodząc do niej: do sieci, centrów dowodzenia, wnikając w przepływy logistyczne czy w sposób rozumowania. Możesz wówczas zakłócić lub złamać rytm, w tym sekwencję przetwarzania informacji. Tym się chwalą w mediach Ukraińcy, komentując swoje zwycięstwa nad armią rosyjską jesienią 2022 roku. Dwie pierwsze sekwencje pętli decyzyjnej, czyli obserwacja i orientacja, mogą się w przyszłości zlać w jedno dzięki zastosowaniu szybko rozwijającej się sztucznej inteligencji. Tu właśnie należy poszukiwać asymetrycznych przewag przyszłego wojska polskiego.

Obieg informacji w pętli decyzyjnej ma na celu zwycięstwo. Działanie musi być precyzyjne, skuteczne i skoordynowane. Kto jest bardziej kompetentny i szybszy w poruszaniu się w pętli, ten pierwszy zabije i sam przeżyje. Strona przegrywająca zostaje odpowiednio trafiona i wyeliminowana. Najlepszą opcją byłoby wejście w pętlę decyzyjną wroga i przecięcie jego łańcucha dowodzenia i kontroli. To jest środek ciężkości współczesnego pola bitwy.

Dlatego właśnie od zbudowania sprawnej i niezależnej (od nikogo) pętli decyzyjnej należy zacząć reformy wojska polskiego i całego systemu odporności państwa, bo współczesny konflikt angażuje dużo bardziej niż w przeszłości cały jego pozamilitarny system. Nic nie jest obecnie ważniejsze od ustalenia linii dowodzenia i podejmowania decyzji politycznych i wojskowych w błyskawicznej sekwencji pętli decyzyjnej. Dotyczy to również przepisów prawnych, które muszą pozwalać na błyskawiczne, a nawet wyprzedzające działanie w tak zwanych okienkach decyzyjnych, by w momencie próby było wiadomo, kto ma podejmować decyzje i że ten ktoś jest do tego przygotowany mentalnie i merytorycznie. Dotyczy to wreszcie ukształtowania sekwencji elementów pętli, powiązania dowództw i rodzajów sił zbrojnych.

W nowoczesnym starciu i w fazie przed konfliktem kinetycznym, w tym w razie realizacji scenariusza wojny hybrydowej lub scenariusza poniżej progu kolektywnej obrony uruchamianego artykułem 5 traktatu waszyngtońskiego, rola polityków jest większa niż kiedykolwiek w historii, stanowią oni bowiem kluczowy element pętli decyzyjnej, co do tej pory nie miało miejsca. Muszą się do tego przygotowywać już teraz, by unieść brzemię odpowiedzialności. Wojna nie należy do wojskowych, a tym bardziej wojna współczesna, na której tempo zdarzeń i obiegu informacji wpływa na rozstrzygnięcia polityczne, i to co chwilę. Przydałaby się ponadto zmiana modelu zamawiania sprzętu (teraz obarczonego szwankującą kulturą organizacyjną), co wymagałoby złamania feudalnego systemu zależności, w którym chodzi o budowę wpływu polityka (i „jego ludzi" szukających siły politycznej do własnych rozgrywek lub „renty" w łańcuchu zleceń), czyli zamiany „wschodniego" kryterium otępiającej lojalności na „zachodnie" podejście kompetencyjne.

Wiele pracy przed nami. Ale najważniejszą jej częścią jest człowiek i jego zachowanie. Niby nic nowego pod słońcem, a jednak dla wielu z nas to właśnie zmiana sposobu myślenia może okazać się prawdziwą rewolucją.

# ROZDZIAŁ 8

# WOJNA, KTÓRĄ (BYĆ MOŻE) PRZYJDZIE NAM STOCZYĆ

CZYLI O TYM, CZY MAMY DO CZYNIENIA Z TRWAJĄCĄ
WOJNĄ ŚWIATOWĄ, JAK SIĘ PRZYGOTOWAĆ DO WOJNY,
JAK SIĘ PRZYGOTOWAĆ DO ESKALACJI NUKLEARNEJ
I JAK NAJLEPIEJ WYGRAĆ PRZYSZŁOŚĆ

# SKALOWALNA WOJNA ŚWIATOWA

*„Ty może nie chcesz wojny,*
*ale wojna może chcieć ciebie".*

Lew Trocki

Po raz drugi korzystam w swoich książkach z tego cytatu z Lwa Trockiego, dotyczącego tragicznego fenomenu wojny. Słowa te zdają się przede wszystkim odnosić do irracjonalnych, jak można by sądzić, powodów wybuchu wojen, jakże strasznych dla zwykłych ludzi, którzy chcieliby żyć w spokoju. A tu całkowicie niespodziewanie zaczyna się kaskada zdarzeń powodująca, że wojna staje się faktem i zaczyna wciągać nas, zwykłych śmiertelników, którzy ani wojny nie chcieli, ani tym bardziej nie planowali, a najczęściej nawet się jej nie spodziewali.

Posługuję się zdaniem z Trockiego głównie w celu zainteresowania czytelnika strukturalnymi siłami, które można dostrzec zawczasu, a które czynią te „niespodziewane" wojny właściwie nieuniknionymi albo wysoce prawdopodobnymi. No cóż, na pewno nie chcemy wojen, a jednak one dość regularnie wybuchają.

Jeszcze przed pierwszą wojną światową brytyjski admirał John „Jacky" Fisher, twórca nowoczesnej Royal Navy, pisał gorzko: „Wszyscy pragną pokoju, ale pokoju, który promuje ich interesy". Czasem tak to już jest, że nieprzebłagane strukturalne siły doprowadzają do potężnego konfliktu interesów i wojna staje się rzeczywistością. Potem w niej tkwimy i myślimy, że przecież to było jasne jak słońce, że tak to się musiało potoczyć... Ludzie przyzwyczajają się do okoliczności, nawet niezwykle trudnych i wymagających, takich właśnie jak wojna czy wielka epidemia.

Każda z kolejnych wojen systemowych ostatnich stuleci różniła się, co oczywiste, od poprzedniej. Tym razem w skalowalnym starciu każda ze stron będzie próbowała siłowo przeforsować swoje interesy w rozmaitych domenach współczesnych zależności, w gęsto zglobalizowanym świecie, który na naszych oczach będzie gwałtownie rozłupywany. Napięcie często bywa podsycane przez obie strony konfliktu. Jeśli chodzi o Tajwan, to na przykład wizyta spikera Izby Reprezentantów Nancy Pelosi stała się czynnikiem przyspieszającym proces ostrego i gwałtownego decouplingu światowej globalizacji, czyli zrywania z powodów geopolitycznych tych wszystkich sieci połączeń finansowych, inwestycyjnych, kapitałowych, handlowych, surowcowych oraz internetowych i ludzkich, które były znakiem pokojowego okresu globalizacji i wynikiem *pax americana* ostatnich trzydziestu lat. Zarówno Chiny, jak i Stany Zjednoczone uważają, że stary model współpracy globalnej nie obsługuje już ich interesów, że należy im się więcej, zatem domagają się dopasowania interesów innych państw i mocarstw do swoich nowych potrzeb, co nie podoba się innym. Tylko stara dobra Europa chciałaby, by nic się nie zmieniało, naiwnie myśląc, że stare wróci. Zupełnie nieprzygotowana na powrót do myślenia geopolitycznego, jest na drodze do stania się przedmiotem rozgrywki wyżej wymienionych mocarstw, miejscem walki, a nie głównym

aktorem wojny o świat, mającym własne ambicje i inicjatywę strategiczną.

Wojna szeroko rozumiana i wielodomenowa staje się
sprawą na porządku dziennym: handel, technologia, finan-
se, surowce, rynek walutowy, dane i internet, cyberataki,
punktowy terror, ataki na infrastrukturę (jak choćby pamiętny atak na Nord Stream 1 i 2 na Bałtyku, między
polskim i szwedzkim wybrzeżem a Bornholmem), operacje służb specjalnych, ataki dronów, egzekucje, porwania
i zabójstwa, walka w domenie informacyjnej, rywalizacja
o kontrolę węzłów komunikacyjnych (gdzie kumulują się
przepływy strategiczne), o ich własność lub kontrolę kapi-
tałowo-zarządczą portów morskich, lotnisk i węzłów kolejowych, nawet walka o przestrzeń kosmiczną. Przed nami
gorące wojny zastępcze, przewroty, rewolucje i upadki
rządów oraz zupełnie prawdopodobne bezpośrednie starcie Chin i Stanów Zjednoczonych na zachodnim Pacyfiku
albo wojna części państw NATO z Rosją w naszym regionie wskutek dalszej eskalacji ze strony Rosji. Ogłoszona
tam we wrześniu 2022 roku mobilizacja to dopiero preludium — wszystko to może się skończyć na uderzeniu bronią jądrową w Ukrainę przez nieradzących sobie w wojnie
konwencjonalnej nad Dnieprem i Dońcem Rosjan.

Punktem ciężkości konfliktu stanie się manipulowanie
przepływami strategicznymi i oddziaływanie w ten sposób na stabilność i kontrakt społeczny przeciwnika: zakaz
sprzedaży niezbędnych w nowoczesnej gospodarce mikro-
procesorów do Chin i w zamian zakaz eksportu piasku

na Tajwan, niezbędnego do produkcji nowoczesnych podzespołów i istnienia przemysłu budowalnego; zakaz inwestycji kapitałowych w Chinach i w riposcie wywłaszczenie wielkich koncernów amerykańskich mających tam zakłady produkcyjne, i tym podobne ruchy. Kto wie, może nawet zakaz użycia dolarów przez Chiny i amerykańska odmowa spłaty długu wobec tego kraju, co byłoby finansową bombą termojądrową zrzuconą na globalizację, na zaufanie do systemu finansowego świata i do zasad alokacji kapitału. Ale też równałoby się gigantycznemu wywłaszczeniu owoców pracy setek milionów Chińczyków przez kilkadziesiąt lat. Clausewitzowska pasja zagrałaby wtedy z całą mocą na tradycyjnie chłodnych głowach i piętrowych kalkulacjach kierownictwa chińskiego. Kto wie, gdzie by nas to wszystkich zaprowadziło...

Na szczęście istnienie broni termojądrowej obniża chęć bezrefleksyjnego wejścia w niekontrolowany konflikt po każdej ze stron. Wymusza obowiązek eskalowania napięcia, by używając przemocy lub grożąc jej użyciem, coś jednak uzyskiwać. To czyni nadchodzącą wojnę światową skalowalną i to ją odróżnia od poprzednich wojen światowych.

W wojnach systemowych, takich jak wojny napoleońskie albo pierwsza czy druga wojna światowa, gdy konflikt wszedł w fazę gorącą, strona atakująca od razu wysyłała korpusy, flotę, dywizje piechoty, artylerię oraz dywizje pancerne i lotnictwo. Słowem, wszystko, co miała najlepszego, by pokonać przeciwnika, zdobyć stolicę, manewrem sparaliżować system decyzyjny i polityczny. Nie było bowiem wówczas broni, której użycie niszczy całe miasta, państwa i narody. Taki oręż jak broń termojądrowa i jej zastosowanie na poziomie strategicznym neutralizuje cel polityczny wojny, jakim jest polityczne podporządkowanie sobie woli przegrywającego, i okazuje się bezużyteczny dla ustalenia zasad współpracy dogodnych dla zwycięzcy. Niszczy zatem strategię polegającą na zapewnieniu sobie dzięki wojnie korzystnego układu interesów w przyszłości. To jest bowiem realna przyczyna wojen – nie są nimi emocje ani wartości, a na pewno nie złe charaktery liderów. Przede wszystkim strategiczna broń termojądrowa uruchamia między mocarstwami potencjał automatycznego ataku odwetowego na poziomie strategicznym, zajmując z wielkim „bum" ostatni szczebel drabiny eskalacyjnej.

To się nie zdarzało podczas poprzednich wojen światowych. Nie trzeba było myśleć o skalibrowanych działaniach i potencjalnych odpowiedziach przeciwnika na wieloszczeblowej drabinie eskalacyjnej, bo od razu chciało się zająć pozycję dominacyjną w aplikowaniu przemocy i dbać tylko na poziomie operacyjnym o jej skuteczność na realnym polu walki. Tym był niemiecki blitzkrieg, czyli wojna błyskawiczna, którego początkowa fenomenalna skuteczność operacyjna z czasem osłabła, więc Hitler pod koniec wojny poszukiwał rozmaitych wunderwaffe, czyli cudownych broni, które same miały wygrać dla Niemców wojnę, gdy ci już ją przegrywali.

Natomiast w kwestii taktycznego wykorzystania broni jądrowej można już podyskutować. Kto wie, może zostanie niedługo użyta, a my się do tego przyzwyczaimy, tak jak przyzwyczailiśmy się do „niewyobrażalnej" wcześniej wojny na Ukrainie i jej brutalności. Wiele bowiem (zwłaszcza w rosyjskim piśmiennictwie strategiczno-wojskowym) wskazuje na możliwe „odczarowanie" użycia broni atomowej, ale nawet wtedy wojujące strony zawsze będą pamiętać, że na poziomie strategicznym mogą się wzajemnie unicestwić, co krępuje proces decyzyjny i kładzie nacisk na zarządzanie drabiną/kratownicą eskalacji.

Jak uważa Albert Świdziński, zajmujący się w S&F m.in. dynamiką eskalacji nuklearnej: „Widać to już teraz przy postępowaniu Waszyngtonu wobec Ukrainy i w rezerwie Amerykanów w dostarczaniu Kijowowi sprzętu, którego Ukraina mogłaby użyć do atakowania celów na terenie Rosji, wchodząc na wyższy stopień drabiny eskalacyjnej. (...)

Po kolejnych klęskach na froncie ukraińskim jesienią 2022 kierownictwo rosyjskie sygnalizowało, że może zostać użyta broń jądrowa. W gruncie rzeczy strategia Moskwy, polegająca na manipulowaniu percepcją niekontrolowanej eskalacji (do której może dojść w rezultacie użycia broni nuklearnej w toku konfliktu konwencjonalnego), nie jest niczym nowym i realizowana jest najczęściej przez te państwa, które zagrożone są presją silniejszego konwencjonalnie przeciwnika. (...) Stroną słabszą, przynajmniej do czasu przeprowadzenia pełnej mobilizacji i wystawienia zmobilizowanego wojska, czują się Rosjanie, choć do tego się oczywiście nie przyznają, bo straciliby status w sprawach międzynarodowych, o który zabiegają. (...)

Wspierające Ukrainę w wojnie USA mogą spróbować odstraszać poprzez groźbę zadania Rosji katastrofalnych, nieproporcjonalnych strat. USA mogą więc zagrozić Moskwie, że każde użycie broni nuklearnej, nawet w paradygmacie ograniczonego użycia, skutkować będzie zmasowanym odwetem wymierzonym w Rosję. Oczywiście, groźba ta w ogóle nie jest wiarygodna. Doktryna zmasowanego odwetu może działała we wczesnych latach pięćdziesiątych, gdy USA posiadały zdecydowaną przewagę ilościową i jakościową (oraz zdolność rażenia Rosji właściwej dzięki bazom w Europie i Azji) w zakresie broni nuklearnej nad ZSRR. Od momentu, gdy Sowieci zaczęli USA doganiać i uzyskali zdolność rażenia kontynentalnych Stanów Zjednoczonych, stało się jasne, że konieczne będzie znalezienie bardziej wiarygodnej alternatywy wobec doktryny zmasowanego odwetu. Było tak pomimo faktu, iż wówczas asymetria stawki pomiędzy USA i ZSRR była o rząd wielkości większa, niż ma to miejsce pomiędzy USA a Federacją Rosyjską obecnie. (...)

Stany mogą spróbować odstraszać poprzez uniemożliwienie Rosji osiągnięcia celów przemocowego działania. Najlepiej — poprzez odebranie Rosjanom dominacji eskalacyjnej. USA mogłyby zaproponować mocniejsze, bardziej precyzyjne gwarancje bezpieczeństwa Ukrainie, Polsce i państwom wschodniej flanki, potwierdzając w sposób dosadny, że amerykański parasol nuklearny je obejmuje. Być może mogłoby się to odbyć równolegle wobec gwarancji natowskich, przypominając nieco aranżację «piasty i szprych», znaną z Azji w czasach zimnej wojny. Następnie Stany mogłyby owe gwarancje uwiarygodnić poprzez rozwinięcie w Polsce i może nawet na Ukrainie adekwatnych zdolności pozwalających na realizowanie tych gwarancji. W ten sposób USA ograniczyłyby asymetrię zdolności. W optymalnym dla Polski (ale, nie miejmy złudzeń, nie dla USA) wariancie obydwa te zabiegi — polityka deklaratywna i uwiarygadniające ją zdolności — zostałyby oznajmione przez USA w sposób jasny i pozbawiony elementu «strategicznej niejasności». W mniej idealnym scenariuszu USA rozwinęłyby te zdolności, ale nie informowałyby o dyslokowaniu ich do Polski"*.

Albert Świdziński dodaje (o czym zresztą rozmawialiśmy za oceanem w pamiętnym lutym 2022 roku), że „w związku z tym Waszyngton i Warszawa mogłyby liczyć na wystąpienie zjawiska, które James Acton nazwał *pre--launch ambiguity* — a więc braku pewności, czy systemy są defensywne, czy ofensywne, czy są wyposażone w ładunki konwencjonalne, czy nuklearne — wszystko to znacząco skomplikowałoby kalkulacje Moskwy. Łącznie działania te mogłyby stanowić odpowiednią podstawę do realizowania strategii *deterrence by denial*, a więc odstraszania przez groźbę uniemożliwienia przeciwnikowi osiągnięcia celów wojennych. Oczywiście problemem pozostaje jednak asymetria determinacji (choć byłaby ona złagodzona faktem, że Stany zdecydowały się na podjęcie tak kosztownych i rodzących ryzyko eskalacji kroków).

Pozostaje też ryzyko niezamierzonej i niekontrolowanej eskalacji i kwestia tego, czy USA będą przekonane, że

---

* Ten i kolejne cytaty są kompilacją fragmentów artykułów Alberta Świdzińskiego publikowanych na stronie www.strategyandfuture.org.

dynamikę eskalacji uda się utrzymać w ryzach. I tu pojawia się asymetria stawki, która faworyzuje i faworyzować
będzie Rosjan w ich bezpośrednim sąsiedztwie — oczywiście tylko vis-à-vis USA, a nie państw egzystencjalnie
zagrożonych rosyjską agresją".

Co skłania do wniosku, że państwa takie jak Polska
i Ukraina, zagrożone agresją nuklearną, będą się skłaniały
do sojuszu, a na pewno dwustronnej współpracy, która
zapewni realne zdolności kompleksu rozpoznawczo-uderzeniowego i możliwości rażenia Federacji Rosyjskiej aż
do Uralu. O takich potencjalnych zdolnościach Ukrainy
we wrześniu 2022 roku pisał generał Załużny — główno-
dowodzący armii ukraińskiej w wojnie. Po pierwsze, brak
wyrównania stawki ryzyka przez Amerykanów może
popchnąć Polskę i Ukrainę do wymiernej bilateralnej
współpracy wojskowej między sąsiadami w Międzymorzu.
Po drugie, w razie amerykańskiego fiaska odstraszania nuklearnego państwa w tym regionie, zależne dotąd od patronatu amerykańskiego, nie będą miały innego wyboru, jak
tylko pozyskać własną broń nuklearną, okaże się bowiem,
że jedynie jej posiadanie gwarantuje suwerenność i realne
odstraszanie.

Bilateralna współpraca może oznaczać szerszy sojusz,
a nawet unię skupiającą blok państw położonych między
morzami Czarnym i Bałtyckim, który powstrzymywałby
Rosję i zabezpieczałby nową architekturę bezpieczeństwa.
O co w tym chodzi? Jak to rozumieć? Nie chodzi na pewno o reinkarnację projektu dawnej Rzeczypospolitej ani
o jakikolwiek projekt imperialny z dominacją Polski albo

Ukrainy. Chodzi o zbudowanie koalicji państw Międzymorza, które łącznie tworzyłyby wystarczającą siłę, by trzymać Rosję w ryzach. Innymi słowy, by w miejsce obecnego całkowitego chaosu powstała architektura bezpieczeństwa pozwalająca stabilizować sytuację w naszym regionie w taki sposób, aby nie dopuścić tutaj do wybuchu wojny. Można to uzyskać tylko przez skonstruowanie właściwej równowagi. Być może w obliczu niechęci Niemiec i Francji do wypchnięcia Rosji poza system europejski (i ponoszenia kosztów takiego działania) tylko sojusz Międzymorza z dwiema kotwicami w postaci Polski i Ukrainy, podpartymi przez państwa skandynawskie, bałtyckie, Białoruś (po odejściu ludzi o orientacji prorosyjskiej) oraz dodatkowo może Rumunię (ale chyba niekoniecznie), mógłby zapewnić tę równowagę.

Każda inna konfiguracja (na przykład współpraca Rosji i Niemiec) stanowi dla Rosjan zaproszenie do gry w Europie, a ta sprowadza się często do wojny realizowanej w państwach Międzymorza. No cóż, Eugeniusz Romer i Józef Piłsudski byliby szczęśliwi. Oczywiście musieliby uwzględnić zmiany, które dokonały się w ostatnich stu latach, kiedy to na zawsze umarł imperialny projekt Korony Polskiej dotyczący dominacji nad Kresami i zmieniły się źródła siły geopolitycznej. Teraz najważniejsze jest ustalenie zasad dokonywania się strategicznych przepływów, a nie posiadanie ziemi, o czym już pisałem we wcześniejszych rozdziałach.

Mniej w tym wszystkim powinno się mówić o Polsce, a więcej o prawidłowo skonstruowanej koalicji balansu jącej, która trzymałaby Rosję poza Europą. Sojusz wojsko-wy oznaczałby dla Polski ogromne zmiany. Musielibyśmy stać się eksporterem bezpieczeństwa dla Ukrainy, bo taka jest natura realnego sojuszu. To dzielenie ryzyka dla więk-szej sprawy, jaką jest równowaga zapewniająca pokój. A to oznacza ryzyko wciągnięcia nas w wojnę z Rosją na Ukrai-nie i Białorusi podczas kolejnej iteracji wojny po nadcho-dzącej pieriedyszce, powiedzmy, za dwa lub trzy lata. Czy jesteśmy gotowi płacić tego rodzaju koszty? Bo taki byłby wymóg sojuszu wojskowego oraz utrzymania właściwej równowagi w Międzymorzu. Przez ponad dwadzieścia lat przyzwyczailiśmy się, że jesteśmy czystym importerem bezpieczeństwa i wszystko załatwiają za nas Amerykanie. Widać to na przykładzie rakiet (czy też rakiety, bo tak na-prawdę nie wiadomo, jak to było), które spadły w listo-padzie 2022 roku pod Hrubieszowem, i amerykańskiej kontroli nad dynamiką eskalacyjną oraz narracją na temat tego, co się tam właściwie stało.

Nad Wisłą przez ostatnie lata panowało przekonanie, że NATO to czyste dobro, bo my na nim jednostronnie korzystamy. Nieco inne zdanie mają o sojuszu Amerykanie, którzy są jego gwarantem i których to kosztuje, bo muszą wchodzić do każdej wojny na rzecz słabszych członków.

Swoją drogą, debata na ten temat w Polsce byłaby szo-kiem dla elit państwa nieprzyzwyczajonych do takich dyskusji. Ale potrzebujemy jej, bo architektura bezpie-czeństwa po wojnie się zmieni i nie można na to zamykać oczu. Wszyscy będziemy musieli się do tego przygotować i dostosować — Polacy, NATO, Amerykanie. Rzeczywistość wymusi konkretne rozwiązania, bo dążenie do uniknięcia wojny i utrwalenia pokoju w naszej części świata będzie wymagało nowej równowagi, której wyraz stanowi architektura bezpieczeństwa, czyli układ sojuszu, stan sił zbrojnych, koalicje antyhegemonistyczne, które skutecznie zniechęcą drugą stronę do wojny. I może nam się to w Warszawie nie podobać i może będziemy chcieli, żeby NATO nadal wszystko załatwiało. Jeśli Sojusz Północnoatlantycki nie dostosuje się do rzeczywistości przez podejmowanie realnych decyzji, niechybnie zmieni się układ bezpieczeństwa w naszym regionie, a wraz z tym będzie się musiało zmienić nasze postępowanie. Ukraińcy zanurzeni w walce o życie i niebędący w NATO nie mają co do tego wątpliwości ani złudzeń. Wojna urealnia ich stosunek do sojuszu, który według nich nie działa — nie tylko im nie pomaga, ale też nie ma wpływu na stan wojny. Działają Stany Zjednoczone, ale nie NATO.

Przewiduję, że Niemcy i Francja oraz elity brukselskie stawiałyby potężny opór wobec takich przedsięwzięć, bojąc się, że to trwale zmieniłoby układ sił w Europie oraz potężnie przetransformowałoby Unię Europejską, właściwie nie do poznania. Na razie nie mieści się to na mapach mentalnych ludzi z zachodu kontynentu. Oni i tak byli w szoku, kiedy oglądali narodziny Ukrainy jako podmiotu na przedpolu Kijowa i pod Chersoniem. Realizacja pomysłu sojuszu oraz unii Polski i Ukrainy stanowiłaby prawdziwą operację bez narkozy na ich wnętrznościach, ze zburzeniem całego ich wyobrażenia na temat struktury sił w Europie i miejsca, jakie od wojen napoleońskich (co najmniej) odgrywa w tym układzie Rosja, która teraz zostałaby relegowana poza kontynent i poza zakres jego ważnych spraw.

Jak twierdzi Albert Świdziński, z kolei „dla Amerykanów najskuteczniejszym, a zarazem najmniej kosztownym politycznie i finansowo działaniem, by wprowadzić pokój, a potem go zachować w Międzymorzu, mogłoby być zaczerpnięcie ze starej, dobrej zimnowojennej tradycji. Mówimy o koncepcji *tripwire forces*, a więc rozmieszczania amerykańskich żołnierzy i ich rodzin w Europie, na samych rubieżach projekcji siły NATO, w tym na Ukrainie. Realizacja koncepcji *tripwire forces* oznacza, że amerykańscy żołnierze byliby w wojnie od jej pierwszej minuty. Jednak ich rolą nie byłoby tak naprawdę odparcie ataku, ale zostanie zmasakrowanymi przez Rosjan — razem z rodzinami. To nie wzbudziłoby raczej entuzjazmu ani wśród opinii publicznej, ani tym samym wśród polityków. To z kolei oznacza, że amerykańskie społeczeństwo byłoby zaangażowane emocjonalnie w konflikt od momentu jego rozpoczęcia. Emocje — niesprzyjające racjonalnym kalkulacjom — mogłyby również wpłynąć na procesy decyzyjne w Białym Domu, na Kapitolu itp. Rozmieszczając żołnierzy (z rodzinami) w miejscach, w których w wypadku rosyjskiej inwazji lub uderzenia nuklearnego czekałaby ich pewna śmierć, Amerykanie sami zaczynaliby manipulować percepcją ryzyka niekontrolowanej eskalacji wobec Rosjan. Komunikat wobec Moskwy był następujący: «Jeżeli to zrobicie, zabijecie tysiące naszych żołnierzy i ich rodziny pierwszego dnia konfliktu, nie możemy obiecać wam, że drugiego dnia w Waszyngtonie przeważą głosy wzywające do chłodnej oceny i powściągliwości». Amerykanie wyrzucają kierownicę za okno samochodu i mówią: «zobaczymy, co się stanie». Zauważmy, że Amerykanie niwelują w ten sposób asymetrię determinacji. Rozwiązaniem dzisiaj byłoby umieszczenie kontyngentów amerykańskich żołnierzy w państwach bałtyckich i na Ukrainie w ramach stałej obecności bezpośrednio przy granicy z Rosją. Trudno byłoby zachować powściągliwość, gdy CNN puszczałoby na żywo atak systemów rakietowych Smiercz na amerykańskie osiedle wojskowe lub tym bardziej rosyjskie uderzenie jądrowe na jednostki amerykańskie. Sprawy mogłyby szybko wymknąć się spod kontroli. Oczywiście jest to sytuacja pożądana z punktu widzenia Polski, państw bałtyckich i Ukrainy, ale niekoniecznie USA.

Takie dyslokacje niosłyby za sobą związanie Amerykanom rąk i tworzyłyby realne ryzyko, że nie będą mogli uniknąć uczestnictwa w wojnie od pierwszego dnia. My byśmy tego chcieli — ale w ich dobrze pojętym interesie jest uniknąć tego rozwiązania.

Niestety, nic w polityce obecnej administracji Białego Domu nie pozwala myśleć, że którakolwiek z powyższych propozycji jest rozważana, nawet teoretycznie. Jest to istotna konstatacja, gdyż fakt, że Stany Zjednoczone nie są gotowe podjąć realnych działań odstraszających na poziomie nuklearnym, odgrażając się jedynie w razie nuklearnego uderzenia na Ukrainę odpowiedzią konwencjonalną, stanowić powinien punkt odniesienia dla ośrodków decyzyjnych w Polsce. Pozwoli on urealnić percepcję wiarygodności gwarancji sojuszniczych USA".

Życzyłbym sobie debaty w Polsce na ten temat już teraz. Taka debata byłaby rewolucyjną odmianą w III RP po trzydziestu latach drzemki geopolitycznej. Historia zatacza koło. Warto rozumieć, co się dzieje i jakie mamy szanse, nawet jeśli wiążą się one z ogromnym ryzykiem i pozostają wielką niewiadomą.

## STARCIE NUKLEARNE

Jak wyglądałaby rozgrywka związana z próbą dominacji eskalacji i wywierania odpowiedniego wrażenia na innych? Jak powinna zachowywać się Polska?

Albert Świdziński tak analizuje te kwestie na S&F: „starając się zaburzyć kalkulacje Moskwy i jej przekonanie o możliwości wygrania gry w podejmowanie ryzyka, Polska mogłaby – a nawet powinna – starać się doprowadzić do rewizji polityki deklaratywnej NATO w zakresie użycia broni nuklearnej. Przede wszystkim powinno to przybrać formę dążenia do zmniejszenia «niejasności strategicznej», którą stosuje NATO w odniesieniu do warunków użycia broni nuklearnej. Obecna polityka deklaratywna NATO w jej wymiarze nuklearnym jest stanowczo nieadekwatna wobec zagrożenia wynikającego z postawy asymetrycznej eskalacji realizowanej przez Moskwę – a w konsekwencji nie gwarantuje efektu odstraszania. Koncepcje strategiczne NATO są rozwodnione, zawierają mało stanowcze stwierdzenia, takie jak «NATO potrzebuje odpowiedniej mieszanki zdolności nuklearnych i konwencjonalnych», a użycie przez Sojusz broni nuklearnej może mieć miejsce jedynie «w niezwykle mało prawdopodobnych warunkach». (...) Warto zastanowić się, jak na tego rodzaju komunikaty mógłby zareagować Putin, wychowany na ulicach Leningradu, ktoś, kto wie, że «jeżeli bójka jest nieunikniona, należy uderzyć jako pierwszy».

Trudno przypuszczać, aby skutkowało to odstraszeniem; bardziej prawdopodobne jest, że słysząc takie groźby od swojej potencjalnej ofiary, poczyta to jako oznakę słabości i strachu. Tego rodzaju zachowawcze i nieśmiałe groźby — demonstrujące w gruncie rzeczy brak determinacji — prowokują do przetestowania ich i zachęcają do wykorzystania przemocy jako środka do osiągnięcia celów. Innymi słowy, powodują porażkę odstraszania.

Polska mogłaby również podjąć próbę dołączenia do programu Nuclear Sharing. Mogłoby to się odbyć poprzez wycofanie zasobów NATO Nuclear Sharing znajdujących się obecnie w Turcji (dynamika polityki wewnętrznej, tarcia na linii Ankara — USA) lub Niemczech oraz przeprowadzenie procesu certyfikacji polskich F-16. Chociaż byłby to z pewnością krok we właściwym kierunku, demonstrujący spójność Sojuszu i świadomość zagrożeń oraz gotowość NATO do udzielenia proporcjonalnej odpowiedzi na pierwsze użycie broni nuklearnej przez Rosję, nie wydaje się, aby decyzja ta miała rozwiązać wszystkie problemy, z którymi mierzy się Polska. Jak już wspomnieliśmy, aby pozostać w zgodzie z zapisami artykułu I i II NPT, ładunki NATO Nuclear Sharing pozostają w czasie pokoju pod kontrolą Amerykanów i mogą zostać udostępnione przez nich państwu goszczącemu, jedynie gdy Waszyngton oceni, że doszło do wybuchu *general war* – dużej wojny. Dopiero wtedy prezydent USA może przekazać kody nuklearne i wyrazić zgodę na użycie. Ponadto decyzja o przeniesieniu zasobów NATO Nuclear Sharing mogłaby w percepcji Amerykanów oznaczać zwiększenie ryzyka niekontrolowanej eskalacji. (...)

Niestety, chociaż w teorii mogące zadziałać (a w wypadku reformulacji polityki deklaratywnej NATO należy uznać je za pilnie potrzebne), pomysły te są nierealne. Żadna interpretacja obecnego klimatu politycznego w stolicach Europy Zachodniej czy w Waszyngtonie, dynamiki czy tonu debaty na temat zagrożenia rosyjskiego nie pozwalają przypuszczać, że mogłyby zostać podjęte jakiekolwiek realne kroki zmierzające do realnego (a nie PR-owego) zaadresowania obaw Warszawy i zmniejszenia nuklearnej asymetrii vis-à-vis Rosji na wschodniej flance NATO.

To nie jest konstatacja optymistyczna, jednak milczące akceptowanie status quo, który staje się nieakceptowalny, nie służy utrzymaniu wiarygodności Sojuszu, jest tylko taktowną próbą przemilczenia problemu. Pozwolić sobie na to mogą państwa, dla których agresja Rosji nie stanowi egzystencjalnego zagrożenia, czyli wszyscy na zachód od Odry – ale nie Warszawa. (...)

Cały przekaz płynący z Kremla związany ze strategią nuklearną i groźby niekontrolowanej eskalacji są kierowane do Stanów Zjednoczonych – oraz, w mniejszym stopniu, do stolic kluczowych państw Europy Zachodniej. Do posiadających własne zasoby nuklearne Francji czy Wielkiej Brytanii, być może również do Niemiec, które z uwagi na swoje położenie geograficzne, bliskość strefy konfliktu oraz uwarunkowania gospodarcze mogą nie życzyć sobie nie tylko wybuchu wojny nuklearnej, ale nawet długotrwałego konfliktu w swoim sąsiedztwie. Ale przekaz Kremla nie jest skierowany w kierunku Wilna, Rygi, Tallina czy Warszawy — wobec państw, na których terytorium ładunki nuklearne użyte zgodnie z założeniami rosyjskiej doktryny miałyby zostać zdetonowane. Nie jestem pewien, czy nawet wobec Ukraińców. Czemu?

Broń nuklearna jest skutecznym narzędziem wywierania nacisków politycznych — ale z przyczyn oczywistych jej przydatność w celach osiągnięcia przewagi na polu bitwy jest bardzo dyskusyjna. Warto zwrócić uwagę, że broni nuklearnej nie użyli ani Amerykanie w toku wojny w Korei i Wietnamie, ani Izrael w toku wojny Jom Kipur, ani Rosjanie podczas kampanii w Afganistanie, pomimo że w trzech przypadkach dysponujące nią państwo kampanię przegrało, a w jednym co prawda wygrało — ale jego dalsze istnienie było krytycznie zagrożone. Jest zbyt silna, aby jej użycie było proporcjonalne.

Nawiasem mówiąc, może się to zmienić w momencie operacjonalizacji broni nuklearnej czwartej generacji, a więc niewykorzystującej rozpadu jąder pierwiastków ciężkich do zainicjowania procesu fuzji nuklearnej, bowiem jest ona bardzo skalowalna, nawet do relatywnie małych wybuchów, oraz pozostawia śladowy opad radioaktywny, który jest najważniejszym odium psychologicznym użycia broni nuklearnej, a zatem stanowi kluczowy składnik «zaczarowania politycznego», czyli tak zwanego tabu nuklearnego. Będziemy mieli wówczas do czynienia z prawdziwym przewrotem kopernikańskim — ale to zupełnie inna kwestia. Broń nuklearna nie jest przydatna w celu osiągnięcia kontroli nad terytorium. (...)

Chociaż groźby odstraszające w wykonaniu państw posiadających broń nuklearną są skuteczne, o tyle groźby wymuszające — nie. Nawet jeżeli ich adresatem są państwa, które same broni nuklearnej nie posiadają!".

Czyli oznacza to, że wygrywający wojnę konwencjonalną Ukraińcy raczej nie zdejmą nogi z gazu i będą dążyć do odzyskania Krymu i Donbasu, jeśli będą mieli siły konwencjonalne zdolne do tego. Rosja nie wymusi na nich zmiany postawy, co zresztą ukraińscy oficjele wprost powiedzieli.

Jak objaśnia dalej Albert: „Różnicę pomiędzy groźbami odstraszającymi (*deterrent threats*) oraz wymuszającymi (*compellent threats*) przedstawił Schelling w wydanej w 1966 roku książce *Arms and Influence*. Odstraszanie, argumentuje Schelling, zazwyczaj jest pasywne i wymaga zniechęcenia przeciwnika do podjęcia działań; wymuszanie jest z natury ofensywne, a jego celem jest — no właśnie — wymuszenie podjęcia pewnych aktywnych działań przez przeciwnika.

W gruncie rzeczy jest to zrozumiałe. Oto przykład: w wojnie na Ukrainie stawka konfliktu dla Kijowa nie jest niższa niż dla Rosji. Może nawet jest odwrotnie — stawka faworyzuje Kijów".

Jeżeli stawką jest dalsze istnienie lub suwerenność państwa i narodu, a po mordach w Buczy i innych miejscach, listach proskrypcyjnych i wywózkach Ukraińcy raczej nie

mają złudzeń, to mogą oni zaryzykować niebezpieczeństwo asymetrycznej eskalacji do poziomu nuklearnego.
W przeciwieństwie do Zachodu mogą być gotowi sprawdzić, czy Rosjanie przypadkiem nie blefują — szczególnie
jeżeli są powody, aby tak uważać. A nawet jeśli nie blefują,
to co? Zrzucą bomby i pociski nuklearne na wszystko na
Ukrainie?

W opinii naszego analityka „może się więc okazać, że
Kijów znajdzie determinację (i co najważniejsze, zacznie
to jasno i wyraźnie komunikować, co de facto zrobił kilka razy od początku wojny), aby kontynuować walkę nawet po tym, jak Rosjanie wykonają pierwsze uderzenie
nuklearne. Zwłaszcza że Moskwa nie chciałaby prawdopodobnie wykonywać skrajnie eskalacyjnych działań, takich
jak uderzenia *counter-value* (na miasta, ludność cywilną
i zaplecze gospodarcze), nawet przy wykorzystaniu broni
taktycznej, czyli niestrategicznej broni jądrowej.

Fakt, że asymetria stawki nie faworyzuje Rosjan w wypadku, gdyby adresatem gróźb była Ukraina albo Polska
wspierająca sąsiada przez Podkarpacie, sprawia, że istotne staje się upewnienie się przez Warszawę, że stanie się
podmiotem, a nie przedmiotem gry w podejmowanie ryzyka". Szczególnie w razie kolejnej wojny w Międzymorzu
(przed nami w końcu lata chaosu przypominającego wojny
napoleońskie), gdy Polska wraz z Ukrainą będą razem bić
wojska rosyjskie nad Dnieprem lub na Białorusi, kto wie...

„Polska zatem powinna więc niezmiennie sygnalizo-
wać — jak pisze Albert — od czasu «P» aż do progu użycia
przez FR broni nuklearnej w toku konfliktu konwencjonalnego, że żadne groźby wymuszające wysuwane wobec niej

nie będą skutkować zakończeniem konfliktu na warunkach zadowalających Federację Rosyjską. Mogłoby się to odbywać poprzez powtarzalne deklaracje polityczne bezpośrednio odnoszące się do niebezpieczeństwa eskalacji konfliktu na poziom nuklearny, podkreślające gotowość do kontynuowania walki nawet po ich przeprowadzeniu przez przeciwnika. Warszawa mogłaby również uwiarygodnić swoją determinację poprzez realizację programów obrony cywilnej, mitygujących ewentualne konsekwencje stania się celem ataku; zarówno *counter-value* (budowa schronów, szkolenia populacji i służb służące wypracowaniu odpowiednich reakcji w odpowiedzi na ryzyko uderzenia nuklearnego), jak i *counter-force* (chociażby *nuke--proofing* systemów C3).

Czysto teoretycznie Polska mogłaby próbować realizować bardziej ambitne przykłady strategii ograniczania zniszczeń, jak chociażby nabycie lub stworzenie elementów własnych zdolności antybalistycznych. Biorąc jednak pod uwagę trudności, jakie napotykają pod tym względem nawet USA, jest to rozwiązanie zaprezentowane wyłącznie modelowo. Niestety, musimy pójść dalej — i udźwignąć ciężar podejmowania decyzji nawet na najwyższych szczeblach drabiny eskalacyjnej".

Albert Świdziński jasno postawił sprawę podczas prezentacji publicznej Armii Nowego Wzoru w grudniu 2021 roku na Foksal w Warszawie — będziemy musieli „ubrudzić sobie ręce".

„Rosjanie chcą — jak każdy racjonalny aktor — osiągnąć swoje cele, przykładając tylko tyle siły, ile to konieczne. Wiarygodna groźba użycia broni nuklearnej pozwala zademonstrować im determinację, mają również środki i doktryny umożliwiające realizację tych gróźb. Jednak celem nie jest zabicie przeciwnika i zmienienie jego państwa w nuklearną pustynię. Celem jest zademonstrowanie dominacji oraz akceptacji ryzyka — i osiągnięcie dzięki temu satysfakcjonującego rozwiązania konfliktu. Pomimo całej brawury, agresywnych demonstracji oraz wreszcie polityki deklaratywnej popartej zdolnościami Rosjanie są w pełni świadomi ryzyka związanego z asymetrycznym wyskalowaniem konfliktu konwencjonalnego do poziomu nuklearnego. Niezbędnym elementem ich strategii jest przedstawienie siebie jako państwa gotowego do zaakceptowania ryzyka niekontrolowanej eskalacji. (...) Ich tolerancja ryzyka nie jest nieograniczona — choć będą skłonni twierdzić inaczej.

Wiedzą, że nawet jednorazowe użycie broni nuklearnej tworzy bardzo poważne ryzyko, że sprawy wymkną się spod kontroli i w opisanym przez Schellinga mechanizmie dojdzie do niezamierzonej i trudnej do skontrolowania eskalacji vis-à-vis USA lub ciężkiej reprymendy swojego patrona — Chin, które nie chcą wojny globalnej na pewno, zwłaszcza gdyby zostały w nią wciągnięte. Nie chcą też «odczarowania» broni nuklearnej, bo to niekorzystnie zmieni układ sił na ich niekorzyść na Pacyfiku, gdzie Stany Zjednoczone mają ogromną przewagę nad Chinami w ewentualnym starciu nuklearnym przy użyciu niestrategicznej broni jądrowej, a Japonia, Korea Południowa, Australia czy Indonezja mogą szybko stać się państwami nuklearnymi, skutecznie ograniczając nacisk wpływów chińskich.

Tak więc jako racjonalny gracz Rosjanie muszą po pierwsze liczyć, że nie zajdzie potrzeba użycia przez nich broni nuklearnej. Ale jeżeli już do tego dojdzie, jest priorytetem, aby była to rzeczywiście jednorazowa sytuacja; ostatnie, czego potrzebują, to przeprowadzanie kolejnych uderzeń w celu odzyskania dominacji eskalacyjnej.

Oznacza to, że Polska musi samodzielnie rozwinąć własne zdolności pozwalające na udzielenie symetrycznej odpowiedzi na rosyjskie pierwsze użycie niestrategicznej broni jądrowej, jeśli chce się stać podmiotem rozgrywki – i poinformować o tym Rosjan. Czyniąc to, sygnalizujemy Rosjanom, że ich pojedyncze użycie w celach deeskalacyjnych nie przyniesie pożądanego rezultatu, czyli zakończenia konfliktu na dobrych warunkach. Jeżeli chcieliby liczyć na takie rozwiązanie, będą musieli dalej eskalować przemoc. Jednak z każdym kolejnym atakiem rośnie ryzyko wystąpienia niekontrolowanej eskalacji vis-à-vis patrona hegemonicznego Polski, czyli USA. W ten sposób stawiamy lustro przed rosyjską strategią – a zarazem stajemy się graczem w Schellingowskiej grze w tchórza. Tylko że tym razem to my jesteśmy tą bardziej bezwzględną i ryzykancką stroną rozgrywki. W rezultacie szanse powodzenia rosyjskiego szantażu spadają – nawet jeżeli zdecydują się oni na pojedyncze użycie, nijak nie mogą być pewni, że zagwarantuje im to ostateczny sukces. Stajemy się podmiotem, a nie przedmiotem dynamiki eskalacji.

Przykładem tego rodzaju zdolności – i kontrakcji – jest «opcja seulska» – przez analogię do północnokoreańskiej strategii odstraszania, której elementem jest groźba przeprowadzenia zmasowanych ataków artyleryjskich na ośrodki miejskie leżące na południe od strefy zdemilitaryzowanej, w tym stolicę ROK, liczący około 10 milionów mieszkańców Seul (cała aglomeracja liczy około 25 milionów ludzi), czy też Inczon — oba oddalone o mniej niż 40 kilometrów od DMZ. Daje to możliwość zastraszenia rządu Korei Południowej, odwetu wobec działań politycznych lub militarnych Korei Południowej, nawet bez posuwania się do użycia broni nuklearnej lub chemicznej.

Oczywiście rosyjska stolica znajduje się poza zasięgiem niemal wszystkich systemów uzbrojenia będących na wyposażeniu wojska polskiego. Na razie... I warto właśnie to zmienić, czyli zbudować kompleks rozpoznawczo--uderzeniowy sięgający Moskwy, Petersburga, Niżnego Nowogrodu, Woroneżu i Saratowa — aż po Ural. Tym bardziej bliska enklawa kaliningradzka będzie w naszym zasięgu rażenia, nawet artyleryjskiego. W związku z tym w momencie kryzysu Polska mogłaby rozmieścić swoje systemy uzbrojenia w odległości umożliwiającej przeprowadzenie zmasowanego ataku artyleryjskiego na Kaliningrad, grożąc uderzeniem na miasto w odpowiedzi na rosyjskie próby deeskalacji.

Alternatywnie, Polska może starać się dorównać w potencjale eskalacyjnym Rosji, grożąc uderzeniami na kluczowe elementy rosyjskiej infrastruktury energetycznej i przesyłowej, w szczególności rosyjskie elektrownie jądrowe (w Smoleńsku, około 550 kilometrów od polskiej granicy, Kursku — około 800 kilometrów, czy w pobliżu Sankt Petersburga — około 720 kilometrów). Zakomunikowanie Rosjanom tych zdolności pozbawiłoby ich pewności, że będą w stanie osiągnąć dominację eskalacyjną w paradygmacie deeskalacyjnego pierwszego użycia broni nuklearnej a nawet nienuklearnego ostrzeliwania nas pociskami manewrującymi i rakietami, jak robili to wobec Ukrainy od listopada 2022, degradując system energetyczny tego kraju. Jeżeli Rosjanie chcieliby odzyskać inicjatywę i dominację na drabinie eskalacyjnej, musieliby eskalować wertykalnie, powtarzając uderzenia nuklearne.

Pozornie najprostszą odpowiedzią na te dylematy jest rozwinięcie przez Polskę własnego potencjału nuklearnego. Debata o posiadaniu broni nuklearnej nie powinna być tematem tabu. Zwłaszcza jeśli Ukraina miałaby zostać przymuszona przez zachodnich Europejczyków lub Amerykanów do koncesji na rzecz Rosji grożącej wojną nuklearną. Wraz z relatywnym słabnięciem amerykańskiej potęgi i dekompozycją ładu światowego ustanowionego po upadku ZSRR debaty te będą się intensyfikować we wszystkich państwach zaczynających wątpić w siłę amerykańskich gwarancji bezpieczeństwa — od Turcji po Koreę Południową. Pamiętajmy też powtarzane wielokrotnie stwierdzenie, że Japonia nie ma co prawda broni nuklearnej, ale gdyby dokręciła parę śrubek, toby miała.

Przy czym rozpoczęcie własnego programu nuklearnego wiąże się z wieloma negatywnymi konsekwencjami — od kosztów finansowych przez ryzyko nałożenia sankcji, ryzyko podważenia i osłabienia pozycji międzynarodowej, ryzyko konieczności wypowiedzenia szeregu traktatów międzynarodowych, ryzyko wystąpienia efektu domina, ryzyko stania się ofiarą prewencyjnych uderzeń ze strony Federacji Rosyjskiej po wreszcie wysoce prawdopodobne daleko idące osłabienie relacji sojuszniczych z USA i innymi państwami Zachodu. (...)

Oczywiście są sposoby na «zminimalizowanie bólu» — chociażby podejście realizowane przez Japonię i Koreę Południową, które w toku pokojowych programów nuklearnych i rozwijania zdolności przenoszenia znalazły się w sytuacji, w której w relatywnie krótkim czasie mogłyby wejść w posiadanie własnej broni nuklearnej, gdyby zaszła taka potrzeba. Niezaprzeczalnym plusem wynikającym z posiadania zoperacjonalizowanych i odpowiednio skomponowanych oraz popartych właściwą postawą sił nuklearnych jest — jak zauważył w 2009 roku Matthew Kroenig — właściwie uniemożliwienie prowadzenia przez inne państwa projekcji siły wobec ich posiadacza. Hugh White wprost tak uważa, proponując właśnie nuklearne rozwiązania dla Australii w swojej książce o strategicznej autonomii Canberry".

Dalej Albert Świdziński, a za nim zespół S&F, uważa, że Polska mogłaby jednak zastosować inną strategię, nazwaną przez amerykańskiego politologa Vipina Naranga „postawą katalityczną": „W ramach postawy katalitycznej państwo realizujące ją «grozi otwartym ujawnieniem własnej broni nuklearnej w sytuacji, gdy jego przetrwanie jest zagrożone, aby wymusić — lub wywołać — interwencję państwa trzeciego w swojej obronie». Zdaniem Naranga szereg państw realizowało tę właśnie postawę — Pakistan w latach osiemdziesiątych, Izrael w siedemdziesiątych czy

RPA w osiemdziesiątych. W książce zatytułowanej *Nuclear strategy in the modern era. Regional powers and international conflict* Narang pisze: «Postawa katalityczna zakłada 'katalizowanie' pomocy militarnej lub dyplomatycznej państwa trzeciego — najczęściej USA — w momencie pojawienia się egzystencjalnego zagrożenia dla państwa realizującego tę strategię».

Może to uczynić poprzez zademonstrowanie już wcześniej istniejących zdolności, porzucenie strategicznej niejasności lub operacjonalizację wcześniej nieaktywnych zasobów w celu eskalacji konfliktu, jeżeli pomoc zewnętrznego gwaranta nie zostanie udzielona. Strategia ta jest uzależniona od istnienia potężnego patrona, takiego jak USA, którego zainteresowanie utrzymaniem stabilności w regionie — lub powstrzymaniem ujawnienia posiadania przez swojego klienta zdolności nuklearnych — jest na tyle duże, a koszty udzielenia pomocy na tyle znośne, że może zostać skłoniony do interwencji na rzecz swojego sojusznika i doprowadzenia w ten sposób do deeskalacji.

Doskonałym przykładem praktycznym są działania podjęte przez Izrael w toku wojny Jom Kipur. Izrael przeprowadził wówczas testy gotowości swoich systemów przenoszenia broni nuklearnej w sposób, który musiał zostać dostrzeżony przez amerykańskie służby — ale już nie przez Syrię i Egipt, czyli przeciwników! W ten sposób Tel Awiw zasygnalizował, że jest gotów na ujawnienie (i w domyśle użycie) swojego potencjału nuklearnego, który zarówno wówczas, jak i dzisiaj nie został otwarcie potwierdzony. Sygnalizacja Izraela była więc nakierowana na sojusznika — USA — a nie wrogów, czyli Syrię i Egipt! W tym paradygmacie Polska powinna otwarcie, jednoznacznie i konsekwentnie komunikować Stanom Zjednoczonym swoje zaniepokojenie, wyjaśniając jego źródła i przyczyny. Zasugerować, że obecny status quo i dysproporcja sił są dla Warszawy niemożliwe do zaakceptowania. I podkreślić, że jeżeli jej obawy nie zostaną przez Waszyngton uwzględnione, to nie będzie miała innej możliwości, niż wziąć sprawy w swoje ręce. (...)

Tu jednak pojawia się problem. Bo chociaż możemy skutecznie komunikować naszą determinację Rosjanom i poprzeć ją odpowiednimi zdolnościami, dowodząc, że jesteśmy gotowi na «wytrzymanie» eskalacji i utrzymanie się na drabinie eskalacyjnej, Amerykanie mogą być mniej entuzjastycznie nastawieni niż my. To ważne, bo jeżeli rosyjska ofensywa zacznie wytracać impet, wojska FR zaczną grzęznąć, a losy wojny zaczną przechylać się na korzyść Polski, możliwe jest, że Rosjanie będą starali się powstrzymać tę dynamikę przez — co oczywiste — odwołanie się do gróźb deeskalacji nuklearnej. Wówczas mogą oni osiągnąć swój cel poprzez komunikowanie USA, pośrednio (sprawdzanie gotowości, rozproszenie sił nuklearnych czy nawet testy broni nuklearnej) lub bezpośrednio (w oficjalnych komunikatach), że jeżeli dynamika konfliktu nie ulegnie zmianie, to rozważą użycie broni nuklearnej. A najpewniejszym sposobem, aby do tego nie dopuścić, jest ściągnięcie wodzy Polsce.

Istnieje niebezpieczeństwo, że Waszyngton będzie skłonny uznać zasadność tych obaw. To z kolei może przełożyć się na szereg działań mających na celu ograniczenie ryzyka dalszej eskalacji poprzez ograniczenie zdolności strony polskiej. Może się to odbywać na wielu płaszczyznach; od intensywnych nacisków dyplomatycznych i politycznych na ośrodki władzy w Polsce po próby ograniczenia zdolności polskich sił zbrojnych poprzez selektywne pozbawienie dostępu do danych, systemów i zdolności, których codzienne prawidłowe funkcjonowanie jest zależne od USA (działanie JASSM-ów, F-35, HIMARS-ów, dostęp do danych targetingu, systemów świadomości sytuacyjnej itp.). W interesie Stanów Zjednoczonych może na przykład być, aby zawczasu uniemożliwić Polsce realizację opcji seulskiej — z oczywistych przyczyn, lub uniemożliwienie użycia naszego rozbudowanego kompleksu rozpoznawczo-uderzeniowego do ataku na cele w Rosji właściwej. Dlatego potrzebujemy własnych zdolności kosmicznych i zdolności do nowoczesnej bitwy zwiadowczej, by nie być zależnymi od Amerykanów w rozpoznaniu i targetingu.

Gdyby tak się stało, Waszyngton mógłby podjąć próbę zmuszenia Polski do porzucenia tych planów, stosując naciski polityczne lub ograniczając zdolności wojska polskiego i polskiego systemu odporności państwa. Polska powinna więc opracować rozwiązanie uniemożliwiające tego rodzaju działania, charakteryzujące się jednocześnie tym, że tworzy ono system, który jest celowo zaprojektowany tak, aby był niestabilny albo «amorficzny». Rozwiązanie to jest zbliżone do tego, jakie zastosował Pakistan, projektując system dowodzenia swoją niestrategiczną bronią nuklearną i kontroli nad nią. W obliczu dominacji konwencjonalnej Indii i groźby szybkiego pokonania sił Pakistanu, przecięcia tego kraju na pół, wprowadzono zabezpieczenia na wypadek unieszkodliwienia władzy centralnej lub komunikacji pomiędzy nią a oddziałami w polu. To z kolei wymaga predelegowania prawa do wydania rozkazu użycia broni jądrowej do dowódców w polu. (...)

Najlepszym więc sposobem, aby sytuacja nie wymknęła się spod kontroli, a proces decyzyjny pozostał racjonalny, jest albo nierozpoczynanie konfliktu, albo utrzymanie go na bardzo ograniczonym poziomie. W wypadku Polski można rozważyć celowe «rozluźnianie» łańcuchów dowodzenia nad hipotetycznymi zasobami pocisków balistycznych i manewrujących oraz samolotów sił powietrznych, tudzież systemami artyleryjskimi odpowiedzialnymi za realizację opcji seulskiej. Skutkowałoby to utworzeniem systemu dowodzenia, który w sposób zamierzony byłby podatny na destabilizację w wypadku ataku. Trochę tak, jak było w wojnie Rosji z Ukrainą w lutym i marcu 2022, gdy Ukraińcy wskutek chaosu polityczno-wojskowego nie mieli swego jednego kluczowego punktu ciężkości, który mogliby wyeliminować Rosjanie. Analogicznie do relacji Delhi i Islamabadu miałoby to na celu zniechęcenie Rosjan do przeprowadzenia pełnoskalowego ataku na węzły dowodzenia i komunikacji oraz przywództwo polityczne państwa polskiego.

Efektem byłoby więc wymuszenie prowadzenia przez Kreml wojny ograniczonej — lub też w wariancie maksymalistycznym odstraszenie Rosji od agresji w ogóle. Jeżeli bowiem Rosjanie mimo wszystko zdecydowaliby się na przeprowadzenie pełnoskalowej kampanii wobec Polski, w jej toku prawdopodobnie wyeliminowaliby węzły dowodzenia i komunikacji, przez co decyzja o wcieleniu w życie opcji seulskiej mogłaby zostać podjęta przez oficerów w polu. Jednocześnie próby interwencji Waszyngtonu mające na celu wymuszenie na Warszawie deeskalacji będą nieskuteczne — w związku z zaburzeniem łączności/łańcucha dowodzenia. Naciski nie będą więc mogły przynieść pożądanego rezultatu.

Po raz kolejny więc podobnie jak na niższych stopniach drabiny eskalacyjnej jasne staje się, dlaczego całkowita kontrola nad wszystkimi elementami pętli decyzyjnej jest krytycznie ważna dla naszego nowego wojska. USA nie mogą kontrolować w żaden znaczący sposób polskich zdolności odpowiadających za utrzymanie świadomości sytuacyjnej. Polska musi zachować prerogatywę samodzielnego podjęcia decyzji o powzięciu symetrycznej kontreskalacji w odpowiedzi na rosyjskie użycie broni nuklearnej w celach deeskalacyjnych. Polska musi pozbawić Rosję przekonania, że uda się jej osiągnąć dominację eskalacyjną. Żeby było to możliwe, Warszawa musi być pewna, że USA nie będą w stanie jednostronnie doprowadzić do zakończenia konfliktu na swoich warunkach".

I znów, jak podkreśla nasz analityk, „wszystko to, co zostało napisane wyżej, może lekko niepokoić. W końcu nie tylko snujemy rozważania na temat wojny nuklearnej, ale wręcz rozważamy, co stałoby się, gdybyśmy grozili Rosji koniecznością dalszej jej eskalacji. Kluczowe pytanie brzmi więc: czy Rosjanie naprawdę to zrobią? Czy Kreml gotów jest zrealizować swoje groźby i asymetrycznie eskalować konflikt konwencjonalny do poziomu nuklearnego, w momencie gdy nie zachodzi egzystencjalne zagrożenie dla dalszego trwania rosyjskiego organizmu państwowego? Rosja używa siły bądź grozi jej użyciem, aby doprowadzić do pożądanych przez siebie zmian rzeczywistości geopolitycznej w Eurazji. Rosja nie jest atrakcyjna (pomimo wszystkich prowadzonych przez siebie kampanii informacyjnych) jako alternatywa kulturowa i cywilizacyjna dla Zachodu. Stosuje więc siłę (lub groźbę jej użycia) w miejscach, które uznaje za swoją strefę wpływów. Definiuje się więc jako siła, która może powodować destabilizację, jeżeli nie jest integralną częścią systemu gry o równowagę, oraz element stabilizujący, jeżeli pełnoprawną częścią systemu jest. Do realizowania tych celów przydatna jest siła wojskowa, uwiarygadnia ją agresywna polityka deklaratywna oraz groźby (nawet groźby deeskalacji nuklearnej).

Złamanie przez Rosję nuklearnego tabu w ramach deeskalacji nuklearnej może zamknąć Rosji drogę do osiągnięcia celów politycznych — konsolidacji współpracy z Europą Zachodnią (wystraszona nuklearną postawą Rosji tym bardziej poprosi USA o protekcję), jedynego powodu, dla którego Rosja w ogóle zachowuje się agresywnie na Ukrainie. Cel stania się integralnym i uznanym aktorem w systemie międzynarodowym jako część, można powiedzieć, Europy będzie niemożliwy do osiągnięcia.

Ponadto ryzyko wynikające z doprowadzenia do sytuacji, w której możliwa staje się niekontrolowana eskalacja konfliktu, jest prawdziwe. Pomimo asymetrii, a także braku gotowości USA i Zachodu do przetestowania tego, co uważamy za blef Kremla, Rosjanie nie są i nie mogą być pewni, że dynamika eskalacji po użyciu przez nich taktycznej (niestrategicznej) broni jądrowej naprawdę może być kontrolowalna. Powinna być — ale nie mogą być tego pewni. Ryzyko, że ktoś źle odczyta czyjeś intencje, zawiedzie sprzęt lub czynnik ludzki, że ktoś popełni błąd, istnieje. To oznacza, że podobnie realne jest wystąpienie niezamierzonej i niekontrolowanej eskalacji. Ryzyko to rośnie wykładniczo wraz z każdym kolejnym użyciem przez Rosję broni nuklearnej — do czego będzie zmuszona, jeżeli Polska uniemożliwi jej osiągnięcie dominacji eskalacyjnej już po pierwszym użyciu. Rosjanie tego nie chcą. Natomiast są gotowi blefować odrobinę dłużej, zachowywać się odrobinę bardziej nieprzewidywalnie i wyrzucić kierownicę na tyle daleko, aby wygrać grę w tchórza z Amerykanami.

Polska powinna podjąć starania zmierzające do urealnienia i uwiarygodnienia gwarancji bezpieczeństwa zarówno Stanów Zjednoczonych, jak i NATO tak, aby mogły one stać się realnym narzędziem odstraszania Rosji".

Jeżeli okaże się to niemożliwe lub Amerykanie zaczną odchodzić na Pacyfik na wojnę z Chinami, Polska powinna podjąć kroki, które dadzą jej szansę na samodzielne przetrwanie i „utrzymanie się" na wyższych szczeblach drabiny eskalacyjnej. Będzie to wymagało niezwykle trudnych i obarczonych sporym ryzykiem decyzji.

Będę szczery: system międzynarodowy jest oparty na brutalnej sile, w naszym wypadku sile amerykańskiej. Gdy tej w naszej części świata zabraknie, a Rosjanie będą mieli broń nuklearną, jedyną szansą na sprawczość w takim systemie międzynarodowym stanie się podjęcie przez państwo polskie dojrzałej, odpowiedzialnej decyzji — obrania kierunku strategicznego zmierzającego do wybicia Rosjan z pewności o dominowaniu w eskalacji, a następnie konsekwentnej jego realizacji. Pozostaje mieć nadzieję, że aparat państwowy Polski oraz tworzące go elity są gotowe udźwignąć i ponieść ciążące na nich brzemię odpowiedzialności.

Rozwój technologiczny oraz istnienie broni termojądrowej powodują zatem, że wojna musi być skalowalna, nie można od razu sięgnąć (lub zagrozić nim) po najwyższy stopień drabiny eskalacyjnej, jakim była dywizja pancerna lub nawet bombowiec strategiczny B-29 Superforteca z pierwszymi egzemplarzami bomby atomowej w 1945 roku, by szybko przymusić przeciwnika do pożądanego zachowania. To jednak inne czasy i poruszanie się po kratownicy eskalacji, by osiągać racjonalne cele polityczne, wymaga większego kunsztu i rozwagi.

Dzieje się tak również dlatego, że spiętrzenie wzajemnych interakcji między państwami jest daleko większe dziś niż podczas wojen światowych znanych z przeszłości: wymiana handlowa, światowy podział pracy, globalne łańcuchy dostaw, ponadregionalne przepływy surowców, wszystko to jest większe, bardziej zintensyfikowane i mocniej zróżnicowane. Istnieje więc między państwami mnóstwo środków nacisku, czyli lewarów, w nieustannej grze o sprawczość, a co za tym idzie, pojawia się więcej spraw, w których można stosować przemoc. Niszczenie terminali przeładunkowych, ataki na terminale gazowe w Stanach

Zjednoczonych, ataki na porty przeładunkowe w Europie, wybuchy w rafineriach w Rosji, atak na terminale w Świnoujściu, porwania decydentów, egzekucje i inne działania destabilizujące, a nawet terrorystyczne przeciw miastom i społeczeństwu (które wpływają na sytuację wewnętrzną państwa atakowanego), w dalszej kolejności niszczenie systemów obserwacyjnych w kosmosie i rodząca się rywalizacja w owej przestrzeni, nie wspominając już o selektywnym ostrzale artyleryjskim czy rakietowym, aktach sabotażu czy działaniach odcinających dostęp do surowców.

W większym stopniu będziemy musieli zadbać o odporność państwa na manipulacje na przepływach strategicznych, a mniej toczyć dysputy o liczbie żołnierzy rodem z XX wieku. Realne zdolności wojska do nowoczesnej wojny i aplikowania przemocy, często na odległość, oraz odporność państwa staną się ważniejsze od liczby żołnierzy i ilości sprzętu pokazywanych jak dzieciom w równoległych tabelkach. Zdolność do skutecznej manipulacji przepływami strategicznymi, odporność Polski na takie manipulacje ze strony wrogów oraz nowoczesne siły zbrojne będą podstawą siły politycznej państwa w nowej epoce — epoce skalowalnej wojny o Eurazję.

Będzie to zatem wojna inna niż poprzednie wojny światowe, choć podobnie jak tamte już teraz zmieni światowy układ geopolityczny. Tak samo jak w ostatniej wojnie światowej pojawią się nowe metody i technologie. Wszystkie innowacje przyspieszają bowiem gwałtownie w dobie wojen, ponieważ ludzie mają najmocniej rozwinięte zdolności adaptacyjne, gdy grozi im śmierć i chcą wygrać walkę o życie. Bo przecież na wojnie zabija się ludzi. Taka jest ciemna strona natury człowieka.

Podczas drugiej wojny światowej pojawiły się pierwsze niemieckie pociski manewrujące i balistyczne; pod jej koniec — pierwsze niemieckie prymitywne pociski kierowane, silnik odrzutowy czy prawdziwy cud ówczesnej techniki, jakim był amerykański bombowiec strategiczny B-29, latający niezmiernie wysoko i daleko, oraz aliancki komputer potrzebny do nieustannego łamania niemieckiej Enigmy. Teraz, w czasie obecnej wojny światowej, rozwiną się z pewnością automatyka i robotyka. Obstawiam, że sztuczna inteligencja opracowywana na potrzeby wojny i rywalizacji zmieni także nie do poznania nasze cywilne życie, zanim wieloletnia wojna światowa, którą przyjdzie nam stoczyć, dobiegnie końca.

W tym wszystkim nasza droga Europa cały czas nie chce zrozumieć, że wojna już trwa, a lada moment może dokonać się większe skupienie uwagi strategicznej Stanów Zjednoczonych na Pacyfiku. Zwłaszcza jeśli odczuwalne napięcie wokół Tajwanu z roku 2022 przyspieszy perspektywę wojny na dwa fronty w Eurazji, którą Amerykanie musieliby prowadzić, choć oczywiście zawsze będą próbowali uniknąć bezpośredniego w niej udziału. Strukturalne siły wywołane mobilizacją wojenną w Rosji oraz działania Stanów Zjednoczonych dotyczące sankcjonowania Chin dodatkowo skłaniają niestety Chiny do pomocy Rosji na froncie zachodnim, czyli europejskim. Nawet jeśli pomoc ta jest albo będzie przez jakiś czas ukryta — tak jak ukrywano

przed opinią światową decyzję Roosevelta o pomocy Bry-
tyjczykom, podjętą już po upadku Paryża w 1940 roku,
a zatem na długo przed jawnym wejściem Stanów Zjednoczonych do wojny. Ta dynamika jest bardzo niebezpiecz-
na i może oznaczać poważną eskalację. Wszystko, co się
dzieje na Pacyfiku między Ameryką a Chinami, ma zatem
pierwszorzędne znaczenie dla Europy i Polski.

## WOJNA Z ROSJĄ

Może to oznaczać, że jako Polska zostaniemy tu z Rosją w dużej mierze sami. Albo inaczej: zostaniemy także
z Europejczykami, którzy nie mają istotnych zdolności
wojskowych ani przesadnej determinacji do skonfronto-
wania się z Rosją. Poza oczywiście Ukrainą, oraz Finlandią,
Szwecją i może Wielką Brytanią, ale od nich odróżnia nas
albo status sojuszniczy, albo geograficzny układ interesów.
Zmusi nas to zresztą prawdopodobnie do rewizji poglądu
na to, co realnie buduje układ bezpieczeństwa, a co go jedynie symuluje.

Jako że wojna o Eurazję będzie skalowalna, nasz konflikt z Rosją nie musi wyglądać dokładnie tak jak ten na
Ukrainie. Może to być tym razem terror, niszczenie infrastruktury, porwania i zabójstwa, destabilizacja oraz nisko-
skalowe oddziaływanie na nasze poczucie bezpieczeństwa.
Może to być jednak wojna taka jak na Ukrainie, w zależności od możliwości Rosjan i potrzeby geopolitycznej
w danym układzie i czasie, w dużej mierze w zależności

także od naszych własnych zdolności, odporności państwa i jego (naszych) przygotowań. Może to być wojna sojusznicza razem z Ukraińcami, gdzieś na wschodzie, daleko od naszych granic, gdy z ważnego powodu uznamy, że lepiej gasić pożar tam, zamiast czekać, aż pojawi się nad Wisłą. Rosjanie dopasują do tego swoją strategię. I my także musimy przygotować własną strategię wojskową. Nie ma czasu do stracenia.

Należy założyć także, że Polska może być przez dłuższy czas w wojnie sama — bez sojuszników z Zachodu, najpierw podczas eskalacji poniżej progu wojny kinetycznej, a potem w trakcie wojny konwencjonalnej. Jedyną nadzieją, i to tylko w razie wojny obronnej, są amerykańskie siły zbrojne, przede wszystkim siły powietrzne, które mogą wejść do naszej wojny bardzo szybko. Ale do tego będzie konieczna decyzja polityczna w Waszyngtonie, czego nie można uznać za oczywiste. No, chyba że zawrzemy układ sojuszniczy z Ukrainą (z wzajemnymi gwarancjami bezpieczeństwa), co dziś (na razie) wydaje się bardzo ryzykownym pomysłem. Z tego powodu musimy się przygotowywać do wojny samodzielnej, czyli bez innych państw NATO, ewentualnie z pomocą państwa z naszego regionu — na przykład właśnie Ukrainy. Taka konfrontacja może się też skończyć, zanim jakiekolwiek duże jednostki lądowe sojuszników z NATO wejdą do walki, o ile w ogóle wejdą.

Szykujmy się zatem na wojnę, nawet jeśli jest to wojna skalowalna, co brzmi jakoś mniej groźnie. Musimy się w niej sprawnie poruszać na kratownicy eskalacyjnej — kratownicy, bo przecież zmiana tempa i intensywności starcia nie musi mieć charakteru linearnego w dzisiejszym, jakże złożonym, świecie powiązań. Musimy wiedzieć, co konkretnie uznamy za zwycięstwo w wojnie, w tym w wojnie konwencjonalnej z Rosją, i — co trudniejsze — kiedy Rosjanie będą w stanie zaakceptować, że zostali pokonani, bez użycia taktycznej (niestrategicznej) broni jądrowej. Potrzebujemy zatem przekonującej polskiej teorii zwycięstwa, czyli musimy ustalić, jaki jest cel polityczny wojny i co uznajemy za zwycięstwo, które „obsłuży" zdefiniowany wcześniej cel polityczny. Dopiero do tak zidentyfikowanego stanu „zwycięstwa" należy przysposabiać i kształtować narzędzia, jakimi mają się stać nasze zreformowane wojsko oraz system odporności państwa, z których będziemy dumni. Uważam przy tym, że niezmiennie „twarde" stanie na kratownicy eskalacyjnej konfliktu geopolitycznego w Europie Środkowo-Wschodniej zapewni Polsce polityczne zwycięstwo.

Wraz z ukraińskimi zwycięstwami na froncie w roku 2022 zarysowała się możliwość nowego układu geopolitycznego w naszej części świata. Armia ukraińska jest bowiem istotnym czynnikiem bezpieczeństwa, co daje Ukrainie zdolność do sojuszu z Polską i balansowania agresywnej polityki Rosji wobec całego Międzymorza. Zwłaszcza w zakresie wystawienia systemu rozpoznawczo-uderzeniowego, komplementarnego z polskim i odstraszającego Rosję, co ograniczałoby i stabilizowałoby agresywne zachowania Moskwy wobec Europy. To powinno skłaniać Polskę do przyjęcia strategii wojskowej aktywnej obrony z istotnymi elementami oddziaływania ofensywnego, chociażby po to, żeby Rosjanie musieli kalkulować, że możemy mieć zdolności i chęci do wzięcia udziału w wojnie narodów pomostu bałtycko-czarnomorskiego przeciw nim — gdzieś nad Dnieprem, Dźwiną lub Berezyną i Prypecią. To może działać odstraszająco czy też powstrzymująco na Moskwę, szczególnie w obliczu siły armii ukraińskiej oraz potencjalnej siły nowego wojska polskiego, dysponującego zdolnościami rażenia na duże odległości i wygrania nowoczesnej bitwy zwiadowczej o dominację w systemie świadomości sytuacyjnej. Możliwość niszczenia miast rosyjskich przez silne państwa Międzymorza oraz gotowość do wojny manewrowej między Bałtykiem a Morzem Czarnym stworzy nową rzeczywistość geopolityczną w Europie i zatrzyma Rosję za drzwiami europejskiego domu.

Teorie zwycięstwa to rzecz jasna bardzo delikatna materia i myśląc o polskim zwycięstwie, musimy być racjonalni. Bo tylko przez umiejętne połączenie zwycięstw militarnych z negocjacjami politycznymi (wojna, jak pisał Thomas Schelling, to „siłowe negocjacje, więc nie można przesadzić w aplikacji przemocy — nie za dużo i nie za mało, ale w sam raz") uzyskuje się trwałe sukcesy polityczne. Wojna, co już tłumaczyłem wcześniej, stanowi tylko instrument polityki. Taka racjonalna i wykonalna teoria zwycięstwa (czyli: co Rosjanie byliby w stanie zaakceptować po nieudanej dla nich wojnie, w której przegrali konfrontację kinetyczną) jest bardzo potrzebna chociażby po to, by wystawić takie wojsko, z którego pomocą można by do tego doprowadzić. A nie wojsko „na wszystko" i tym samym „na nic".

Właściwa teoria zwycięstwa stanowi zatem kluczowy element realistycznej strategii dla Polski. Bardzo deprymujące jest to, że w debacie ostatnich lat nie dyskutujemy o polskiej teorii zwycięstwa, tylko o jakichś enigmatycznych wojnach i „wspólnych sojuszniczych obronach", bez refleksji, co byłoby właściwie polskim zwycięstwem i jak taka wojna by wyglądała. Powinniśmy mieć naprawdę dobry pomysł na prowadzenie i zakończenie wojny na racjonalnych warunkach, gdy podejmiemy decyzję o konfrontacji z — bądź co bądź — mocarstwem nuklearnym, które jest całkowicie przekonane o swojej dominacji w aplikowaniu nam przemocy na kratownicy eskalacyjnej. Zdecydowanie musimy wiedzieć, co chcemy osiągnąć na samym końcu wojny.

W S&F zawsze — a tym bardziej od czasu pracy nad Armią Nowego Wzoru — uważaliśmy, że szczególnie ważne jest zmuszenie Rosjan do odpuszczenia i rozejmu po tym, jak wojsko rosyjskie słabo wypadnie w boju z Armią Nowego Wzoru, poniesie poważne straty, okaże się niezdolne do szybkiego i przekonującego pokonania naszych sił lub nie będzie w stanie osiągnąć dominacji eskalacyjnej w razie uderzeń z dużej odległości na nasze terytorium. Taki rozwój wydarzeń umożliwi zawarcie akceptowalnego rozejmu kończącego starcie konwencjonalne. To się tyczy oczywiście wojny obronnej przewidzianej w projekcie Armii Nowego Wzoru. Już samo to uczyniłoby z Polski ważny czynnik gry geopolitycznej w Europie Środkowej i Wschodniej, tak jak zwycięstwo pod Kijowem i kolejne sukcesy w polu uczyniły podmiotem geopolityki Ukrainę w roku 2022. Rosję pozbawiłoby zaś aury siły bezspornie dominującej w naszym regionie, która powinna być zaproszona do systemu europejskiego.

Jeszcze lepsze byłyby zwycięstwa na wysuniętych pozycjach na wschód od granic Polski, nad Dnieprem, Dźwiną i Berezyną. Taki wynik wojny tym bardziej likwidowałby główny cel rosyjskiej wielkiej strategii, ponieważ uniemożliwiałby podniesienie Rosji do statusu wielkiego mocarstwa europejskiego z decydującym głosem w sprawach Europy Środkowej i Wschodniej.

W sumie już możemy odczuć właśnie taki skutek zwycięstwa Ukraińców pod Kijowem w 2022 roku i tęgiego lania, jakie dostała armia rosyjska na przełomie lata i jesieni 2022 pod Iziumem, Łymanem i Chersoniem. W taki to sposób została rozmontowana rosyjska rzekoma sprawność w skalowalnej wojnie światowej. Ten zamiar uzyskania sprawczości widać było już w listopadzie i grudniu 2021 roku podczas rosyjskich ruchów wojskowych wokół Ukrainy, mających zademonstrować korzystny dla Rosji układ sił i przyczynić się do wymuszenia na Stanach Zjednoczonych przystąpienia do negocjacji z Rosjanami w sprawie statusu Ukrainy bez wojny, czyli w istocie finlandyzacji Kijowa, a być może docelowo także finlandyzacji całego naszego regionu. Postawa wojska ukraińskiego złamała rosyjski cel polityczny. Sporo się od grudnia 2021 roku i rosyjskiego ultimatum zmieniło...

W trakcie przygotowywania Armii Nowego Wzoru w ramach obronnej strategii wojskowej, która miała wpisywać się w natowską perspektywę uruchomienia artykułu 5, zaproponowaliśmy modelową bitwę manewrową odzwierciedlającą powyższe założenia. O ile trudno przewidzieć zawczasu wszystkie zawiłości i złożoność ewentualnej kampanii wojennej (w myśl tezy, że wszelkie plany wojenne upadają w pierwszym kontakcie z przeciwnikiem), o tyle ćwiczenie umysłowe koncepcji operacyjnej do bitwy manewrowej i przygotowanie do niej Armii Nowego Wzoru było ze wszech miar pożytecznym zadaniem, ponieważ pozwoliło się zastanowić nad najlepszą w kontekście wojny z Rosjanami strategią działania (a nie nad użyciem każdej możliwej), a także kazało nam namierzyć kluczowe determinanty polskiej geografii wojskowej, ściśle skalibrowane z parametrami nowoczesnego pola walki.

Rozpatrzyliśmy zatem uszykowanie, ukompletowanie, stacjonowanie i sposób walki, by zaproponować, jak Armia Nowego Wzoru ma się organizować, by wygrać. A dokładniej: by maksymalizować swoje przygotowania do ataku ze strony Rosjan (i/lub pomocniczego wojska białoruskiego) i zapewnić realizację polskiej teorii zwycięstwa w kinetycznej fazie konfrontacji. Uważam, że doświadczenia z wojny na Ukrainie potwierdziły założenia i wnioski projektu Armii Nowego Wzoru.

### LEKCJE Z WOJNY NA UKRAINIE

Niezmiernie ważna na tej wojnie okazała się artyleria lufowa i rakietowa, ale nie chodzi jedynie o liczbę luf czy prowadnic, tylko głównie o system skrótowo nazwany ISTAR, czyli rozpoznanie, obserwacja, wskazywanie obiektów uderzeń i rozpoznanie pola walki (za oceanem zwany ISR:

wywiad, rozpoznanie, obserwacja), który powoduje, że artyleria wie, gdzie i w kogo strzela w błyskawicznych okienkach decyzyjnych, dzięki identyfikacji celów w czasie rzeczywistym lub prawie rzeczywistym. A zatem dominacja w bitwie nawigacyjnej oraz zwiadowczej i w pętli decyzyjnej jest decydująca na polu walki. Same lufy i pociski to jedynie efektory, trzeba dysponować do nich systemem ISTAR, by mieć zdolność na właściwym poziomie. Tej zdolności nie osiągnie się bez dominacji w domenie cybernetycznej i kosmicznej, które, uzupełnione przez drony, zapewniają obserwację, identyfikację i komunikację.

Główna siła uderzeniowa wojsk lądowych Rosji to artyleria, a nie lotnictwo czy wojska pancerne. Wygrana bitwa artyleryjska tworzy więc asymetrię, która wyłącza Rosjanom dominację ogniową. Taki stan rzeczy zarysował się na wojnie na wschodzie na przełomie lipca i sierpnia, gdy Ukraińcy otrzymali systemy artyleryjskie HIMARS i inne zachodniej produkcji wraz z systemami ISTAR, co przełożyło się na zwiększoną zdolność używania ognia pośredniego w skali taktycznej i operacyjnej przeciwko koncentracji Rosjan, rosyjskim sztabom, centrom dowodzenia, magazynom amunicji i logistyki. Rozpoznanie jest w tym wszystkim decydujące. Wiadomo bowiem, gdzie się znajduje albo którędy nadchodzi przeciwnik, a zatem jaka jest oś jego przemieszczania się, czy są to siły pozorowanej dywersji, czy może jednak siły główne, które stanowią punkt ciężkości akcji przeciwnika. Dlatego w kontekście ognia kontrbateryjnego, czyli pojedynków artyleryjskich, najważniejsza informacja dotyczy ustalenia położenia artylerii przeciwnika, a to zapewnia zdolność ISTAR. Oczywiście cała sprawa jest bardziej skomplikowana, bo w pojedynku artyleryjskim może się opłacać przyjęcie ciosów, by przeciwnik ujawnił swoje położenie i sygnaturę emisyjną (którą się namierza sensorami), w celu późniejszego otwarcia ognia kontrbateryjnego. Tu znów dowódca polowy musi zadbać o krytyczną równowagę: potrzeba zniszczenia systemów wroga jest równoważona potrzebą znalezienia i zrozumienia, jak działa przeciwnik, a każda akcja może prowadzić do akcji kontrbateryjnej. Słabsza strona musi więc myśleć zarówno o zadawaniu ciosów, jak i o przetrwaniu. Tu z pomocą przychodzi technologia. Jeśli chce się wciągnąć Rosję w pojedynek artyleryjski, kluczowe są drony oraz radary kontrbateryjne, które identyfikują pociski w powietrzu i potrafią obliczyć dokładnie miejsce, skąd pocisk został wystrzelony, a zatem namierzyć pozycje strzelania wroga. Pomocne okazują się również systemy akustycznej detekcji, wykrywające, skąd padł strzał.

To, co opisałem powyżej, oznacza, że wojna lądowa odbywa się na coraz większe dystanse, często poza linią widzenia (drony) i horyzontu (artyleria). Użycie broni strzeleckiej powoduje zaledwie 2 procent obrażeń u żołnierzy (podobny odsetek jak w wypadku broni białej w pierwszej wojnie światowej, gdy pojawiły się karabiny maszynowe). Pojedynek armii coraz bardziej oznacza walkę na zasięgi i rozpoznanie. Zużywa się ogromne ilości amunicji i szybko niszczą się lufy artyleryjskie, więc trzeba mieć rezerwy i sprawny serwis. Nadal ważne jest oszukiwanie, maskowanie, kamuflaż, chowanie się. Właściwie wraz z masowym użyciem dronów wojska ciągle się kryją.

Początkowo w Donbasie Rosjanie osiągnęli w bitwie artyleryjskiej dominację z racji samego czynnika ilościowego, a ich zapasy amunicyjne miały wystarczyć na kilka lat strzelania. Zdolności rosyjskiego przemysłu do produkcji amunicji wydawały się ogromne. O ile Rosjanie mieli problem z ruchomymi celami, bo mają słabe C4ISTR systemy, o tyle, atakując umocnienia i miasta, osiągali znakomite wyniki. Używają artylerii rakietowej obszarowo, by przede wszystkim zatrzymać ruch jednostek ukraińskich. Co zaskakujące, do ognia kontrbateryjnego stosowali w pierwszym okresie wojny pociski balistyczne klasy Toczka, a także cięższe systemy artyleryjskie. Potrafią przykryć cel ogniem już w czasie od trzech do pięciu minut po jego wykryciu przez drony.

Ważna zmiana polega na tym, że artyleria uderza nie tylko w wojska frontowe jak dawniej, ale też w zaplecze, komunikację, łączność i składy amunicyjne. Ukraińcy, atakując HIMARS-ami zaplecze przeciwnika, spotęgowali rosyjską logistyczną niemożność prowadzenia dużej wojny pod koniec lata 2022 roku i zatrzymali rosyjski walec w Donbasie, a potem stworzyli podstawy do własnej kontrofensywy. Rosjanie bowiem po klęsce kijowskiej wykonują manewr ofensywny jedynie wtedy, gdy mają dominację artyleryjską. Doszło do tego niszczenie węzłów i linii kolejowych kluczowych dla sposobu prowadzenia wojny przez Rosjan, co wyeksponowało słabość rosyjskiej logistyki kołowej i skutkuje płytkością operacyjną wojsk rosyjskich. Tłumaczy to, dlaczego wojska najeźdźcy tak powoli posuwały się w Donbasie od marca do lipca 2022 roku. Ponadto rosyjskie składy amunicyjne na poziomie dywizji i brygady są bardzo duże, trudne do obrony i ukrycia i nie można ich relokować, HIMARS-y mogą więc siać zniszczenie. Ukraińcy znaleźli słaby punkt krytyczny i eksploatują go w kierunku krytycznej nierównowagi: działania ogniowe na głębokość — przeciw składom amunicji i logistyce.

Do tego dochodzi obawa obu stron o śmiały manewr wskutek precyzyjnego pola walki już na linii styczności wojsk, a w wypadku Rosjan także o coraz częściej przegrywane pojedynki artyleryjskie po dostarczeniu Ukrainie systemów zachodniej artylerii kalibru 155 mm. Jakby tego było mało, szwankuje też rosyjski system świadomości sytuacyjnej. W związku z tym, że na polu walki królują sensory, a manewr większymi zgrupowaniami jest wysoce ryzykowny, zwłaszcza w ciężkiej masie (czołgi), obrona ma przewagę. Jeśli zna osie podejścia przeciwnika, można strzelać błyskawicznie po sektorach i osiach podejścia, nawet niekoniecznie do jednego rozpoznanego celu.

Tu pojawia się kluczowa sprawa: domena cybernetyczna na potrzeby wojny. Chodzi o agregację i ocenę danych, co przekłada się na czas podjęcia i wykonania decyzji w pętli decyzyjnej. Czas jest kluczowy dla ognia kontrbateryjnego, dlatego że pozostawienie armatohaubic w miejscu kończy się ich zniszczeniem. Kto się szybciej porusza w pętli decyzyjnej, ten żyje. To właśnie powód szybkiego rozwoju aplikacji cyfrowych na telefony wspomagających pętlę decyzyjną, sukcesu komunikacji, systemu Starlink w kosmosie, wyprodukowanego przez firmę SpaceX, który umożliwia Ukraińcom utrzymanie pełnej komunikacji satelitarnej oraz dostęp do internetu nawet na najniższym poziomie taktycznym drużyn, aż po poziom kompanii i batalionów. To także sukces raczkującej sztucznej inteligencji, która w nadchodzących latach wydatnie zmieni pole walki, poprawiając jakość decyzji przez wzmocnienie wszystkich elementów pętli decyzyjnej: obserwacji i agregacji danych, ich rozumienia, zatem orientacji w tym, co się dzieje, potem podstawienia rekomendacji do decyzji, aż po jej wykonanie i utrzymanie przy tym niezawodnej łączności.

Rosyjskie systemy walki elektronicznej, owszem, opóźniają pętlę decyzyjną Ukrainy, co ogranicza możliwość niszczenia artylerii rosyjskiej. Do tego dominacja rosyjskiej artylerii między marcem a sierpniem 2022 roku powodowała, że Ukraińcy nie mogli się ruszać ani gromadzić masy do akcji ofensywnych i manewru.

Wola walki i morale okazały się jednak kluczowe. W tym kontekście bardzo nisko należy ocenić działania rosyjskie, charakteryzujące się złym dowodzeniem, sztywną kulturą dowodzenia, brakiem improwizacji. Na błyskawicznym nowoczesnym polu walki stanowi to przepis na klęskę. Potwierdziło się, że Rosjanie nie mają wystarczającej liczby piechoty, by zdobywać miasta, aglomeracje, a nawet miasteczka.

Ogólnie po stronie rosyjskiej bardzo słabo wygląda wykonywanie działań manewrowych i koordynacja domen oraz operacji połączonych poszczególnych rodzajów sił zbrojnych. Natomiast bardzo profesjonalna była rosyjska artyleria, dopóki używano jej w masie z nieutrudnionym dostępem do napływu amunicji. To umożliwiało — nawet jeśli powolne — poruszanie się w Donbasie i spychanie wojsk ukraińskich. Masowe ataki artyleryjskie powodowały, że ludność uciekała z miejscowości na wschodzie Ukrainy, a Rosjanie nie wahali się niszczyć budynków i całej infrastruktury. To zaś zmuszało broniących się żołnierzy ukraińskich do opuszczenia terenu, który i tak został zamieniony w zgliszcza. Istniał też drugi aspekt masowego użycia artylerii przez Rosjan — jak wspomniałem, armia ukraińska w Donbasie nie mogła się koncentrować do większych akcji, w tym kontruderzeń, bo było to szybko kryte ogniem artylerii wroga. Koncentracja zawsze zajmuje sporo czasu i nawet wolniejsza rosyjska pętla decyzyjna umożliwiała rozpoznanie, namierzenie ukraińskiego ugrupowania i przykrycie ogniem, co powodowało duże straty w wojsku ukraińskim. Tak stało się kilka razy w Siewierodoniecku, o czym donosili Brytyjczycy doradzający naszym wschodnim sąsiadom.

Kompetentne użycie artylerii w Donbasie sprawiało, że Ukraińcy nie mogli dostać się do walki „w zwarciu", tak jak było pod Kijowem, gdy zatrzymali Rosjan wojną szarpaną lekkiej piechoty oraz dzięki amunicji precyzyjnej stosowanej w linii widzenia (javeliny, NLAW-y itp.). Pod Kijowem bowiem próba bardzo szybkiego rosyjskiego manewru na stolicę Ukrainy skutkowała tym, że rosyjska artyleria nie została dobrze wykorzystana, ponieważ nie nadążała za czołowymi oddziałami. Rosjanie ugrzęźli wówczas na dwóch głównych osiach natarcia, gdzie czołowe elementy były miejscami w zasięgu rażenia ukraińskiej artylerii, a ich artyleria wraz z amunicją zostały z tyłu, za stłoczonymi siłami własnymi. Do tego doszło niszczenie służb tyłowych i rosyjskiej logistyki w strefie przez akcje lekkiej piechoty. W Donbasie i na południu Ukrainy Rosjanie lepiej koordynowali swoje działania, a w dodatku obszar, na którym operowali, był większy, bardziej rozproszony.

Generalnie Rosjanie, działając w manewrze, nie potrafili utrzymać tempa natarcia ze względu na zbyt długie opóźnienia logistyki i artylerii w stosunku do działań manewrowych. Do tego dochodziła duża dezorganizacja wywołana złym dowodzeniem, żołnierze nie zostali przeszkoleni do zarządzania nowoczesną bitwą, lokalni dowódcy nie mieli połączonego obrazu sytuacyjnego, czego, jak się wydaje, próbowano z sukcesami w Syrii, na wzór amerykańskiej sztuki wojennej. Na nowoczesnej wojnie działa to tak, że zdolności systemu ISTAR i jednostki w polu podają do systemu świadomości sytuacyjnej informacje o tym, co się dzieje, koordynując ogień z różnych efektorów. U Rosjan tego nie ma.

W ich wypadku brak stosownej komunikacji, systemu dowodzenia i łączności oraz wyszkolenia żołnierzy doprowadził do klęski pod Kijowem. Na dodatek duże straty w ludziach ponoszone w trakcie wojny pogłębiały ten problem, gdyż uzupełniano je jeszcze mniej wyszkolonymi. Skończyło się tym, że nie nadążając za działaniami i ich tempem, artyleria organiczna batalionowych grup taktycznych nie szyfrowała już nawet komunikacji lub rozmawiała przez komórki, bo szyfrowanie zajmowało zbyt dużo czasu i nie było jasności, czy odbiorcy „dobrze rozumieją" komunikaty. To skłaniało do palącej potrzeby centralizacji prowadzenia manewru oraz prowadzenia ognia, obciążenia pracą sztabów, często bardzo oddalonych od miejsca akcji, nierozumiejących dobrze, co się dzieje na błyskawicznie zmieniającym się polu walki. Tym samym doszło do dodatkowego spowolnienia pętli decyzyjnej i osłabnięcia efektywności bojowej wojska rosyjskiego. Niezależnie od tego, ile miało ono luf, czołgów, bojowych wozów piechoty, nie stanowiło efektywnej i skoordynowanej siły bojowej elastycznie reagującej na wyzwania pojawiające się na polu bitwy.

Ukraińcy trzymają MANPADS-y, by niszczyć drony, które też są skutecznie niszczone zaawansowanymi systemami przeciwlotniczymi, takimi jak Gepard. Czołgi nie mają szans kolejno z artylerią, polami minowymi, amunicją krążącą, dronami, które obserwują pas frontu na dużą głębokość. Czołg jest bowiem łatwo wykrywalny, a wiele czołgów w jednym miejscu jeszcze łatwiej; potem na linii widzenia dochodzą kierowane pociski przeciwczołgowe. Zanim przyjdzie do starcia czołg na czołg, już jednego z nich nie ma. Rosjanie tymczasem są „przywiązani" — nawet w WDW, czyli rosyjskich wojskach powietrznodesantowych — do swoich pojazdów, nie odchodzą od nich dalej niż na sto metrów. Ukraińcy przeciwnie, trudniej ich wykryć, nie boją się poruszać pieszo, do tego często przemieszczają się na szpicy cywilnymi samochodami.

Rosjanie mają problem z jakością żołnierza. Obserwuje się u nich różny stopień ukompletowania jednostek, bardzo niejednolity poziom wyszkolenia, doświadczenia i jakości sprzętu. Wojsko rosyjskie ma mało czasu na integrację i koordynację. Na zdolnościach do prowadzenia współczesnej wojny bardzo negatywnie odbija się brak korpusu podoficerów na stałe obecnych w jednostce, przez co w jednostkach nie ma wewnętrznej spójności, bo kadra oficerska rotuje, pnąc się w karierze zależnej często od patrymonialnego systemu politycznego w odległym od Moskwy Omsku, Czelabińsku lub Saratowie. Dodatkowo początek wojny spowodował wielkie straty wśród doświadczonych żołnierzy kontraktowych, zwłaszcza w tradycyjnie elitarnych w Rosji WDW i siłach specjalnych. Ci, którzy przeżyli krwawą jatkę pod Kijowem, nie byli skłonni do działań zaczepnych, wykrywani natychmiast przez pełne sensorów i precyzyjne pole walki. W rezultacie Rosjanie nie prezentowali w Donbasie dużej intensywności w ataku. Wojska rosyjskie w operacji zaczepnej, nawet na niewielką skalę, muszą być podparte masowym użyciem artylerii, by ruszyć się ze statycznych pozycji. Nawet w sytuacji, gdy od marca do lipca artyleria ukraińska działała bez zachodnich systemów i była wyraźnie słabsza od rosyjskiej, dzięki czemu to Rosjanie mogli się koncentrować w masie do ataku bardziej niż Ukraińcy, którym z kolei trudno było zebrać kompanię czołgów do kontruderzenia w ramach aktywnej obrony w jednym miejscu, bo szybko biła w nią artyleria rosyjska mająca wiele luf i wielkie ilości amunicji.

W walce miejskiej, która przeważała w Donbasie, bo front przesuwał się od miasteczka do miasteczka w błyskawicznym tempie, a linie obrony znajdowały się w aglomeracjach, a nie w szczerym polu, Rosjanie zaczęli stosować mobilne grupy szturmowe — tak jak w Czeczenii i Syrii, mniej więcej po dwudziestu żołnierzy oraz czołgi. Takie kombinowane grupy walczyły kompetentnie, same ponosząc, ale i zadając równe straty drugiej stronie. Zatem co do zasady Rosjanie potrafią się bić. Nie brakuje im charakteru — brakuje im morale i poczucia sensu oraz nowoczesnego sposobu prowadzenia działań i dowodzenia, co po raz któryś już potwierdza, że wojna jest sposobem.

Dla kontrastu w wojsku ukraińskim panuje kultura egalitarna, wywołana być może po części chaosem pierwszych dni wojny, kiedy to komendę przejęli lokalni dowódcy bez oglądania się na centralę w Kijowie. Niejednokrotnie zdarzają się zatem chaotyczne dyskusje w plutonach i kompaniach: co robić i jak podejść do powierzonego zadania, a to z kolei skłania do poszukiwań rozwiązania innowacyjnego, które często okazuje się skomplikowane technicznie (drony, sensory, aplikacje sztucznej inteligencji), ale żołnierze-obywatele mają zapał i używają cywilnej wiedzy, by je wykonać i wygrać. Na poziomie taktycznym to działa, więc Ukraińcy osiągają tu asymetryczną przewagę motywacji, kreatywności i szerokich kompetencji żołnierzy z obywatelskiej mobilizacji, którzy chcą się dzielić wiedzą i zaangażowaniem. To się dobrze sprawdza w plutonach i kompaniach, ale już nie na poziomie batalionu i wyżej, bo tam królują operacje połączone oraz cele operacyjne, nie tylko taktyczne. Pluton czy kompania musi wykonać jakieś zadania ryglujące po to, by batalion dotarł do innej lokalizacji, i nie ma tu miejsca na debaty, tylko na rozkazy, ponieważ dowódcy wyższego szczebla muszą podjąć decyzję i często nierówno rozdzielić ryzyko pomiędzy oddziały, co mogłoby się nie podobać przyzwyczajonym do gorących narad żołnierzom-obywatelom. Na takim poziomie nie można dyskutować z żołnierzami. Konieczna jest jedność dowodzenia — jasny proces wydawania rozkazów, dyscyplina i mechanizmy nadzoru wdrożenia rozkazów w pododdziałach, a z tym różnie bywało w rosnącej szybko w trakcie wojny armii ukraińskiej. Tym właśnie różni się także atak od obrony, że w ataku jest mniej „demokratycznego" uzgadniania podziału zadań w szeregach wojska.

Obrona i logistyka utrzymania wojska w polu w jej trakcie są o wiele łatwiejsze. Dużo zaś trudniej wystawić, zgrać i prowadzić działania ofensywne, gdy brak jest sztabów, doświadczonych oficerów i podoficerów, co powoduje, że rozkazy w ofensywie nie przekładają się na skoordynowane akcje w odpowiednich okienkach czasowych konkretnych pododdziałów przy przechodzeniu od obrony do ataku. Od września 2022 roku widać poprawę w tym aspekcie w armii ukraińskiej, co pozwoliło na serię kontrofensyw. W ataku trzeba mieć dobrych żołnierzy razem, w jednym oddziale, inaczej trudno prowadzić ofensywę. W obronie natomiast można ich rozpraszać po pododdziałach.

Istnieją trzy elementy potrzebne do działań ofensywnych. Dwa pierwsze to trening piechoty do ofensywy w dużej skali oraz szkolenie sztabów na poziomie batalionów i brygad, by umiały gospodarować przepływami na polu walki: ludźmi, sprzętem, logistyką, ich zgrywaniem i po-

ruszaniem w rytmie w odpowiednich okienkach czasowych — jak w balecie... Trzeci element to pojazdy i czołgi
potrzebne do przemieszczania się — powinny one dysponować stosownym zapleczem logistycznym, by nie zawodziły.
Manewr na współczesnym polu walki, które jest pełne
sensorów, również wygląda inaczej. Konieczne jest rozpoznanie z kosmosu i z dronów w skali taktycznej. Dopiero na
rozpoznane osie poruszania się kieruje się lekkie jednostki,
najlepiej tam, gdzie nie ma przeciwnika. A nie może się on
znajdować wszędzie, bo w XXI wieku w wojnie lądowej
wojska jest relatywnie mało, a obszar zazwyczaj duży. Armia Ukrainy przemieszcza się często pojazdami cywilnymi,
ale ze sprzętem do walki, z samolotami i czołgami, przeni-
kając na tyły, siejąc chaos, niszcząc linie komunikacyjne.
Dzięki własnym systemom przeciwczołgowym Ukraińcy
mogą zajmować miejscowości i — co ważne — pozostawać
w nich, trzymając na dystans kontruderzenie rosyjskich
oddziałów zmechanizowanych, zwłaszcza jeśli otrzymują
wsparcie własnej artylerii i pozostają w stałej komunikacji.
W tym procesie rozpoznają słabe punkty przeciwnika, pory
i luki w systemie obrony rosyjskiej. Ukraińcy penetrują je
lub wysyłają tam cięższe oddziały złożone z czołgów i bojowych wozów piechoty (BWP), które tworzą stosunkowo
niewielkie taktyczne grupy bojowe, trudne do wykrycia
i przykrycia ogniem artylerii lub działaniami lotnictwa.
Ale wychodzą one na już rozpoznanego przeciwnika z konkretnym zadaniem i nie w wielkiej masie, by uniknąć rozpoznania i zniszczenia spoza linii horyzontu lub w przygotowanej zawczasu zasadzce, gdy przeciwnik spodziewa się

kolumny marszowej. Tego się unika, zatem walka czołgowa i użycie czołgów zmieniły swój charakter.

Do tego mądre gospodarowanie systemami obrony powietrznej oraz szerokie użycie MANPADS-ów przez Ukraińców spędza lotnictwo rosyjskie z nieba nad frontem w Donbasie. Lotnictwo rosyjskie wsparcia pola walki lata wyłącznie o świcie i w zapadającym zmroku lub bardzo wysoko i bez dokładnego celowania w ataku (nie ma zdolności rażenia oddziałów lądowych w starciu taktycznym spoza linii horyzontu). Obrona powietrzna powyżej poziomu MANPADS-ów jest obroną punktową.

Wracając do przyszłego konfliktu zbrojnego z udziałem Polski... W razie wojny czysto obronnej nie możemy się bronić zaraz przy granicy, ponieważ Rosjanie będą mieli artylerię, która zniszczy nam siły manewrowe, i będą działać pod jej osłoną. Armia rosyjska jest lądową armią artyleryjską z czołgami — jak mówi często Michael Kofman. Nie możemy działać w tym zakresie symetrycznie. Trzeba zamienić głębię strategiczną na możliwość odseparowania rosyjskiej artylerii od batalionowych grup bojowych. Chyba że rozwiniemy aktywną obronę na przedpolu, na Białorusi i w obwodzie kaliningradzkim, niszcząc Rosjan, zanim znajdą się w zasięgu rażenia poza naszym terytorium, oraz osiągniemy przewagę jakości własnej artylerii nad rosyjską lub będziemy bić się na Ukrainie. Wtedy plan bitwy manewrowej niczym jedną wielką mapę „przesuwamy" całościowo i stopniowo na wschód, za własną granicę, wraz z naszym panowaniem w powietrzu, które jest niezbędne do akcji ofensywnej. Model bitwy manewrowej

Armii Nowego Wzoru zadziała również w innej, odpowiednio dopasowanej przestrzeni, na tego samego przeciwnika, jakim jest Rosja z jej strukturą wojska i jego uszykowaniem. Armia Nowego Wzoru została zaprojektowana bowiem tak, by korzystać z asymetrii w relacji wojsko polskie — wojsko rosyjskie.

## STRATEGIA AKTYWNEJ OBRONY NA WSCHODZIE

Podczas wojny należy w jak największym stopniu wykorzystać terytorium białoruskie, pośrednio i bezpośrednio. Rosyjsko-białoruskie strefy koncentracji wojskowej znajdą się wokół Grodna i Brześcia, które to miasta leżą dość blisko granicy z Polską. Na początku kryzysu wzdłuż granicy powinna zostać rozmieszczona sieć bezzałogowych rozpoznawczych statków powietrznych z amunicją krążącą oraz balony stratosferyczne z czujnikami obserwacyjnymi, aby szybko rozpoznawać i identyfikować ruch sił rosyjskich i białoruskich w kierunku granicy z Polską oraz wszelki ruch w przestrzeni powietrznej. Istnieje poważny dylemat związany z zaletami wyprzedzających ataków wobec koncentracji przeciwnika do ataku na Polskę. Z jednej strony dałoby to Rosji pretekst do rozpoczęcia agresji kinetycznej (i rozmycia solidarności sojuszniczej, co mogłoby „rozwodnić" konsens polityczny umożliwiający uruchomienie na korzyść Polski artykułu 5 traktatu waszyngtońskiego), ale z drugiej strony w trakcie trwania konfrontacji z Rosją (poniżej szczebla wojny konwencjonalnej) można w ten sposób korzystnie użyć dronów i amunicji krążącej, gdy tylko Rosjanie i Białorusini rozpoczną wrogie działania. Działanie wyprzedzające dotyczy na przykład wysunięcia zespołów wojsk specjalnych do wyszukiwania i oznaczania celu, by niszczyć „tłuste krowy" — rosyjskie systemy obrony powietrznej, dowodzenia i kompleksu rozpoznawczo--uderzeniowego.

W momencie, gdy polski rząd uzna, że wojna jest pewna, wojska specjalne należy jak najszybciej rozmieścić na zachodniej Białorusi. Ich celem powinna być obserwacja logistyki i systemów kompleksu rozpoznawczo-uderzeniowego przeciwnika. Trzeba rozważyć sabotaż infrastruktury niezbędnej do logistycznego wspierania ofensywy na Polskę, zwłaszcza wzdłuż osi komunikacyjnej Brześć–Pińsk i szosy Brześć–Baranowicze.

Białoruś jest dla sił rosyjskich wysuniętym obszarem wypadowym przeciw Polsce. Obecnie na jej terenie znajduje się około trzydziestu magazynów z materiałami wojennymi. Podczas ćwiczeń Rosjanie testowali transport tych materiałów wojennych i kompletowanie ich dla jednostek operujących na Białorusi. Za utrzymanie magazynów odpowiada Rosja, która jest uprawniona i praktycznie w pełni zdolna do ich wykorzystania w sytuacjach kryzysowych i wojennych.

Zbyt głęboka infiltracja Białorusi raczej nie przyspieszy zwycięstwa, tak jak dla odmiany zrobi to odcięcie głównych linii logistycznych w „strefie nękania", w kierunku zachodnim od granicy z Białorusią. Dlatego też polskie wojska specjalne nie powinny działać rajdowo poza linię

Lida–Baranowicze–Łuniniec lub rejon Grodna, zanim nie będzie widać, że Rosjanie przegrywają starcie na terytorium Polski. Poza liniami kolejowymi i drogowymi na Białorusi polskie wojska specjalne powinny również uniemożliwiać siłom rosyjskim dostęp do różnych baz magazynowych, które mogłyby zostać wykorzystane do uzupełnienia zaopatrzenia w sprzęt na froncie. Chociaż wszelkie straty tego rodzaju będą prawdopodobnie tylko tymczasowe, skumulowane opóźnienia mogą sparaliżować zdolność wojska rosyjskiego do zdobycia kluczowych punktów w trójkącie strategicznym niedaleko Warszawy czy też samej Warszawy. Priorytetowe obszary zainteresowania powinny stanowić miejsca ważne na tym obszarze, takie jak Grodno, Wołkowysk, Słonim, Baranowicze, Bronna Góra i Brześć.

Polski sukces w „strefie śmierci" pozwoli strefę tę rozszerzyć na wschód, tak aby sięgała granicy Polski z Białorusią, a z kolei „strefa nękania" rozciągała się do linii Lida–Baranowicze–Łuniniec. Jeśli tak się stanie, należy dołożyć starań, aby zabezpieczyć kluczowe węzły transportowe, zwłaszcza w miejscach wymienionych wyżej. Polskie wojska specjalne mogą wówczas otrzymywać zadania nawet aż do linii Mołodeczno–Mińsk–Soligorsk–Mikaszewicze. Wykroczenie poza tę linię prawdopodobnie okazałoby się przesadą, z wyjątkiem sytuacji, w której białoruski reżim załamie się zupełnie i nastąpi bezwład państwa po upadku władzy. Mimo to Mińsk nie powinien być zajmowany ze względu na dość liczną populację, co zawsze stwarza problemy w nowoczesnej wojnie.

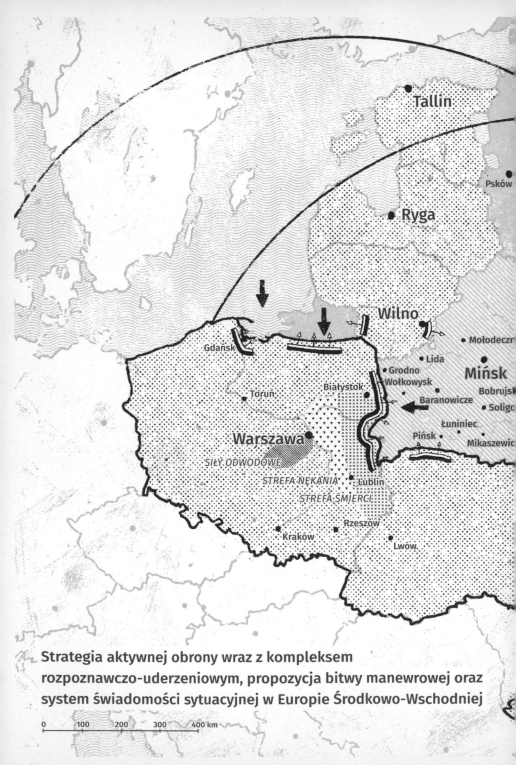

Strategia aktywnej obrony wraz z kompleksem rozpoznawczo-uderzeniowym, propozycja bitwy manewrowej oraz system świadomości sytuacyjnej w Europie Środkowo-Wschodniej

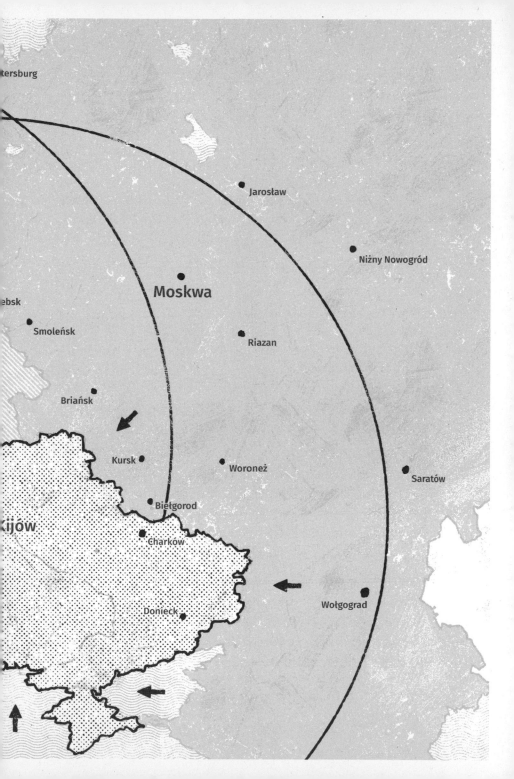

Zamiast tego należy zająć zachodnie i południowe węzły kolejowe oraz miasta (Ratomka, Pomyśliszcze, Michanowicze, Energetik), a także wschodnie podejścia do Kołodiszcza i Osiejówki — zwłaszcza gdyby to miało przyspieszyć zwycięstwo w wojnie, czyli na przykład kapitulację białoruskiego rządu.

Na Litwie ważny dla nas rejon to Miedniki Królewskie, zapewniające stosunkowo otwartą drogę (korytarz terenowy) biegnącą na południowy wschód od Wilna w kierunku Białorusi. Wschodnia Litwa ma naturalne zabezpieczenia przed atakiem ze wschodu w postaci gęsto zalesionego terenu, przerywanego szczególnie na północy przez liczne jeziora. W kompleksie leśnym ciągnącym się w bezpośrednim sąsiedztwie Wilna istnieje jednak luka, która historycznie podniosła wartość Miednik Królewskich jako szlaku handlowego. Wojska napoleońskie idące na Rosję przeszły przez nią, zanim skręciły na północny wschód do Witebska, a potem wycofały się z Mińska do Wilna również przez tę lukę. Miedniki Królewskie zamieszkuje polska mniejszość. Miejscowość położona jest tuż przy autostradzie M3 między Wilnem a Mińskiem, na granicy Litwy i Białorusi. Z wojskowego punktu widzenia luka ta wiąże komunikacyjnie Wilno, Mińsk i Lidę, dając stosunkowo łatwy dostęp terenowy wojskom poruszającym się między nimi. Warto wykorzystać ową lukę do zakłócenia Rosjanom możliwości wyznaczenia Grodna jako podstawy operacyjnej ataku na Polskę. Przez Lidę przebiegają zarówno linie drogowe, jak i kolejowe, łączące Grodno z Białorusią i Rosją, a po zamknięciu tej osi komunikacyjnej wiodącej przez Lidę wskutek działania wojska polskiego z Miednik Królewskich dostępna dla Rosjan będzie tylko trasa okrężna przez Wołkowysk i Baranowicze. Nawet jeśli polskie siły z Miednik Królewskich nie mogłyby fizycznie zająć drogi i linii kolejowej biegnącej przez Lidę, to niebezpieczeństwo polskiego ataku na tej trasie prawdopodobnie wystarczy (wskutek niepewności logistycznej), aby wymusić wstrzymanie ataku wychodzącego z obwodu grodzieńskiego na Polskę. Jeżeli polskie siły będą mogły wykorzystać jako bazę operacyjną teren wokół Lidy, powinno to zapewnić wystarczający zasięg do nękania dronami centralnej białoruskiej linii zaopatrzeniowej wokół Baranowicz, komunikującej Mińsk z Brześciem.

Na drugim odcinku trójkąta, od Wilna do Mińska, celem strategicznym pozostaje również Mołodeczno, którego zdobycie znacznie skomplikowałoby białoruską logistykę. Lida znajduje się zaledwie siedemdziesiąt kilometrów od granicy z Litwą, a Mołodeczno sto dziesięć kilometrów. Nie musimy zajmować samych miast, wystarczy tylko przerwać ich połączenie kolejowe z zachodem Białorusi. Oprócz potencjalnej neutralizacji głównego odcinka białoruskiej ofensywy na Polskę zbliżanie się do Mińska spowoduje przypuszczalnie koncentrację sił białoruskich w celu obrony stolicy państwa. Jeśli natomiast nie wzięły one wcześniej udziału w ataku na Polskę, ofensywa w głąb Białorusi może nie być wskazana. Zdobycie Mińska uważamy za niezwykle mało prawdopodobne, miasto to będzie bowiem bazą dla kolejnych rosyjskich eszelonów tranzytowych na zachód — chociaż paraliż białoruskiej stolicy pociągnąłby za sobą wielkie komplikacje dla Białorusi jako podstawy wyjściowej do prowadzenia wojny z Polską.

Wykorzystanie luki w Miednikach Królewskich będzie wymagało pogłębionej współpracy polsko-litewskiej. Nasze siły musiałyby być bardzo mobilne i zdolne do szybkiego poruszania się w stosunkowo otwartym terenie, wyposażone w lekką, ale śmiercionośną broń, taką jak RPG, PPK i drony, oraz organiczną obronę powietrzną. Polskie siły uderzeniowe powinny się spodziewać, że zostaną szybko zatrzymane w natarciu i szybko przestawią się z uderzeniowego charakteru rajdowego w głąb Białorusi na kampanię podjazdową, tak by nękać logistykę przeciwnika. Celem byłoby raczej zakłócenie ruchu kolejowego i drogowego niż zajmowanie terytorium. Do wykonania tego planu będzie potrzebna co najmniej jedna brygada. Wykorzystanie podejścia do okolic Wilna jako podstawy ataku może niestety uczynić stolicę Litwy celem ataku Rosjan, dlatego też należy mieć w pogotowiu alternatywne pomysły. Zalecamy wynegocjowanie z Litwą utworzenia bazy wojskowej ze zmagazynowanym sprzętem brygady na południowy wschód od Wilna. W sytuacji kryzysowej Polska byłaby w stanie szybko wysłać personel całej brygady, który ćwiczyłby na zdeponowanym w bazie sprzęcie na kierunku miednickim. Takie działania mogłyby zapewnić efekt odstraszania od uderzenia na Polskę przez węzeł grodzieński na północnej Białorusi.

Także Ukraina stwarza sposobność, dzięki której Polska zdołałaby utrudnić Rosjanom atak z Białorusi na swoje terytorium. Za sprawą porozumienia z Ukrainą zyskalibyśmy możliwość stacjonowania w razie wojny stosunkowo niewielkich sił polskich w obwodzie wołyńskim na północno-zachodniej Ukrainie, na południe od bagien Prypeci, tak byśmy mogli zakłócać białoruską logistykę napędzającą rosyjskie wojska w wojnie z Polską.

Bagna prypeckie, w dużej mierze nieprzejezdne dla jednostek zmechanizowanych, obejmują znaczną część granicy polsko-ukraińskiej, co komplikuje próby wydłużenia flanki hipotetycznego ataku na Polskę z terytorium białoruskiego, zwłaszcza jeśli wziąć pod uwagę ograniczenia logistyczne dotyczące utrzymania ataku tylko niewielką liczbą korytarzy logistyczno-transportowych. Ważne byłoby rozmieszczenie batalionu lekkiej piechoty z dronami z 6. lub 25. Brygady w obwodzie wołyńskim w celu nękania i niszczenia białoruskiej infrastruktury wspierającej front brzeski w ataku na Polskę.

W porównaniu z frontem grodzieńskim infrastruktura frontu brzeskiego jest rozbudowana i stanowi lepszą podstawę operacyjną dla Rosjan. Sprawę komplikuje jednak ciążenie infrastruktury białoruskiej w kierunku Brześcia oraz waga węzła kolejowego w Żabince. Obranie przez Polskę za cel tego węzła i jego infrastruktury z użyciem działań specjalnych, wojny elektromagnetycznej, cybernetycznej i dronów czy amunicji krążącej może doprowadzić do znaczącego zaburzenia możliwości utrzymania wysiłku logistycznego ataku na nasz kraj na froncie brzeskim. Obwód wołyński jest stosunkowo słabo zaludniony i trudny do zaatakowania. Układ należałoby uzgodnić z Ukrainą na długo przed konfliktem, drony powinny być dyslokowane na północno-zachodniej Ukrainie, a polskich operatorów trzeba by przenieść w ten rejon zaraz na początku kryzysu. Rosjanie dość szybko naprawiają infrastrukturę uszkodzoną przez działania tego rodzaju, więc operacja ta nie byłaby prawdopodobnie decydująca bez znacznego wsparcia polskich wojsk specjalnych wykonujących dodatkowe akcje na Białorusi. Niemniej jednak cel takiej operacji jest czysto taktyczny: osłabienie ewentualnej rosyjskiej ofensywy rozwijającej się w Polsce, i to na tyle, aby nasze siły wygrywały w określonych oknach czasowych w „strefie śmierci", między Warszawą a Siedlcami.

## OBRONA POLSKI

Główny zamysł bitwy manewrowej na terenie Polski polegałby na odcięciu rosyjskich wojsk pierwszorzutowych od ich podstawy operacyjnej dzięki „kalibrowanemu" oddziaływaniu bojowemu specjalnie wydzielonych do tego zadania jednostek w „strefie nękania" złokalizowanej między granicą państwa a linią Siedlce–Łomża, z zakłóceniem rosyjskich ciągów logistycznych (niezbędnych do obsługi tak intensywnej operacji manewrowej), oddzieleniem batalionowych grup bojowych nacierających w kierunku Warszawy od doskonałej rosyjskiej artylerii i systemów obrony powietrznej średniego i dalekiego zasięgu, które będą podążać za batalionowymi grupami taktycznymi, oraz osłabieniem działania rosyjskich systemów zapewniających rozpoznanie taktyczne i operacyjne konieczne w „strefie śmierci", a gdyby się udało — także w „strefie nękania". Na tak „ukształtowanego" przeciwnika zostanie wyprowadzonych wiele bardzo intensywnych uderzeń z różnych kierunków — na tyły i flanki, dzięki przygotowaniu terenu i specjalnie zorganizowanym i szkolonym oddziałom rajdowym 18. Dywizji oraz uzyskaniu lokalnej przewagi w świadomości sytuacyjnej i manewrze po bardzo krótkich liniach wewnętrznych.

Rajdy z różnych kierunków: z przodu, z tyłu, ze wschodu, z zachodu, z południa, utrudnią przeciwnikowi utrzymanie świadomości sytuacyjnej i uniemożliwią skupienie wysiłku na ruchu na Warszawę. Z punktu widzenia Rosjan problem będzie narastać z każdą godziną bitwy w „strefie śmierci" i będzie się stawał coraz bardziej uciążliwy, a rozwój wydarzeń dla dowództwa rosyjskiego będzie coraz bardziej niepokojący. Krótkie, ale bardzo intensywne rajdy z naszej strony na rozpoznanego przeciwnika na zatomizowanym (rozproszonym) polu walki, z własną lokalną przewagą świadomości sytuacyjnej (jak w kampanii letnio-jesiennej 1667 roku hetmana Sobieskiego), na naszym własnym terytorium, staną się dla Rosjan bardzo kłopotliwe, zwłaszcza że będą odsunięci od swojej podstawy operacyjnej i tym samym będą mieli utrudnioną logistykę.

Nie wolno przy tym popełnić błędu. Nie można mianowicie zrealizować takiej taktyki przez zmasowanie całych batalionów, brygad i ich późniejsze przemieszczanie na długich dystansach i w całej masie w poszukiwaniu przeciwnika i bezpośredniego z nim starcia. Tak się to robiło w XX wieku i zbyt często nadal się tak myśli w Polsce. To się musi natychmiast zmienić wraz ze wszelkimi konsekwencjami dla szkolenia (także oficerów), wyposażenia i logistyki.

Jak już podkreślałem, Polska musi szkolić swoje pododdziały 18. Dywizji do walki w ten wysoce zdecentralizowany sposób. Czołgi pozostają potężną bronią, jeśli mogą dostać się na pole bitwy, ale coraz większe możliwości rozpoznawcze i użycie artylerii oraz amunicji krążącej przeciw naszym oddziałom oznacza, że czołgi będą wymagały ukrycia aż do momentu idealnego do uderzenia.

Wojska specjalne Rzeczypospolitej byłyby głównym orężem na niskich szczeblach eskalacji prowadzącej do rozpoczęcia bitwy manewrowej i optymalnym orężem, by kontrolować eskalację w celu uruchomienia artykułu 5 traktatu waszyngtońskiego. Wojska specjalne w czasie fazy przedkinetycznej muszą zostać przesunięte pod samą granicę i pod jednostki przeciwnika, a nawet za jego linie. Jako siły w pełnej gotowości bojowej i w pełnej obsadzie, często ćwiczące wyjścia alarmowe z koszar. Maksymalizacja gotowości bojowej i sprowadzenie obecnych jednostek do pełnej obsady to rzecz ważniejsza niż zwiększenie liczby wojska i jego struktury organizacyjnej.

Niezależnie od skali zagrożenia przez rosyjski kompleks rozpoznawczo-uderzeniowy dalekiego zasięgu, w tym pociski manewrujące i balistyczne, Białoruś jest śmiertelnym zagrożeniem dla Polski, jeśli stanowi bazę wypadową dla manewrowych sił rosyjskich. Ale oczywiście także dla rosyjskiego kompleksu rozpoznawczo-uderzeniowego, który skraca jakże istotny dystans i czas na reakcję strony polskiej. Stąd lepszą opcją będzie aktywna obrona z możliwością uderzeń wyprzedzających na gromadzące się siły wroga na wschód od Bugu. Dotyczy to zarówno ataków lotnictwa polskiego, dronów uderzeniowych, artylerii i pocisków manewrujących, a może w przyszłości także hipersonicznych czy balistycznych, jak i manewru rajdowego w celu wyeliminowania zagrożenia ze wschodu, zanim się ono zmaterializuje.

Białoruś jako baza wypadowa dla Rosjan wymusza zmianę stacjonowania i uszykowania wojska polskiego oraz planowania wojennego, podobnie jak rozbiór Czechosłowacji przed ostatnią wojną światową w istotny sposób wyeliminował szansę na sukces Polski w wojnie wrześniowej 1939 roku, zwłaszcza przy ówczesnej geopolitycznej potrzebie kordonowego uszykowania obrony państwa. Dla Ukrainy zagrożenie pojawia się od granicy północnej, blisko Kijowa i głównych dróg kraju na zachód, zagrażając ukraińskiej komunikacji z Polską i Zachodem. Przebieg wojny w 2022 roku, zwłaszcza na początku, potwierdził te obserwacje. Rosjanie próbowali zdobyć Kijów z kierunku białoruskiego i wciąż pozostaje dla mnie zaskoczeniem, dlaczego nie wykonali oni z Białorusi uderzenia przez Wołyń na południe, by przeciąć linie komunikacyjne pomocy wojskowej dla Ukrainy, płynącej niestrudzenie i w dużej ilości z polskiego Podkarpacia i wschodniej Polski.

Polska powinna podpisać umowy dwustronne z Ukrainą i Litwą dotyczące dostępu wojskowego do przestrzeni powietrznej tych państw i do ich terytorium w celu rozmieszczenia polskich oddziałów w obszarach granicznych, po obu stronach granicy, oraz w okolicach Mariampola na Litwie i na Wołyniu na Ukrainie. To pozwoli utrudnić Rosjanom planowanie logistyczne zarówno na południu, jak i na północy Białorusi oraz dodatkowo w enklawie kaliningradzkiej.

Nieco komplikuje obronę Polski możliwość ataku znad Bałtyku lub z rosyjskiego obwodu kaliningradzkiego. Ten kierunek jest raczej nieistotny dla głównego wysiłku wojennego. Chociaż wymaga on polskiej obrony, sama obecność tutaj jakiejkolwiek polskiej dużej jednostki prawdopodobnie powstrzyma atak z obwodu. Z tego powodu północna granica Polski pozostanie względnie niezagrożona, a rozstrzygająca kampania będzie się rozwijała na wschód od Wisły i na południe od Warmii i Mazur.

Polskie wybrzeże Bałtyku znajduje się głównie na zachód od Wisły. Teoretycznie na tej linii brzegowej można by wysadzić desant, aby ominąć barierę Wisły i spróbować od tyłu okrążyć Warszawę i inne ważne punkty polskiej infrastruktury, w tym linii obrony stolicy. W rzeczywistości taka operacja z dużą pewnością wymagałaby jednak większych zdolności rosyjskiej piechoty morskiej, niż Rosja może rozwinąć w tej wojnie. Mogłaby prawdopodobnie zmobilizować do takiej ofensywy aż pięć brygad, choć realnie jest bardziej prawdopodobne, że ograniczyłaby się do dwóch. Nawet pięć brygad miałoby trudności z posuwaniem się daleko w głąb Polski bez ustanowienia linii logistycznych z zaopatrzeniem, nie mówiąc już o barierze antydostępowej utworzonej przez polskie nadbrzeżne mobilne baterie Morskiej Jednostki Rakietowej, działające na zachód od Gdańska, które zawsze będą zagrażać desantowi już na pełnym morzu, chyba że zostałyby wyeliminowane w prewencyjnym uderzeniu powietrznym lub rakietowym. Dlatego Morska Jednostka Rakietowa powinna być w ciągłej gotowości jako środek bojowy o wysokiej wartości, który zmienia układ sił na południowym Bałtyku i chroni polskie wybrzeże.

Jeśli chodzi o wystawienie marynarki wojennej, to nawet optymistyczne założenie, że najbardziej prawdopodobny scenariusz będzie polegał na wspólnej sojuszniczej operacji obrony państw bałtyckich i ochronie morskiej linii komunikacyjnej do Zatoki Ryskiej (a możliwość jej powstania jest wątpliwa), nie musi oznaczać konieczności polskich inwestycji w znaczącą flotę nawodną. Taka inwestycja spowodowałaby jedynie zjawisko „białych słoni", czyli pozyskalibyśmy kilka drogich i „wypieszczonych" platform nawodnych dla floty, które na Bałtyku jako wąskim morzu na szelfie kontynentalnym mogłyby być łatwo zneutralizowane z lądu, z powietrza, spod wody itd., zapewne zaraz na początku konfrontacji, obciążając Polskę wizerunkowo jako nieradzącą sobie na drabinie eskalacyjnej i powodując fatalne wrażenie niekompetencji wojskowej. Zatopienie krążownika rakietowego Moskwa i innych rosyjskich okrętów na Morzu Czarnym oraz wycofanie się Floty Czarnomorskiej za Krym powinno dać sporo do myślenia zwolennikom wielkiej rozbudowy polskiej floty nawodnej. Jedyny zysk z posiadania dużych platform dotyczyłby tak zwanej demonstracji obecności w czasie kryzysu poniżej progu wojny kinetycznej lub wspierania działań demonstracyjnych czy też pomocy w wojnie nawigacyjnej. Ale nie jest to wystarczający powód do inwestycji w duże platformy nawodne, które są drogie i kosztowne w utrzymaniu, szkoleniu personelu i po prostu nieopłacalne w kontekście rachunku koszt–efekt. Na Bałtyku dominuje ten, kto dominuje na jego brzegach. W tej chwili w razie wojny Bałtyk byłby morzem niczyim, w każdym razie na pewno stałoby się tak na początku wojny (a to ma największe znaczenie dla Polski). Zamiast zbędnej rozbudowy floty nawodnej należy się zatem skupić na obronie infrastruktury krytycznej i portowej, takiej jak Baltic Pipe, porty w Gdańsku, Gdyni i Świnoujściu, zwłaszcza na wypadek kryzysu i konfliktu poniżej progu uruchomienia artykułu 5 traktatu waszyngtońskiego. Trzeba się skupić na naszych zdolnościach antydostępowych zapewnianych przez Morską Jednostkę Rakietową, która powinna zostać rozbudowana o kolejne systemy.

Warto zaznaczyć swoją obecność morską w czasie pokoju i kryzysu, ale do tego potrzeba przede wszystkim skutecznego (i własnego) systemu świadomości sytuacyjnej, zdolności uderzeń posiadanymi pociskami manewrującymi poza linię horyzontu, kompetentnego lotnictwa oraz małych jednostek patrolowych do ochrony przed penetracją linii brzegowej. Działania morskie na Bałtyku pozostaną zawsze jedynie flanką operacji lądowych. Kwestia zabezpieczenia dostaw gazu skroplonego wydaje się raczej mrzonką. W sytuacji otwartej wojny tego typu zadanie i tak okaże się praktycznie niemożliwe do wykonania własnymi siłami. Bezpieczeństwo energetyczne w wypadku klasycznej wojny będzie zależało od zmagazynowanych rezerw.

Do zabezpieczenia dostaw przed działaniami terrorystycznymi nie są zaś potrzebne wielozadaniowe, wyposażone w zaawansowane uzbrojenie czy niewidoczne dla radarów okręty nawodne.

Z punktu widzenia wojskowego Bałtyk jest morzem zamkniętym. Polska marynarka wojenna, wyposażona w nowoczesne środki bojowe, powinna skoncentrować się na tym akwenie. Jeśli przyjąć dla sił morskich priorytet związany z obroną linii wybrzeża i kontrowaniem działań morskich przeciwnika, nie potrzeba rozbudowywać floty, zwłaszcza nawodnej, w celu prowadzenia operacji poza Bałtykiem oraz intensywnych operacji na pełnym Bałtyku. Jest to nieopłacalne ekonomicznie i wojskowo, a politycznie niesie ze sobą niewystarczające zyski. Budowa i utrzymanie dużej floty, szczególnie nawodnej, sporo kosztuje. Polityczne zobowiązania sojusznicze mogą być wypełniane przez polskie siły powietrzne lub siły specjalne.

Walka powietrzna jest uzależniona od dostępu do nieba. Zapewnienie takiego stałego dostępu wymaga szerokiej gamy środków lotniczych, od nowoczesnych samolotów przez wczesne ostrzeganie z powietrza po tankowanie w powietrzu i środki walki elektronicznej. To złożona sprawa i dość droga opcja, zwłaszcza w razie strategii aktywnej obrony, w której samoloty byłyby podręczną bronią prewencyjną lub wyprzedzającą działania czy plany przeciwnika jeszcze na jego terytorium.

Polska powinna zainwestować przynajmniej w kilka baterii obrony powietrznej programu Wisła (do dyskusji: ile), aby uniemożliwić rosyjskim samolotom pełną dominację w powietrzu i utrudnić Rosjanom osiągnięcie całkowitej dominacji w aplikowaniu przemocy uderzeniami rakietowymi. Nie należy przy tym liczyć na szczególnie wyjątkową skuteczność takich systemów wobec pocisków rakietowych, zwłaszcza że pojawiają się jeszcze trudniejsze do zniszczenia pociski hipersoniczne. Dlatego trzeba zdecydowanie bardziej nastawić się w tym zakresie na rozproszenie, maskowanie wartościowych celów i sprawne naprawianie szkód. Niemniej jakieś elementy systemu obrony powietrznej realizowanej w programie Wisła mogą się przydać, by Rosjanie nie byli w stanie bezkarnie nas ostrzeliwać, demonstrując dominację eskalacyjną bez zaangażowania w bitwę manewrową.

Przestrzeń powietrzna będzie prawdopodobnie nasycona przez obie strony samolotami bojowymi, helikopterami i bezzałogowymi statkami powietrznymi. To z kolei będzie wymagało naszych licznych systemów obrony powietrznej krótkiego zasięgu (SHORAD).

Polska nie może jednak zaniedbywać rozwoju dronowego pola walki, które ma charakter destabilizujący na współczesnym polu bitwy i modyfikuje utarte przekonania o siłach powietrznych. Do samej obrony przeciwko manewrowi rosyjskiemu wykonywanemu w głąb terytorium Polski drony są wystarczające. Do własnego ataku na wrogie cele na głębokość operacyjną i strategiczną wciąż potrzeba samolotów załogowych. Obecnie niszczenie lub przepędzanie z nieba wrogich dronów (zwłaszcza używanych masowo) jest znacznie trudniejsze niż rozprawa z samolotami i śmigłowcami.

W trakcie bitwy manewrowej na wschód od Warszawy przestrzeń powietrzna na niskich wysokościach może być bardzo nasycona platformami bojowymi; można i należy o nią walczyć, a dostęp do niej najlepiej uzyskać za pomocą tanich bezzałogowych statków powietrznych, wśród których należy się spodziewać ciężkich strat. Jeśli Polska będzie umiała zapewnić stałą dostępność własnych dronów w powietrzu nad polem walki w celu uzupełnienia zdolności do prawidłowego rozpoznania przeciwnika i nieustannego przesyłania danych do polskiego systemu świadomości sytuacyjnej, a także do przeprowadzenia uderzenia na nagle zidentyfikowany cel o wysokiej wartości, będzie to wystarczająca kontrola nad polską przestrzenią powietrzną, aby zwyciężyć w bitwie manewrowej, jeśli chodzi o strategię obronną.

Inaczej jest z działaniem ofensywnym, gdy chcemy realizować działania wyprzedzające lub na terytorium wroga. Siły powietrzne RP w istocie przyznają, że do takiej wojny z Rosją potrzeba co najmniej stu sześćdziesięciu nowoczesnych samolotów. W kontekście posiadania w niedalekiej przyszłości wyłącznie samolotów wielozadaniowych F-16 i F-35 oraz lekkich samolotów bojowych z Korei Południowej lista życzeń polskich oficerów lotnictwa zawierałaby jednak także znaczną liczbę myśliwców przewagi powietrznej, które zapewniłyby wymaganą szybkość, wytrzymałość, duży zasięg oraz pułap dający skuteczność w walce powietrze-powietrze. Do tego polskie siły powietrzne potrzebowałyby rodzimego systemu AWACS w ramach naszego systemu pętli decyzyjnej (niekoniecznie na dużej platformie), aby zapewnić horyzont radiolokacyjny poza linią horyzontu i w możliwie dużym zasięgu. Istnieje obawa, że zbyt wiele w zakresie dominacji informacyjnej, świadomości sytuacyjnej i systemu łączności oraz komunikacji zależy od amerykańskiej sieci bitewnej. Uzależnienie zwiększy się, gdy Polska zacznie eksploatować swoje trzydzieści dwie sztuki F-35, które ma pozyskać ze Stanów Zjednoczonych. F-35 nie jest przeznaczony do wykorzystania w działaniach poniżej progu uruchomienia artykułu 5 traktatu waszyngtońskiego ani w jakiejkolwiek indywidualnej akcji prewencyjnej lotnictwa polskiego, ponieważ może działać tylko w ramach amerykańskiego systemu dominacji informacyjnej i za domniemaną zgodą Waszyngtonu, wynikającą ze sposobu funkcjonowania tej platformy bojowej. Ma to swoje dobre i złe strony, ponieważ potencjalnie pozwala na wciągnięcie Stanów Zjednoczonych i ich sił powietrznych do wojny mimo braku zgody politycznej w Waszyngtonie. Ryzyko polega na tym, że F-35 nie zostaną użyte do celów wojennych Polski i zostaną ewakuowane przed początkiem wojny. To drugie jest bardziej możliwe, jeśli wziąć pod uwagę asymetrię interesów i dotychczasowe postępowanie Stanów Zjednoczonych po 1945 roku, starających się unikać uwikłań, które mogą przerodzić się w wojnę amerykańsko-rosyjską na pełną skalę wskutek działań mniejszego sojusznika, jakim jest Polska.

Polska musi dokonać gruntownej przebudowy pasywnych metod obrony swoich lotnisk i infrastruktury przed uderzeniami pociskami samosterującymi i balistycznymi, aby zwiększyć Rosjanom stosunek kosztów do efektów, co może być uzupełniane (ale tylko uzupełniane, a nie zastępowane) przez wprowadzenie takich systemów obronnych jak te przewidziane przez program Wisła. Należy zresztą tak je pozyskać, w takiej konfiguracji, rozmieszczeniu itp., aby upewnić się, że ich zakup daje cokolwiek w rywalizacji eskalacyjnej. Polska ma wiele lotnisk do wystarczającego rozproszenia własnych samolotów, nasze lotnictwo może też działać w razie kryzysu lub wojny, korzystając z lotnisk cywilnych. System obrony powietrznej w ramach programu Narew jest kluczowym elementem proponowanego planu bitwy manewrowej. Siły powietrzne RP potrzebowałyby nowego szkolenia dla pilotów, którzy uczyliby się latać bez zapewnionej dominacji informacyjnej, tak typowej dla wojen amerykańskich z przeszłości — nasi piloci powinni szkolić się tak jak Izraelczycy. Oznacza to latanie z bardziej złożonymi manewrami defensywnymi i ofensywnymi.

**POLSKIE SIŁY KOSMICZNE**

Bezpieczeństwo w XXI wieku zależy od zdolności do działania na precyzyjnym polu walki i wystawienia własnego kompleksu rozpoznawczo-uderzeniowego, a one zależą od zdolności kosmicznych. Jeśli nie zrobimy tego teraz, z czasem staniemy się państwem trzecioligowym. Ujmując rzecz inaczej, będziemy tylko petentem i klientem tych, którzy zdolności kosmiczne posiądą. Bez ich zgody nie będzie naszego systemu świadomości sytuacyjnej, naszego kompleksu rozpoznawczo-uderzeniowego, nie będzie możliwe precyzyjne pole walki, nie mówiąc już o innowacyjnym rozwoju gospodarczym. To jest cena braku decyzji o budowie komponentu wojska w dziedzinie zdolności kosmicznych.

Polska powinna koniecznie w jak największym stopniu wykorzystywać przestrzeń kosmiczną dla swoich systemów rozpoznania, obserwacji, obrazowania i nasłuchu. Obszar od Warszawy na wschód, w kierunku Smoleńska w Rosji, tworzy doskonałą autostradę dla ruchu wojskowego przez rozległe i dobrze skomunikowane równiny Białorusi. Obszar ten wymaga stałej obserwacji i monitoringu ze względu na ryzyko, że stolica zaskoczonej przez Rosjan Polski może być zagrożona. Czynnik zaskoczenia może też pozbawić nasz kraj cennego czasu, co przekłada się na niemożność podjęcia działań niezbędnych do przygotowania do konfliktu, wszelkich działań prewencyjnych, ewentualnie działań wyprzedzających, reakcji dyplomatycznej czy po prostu przygotowania społeczeństwa do wojny. Dlatego właściwe rozpoznanie tego kierunku i pełna wiedza o tym, co tam się dzieje, leży w żywotnym interesie Rzeczypospolitej i jest obowiązkiem jej przywódców. Konstelacje satelitów obserwacyjnych (uzupełnione satelitami z obrazami radarowymi i podczerwonymi) operujących w zakresie widzialnym, poruszających się po swoich orbitach w skoordynowanych odstępach tak zwanych okien obserwacyjnych między Wisłą, Dnieprem i Dźwiną, połączonych z centrami dowodzenia i przetwarzania danych (bez pośredników zagranicznych) zlokalizowanymi w Polsce (najlepiej kilka w różnych miejscach), są absolutną koniecznością w państwie o takim potencjale i położeniu geopolitycznym. Bez tego trudno mówić o pewności siebie w dobie rywalizacji wielkich mocarstw w Eurazji. War-szawscy decydenci nie mogą pozostać obojętni na to, co dzieje się na całym tym terenie, który niejednokrotnie sta-nowił historyczną autostradę przerzutu wojsk z Moskwy do Warszawy. Mając to na uwadze, Polska powinna nie-zwłocznie stworzyć własne możliwości downlinku i uplin-ku do przesyłania danych bez pośredników, wzbogacone o własną stację kosmiczną dowodzenia, nie wspominając o własnych satelitach obserwacyjnych SAR, światła wi-dzialnego i podczerwieni w odpowiednio skonfigurowa-nych konstelacjach, aby stale monitorować interesujący nas obszar z niskiej orbity ziemskiej. Kto wie, może pew-nego dnia Polska zacznie myśleć o wystrzeleniu satelitów manewrujących (stalkerów) na niskie orbity, aby móc ma-nipulować rosyjskimi aktywami i transmisjami na orbicie (*soft kill* i *hard kill*). Nowoczesne satelity mogą w rozmai-ty sposób śledzić satelity wroga na ich orbitach. Niektóre mogą mieć możliwość wyłączania transmisji wrogich sate-litów, co może utrudnić Rosjanom uzyskanie świadomości sytuacyjnej, a przynajmniej sprawić, że poczują się nie-pewnie. Rosjanie są bardzo wyczuleni na takie działania, gdyż ich systemy C2 są wykorzystywane zarówno w woj-nie konwencjonalnej, jak i nuklearnej. Dałoby to Polsce (do pewnego stopnia) możliwość kontrolowania eskalacji horyzontalnej w wypadku wojny z Rosją. Byłoby to w in-teresie Polski — potencjalnie stworzyłoby szansę na wciąg-nięcie do wojny Amerykanów, którzy mogą nie chcieć es-kalacji między mocarstwami.

Należy postawić sobie trzy podstawowe cele: zapewnić polską obecność w kosmosie, czyli mieć zdolności kosmiczne (jakkolwiek buńczucznie to brzmi); zarządzać samodzielnie umieszczonymi tam sensorami i zbieranymi przez nie danymi, czyli nie tylko posiadać, ale także w pełni kontrolować własne zdolności kosmiczne; zapewnić zdolności transportowe na orbity okołoziemskie zarówno poprzez starty wertykalne (rakiety startujące z naziemnych stanowisk w celu wyniesienia ładunków poza linię Kármána), jak i horyzontalne (rakiety wynoszące są najpierw wynoszone przez samoloty, które potem odpalają na dużej wysokości rakiety, a te z kolei wystrzeliwują w ten sposób na orbitę ładunki i dzieje się to z pominięciem najbardziej kłopotliwego dna studni grawitacyjnej).

Można sobie wyobrazić porty kosmiczne w okolicach Ustki czy stanowiska startowe dla horyzontalnych startów nad morzem, a nawet (jak chcą obecnie polscy politycy) — po spełnieniu pewnych warunków — na Podkarpaciu lub w innych miejscach Polski, tak aby zapewnić wystarczająco długi pas startowy (obecnie trzy tysiące metrów) dla dużych samolotów — nosicieli rakiet wynoszących. Polska powinna rozwijać zdolności wynoszenia dla małych wagomiarów ładunków, za to bardzo często, o dużej redundantności, czyli zastępowalności — w razie ich uszkodzenia, zniszczenia lub awarii. Przez częste wynoszenie (czyli uzyskanie elastyczności i responsywności strategicznej) rozumiemy wynoszenie nawet dziesięciu–dwudziestu satelitów w ciągu dwóch–czterech tygodni.

Taka jest tendencja w US Space Force. Im więcej startów, choćby skromnych wagomiarowo, tym lepiej. W przyszłości możliwe będą starty z ruchomych platform morskich czy nawet lądowych, lecz mobilnych; nie należy wykluczać także innych sposobów wynoszenia obiektów na orbity, zgodnie z rozwojem naukowym ludzkości.

To oczywiste, że na współczesnej wojnie nie ma świadomości sytuacyjnej, nowoczesnej bitwy zwiadowczej, wojny nawigacyjnej czy operacji wielodomenowej bez własnych zdolności kosmicznych. Amerykanie posuwają się nawet do twierdzenia, że 90 procent ich zdolności do sprawnego poruszania się w pętli decyzyjnej i do sprawnego działania systemów broni precyzyjnej zależy od systemów umieszczonych w kosmosie, służących do obserwowania, namierzania, naprowadzania efektorów i zapewniania należytego skomunikowania pętli decyzyjnej.

Innymi słowy, transmisja z kosmosu i przez kosmos danych umożliwiających prowadzenie nowoczesnej wojny jest podstawową zdolnością niezbędną do wygrywania. Nawet w razie jej zakłócenia w pierwszych minutach wojny dane zgromadzone podczas obserwacji pokojowych dalej napędzają system wojny. W przyszłości redundantność (taka jest tendencja) i rosnąca liczba systemów w kosmosie uczynią trudniejszym ostateczne zagłuszenie czy zniszczenie całego systemu.

Nasz kraj musi sobie postawić zadania w obszarach związanych z kosmosem: rozumienie, co się dzieje w kosmosie, czyli zagwarantowanie sobie orientacji kosmicznej na orbitach i w przesyłach danych (tak zwana kontrola manipulowania niebiańskimi niefizycznymi liniami komunikacyjnymi) oraz zapewnienie sobie dzięki temu precyzji na polu walki. Precyzja zależy od sensorów i sposobu przesyłu danych zapewniających świadomość sytuacyjną. Ich działanie i jakość są determinowane jakością usługi kosmicznej. Jej wysoka jakość daje należyte rozpoznanie, wykrywanie, namierzanie, naprowadzanie, podsłuchiwanie, celowanie, komunikację itp. Zapewnia też należyty i niezależny dostęp do usług kosmicznych ze względu na potrzebę posiadania własnego ISR (*intelligence, surveillance, reconaissance*), czyli zbierania informacji z wywiadu, nasłuchu i rozpoznania, dostępu do usługi nawigacyjnej, zapewnienia usług telekomunikacyjnych, wczesnego ostrzegania przed zagrożeniami, dostępu do ważnych informacji, na przykład meteorologicznych i innych danych tego rodzaju związanych z naturą wszechświata, a służących do prowadzenia nowoczesnej wojny.

Musimy sobie otwarcie i uczciwie odpowiedzieć na pytanie, które z tych usług zapewniamy sobie w Polsce sami, a do jakiego stopnia możemy się w tym zakresie zgodzić na zależność od innych państw.

Kluczowy zatem jest poziom autonomii, która polega na tym, że sami owe systemy budujemy, wynosimy na orbity, potem utrzymujemy i uzupełniamy, dowodzimy nimi i je naprawiamy, kontrolując przy tym przesyłanie danych, zajmując się ich gromadzeniem i analizowaniem. Musimy to dobrze przemyśleć, mając na uwadze zawsze mniej lub bardziej ograniczone możliwości finansowe i organizacyjne.

Uważam, że zdolności ISR powinniśmy mieć całkowicie własne i niezależne od nikogo. Zdolności do usługi nawigacyjnej będzie bardzo trudno uzyskać samodzielnie, więc powinniśmy poszukiwać redundancji: oprócz GPS należy używać Galileo, Beidou i innych systemów, na tyle, na ile umożliwiają to uwarunkowania polityczne. Poza tym powinniśmy już teraz szukać systemów nawigacji niezależnych od kosmosu (i tym samym od woli wielkich mocarstw kosmicznych), takich jak system inercyjny lub inne, które zostaną opracowane w przyszłości. Musimy zacząć tworzenie zdolności do wojny precyzyjnej od podjęcia wyzwania w wojnie nawigacyjnej. Należy przez to rozumieć na przykład pozyskanie zdolności, by rozpoznawać jakość sygnału GPS, uzyskanie map zakłóceń sygnałowych przeciwnika, rozeznanie podejścia Amerykanów do zmiennej mocy sygnału i zakłócania sygnału amerykańskiego GPS nadawanego ze średniej orbity okołoziemskiej (MEO). Możemy na przykład zaplanować trasy, gdzie da się określić, że jakość sygnału GPS na nich nas zadowala albo odwrotnie — nie zadowala; będziemy dzięki temu wiedzieli, gdzie są „oazy transmisyjne" wolne od oddziaływania wroga, bo przetestujemy je jeszcze w czasie pokoju. W razie operacji wojskowych w danym regionie Amerykanie zakłócają cywilne transmisje GPS, przesuwając siatkę sygnałową na przykład o siedemset metrów w bok. Oprócz tego mają oni także możliwość wprowadzenia specjalnego wygenerowanego i kodowanego błędu do sygnału wojskowego GPS, tylko sobie pozostawiając klucz dekodujący ów błąd. W tym duchu zresztą musimy umieć codziennie oceniać jakość usług satelitarnych oraz kosmicznych i sprawdzać, czy ktoś nam skrycie nie obniża jakości sygnału.

Jeśli chodzi o zdolności telekomunikacyjne, należy nieustannie, mozolnie i konsekwentnie budować coraz większe zdolności własne, tak by za dziesięć–piętnaście lat mieć elementy, które już w pełni sami będziemy kontrolować. Pamiętajmy: era nowej domeny działalności człowieka, jaką staje się kosmos, dopiero się rozpoczyna; daje to szanse państwom średnim, takim jak Polska.

W wypadku wczesnego ostrzegania, to gdy zagrożenie pochodzi z naszego obszaru lub z obszaru sąsiedniego albo jest zlokalizowane w naszym regionie bezpieczeństwa, cały system wykrywania takiego zagrożenia powinien należeć wyłącznie do nas.

Gdy zagrożenie dotyczy całego świata lub większego obszaru (rakiety balistyczne i hipersoniczne mają teraz globalne zasięgi), powinniśmy wystawiać takie zdolności razem z sojusznikami. Nie mamy tu jednak na myśli sztywnych sojuszy kolektywnych, ale raczej porozumienia z państwami myślącymi podobnie o potencjalnych zagrożeniach, państwami, które są w podobnej sytuacji geopolitycznej i mają podobne horyzonty patrzenia. Albo których geografia ziemska sprzyja usytuowaniu właśnie w nich systemów kontroli sensorów kosmicznych ze względu na źródło zagrożenia i zasady astrofizyki lub wskutek takiego, a nie innego przebiegu fizycznych i niefizycznych „niebiańskich" linii komunikacyjnych, łączących miejsca startowe lub przesyłowe z systemami w kosmosie. Może Korea Południowa lub Australia?

Tak zresztą robią na przykład Amerykanie. Ściśle współpracując z Australią czy wyspami południowego Pacyfiku, wykorzystują oni geografię i brak sprzeczności geopolitycznych. Z takimi partnerami powinniśmy i my budować infrastrukturę kosmiczną związaną z wykrywaniem zagrożeń, a potem wspólnie z niej korzystać.

Dostęp do danych z wszechświata, które mogą wpłynąć na wojnę, przerasta nasze możliwości, choćby były nie wiadomo jak potężne. Zatem wymaga on koordynacji globalnej architektury kosmicznej, zarówno dla rozwoju cywilnego, jak i dla wojny — w wypadku wojny oczywiście tylko w ramach wojskowych bloków sojuszniczych. Przy czym porozumienia w tym zakresie będą miały znaczenie dla udziału Polski w podbijaniu kosmosu i rozwoju technologii kosmicznych, w tym w tworzeniu gospodarki kosmicznej i powstawaniu łańcucha wartości tej gospodarki (w którym chcemy wziąć udział jako w nowym skomunikowaniu przyszłości).

Musimy zatem być w kosmosie i realizować tam własne zdolności, by nie spaść do trzeciej ligi państw. Pozostaje pytanie, jak w szczegółach rozpisać scenariusz budowy dostępu do wszystkich powyższych usług kosmicznych.

Nasuwa się następująca refleksja: współczesne satelity mogą mieć rozbudowane zdolności do śledzenia poczynań satelitów przeciwnika na orbitach. Niektóre mogą mieć wbudowane zdolności do wyłączania transmisji wrogich satelitów, co może utrudniać Rosjanom uzyskanie dominacji w zakresie świadomości sytuacyjnej, a przynajmniej wywołać ich niepewność. Rosjanie są bardzo wrażliwi na takie działania, ponieważ ich systemy C2 i C5 służą zarówno do wojny konwencjonalnej, jak i nuklearnej. To dawałoby Polsce (do pewnego przynajmniej stopnia) możliwość kontroli horyzontalnej eskalacji na wypadek wojny z Rosją, co w razie ataku ze strony Rosji może stworzyć okazję do wciągnięcia do wojny Amerykanów, którzy bez tego mogą nie mieć ochoty na włączenie się w nią. Nie należy ponadto zapominać, że dokonuje się rozwój systemów uzbrojenia kierowanego energią (między innymi laserami i wiązkami mikrofal), również w kosmosie, do czego przyznał się w czerwcu 2021 roku podczas przesłuchania w Kongresie dowódca US Space Force. Koszty takich systemów będą się zmniejszać i może się kiedyś o nie pokusimy. Innymi słowy, nie musi być tylko tak, że systemy antysatelitarne, czy to do rażenia z powierzchni planety, czy ponad nią — z innych orbit — są tylko i na zawsze zarezerwowane dla bogatych mocarstw. Systemy te dzielą się na *hard kill* — kinetycznie niszczące cel (są raczej drogie i wciąż skomplikowane technologicznie) — i *soft kill*, które eliminują cel niekinetycznie: oddziaływaniem elektromagnetycznym, elektronicznym lub fizycznym zbliżeniem, podczas którego niszczą sensory lub wytrącają obiekty z orbit w trakcie niby pomyłkowego zderzenia lub kolizji (tańsze, coraz prostsze technologicznie) — ich postępującej proliferacji należy się spodziewać.

Pojazdy orbitalne, najczęściej wyglądające jak regularne satelity, zwane stalkerami, jako systemy *soft kill* umożliwią też wywoływanie strategicznej niejasności, czy atak był celowy i czy właściwie naprawdę do niego doszło (a nie był to tylko wypadek). Nie zawsze wiadomo nawet, kto za takim atakiem stoi. Dla państw średnich, takich jak Polska, które będą starać się zwiększać państwom takim jak Rosja koszty narzucenia swojej woli politycznej przez zachwianie ich pewności co do dominowania w eskalacji przemocy (dzięki domniemanej przewadze rosyjskiego kompleksu rozpoznawczo-uderzeniowego i systemom rosyjskim w kosmosie), będzie to rozwiązanie idealne. Zresztą w kosmosie sens mają przede wszystkim działania ofensywne, a nawet wyprzedzające ruch przeciwnika. Dzieje się tak ze względu na naturę dominacji informacyjnej, prędkość jej przesyłu w kosmosie oraz właściwości fizyczne kosmosu.

Wraz z rosnącym znaczeniem systemów w kosmosie i postępującą rywalizacją wielkich mocarstw skutki dużej polityki będą coraz wyraźniej odczuwalne. Pojawią się integratory zdolności kosmicznych, które mocarstwa dominujące będą proponować swoim państwom-klientom, zabiegającym o gwarancje bezpieczeństwa i umożliwienie dostępu do ważnych rynków. Stanie się to istotne dla prowadzenia zarówno biznesu, jak i wojny. Mam na myśli systemy wynoszenia, regulacje kształtujące rynek kosmiczny i zasady jego działania, jak już obecnie ma się sprawa z Artemis Accords. Spowoduje to najpierw powstanie łańcucha wartości, a potem jego podział.

Polskie Centrum Dowodzenia i Zdolności Kosmicznych, które śmiało i bez fałszywej skromności można w przyszłości nazwać Centrum Sił Kosmicznych spinającym uplink i downlink (czyli przesył danych z Ziemi na orbity i z powrotem oraz sterowanie systemem naszych obiektów w kosmosie), to segment naziemny sił kosmicznych RP, który stanowi kluczowy element kontroli zdolności kosmicznych. Będzie ono przesyłać wielkie ilości danych w obie strony i potem poziomo już do połączonego systemu świadomości sytuacyjnej, zapewniając zdolności do ich stosownego przetwarzania i rozkazodawstwa dla systemów kosmicznych.

Musi się składać ze stacji głównej, stacji redundantnej (rezerwowej, zastępczej w razie wyeliminowania głównej) i stacji mobilnej trudnej do namierzenia przez przeciwnika na ziemi. Należy pamiętać, że w razie wojny będą to obiekty, które natychmiast staną się celem ataku Rosji (jeśli oczywiście pozyskamy zdolności kosmiczne, z którymi Rosja będzie się liczyć). Taki atak, gdyby był skuteczny, od razu wyeliminowałby nasze zdolności kosmiczne, a zatem zapewne sporą część naszego kompleksu rozpoznawczo-uderzeniowego i system świadomości sytuacyjnej, bo Centrum Sił Kosmicznych stanowiłoby serce tego kompleksu.

Kupując urządzenia i systemy do funkcjonowania Centrum Sił Kosmicznych, trzeba wiedzieć, od kogo je nabywać, i dobrze się nad tym zastanowić. Zalecam, by tak związać zagranicznego dostawcę systemów do funkcjonowania Centrum, żeby w razie zniszczenia naszych stacji downlinku i uplinku można było korzystać z naziemnych stacji dostawcy na jego własnym terytorium, aby dalej mieć zdolność do operowania naszymi systemami w kosmosie.

Tak funkcjonujące Centrum Sił Kosmicznych będzie integratorem zdolności kosmicznych na wszystkich „stykach" usług i zdolności niezbędnych do prowadzenia operacji kosmicznych wraz z kontrybucją do całościowego połączonego systemu odporności państwa. Centrum umożliwi reagowanie na zagrożenia, a także ocenę zachowania przeciwników i sojuszników. Tam będą się dokonywały integracja wiedzy i zarządzanie transmisjami wpiętymi w jeden system świadomości sytuacyjnej, stanowiący de facto serce kompleksu rozpoznawczo-uderzeniowego i bramę do przyszłości rozwoju gospodarczego oraz innowacji technologicznych.

Przed naszą drogą ojczyzną trudne zadanie zbudowania środowiska intelektualnego, mentalnego i kulturowego, które sprzyjałoby wykorzystywaniu przestrzeni kosmicznej w siłach zbrojnych RP i w ogóle w całym systemie odporności państwa. Rozumienie znaczenia kosmosu oraz realnych możliwości wykorzystania go przez państwo takie jak Polska wydaje się pozostawać obecnie poza zdolnościami poznawczymi lub rozumieniem klasy politycznej, a nawet szeroko pojętych elit państwowych Rzeczypospolitej. Społeczeństwo zapewne też nie wierzy w takie — wydawałoby się — „cuda", że moglibyśmy realnie osiągnąć potrzebne zdolności kosmiczne, aby wojsko oraz system odporności państwa mogły z nich korzystać na co dzień. To wymagałoby również kształcenia wielkiej liczby personelu, nowej organizacji i przełamania wielu starych zwyczajów. Innymi słowy, niezbędna nam jest zmiana kulturowa.

Tak, wiem, brzmi to wszystko abstrakcyjnie. Polska i siły kosmiczne. Polska i aktywna obrona na przedpolu, polskie strategie nuklearne, siły powietrzne z prawdziwego zdarzenia, drony, robotyka i sztuczna inteligencja. Sojusz z Ukrainą, skomunikowanie północ–południe, wojna o podmiotowość Międzymorza. Armia Nowego Wzoru. Zmiany kulturowe i nowoczesność... Trochę tego dużo. Ale czasy, które przed nami, będą bardzo wymagające.

W 2022 roku systemowy konflikt między Stanami Zjednoczonymi a Chinami stał się oczywisty, historia przyspieszyła. Stawka dla nas i dla świata jest ogromna. Klucz stanowi panowanie nad sprawami Eurazji — tego wyjątkowego kontynentu, gdzie dokonuje się historia świata i przetaczają się wojny światowe. Przez Eurazję (i wokół niej) prowadzą najważniejsze lądowe i morskie szlaki handlowe i transportu energii. Eurazję splecioną pajęczyną globalnych łańcuchów dostaw i podziału wartości w światowym podziale ról i pracy. Wojna na Ukrainie, przy pomocy której (szybko rozstrzygniętej) Rosja wyraźnie chciała „poprawić" swoją pozycję negocjacyjną w wielkiej systemowej rywalizacji o Eurazję między Chinami a Ameryką, uruchomiła konieczność „ustawiania się" wielkich mocarstw wobec wojny nad Dnieprem i wobec ujawnionych wojną interesów. Do tego dochodzi amerykańsko-chińska rywalizacja technologiczna, gospodarcza i informacyjna, a lada moment zapewne również finansowa, oraz przyspieszający wyścig zbrojeń. To rozpoczyna epokę wojny światowej, która będzie nieco inna niż poprzednie wojny światowe, bo skalowalna. Rodzące się po wielkich wojnach kolejne pokolenia żyły w przekonaniu, że nowy konflikt z pewnością ich nie dotknie. Wojna dotykała bowiem tylko ludzi z przeszłości, tych, o których uczono się w szkołach, z zaciekawieniem spoglądając na czarno-białe zdjęcia lub stare ryciny. Tymczasem ludzkość miała wyciągnąć wnioski i nauczyć się żyć bez wojen oraz ostatecznie pojąć, że porozumienie jest lepsze niż wzajemne zabijanie.

To oczywiście zawsze pozostawało złudzeniem, ponieważ wojna umie się upomnieć o Bogu ducha winnych, by wciągnąć nas w wir wydarzeń, uruchamiając przy okazji wielkie emocje społeczne, bez których — jak pisał Clausewitz — nie ma wojny i nie można zrozumieć jej przebiegu. Wielkie emocje społeczne towarzyszą również podczas obecnej wojny społeczeństwu polskiemu, nieuczestniczącemu przecież bezpośrednio w konflikcie zbrojnym. Przeżywamy każde stracone ukraińskie miasto, każdy najmniejszy nawet sukces armii ukraińskiej, nie mówiąc już o pomocy milionom uchodźców i dostarczanym na wojnę sprzęcie.

W tym starciu o świat wojna kinetyczna między Stanami Zjednoczonymi a Chinami na zachodnim Pacyfiku staje się niestety bardzo prawdopodobna. Powstała bowiem krytyczna nierównowaga w systemie światowym i trudno sobie wyobrazić, by można ją było w przewidywalnym czasie naprawić bez uciekania się do przemocy i użycia siły, a taka eskalacja w naturalny sposób prowadzi do wojny. Sytuacja wokół Tajwanu, a wcześniej ultimatum Rosji z grudnia 2021 roku wobec Ukrainy są tego dobitnym dowodem.

Nasze „najlepsze miejsce na świecie" zasługuje na to, byśmy się na nowe czasy należycie przygotowali i oczywiście przygotowali się także na czas, który nastanie po wojnie, bo konflikty się kiedyś kończą. Zasługujemy na to, by wygrać wojnę, a potem pokój, i zmienić na zawsze nasz skołatany przez historię region. Dać sobie szansę na dostatnią i bezpieczną przyszłość w tym pięknym przecież kraju, gdzie życie ma niespotykany nigdzie indziej smak.

Mamy do zrobienia bardzo wiele i nie wszystko zależy od naszych przeciwników. Większość zależy od nas, przede wszystkim od głębokich zmian w nas samych. Od tego nawet, jak debatujemy o strategii, jaką tworzymy jakość, jaką mamy klasę polityczną i czego od niej wymagamy, jak ona funkcjonuje i jaką mamy determinację, by zmienić własny kraj. Tej zmiany na lepsze nam wszystkim życzę. Po trzydziestu latach niepodległości nadchodzi test dla naszego państwa. Może powstać zupełnie nowy układ geopolityczny w naszej części świata, który da nam oddech i wielkie perspektywy. Wraz z przełomami dokonują się wielkie zmiany. Oby ich rezultat był korzystny dla naszej ojczyzny!

# SPIS TREŚCI

Wydanie pierwsze

*Opieka redakcyjna*
Małgorzata Gadomska

*Konsultacja*
Marek Budzisz

*Zespół redakcyjno-korektorski*
Marek Bartosik, Ewa Kochanowicz, Michał Kowal,
Pracownia 12A, Aneta Tkaczyk, Anna Wojna

*Projekt wnętrza książki, okładki i stron tytułowych*
Krzysztof Iwański

*Ilustracje i projekt map*
Jan Lipiński

*Redakcja techniczna*
Robert Gębuś


Printed in Poland
Wydawnictwo Literackie Sp. z o.o., 2023
ul. Długa 1, 31-147 Kraków
bezpłatna linia telefoniczna: 800 42 10 40
księgarnia internetowa: www.wydawnictwoliterackie.pl
e-mail: ksiegarnia@wydawnictwoliterackie.pl
tel.: (+48-12) 619 27 70
Skład i łamanie: Infomarket
Druk i oprawa: Drukarnia Pozkal

ISBN 978-83-08-08071-9